Après la guerre

L'Homme aux lèvres de saphir
Derniers Retranchements
Les Cœurs déchiquetés

Hervé Le Corre

Après la guerre

*Collection dirigée
par François Guérif*

Rivages/noir

Si l'arrière-plan de ce roman repose sur des faits historiques connus de tous, les personnages et les situations qu'ils vivent relèvent de la seule imagination de l'auteur. Toute ressemblance avec une personne vivante ou ayant vécu serait purement fortuite.

1

Un homme est sur une chaise, les mains liées dans le dos. Il ne porte qu'un slip et un gilet de peau, il ne bouge pas, mâchoire pendante, menton sur la poitrine, et il respire par la bouche d'où s'étire, depuis les lèvres éclatées, un filet de bave sanguinolente. Sa poitrine est secouée à chaque inspiration par des sanglots, peut-être, ou des haut-le-cœur. Son arcade sourcilière droite est ouverte et saigne sur l'œil gonflé qui n'est plus qu'un œuf noirâtre. À son front bleuit une bosse énorme. Du sang a coulé de sa figure sur son maillot de corps. Il y en a aussi par terre.

La pièce est seulement éclairée par la lampe suspendue au-dessus du billard qui dispense un cône de lumière jaune et laisse dans l'ombre le reste : quatre tables de bistrot, rondes, et leurs chaises rangées autour, un tableau de marque, un meuble de rangement. Il y a bien des appliques fixées aux murs, avec de petits abat-jour verts, mais sans doute personne n'a-t-il jugé bon de les allumer.

Autour de l'homme assis se tiennent trois types qui pour le moment ne disent rien et se contentent de fumer, debout. Ils sont un peu essoufflés, on entend leurs respirations saccadées s'apaiser peu à peu. L'un d'eux, surtout, corpulent et grand, tousse et s'étouffe presque et finit par écraser sa cigarette sous son soulier. Manches retroussées sur des muscles puissants.

Son ventre proéminent tend les pans de sa chemise et tire sur les boutons qu'on croirait sur le point de sauter. Il a des cheveux très noirs, bouclés, et ça donne à sa face ronde l'air d'un séraphin de méchante humeur, sourcils froncés, bouche tordue, yeux très clairs percés de grosses pupilles clouées en cet instant dans la nuque de l'homme inanimé sur la chaise.

– Bon, qu'est-ce qu'on fait ?

Les deux autres regardent eux aussi l'homme inanimé, l'air songeur, et ils semblent n'avoir pas entendu la question. Le plus âgé s'approche de l'homme inconscient. Il examine le visage tuméfié, claque des doigts près d'une oreille.

– Il faut le réveiller. Il tient pas le choc, ce con.

Il se redresse et frappe l'homme du plat de la main sur le haut du crâne.

L'homme sursaute, écarquille son œil encore valide.

– Tu sais où tu es ? Tu sais pourquoi t'es là ? Tu te rappelles ? Ho ! tu m'entends ?

L'homme gémit en hochant la tête. Peut-être un oui produit au fond de sa gorge.

– Penot, tu connais ? Bien sûr que tu connais. Nous, on veut celui qui l'a saigné l'autre jour. Rien d'autre. Alors tu nous dis où est Crabos et on te laisse rentrer chez toi. T'as compris ?

Le gros soupire, se racle la gorge puis crache par terre. Il respire mieux, il rallume une cigarette. Son briquet américain cliquette. Le troisième type s'est assis sur une chaise, accoudé à une table, les jambes étendues, pieds croisés. Il regarde sa montre. On n'entend que le halètement du supplicié.

– On perd du temps, observe celui qui a regardé l'heure. Presque minuit, putain. Il dira rien.

– Mais si, il va parler. Hein, que tu vas parler ! Tiens-lui la tête !

Le type se lève, ôte sa veste, remonte ses manches et

saisit l'homme par le cou et l'étrangle au creux de son coude. Le plus âgé allume une cigarette, aspire vivement la fumée et regarde rougeoyer le tabac incandescent, puis s'approche de l'homme qui pousse à présent des cris étouffés par le bras en étau qui lui serre la gorge.

– Où est Crabos ? On le sait qu'il aurait massacré Penot à la première occase vu ce que l'autre a fait à son frangin pendant l'occupation. On sait que c'est lui, ou un de ses copains. Alors dis-nous, putain, ou on te fait morfler jusqu'à tant que t'en crèves.

Il promène la cigarette autour de l'œil droit de l'homme.

L'autre parvient à râler qu'il ne sait pas. Un crachotement de mots. Des postillons sanglants. Puis il hurle quand le bout de la cigarette s'écrase juste sous son œil, et celui qui le tient a du mal à l'empêcher de secouer la tête et de se convulser au point que la chaise bouge, dont les pieds grincent faiblement sur le parquet. Le gros vient à la rescousse et lui plaque les mains sur les tempes avec l'air contrarié de celui que ce genre d'obligation routinière lasse et agace.

– Ferme ta gueule, il ajoute. Et réponds à Albert si tu veux pas rester borgne.

Il a parlé sans élever la voix, sur le ton du conseil impatient. Ses pognes sur cette tête ensanglantée font comme un casque dont les doigts épais seraient la visière.

Celui qui se nomme Albert éloigne la cigarette et en tire une bouffée. Odeur de peau et de chair brûlées. De la fumée flotte sous la lampe du billard, épaisse et nonchalante. Il fait signe aux deux autres et s'approche à nouveau. Il pointe la braise de tabac tout près du coin de l'œil.

– Tu vois, si c'était Penot, il t'aurait déjà fait ta manucure, il faisait toujours ça aux tapettes quand il en flairait une, et elles se mettaient plus de vernis aux ongles pendant un moment ! Et ta queue serait déjà branchée sur le 110. Tu vois, c'est mieux qu'il soit mort, d'un côté. Mais nous, on sait faire aussi. D'autres trucs. On va te travailler au canif, comme un goret.

Le type secoue la tête. Il geint qu'il n'a rien fait, que ce n'est pas lui. Qu'il ne sait pas. Des larmes coulent sans cesse sur ses joues.

— Arrête de chialer, ça nous fait de la peine. Dis-moi juste où je peux trouver le Crabos ou je te fais bouillir l'œil en écrasant ma clope dedans, pauvre con. Tu vas me servir de cendrier toute la nuit, s'il faut.

Les deux autres immobilisent l'homme comme ils l'ont fait précédemment. Ils sont calmes, méthodiques. Appliqués. Ils ne trahissent aucune impatience, aucune colère. Peut-être un peu de lassitude se lit-elle sur leurs visages luisants. L'homme essaie de se débattre, mais ça ne sert à rien, vu l'espèce de camisole de bras et de mains qui l'enserre. Deux ou trois cils grésillent déjà et ça sent aussitôt le poil grillé. Le hurlement que pousse l'homme les fait sursauter tous les trois. Albert recule d'un pas, tenant sa cigarette entre pouce et index. L'homme gémit et râle et s'étrangle, des glaires plein la gorge, et ne se débat même plus, trop occupé à respirer, puis il éructe, projetant son buste si violemment que la chaise manque basculer.

— Rue du Pont-de-la-Mousque ! Il est chez Rolande avec sa pute dans une piaule pour la nuit ! Demain, il part en Espagne passer l'hiver. Il dort plus chez lui depuis une semaine, il dit que c'est pas sûr parce que les autres ils le cherchent à cause de Penot.

Il demeure hors de souffle, affaissé, la tête basse. Sa poitrine est secouée d'une respiration hachée, ses poumons sifflent comme des chambres à air crevées.

— Ça nous laisse un peu de temps, dit Albert.

Il fait un signe au gros et l'autre sort de sa poche de pantalon un couteau dont il déplie la lame et il reste debout à regarder luire l'acier, le présentant sous tous les angles à la lumière chiche. L'homme sur sa chaise tord sa gueule de pleurs silencieux. Puis il parvient à articuler, d'une voix geignarde, qu'ils ne peuvent pas faire ça, qu'il leur a dit ce qu'ils voulaient savoir.

Le gros se cure un ongle de la pointe du couteau. Il se marre.

– Faire quoi ? demande-t-il en jouant les étonnés. Tu crois qu'on va te charcuter ici ? Qu'est-ce que t'imagines ? Pour en mettre partout ? Saloper le plancher avec ton sang pourri ? C'est toi qui fais le ménage peut-être ? La daronne va gueuler si on lui dégueulasse sa salle de billard.

– C'est bon, on y va, maintenant. Francis, va chercher la voiture.

Albert lui lance des clés. Francis essuie avec un grand mouchoir le sang qu'il a sur les mains et les avant-bras puis enfile son veston et passe un manteau qu'il a récupéré sur une table.

La rue traîne quelque part derrière la gare, bosselée de gros pavés, coupée souvent par des rails où viennent des fois gronder des motrices diesel remorquant des wagons de marchandises. Personne. On entend au loin grincer de la ferraille, un chien gueuler. Ils poussent leur prisonnier à l'arrière de la voiture. Il pleure.

Ils roulent sans rien dire. Albert au volant, Francis à côté de lui. Derrière, le gros et l'homme qu'ils ont torturé. Ils ont appelé le gros Jeff, tout à l'heure, en démarrant. Ils ont parlé à l'homme sans jamais le nommer. Ils lui ont lié les mains dans le dos avant de le faire s'asseoir. Ils n'ont pas pris le temps de le laisser se rhabiller alors maintenant, en sous-vêtements sur le skaï de ce siège de voiture, il grelotte de froid et il renifle et il claque des dents. Son nom ? On le lira sans doute dans quelques jours à la rubrique des faits divers, ou peut-être même en première page de *Sud Ouest*, quand son corps aura été retrouvé et identifié.

En revanche, il est utile de savoir pourquoi Albert a insisté pour prendre le volant : la voiture, une 403 pratiquement neuve, appartient au service de police judiciaire où il est commissaire.

Commissaire Albert Darlac.

Ils ralentissent sur un boulevard obscur qui se perd au nord de la ville dans un quartier plein d'usines et d'ouvriers, coincé entre des marécages aux chemins inondés et le fleuve boueux qui roule sa vase vers le nord. De la misère les pieds dans l'eau. Ils tournent sur une piste bétonnée qui mène à la base sous-marine que les Allemands ont laissée derrière eux au bord des bassins à flot. On devine sa masse gigantesque qui absorbe la nuit et la condense en impénétrables ténèbres. Ils stoppent dans une zone défoncée d'ornières au ras d'un terrain vague envahi de chardons et de ronciers. Francis et le gros ouvrent les portières arrière de la voiture et font descendre l'homme, qui tombe à genoux dans une flaque d'eau. Francis le soulève comme un mannequin de chiffon pour le remettre debout et coupe les liens qui lui nouaient les mains. Il le pousse devant la voiture, dans la lumière des phares.

– T'es libre. Casse-toi.

L'homme tremble et gémit. Il ne bouge pas. Il les regarde sans comprendre, essaie de lire sur leurs visages mais n'y voit sans doute que la nuit. Il tient serrés ses bras autour de lui dans cette obscurité glacée, puis il se met à marcher avec précautions, parce qu'il est pieds nus, sur un vague sentier qui s'aperçoit parmi les broussailles.

Le gros Jeff sort d'une poche intérieure de son caban un pistolet Luger dont il arme la culasse sans bruit puis il s'avance et vise l'homme qui souffle et geint un peu plus loin en se blessant les pieds aux piquants et à toutes les saloperies qui jonchent cette friche sordide. Quand le coup de feu éclate, Darlac et Francis rentrent la tête dans les épaules parce que le vacarme a rebondi contre les murailles de béton du blockhaus monstrueux qui l'amplifient et semblent propager la détonation dans toute la ville.

L'homme est jeté en avant par l'impact et il tré-buche, un genou à terre, et crie de douleur puis se redresse pour essayer de courir. Il franchit deux ou trois mètres en glapissant et sa silhouette est sur le point de se dissoudre dans le noir, au-delà du faisceau des phares, mais le gros fait feu de nouveau et l'on aperçoit une forme pâle tomber puis toute une végéta-tion desséchée remuer et s'abattre à l'endroit où il rampe, peut-être, ou se débat contre ce qui est en train de le tuer. On entend de lui le râle de sa respiration, des gémissements étouffés, des crissements de feuilles et de brindilles mortes.

Jeff marche vers lui, tenant son arme le long de la jambe. Son corps massif se dandine.

– Qu'est-ce que tu fous ? demande Darlac.

– Rien, répond l'autre sans se retourner.

Il tire encore trois fois et il regarde ce qu'il y a à ses pieds et que les deux autres ne peuvent pas voir.

Albert Darlac fait démarrer la voiture et passe la marche arrière. Francis s'installe juste au moment où il commence à embrayer. Ils regardent Jeff courir vers eux dans la lumière des phares. Lourd et pourtant si rapide, si vif quand il ouvre la portière à la volée en gueulant.

– Putain, Albert, à quoi tu joues ?

Darlac ne répond rien. Il manœuvre, retrouve le

pavage du boulevard. Le gros souffle derrière lui, tousse, marmonne.

– Fallait qu'y crève, non ? Alors quoi ?

– Ça te passera donc pas ? Ça t'a fait bander ? T'es un vrai putain de cinglé ! T'aimes ça la viande, hein ?

Darlac gueule, à moitié retourné, couvrant le roulement martelé des pavés qui tremble dans toute la carrosserie. Il accroche ses mains gantées au volant et le secoue comme s'il allait l'arracher. Francis s'est imperceptiblement tassé sur son siège et regarde par la vitre la nuit mal éclairée sur les boulevards déserts. Un silence soudain s'abat dans l'habitacle. On entend seulement Jeff respirer par le nez, comme un enfant boudeur, tâchant de contenir sa rage.

– Tu devrais pas me parler comme ça, fait-il au bout d'un moment d'une voix faible, alors qu'ils longent le mur du cimetière de la Chartreuse.

– Comment ça je devrais pas ? Je te parle comme je veux. Tu obéis et c'est tout. On tue cette merde et ça va comme ça. Une balle, travail propre, on laisse pourrir, et c'est marre ! Alors tu te calmes ! Ou je te renvoie d'où je t'ai sorti !

L'autre ne dit rien. Il baisse le nez, il se touche les mains.

– T'es dur, dit Francis. Merde, ça se dit pas.

– Je suis dur ? On fait ça pour éviter que ce con de Destang déclare une guerre et foute le feu à la ville, et lui, il s'acharne, il sort des clous en faisant ça, tu le sais ! Il applique plus les règles.

Francis ricane, appuyé à la portière.

– Ah parce qu'il y a des règles ? C'est nouveau, ça. La seule putain de règle que je connais c'est celle du plus fort, et pour l'instant c'est nous.

– Vrai. Mais on fait pas les choses n'importe comment. C'est du travail de maboul, de tordu, qu'on a

14

laissé là-bas. Pas du boulot d'hommes. On se fera pas respecter si on laisse faire ce genre de conneries.

Francis acquiesce. Jeff renifle. Tous se taisent. Puis comme ils approchent de la place Gambetta, ils regardent les gens sortir par petits groupes du cinéma Rio, puis ceux qui se pressent sur la place dans le froid. Ici, la ville s'allume et s'anime un peu. Terrasses de cafés, néons des cinémas. Ils descendent vers les quais par le cours de l'Intendance encore plein de voitures et de passants. Ils doivent patienter à un feu rouge au coin de la rue de Grassi. Des femmes passent en riant. Francis baisse sa vitre et.les interpelle. Elles se retournent vers lui et gloussent en se poussant du coude.

– Je m'en ferais bien une, là, en vitesse, pour lui faire le cul.

La voiture redémarre et il remonte la vitre en bougeant malaisément sur son siège. Ils sont obligés de faire un détour par la Bourse puis remontent la rue Saint-Rémi. Au coin de la rue du Pont-de-la-Mousque, Darlac gare la voiture sur le trottoir et ils descendent et les portières claquent presque en même temps. Ils courent vers l'hôtel, signalé par un panneau bleu éclairé d'une ampoule faiblarde. Dans le petit hall d'entrée, Rolande, la taulière, se réveille à leur arrivée, les yeux en bas des joues luisant dans leurs valises fripées, et leur demande ce qu'ils veulent en soupirant.

– Police, dit Darlac en montrant sa carte.

Elle pose des lunettes sur le bout de son nez, compare la photo avec la tête du flic.

– Et eux ?

Voix éraillée. Tabac, alcool, vie dégueulasse.

Signe de tête du chef. Ils exhibent comme un seul homme des brêmes tricolores.

Darlac avise un téléphone posé derrière elle.

– Tu touches pas à ça ou je te le fais bouffer. Pigé ?

La femme hausse les épaules.

— Arrête, Darlac, j'ai trop peur. Qu'est-ce que vous voulez ?

— Crabos.

— Connais pas. J'aime pas les fruits de mer.

La gifle la renverse de son fauteuil et elle s'effondre en bousculant derrière elle une petite table où sont posés un cendrier plein de mégots et deux annuaires et tout ça tombe avec fracas. Darlac est penché par-dessus le comptoir, appuyé sur ses bras croisés.

— Crabos, répète-t-il. Nous oblige pas à être méchants.

La femme se redresse un peu, s'assoit en s'adossant à la cloison, tirant les pans de sa robe sur ses cuisses. Elle dévisage les trois hommes en essuyant sa lèvre fendue du dos de la main. Du sang coule sur son menton.

— Chambre 8. Deuxième étage.

Elle se relève mais reste appuyée contre le mur, loin d'eux. Darlac désigne d'un mouvement de menton le téléphone et Jeff passe derrière le comptoir, arrache les fils et les noue autour du cou de la femme.

— Voilà, je serre pas trop, cette fois-ci. Comme ça t'es belle comme une bitte d'amarrage !

Francis se marre.

La femme ne bouge pas, figée, bouche ouverte pleine de sang, respiration courte. Des larmes coulent sur ses joues, noircies de rimmel.

— Regarde-toi dans une glace ! Avec toutes celles que t'as dû te prendre, tu vas pouvoir comparer !

Darlac sourit en contemplant la femme humiliée avec sa cravate de câble noir qui pend lourdement sur sa poitrine, puis il fait claquer sa langue avec une moue de mépris et marche vers l'escalier, suivi des deux autres. Ils gravissent les marches de pierre sans bruit. Leurs semelles crissent, on entend Jeff souffler un peu. Arrivés au deuxième étage, ils avancent lentement dans le couloir sombre mais le plancher trahit chacun de leurs pas. Ils ne sont éclairés que par les lampes de la cage d'escalier et se voient à peine. Darlac leur fait signe de s'immobiliser et sort de sous son aisselle un pistolet. Ils restent ainsi devant la porte de la chambre 8 pendant peut-être deux minutes, mangés par l'obscurité. La peau de leurs figures n'accroche qu'une vague lueur et ils ont l'air de créatures immatérielles façonnées par la nuit. On n'entend rien que le grincement rythmé d'un matelas, au bout du couloir. Francis fait craquer une latte de parquet en tendant sa main vers le bruit.

– Y en a qui…

– Ta gueule !

Ils se soufflent ça au visage. Puis Darlac tapote l'épaule de Jeff. La porte et les cloisons vibrent sous le coup d'épaule du gros, la serrure s'arrache quand il l'écrase de sa semelle comme s'il allait grimper au mur. Darlac fonce dans des ténèbres épaisses et aussitôt un corps surgi sur sa gauche tombe sur lui en grognant, l'expédie contre un mur pendant qu'une femme se met à hurler. Quand la lumière s'allume, il est assis, acculé dans le coin que forme une armoire avec la cloison et un grand échalas lui tape dessus au hasard, trop près pour armer ses coups, trop vite pour les ajuster. Darlac lui enfonce le canon sous le menton et l'autre écarte les mains, se redresse, recule, maigre comme la mort, squelette en pyjama, ses cheveux gris en bataille. Jeff l'envoie valser contre le lavabo d'un revers de la main. L'échalas embarque avec lui une chaise et s'écrase contre la tuyauterie et l'on croirait que va s'y briser ce grand pantin de petit-bois.

Sur le lit, la femme a cessé de crier parce que Francis lui a collé un oreiller sur la figure. Elle est nue, elle se cambre, se tord et bat des jambes envers et contre toute pudeur, et Jeff se rince l'œil en douce. Pendant quelques secondes, le silence est absolu. Dans tout le claque chacun a cessé de respirer pour entendre la suite. Francis relâche l'oreiller et la fille se redresse, tire sur elle le drap et se cache le bas du visage. C'est une fille très jeune, sans maquillage, assez jolie.

Francis garde levée sa grosse main baguée et lui conseille à voix basse de fermer sa gueule.

Darlac va chercher le Crabos sous son lavabo et le tire par le col de sa veste de pyjama et le traîne au milieu de la pièce comme un fagot de bois mort puis le pose sur une descente de lit déteinte, grise de poussière incrustée, qui a pu être foulée il y a quinze ans par des bottes schleues entre deux patrouilles sur le port. Par la veste défaite, aux boutons arrachés, on voit les épaules, les omoplates, les clavicules, on voit les vertèbres, les côtes de cet homme, on voit sa maigreur de cage sur quoi la peau n'est qu'une étoffe blafarde tendue jusqu'à l'accroc. Darlac a déjà vu ça après la guerre, sur des civières dans le hall de la gare Saint-Jean : tous ceux qui n'avaient pas récupéré malgré les soins et qu'on ramenait chez eux, ravagés par la dysenterie et le désespoir, en attendant qu'ils se décident à revivre.

Il les avait considérés avec curiosité ces corps qui n'existaient qu'à peine, ces yeux immenses qui roulaient dans leurs trous comme au fond d'une tombe ouverte, il y avait là quelque chose qu'il ne comprenait pas, qu'il ne comprendrait peut-être jamais car il avait été réquisitionné pour procéder aux vérifications des identités tout comme, trois ans plus tôt, il avait établi puis vérifié avec zèle les mêmes identités lors des rafles et poussé dans les escaliers des familles en bonne santé, croisé des regards effrayés mais vifs et brillants de toutes sortes d'émotions, et giflé des joues rondes et bousculé des épaules fortes, puis il avait ordonné à des autobus ou des camions de rouler et il était remonté dans les immeubles pour fouiller les appartements vides et commencer l'inventaire et le pillage.

Darlac repense à tout ça en pressant son arme sur la tempe creuse de Bertrand Maurac, dit Crabos, ou LE Crabos, surnommé ainsi par toutes les crevures de la truande et de la police parce que trois cancers en quinze ans n'ont pas réussi à venir à bout de sa carcasse, à chaque fois en rémission spontanée, mais n'ont laissé de lui que ce panier presque vide où la mort elle-même ne sait peut-être plus quoi venir faucher. Le commissaire se redresse et demande à Jeff de le surveiller. L'autre se plante devant le Crabos, bras ballants. Une baleine contemplant une épave drossée réduite à sa membrure.

Darlac range son pistolet dans son étui d'épaule et s'approche du lit. Il arrache le drap qui cachait la fille et la voilà nue au milieu de ce désordre froissé. Elle a le réflexe de se recroqueviller, puis semble se détendre et s'allonge sur le flanc, reste appuyée sur un coude, un genou relevé comme si elle posait pour un peintre, l'air crâne.

— Quel âge t'as, à faire la pute pour ce crevard ?

— Vingt-deux. Et je fais pas la pute. On est amis.

Darlac se retourne vers le Crabos :

— T'as des amis, toi ? Tu connais quelqu'un que t'as pas baisé ou qui t'a pas baisé et qui t'en veut pas à mort et qui aimerait pas te faire la peau à la vache avant le cancer ? Putain alors présente-le-moi, que je l'abatte sur-le-champ !

— Tu verras bien, mon con, qui ils sont et combien j'en ai, des amis. Quand ils s'occuperont de toi tu vas tellement morfler que tu leur proposeras ta salope de mère pour qu'elle vienne couiner à ta place.

19

Voix cassée. Larynx opéré. Gorge évidée entre deux tendons bleuâtres.

Jeff tourne vers Darlac sa grosse figure carrée, le front luisant. Il serre les poings. Darlac observe le Crabos, qui tend vers lui sa tête de mort masquée de peau, les lèvres luisantes de bave, puis il soupire et bat des paupières et murmure «Laisse» et revient à l'effrontée nue sur le lit.

— Vingt-deux ans, tu dis? T'as des papiers? Comment tu t'appelles?

— Arlette. J'ai seize ans.

— Tes parents ils sont où?

— J'en sais rien et je m'en fous.

— Alors c'est le trou direct pour prostitution et vagabondage. Tu te fringues fissa et on y va. T'as trois minutes pour te couvrir le cul.

Il se tourne vers le Crabos, toujours assis par terre.

— Toi aussi, tu viens avec nous. Tu t'habilles. Magne.

L'homme se lève et l'on voit son squelette bouger sous la peau, pointer et rouler, et l'on croirait que ça lui fait mal. Il courbe pour récupérer ses affaires son échine de dragon, il accroche tout ça sur sa carcasse et peu à peu la grande misère de son corps se cache sous des épaisseurs de tissu.

— Mes parents ils habitent à Saint-Michel, rue Saumenude, au 34, dit la fille revêtue d'un imperméable bleu marine sur une robe noire. On est cinq gosses et y a plus de place pour moi. Et mon père il me veut plus dans son lit parce qu'il dit que je suis trop vieille.

— Ton père est un con, déclare le gros. Il sait pas ce qu'il laisse.

Francis hausse les épaules puis regarde sa montre. Il fait tout le temps ça. Regarder sa montre. Comme un chef de gare.

— Faut qu'on décarre, Albert.

Darlac réfléchit, son regard arrêté sur la fille.

20

– Tu prends la bagnole du Crabos et t'emmènes la fille chez les Couchot. Tu dis à Émile de la garder au chaud et de la laisser tranquille. Ni turbin ni rien. Elle sort pas, elle parle à personne. Je viendrai les voir pour décider de ce qu'on fait. Moi, avec Jeff, je prends le tas d'os pour lui parler du pays.

Dans l'escalier, qu'ils dévalent en poussant devant eux leurs prisonniers, ils croisent un couple qui s'efface en se tassant contre la pierre du mur. Un binoclard à casquette et une putain rousse dans un manteau de fourrure, qui baisse les yeux et détourne son visage quand elle aperçoit Darlac puis le regarde s'éloigner de dos. Dès qu'on entend leurs pas dans le hall, elle pousse devant elle son miché comme si soudain il y avait une urgence.

Ils passent sans la regarder devant la taulière qui tient un mouchoir sur sa bouche et feint de les ignorer elle aussi. Au coin de la rue Saint-Rémi, ils sont cueillis par un vent froid qui remonte du fleuve et tous s'engoncent dans leurs cols relevés. La fille est toute petite au milieu de ces hommes sombres et pendant quelques secondes ils ne se disent rien, ne bougent pas, on dirait que le gel les a figés en statues de glace ou que la nuit leur fait peur.

Darlac réfléchit. Il regarde loin devant lui, vers les quais, face au vent d'est, sans ciller. Personne ne bouge. Ses deux porte-flingues le regardent, ils attendent les ordres comme les soldats d'un commando.

– Où elle est ta bagnole ?

Le Crabos répond mâchoires serrées, grelottant sous son caban de marine.

– Place du Parlement. Une Chambord grise.

Comme il a compris, il fouille dans sa poche, en sort des clés et les tend à Francis. Ils se séparent sans rien dire. Le vent leur siffle aux oreilles, et quand

Darlac et Jeff se laissent tomber sur les sièges de la 403, ils soupirent d'aise cependant que le Crabos se tasse contre la portière, croise les bras et ferme les yeux. Darlac est au volant.

– Où on va ? demande le Crabos.

– En Espagne. C'est pas là que tu voulais aller ?

– Qui vous a dit ça ?

– Celui qui nous a dit où tu créchais. Lulu de Kléber. Tu connais ? Lucien Potier.

– D'accord. L'enculé. Je me doutais bien…

– Il dira plus rien, observe Jeff.

Le Crabos se redresse sur son siège.

– Vous…

Darlac a jeté d'un mouvement vif un coup d'œil à Jeff pour qu'il se taise. Silence. Ils longent les quais, dépassent le pont de Pierre. La ville est obscure et vide, jalonnée d'ampoules faiblardes pendues à des câbles en travers des rues.

– Pourquoi vous avez fait ça ?

– Pour que tu saches qu'on rigole pas. On n'a pas aimé ce que t'as fait à Penot. Alors on a troué ce sac à merde de Lulu, comme ça t'auras pas à le faire.

– Penot, j'aurais dû l'étriper en 46, quand je l'ai retrouvé. Mais on avait des accords avec Destang, à cette époque. Fallait que le bizness reprenne sur des bases saines. Mais là, je suis pas votre homme. Je lui ai rien fait, à cette ordure, même si maintenant j'irais bien pisser sur sa charogne. Et j'ai rien demandé qu'on lui fasse parce que j'en ai plus rien à branler. Tu peux te mettre ça dans ta tronche de flic ?

Il se tait, essoufflé. Toussote. Il essuie son front couvert de sueur.

Darlac est tourné vers lui, accoudé à son siège.

– Qu'est-ce que t'as ? Ça t'a repris, hein ? C'est revenu te bouffer ?

– Qu'est-ce que ça peut te foutre ?

Darlac hausse les épaules.

– Rien. Si tu pars en Espagne pour aller y crever, je te paye le billet de train en première.

– Alors prévois un ticson pour le retour. Je crèverai ici parce que je suis d'ici et que mes vieux sont morts ici.

Ils démarrent et remontent la rue puis font le tour par le Grand Théâtre pour reprendre les quais vers le sud.

– Où vous m'emmenez ?

– On te dépose à la gare. Tu voulais pas partir en Espagne ?

Le Crabos essuie la buée sur la vitre et regarde la ville comme s'il ne la reconnaissait pas.

– T'as pas une clope ? J'ai laissé les miennes dans la piaule.

Jeff a le geste de fouiller dans sa poche de manteau mais Darlac lui adresse un regard en coin sec comme une étincelle, alors l'autre ne bouge pas et ils ne disent rien.

Le Crabos grelotte. Il remonte son col, se tasse au fond du siège.

– Pourquoi vous me tuez pas ?

– T'aimerais bien, pas vrai ? T'as même plus la force de chier, si ça se trouve. Non. Tu refous plus les pieds à Bordeaux. Va faire le maquereau à Valence, va trafiquer du kif à Algésiras ou crever à Tolède, on s'en branle. Tu prends ton train tout à l'heure et je veux plus te voir ou entendre parler de toi ici. Je m'inquiète pas pour la fraîche, tu recevras des mandats, et t'as dû déjà en placer un peu là-bas. Dans la matinée, le juge lancera un mandat d'arrêt sur ta gueule. T'es tricard, pauvre con. Proxo, et maintenant complice d'un meurtre. Et je dis rien pour la came. Si tu reviens, t'auras moi et Destang sur le dos, et si Destang te trouve avant moi, je te jure que tu vas finir dans la

23

rivière en viande hachée pour les crevettes. En attendant, dès que t'es là-bas, tu m'appelles, tu me donnes tes coordonnées, et tu me rencardes sur tout ce qui passe entre la France et l'Espagne. Putes, drogue, tout. Si j'ai pas de tes nouvelles, on s'occupe de ta fille, dans son beau pensionnat niçois. Je connais des gens qui lui donneront du travail. La bonne éducation, ça coûte cher, mais ça rapporte gros.

Le Crabos marmonne une flopée de jurons en cognant la vitre de la tête.

– Pourquoi vous me tuez pas ?

Darlac allume une cigarette. Il souffle la fumée par la bouche, par le nez, avec un soupir de lassitude, juste au moment où il freine le long d'un trottoir.

– Je viens de te le dire. Et puis parce que t'es déjà mort. Et maintenant, tu caltes.

Ils sont en face de la gare Saint-Jean, devant un café qui jette dans la voiture sa lumière en trop, hachée par les ombres rapides des passants. Le Crabos regarde ça avec étonnement, la bouche entrouverte. Il pousse lentement la portière et sort mais demeure quelques secondes debout, une main encore posée sur la poignée, regardant autour de lui cette nuit remuante. Puis il referme la portière sans la claquer et l'on voit sa silhouette frêle s'éloigner sur le trottoir, lentement, pas à pas, comme si elle allait s'affaisser à tout instant.

2

Il s'arrête soudain face aux grilles du port, son vélo entre les jambes, et il reste là immobile, pantois. On ne voit que ses yeux, à cause du passe-montagne dont il est coiffé, de la canadienne au col relevé qu'il porte sur le dos et des moufles serrées autour du guidon. Il observe le trafic tonitruant des autos et des camions, il s'étourdit de leur vacarme, il grince des dents aux plaintes des essieux et des tôles qui bringuebalent sur les gros pavés en tournant sur le cours de la Martinique. Il sent dans ses jambes le grondement sourd d'un train qui roule lentement le long des hangars, interminable, qu'accompagne à pied un type balançant un fanal à bout de bras. La ville vibre et tremble jusque dans sa chair.

Il regarde tout cela comme si le paysage avait surgi de l'obscurité et qu'il était tout d'un coup projeté dans le décor d'un film dressé soudain autour de lui. Ses yeux expriment un grand étonnement. Sa silhouette figée est toute noire dans cette nuit qui s'échappe déjà devant la vaste lueur d'or pâle montant sur la Garonne, par-dessus l'édredon de brume posé sur l'eau. Les lanternes vert-de-gris, suspendues à leurs câbles, laissent pâlir encore au-dessus de tout ce remuement du petit matin leur lumière inutile qu'un faible vent de nord balance négligemment. Le jeune homme rentre la tête dans les épaules.

Il s'appelle Daniel, et il a vingt ans.

Il lui arrive souvent, comme à présent, de se demander ce qu'il fait là. Ça le prend n'importe où. Au bal, dans l'autobus, au cinéma. Parmi le bruit, les bavardages. Malgré les rires et les copains. Il s'arrête alors dans ce qu'il fait et il regarde autour de lui sans voir, et il écoute sans comprendre les humains qui l'entourent. Leur agitation, leur piétinement forcené, leurs trajectoires folles d'insectes traqués entre vitre et rideau. Il se sent dans ces moments horriblement léger, transparent, existant à peine, dissous dans l'air et traversé par les êtres et les objets, au point qu'il se fait l'effet d'être un fantôme, un revenant ne sachant plus d'où il revient mais terrifié d'y être parti.

Ou bien il se fige et se met à regarder le ciel à l'aube, clair et délavé, poncé par un vent froid. Cette pureté vide, traversée parfois par un oiseau pressé, lui serre le cœur et renouvelle chaque jour le prodige de la lumière soulevant la chape de la nuit. Dans ces instants de contemplation heureuse, le temps soudain se contracte et devient aussi dense et douloureux qu'une balle de plomb.

Puis ça lui passe, bien sûr. Puisque la vie est là, tellement forte et bruyante.

Par-dessus les hangars, on aperçoit les flèches des grues penchées sur les bateaux. On dirait des sorcières de fer en train de fouiller le ventre de ces monstres lourdauds jetés contre le quai par le fleuve. C'est marée haute, de sorte qu'il distingue le sommet d'un château, les lueurs de la passerelle, le mât hérissé d'antennes et la cheminée noir et bleu aux armes de la compagnie Delmas-Vieljeux. Certains jours, tant la marée les soulève, on pourrait imaginer qu'ils vont venir tous dériver en ville et trancher dans la pierre de leurs proues énormes et creuser des canaux à la place des rues sombres.

Mais le froid est en train de s'infiltrer au plus profond de sa viande et son estomac semble soudain plein de neige, alors Daniel s'ébroue, se tape sur les bras, chassant les idées noires et le givre qui s'est posé sur ses épaules, puis il se remet à pédaler sur le méchant pavage et le voilà secoué jusqu'aux tripes, les bras raidis sur le guidon, louvoyant entre les rails et les bosses et les trous. La bécane tressaute avec des cliquetis et même le timbre, bloqué pourtant depuis des mois, se met parfois à tinter parmi le raffut pétaradant de la circulation. De temps en temps, il remonte sur son dos le petit sac qu'il porte en bandoulière où il a entassé son bleu propre par-dessus sa gamelle. Il longe le port sans plus rien voir de cet interminable défilé de hangars rangés derrière des kilomètres de grilles ; il fonce, le nez dans le guidon, les yeux mouillés de larmes à cause du froid, comme ça jusqu'à la gare.

Les trottoirs sont pleins de gens encombrés de bagages, soulevant de lourdes valises qui leur tapent dans les jambes, déhanchés, les genoux ployés, les bras tendus par de gros sacs qu'ils s'efforcent de ne pas laisser traîner par terre. Ou bien ils portent contre eux un enfant emmitouflé en paquet sombre et pesant qu'il faut remonter toujours d'un coup d'épaule ou de hanche pour l'empêcher de glisser. Ils traversent la rue et se hâtent vers le hall des départs, et râlent parfois après l'un qui traîne ou l'autre qui marche trop vite. C'est un peuple de silhouettes bancales qui clopine ou chancelle, des ombres vacillantes parfois qu'on s'attend à voir gobées par la grande gueule de leurs valises ouvertes soudain, serrures claquées. Une cour des miracles, surgie du pâle matin bleuâtre, qui traînerait la patte à l'assaut d'une cathédrale profane. On dirait que quelques-uns vont prendre le dernier train possible tant est pathétique leur course titubante.

Pourtant, à contre-courant, on voit des quidams solitaires, les mains libres ou enfoncées dans les poches, qui sortent par les grandes portes vitrées et s'arrêtent dans la lueur terne du matin pour allumer une cigarette puis qui se remettent à marcher lentement, indifférents à la cohue de ceux qui partent, légers et droits parmi cette agitation de dos cassés, spectres dressés.

Daniel les imagine désespérés d'avoir quitté pour toujours un être aimé et se les figure errant toute la journée dans une ville qu'ils ne reconnaissent pas. Ou bien marchant vers une vengeance dont l'obsession les torture comme une douleur incurable. Chaque matin sur son vélo l'effleurent les prémices d'un mélodrame de cinéma dont il ne prend jamais le temps de développer la trame.

Puis il voit des soldats qui passent, en manteau kaki, calot sur la tête. Une vingtaine peut-être, en rang par deux, qui portent leur valise en courbant l'échine. Devant vont deux gendarmes, mousquet à l'épaule. Daniel ralentit pour les laisser traverser. Ils vont prendre le train pour Marseille. Embarqueront ce soir pour l'Algérie. Pincement au cœur. Des copains sont partis, déjà. Ça chauffe, là-bas. On y meurt beaucoup. On dit que. On raconte. On croit savoir. Les mots valsent. Patrouilles, embuscades, représailles, massacres, mutilations. Chacun connaît un mort, ou connaît quelqu'un qui pleure un fils ou un frère et maudit les ministres et se met à haïr ce peuple d'égorgeurs qui saignent les beaux enfants qu'on livre à leurs couteaux.

Daniel sait qu'il part le mois prochain. La feuille de route ne tardera plus. Il ne sait pas ce qu'il attend. Ce qui l'attend non plus.

Il redémarre, appuie dur sur les pédales pour avancer sur le pavage bossu. Il passe devant les bars déjà pleins de monde, il songe un instant au plaisir que ce serait, une fois, de s'arrêter pour prendre un crème et un croissant au comptoir… Ou rêvasser sur une banquette, bien au chaud, devant un chocolat. Quelle extravagance ! Dans la rue Furtado, il aperçoit l'enseigne Neiman du garage et juste dessous Norbert, l'apprenti, qui fume une cigarette en piétinant sur place. Ils s'en serrent cinq. Daniel lui demande comment ça va mais l'autre ne répond pas, les yeux baissés, la figure mangée par l'ombre de sa casquette.

– Qu'est-ce que t'as ?

Norbert secoue la tête, tourné vers la porte du garage. Il jette sa cigarette qui part grésiller dans le caniveau.

– Montre, insiste Daniel.

L'œil est à moitié fermé, noir, l'arcade sourcilière enflée, près d'éclater. La pommette aussi a morflé.

– Merde, qu'est-ce que t'as fait ?

Norbert hausse les épaules puis se met à sangloter. Pas de larmes, mais de grandes secousses qui s'arrachent de sa poitrine. Suffocation de chagrin et de rage.

– C'est ton père ?

Le garçon hoche la tête.

– Viens, on va pas rester là. On se les gèle. On va allumer le poêle.

Daniel prend dans sa poche de canadienne deux grosses clés et il déverrouille une petite porte qui s'ouvre dans la grande. Pendant que Norbert allume la lumière, il sort l'enseigne, l'installe au bord du trottoir puis revient dans un coin de l'atelier où ils ont un réchaud à gaz relié à une bouteille, un évier, un placard où ranger les gamelles. Il nettoie la cafetière italienne, la prépare et la met sur le feu. Il se frotte les mains près de la flamme bleue. Il grelotte, maintenant qu'il ne pédale plus, alors il garde encore un peu son passe-montagne. Le froid fait bloc et pèse, accumulé sous les hautes poutres d'acier du garage. Il faudrait allumer le poêle à bois mais il n'y a que le patron qui sache s'y prendre : il fourrage dedans dix minutes en râlant, en disant qu'il va casser cette saloperie à coups de masse pour en installer un autre et hop, ça se met à ronfler comme un gros animal sage.

Norbert s'affaire dans le bureau vitré où l'on fait les factures et les commandes. Il y a un poêle à kerdane, il le remplit et l'allume et renifle en s'essuyant le nez du dos de la main.

Ils boivent leur café dans l'odeur de pétrole en soupirant d'aise et en soufflant sur leurs bols. Norbert a mis trois sucres et avale ça à grandes lampées, les mains en coupe autour du bol pour les réchauffer. Puis ils fument une cigarette en rejetant loin la fumée, bien adossés sur leurs chaises et ils passent en revue le travail à faire. Un rodage de soupapes sur une 202, les freins d'une Juvaquatre, une panne électrique dans une Traction sur quoi le daron se casse le nez depuis hier. Voilà pour ce matin.

Daniel observe le gamin, sa gueule enflée, l'éclat noir que jette son œil valide, l'air avantageux qu'il prend en fumant sa gauloise avec des gestes d'acteur de cinéma.

— Faudrait que tu voies un toubib, pour ton œil. Que t'ailles à l'hosto.

Norbert hausse les épaules puis baisse la tête.

— Mais non. C'est rien. Et puis c'est pas la première fois.

Il a parlé presque dans son blouson et sa voix s'y est éteinte. Ils ne disent rien pendant un moment. Ils fléchissent le cou, se voûtent. Le froid leur retombe dessus. Parfois, du métal craque dans le garage. Un train corne au loin, là-bas vers les ateliers de la gare.

— Qu'est-ce qui s'est passé avec ton paternel ?

30

Le gamin regarde ses pieds qu'il fait tourner lentement sur les talons. Il souffle par le nez du dépit et de la fumée.

– Toujours pareil... Il a commencé à brailler dès qu'il est arrivé parce qu'il trouvait qu'y faisait froid, il disait que ma mère avait pas mis assez de charbon dans la cuisinière. Il avait picolé, alors fatalement ça l'a énervé, en plus il s'est entravé dans le cartable de ma petite sœur qui traînait dans le couloir et là ça l'a mis fumasse, il est allé la chercher par les cheveux pour qu'elle range en la traitant de pute, t'es une petite pute comme ta pute de mère, il disait. Alors ma mère a râlé, elle a dit qu'on traitait pas une petite fille, sa propre fille, de pute, il lui a demandé si elle en voulait autant, le ton a monté et c'est parti. Je me suis interposé et comme il est plus fort et qu'il a des mains comme des battoirs, voilà... j'ai fait le mort pour qu'il arrête et il s'est fatigué à force de me taper dessus, il tenait plus debout tellement qu'il était soûl. J'ai protégé ma gueule, mais après il y est allé à grands coups de pied, c'est mon dos qu'a tout pris. C'est tout bleu, tu verrais ça... Heureusement que j'avais encore mon blouson en cuir. Enfin, au moins, elles ont pu partir chez la voisine, la mère Jiménez, c'est toujours ça... Elles ont passé une nuit tranquilles et puis ils ont une salle de bains...

Il secoue sa gueule tordue par les coups, il tire sur sa cigarette et souffle bruyamment la fumée.

– Un jour, je vais lui planter un schlass dans le bide et le laisser crever là en se tenant les tripes. C'est tout vu, putain.

– Et après direct en taule. À cause de ce fumier... Ça vaut pas le coup de foutre ta vie en l'air. Tu sais pas ce que tu dis.

– Et toi, tu sais pas de quoi tu parles. Ma vie... Qu'est-ce que t'en sais, toi, de ma vie ? T'y es pas, toi, tous les soirs, à te demander comment ça va tourner, comment ça va finir. Tu sais pas, toi, la trouille, pas oser parler, même pas oser se regarder parce qu'il croit qu'on fait des complots contre lui. Y a des soirs j'espère qu'il va pas rentrer, qu'il est passé sous un camion ou que les roues de son vélo se sont prises dans les rails du tram juste devant un bus. Ou alors qu'il est tombé à la flotte tellement il était bourré. Je gamberge comme ça et ça me fait du bien, tu peux pas imaginer. Putain, y a que quand il sera crevé qu'on sera bien à la maison. Rien que ma mère, ma frangine et moi. Tu peux pas savoir, toi. Parce qu'un jour il nous tuera : ou ma mère, ou ma sœur ou moi. Alors franchement, j'aimerais lui régler son affaire avant que ça finisse comme ça.

Daniel approuve d'un hochement de la tête. Non, il ne peut pas savoir. Ça lui rappelle encore une fois que le monde est un cirque où l'on a lâché les fauves, la cambuse surpeuplée d'un rafiot livré aux tempêtes, un bouge peuplé de brutes, d'innocents égarés, de femmes perdues, tenu par un patron calé derrière son tiroir-caisse, la main sur son fusil planqué sous le comptoir. Et il ne sait pas pourquoi et il ne comprend pas ce malheur têtu qui n'en finit plus de s'acharner et ça lui met au cœur toujours une colère impuissante ou cette mélancolie rêveuse qui l'isole parfois quelques instants dans une cage de verre.

Silence. Le poêle ronronne avec de petits bruits de ferraille. Puis Daniel se lève, ôte tout à fait sa cagoule remontée sur sa tête comme un bonnet, commence à défaire les boutons de sa canadienne.

– Et si on se mettait au boulot, ça nous réchaufferait la couenne, non ? Le daron arrive que vers onze heures, il va gueuler si on n'a pas fini la 202, je crois que le mec doit venir la chercher cet après-midi.

Ils enfilent leurs combinaisons en hâte, ils soufflent

et tapent des pieds. Ils se pressent d'aller dans l'atelier allumer les lumières et brancher les baladeuses. Ils parlent fort dans un remuement tonitruant d'outils et de tôle peut-être pour effrayer autour d'eux le monstre polaire qui rôde et les étreint et leur souffle à la figure son haleine glacée. Norbert fait démarrer un moteur à la manivelle et se précipite dans l'habitacle pour écraser la pédale d'accélérateur. Le moteur tousse, pète, cale. Le gamin plonge sous le capot en grognant des injures et se bagarre là-dedans en gémissant d'effort. Putain, dit-il plusieurs fois, la voix assourdie par la colère. On dirait, bras tendus, ses pieds dérapant derrière lui sur le ciment, qu'il étrangle quelqu'un. Saloperie, dit-il à voix basse, les dents serrées.

– Qu'est-ce qui va pas ? demande Daniel.

– Rien, le delco. Laisse.

Il laisse. De l'endroit où il se trouve, devant l'établi où il a déposé la culasse dont il décolle le joint en lambeaux fondus sur l'acier, Daniel ne voit que les pieds du garçon qui se soulèvent parfois tous les deux du sol comme s'il allait se faire avaler par la grande gueule du capot ouvert et se faire digérer par les entrailles du moteur.

Vers dix heures, ils se font une pause, comme tous les matins. Café. Norbert pioche dans la boîte où les clients laissent la pièce puis court chez le boulanger chercher des chocolatines pendant que Daniel prépare tout. Une grande flaque de soleil pâle vient s'affaler devant le garage alors il tire la grande porte qui roule lourdement sur son rail et la lumière entre là-dedans et le jeune homme fume sa cigarette en clignant des yeux sous cette douceur inattendue.

Ils voient d'abord l'homme à l'ombre qu'il jette. Planté là dans le soleil d'hiver, au cœur de cette lumière glaciale. Il se tient immobile, un casque de cuir sur la tête, appuyé au guidon d'une grosse moto.

Le bas du visage enveloppé dans l'épaisseur d'une écharpe rouge grossièrement tricotée. Daniel soupire, assèche le fond de son bol puis sort du bureau en secouant sa cigarette. Il s'attend à devoir calmer un inquiet qui vient voir si sa voiture sera prête ce soir et qui fera croire qu'on la lui a promise pour hier. Il le salue, lui demande ce qu'il peut faire pour lui.

L'homme ne répond pas. Il le regarde fixement. Ses yeux brillent. Il a baissé son écharpe et sa bouche exhale de petits paquets de vapeur hâtifs qui disent son souffle rapide. Il ne bouge absolument pas, figé, et l'on pourrait croire que le froid est sur le point de le saisir et de le congeler tout d'un bloc comme ces mammouths là-bas en Sibérie. Puis l'homme se met à parler de bougie et d'allumage, de sa machine tombée en panne pas loin d'ici, sur le cours de la Marne. Sa voix est éraillée, sourde, peut-être étouffée par l'écharpe qui couvre sa bouche.

— Si vous pouvez jeter un coup d'œil, dit-il, toujours sans bouger.

Daniel explique que le patron ne sera pas là avant midi, c'est lui qui s'y connaît en motos. Là, ils sont seuls avec l'apprenti, ils ont un tas de boulot sur les bras, et disant ça il montre derrière lui le désordre des voitures entassées dans le garage.

L'homme hoche la tête, il hésite, il semble sur le point de repartir, puis il demande s'il peut laisser la moto, s'ils auront le temps de regarder d'ici à demain ou même après-demain, après tout il s'arrangera, il prendra le bus.

— Vous habitez loin ?

— Non pas très. Et puis j'aime bien marcher. Vous inquiétez pas.

La voix de l'homme vibre, s'éteint. On dirait qu'il manque de souffle. Ou qu'il va pleurer. Daniel le dévisage et l'homme bat des paupières et sourit faiblement et l'on aperçoit soudain tout un maillage de rides se poser sur sa figure comme ces voilettes que mettent les vieilles aux enterrements. On ne peut pas lui donner d'âge. Son corps semble vigoureux, droit, sans doute robuste. Mais son visage est celui d'un vieillard, froissé comme un vieux journal où n'auraient été imprimées que les mauvaises nouvelles. Et ses yeux – noirs ou bleu marine ? – ont dû toutes les lire avant d'en chialer. Il tremble, à présent. Au point que le guidon bouge parfois entre ses mains.

– Laissez-la ici, se décide Daniel. Repassez ce soir, si vous pouvez. Si c'est que l'allumage, ça devrait se faire vite.

– Vous êtes très aimable. Oui, je repasserai, vers six heures, ça ira ?

Toujours cette voix à bout de souffle.

Daniel lui montre un endroit où ranger la moto. Une Norton. Sans doute récupérée après la guerre. L'homme ôte son casque, l'accroche au guidon et remercie encore et repart en coiffant une casquette sortie de sa poche. Sans savoir pourquoi, Daniel va sur le trottoir pour le regarder s'éloigner vers le pont du Gui qui enjambe les voies ferrées. La silhouette mince avance fermement. Daniel s'étonne de ce pas rapide et résolu. Il se serait attendu plutôt à la voir vaciller dans cette lumière aiguisée par le gel. Un frisson l'oblige à se remuer au moment où l'autre disparaît au coin de la rue et tout est vide soudain, et silencieux, et il trouve ça insupportable.

3

Un jour, je suis mort. On marchait sur cette route et on dormait en marchant, et on tombait et d'autres nous relevaient alors nos jambes recommençaient à avancer et on maintenait debout d'autres types qui trébuchaient parce qu'ils s'étaient endormis et parfois ils ne se réveillaient pas alors les soldats les jetaient sur le bas-côté dans la boue ou la neige et ils nous poussaient en avant à coups de crosse dans le dos ou la nuque. Ils s'acharnaient parfois jusqu'à ce qu'un homme tombe et ça leur faisait une bonne raison pour le tuer, le maintenant au sol sous la botte, en lui logeant une balle dans la nuque. Beaucoup d'entre nous avaient les doigts cassés parce qu'ils essayaient de se protéger avec leurs mains et ensuite ils ne pouvaient même pas manger les quelques bouts de pain qui circulaient encore dans la colonne et qu'on ramollissait dans l'eau des flaques ou dans la neige. Je crois que le plus souvent c'était de la neige. Ces types aux mains brisées ils ne pouvaient même pas défaire la ficelle de leur pantalon pour chier pendant les haltes alors nous on les aidait, quand on pouvait, quand le froid n'avait pas durci les nœuds mouillés, ou bien ils se soulageaient couchés en se cachant le visage de leurs mains enflées et noires comme s'ils avaient honte. Comme si aucun d'entre nous ne pouvait encore éprouver ce sentiment-là, au point où nous en étions.

Ou bien s'agissait-il d'une sorte de réflexe, un sou-venir très lointain et enfoui de ce que nous avions été avant d'être réduits à ces corps qui ne tenaient debout que par l'entêtement de leur squelette et pour lesquels chaque pas franchi, chaque battement de cœur arraché au néant constituait une victoire sans espoir.

Je ne sais pas de quoi ils pouvaient bien avoir honte. Je les regardais souffler et sangloter dans leurs mains et je ne comprenais pas. On en avait tant vu morts sur les latrines pendant la nuit, leur cul osseux engagé, comme aspiré dans le trou fétide, affaissés sur eux-mêmes et déjà raides et secs et froids, figés par le gel sur leur douleur ultime. On en avait tant vu. On n'osait pas y toucher, contents de pouvoir se relever et marcher après s'être vidé le ventre pour fuir loin de ce qui nous attendait.

Ces types aux mains fracturées on les aidait aussi à manger et on prélevait une petite bouchée sur leur bouchée à eux et ils ne disaient rien et nous non plus. Voilà longtemps qu'on ne se disait plus grand-chose parce que c'était trop de fatigue et que nos bouches sèches et que nos langues enflées et nos gencives dou-loureuses transformaient toute parole prononcée en un supplice, comme si on avait avalé de l'essence enflammée.

Ou alors on se parlait tout bas. On se soufflait à l'oreille des encouragements, on enjoignait ceux qui ne pouvaient plus se relever de marcher et de vivre, puisque ça allait ensemble, puisque marcher c'était retomber sur l'autre pied, la seule façon qu'on connaissait pour tenir debout. On leur promettait des haltes prochaines qui ne venaient jamais, on annon-çait une arrivée prochaine dans un autre camp, on murmurait tout contre leur visage pointu en tapotant doucement leurs os qui grelottaient sous le tissu troué parmi les hurlements et les coups de pied des SS.

Combien de jours ?

Peut-être plusièurs vies. Des vies interminables sur le point de finir. J'ai revécu la mienne pas à pas. Mon esprit mourant, tout juste bon à mobiliser ce qui restait de mon être à la marche, au souffle, parce qu'il me semblait possible d'oublier de respirer tant cet effort-là m'épuisait, parce que le froid et l'humidité qui envahissaient mes poumons à chaque inspiration étaient une intrusion ennemie, une attaque de commando chargée de saper un peu plus ma forteresse vide, mon esprit ne pensait plus mais était plein de souvenirs oubliés qui affleuraient à présent comme des poissons gigotant au fond d'une mare qu'on vient d'assécher.

Enfance, bonheur, soleil. Les rires des buveurs dans le petit café que tenaient mes parents. Le train pour Arcachon. Assis entre eux, je guettais par la fenêtre l'apparition des premiers pins qui marquaient pour moi les territoires heureux baignés par la mer. Je les sentais encore tous les deux contre moi, leurs mains sur moi, leurs baisers. Mais aussi les automnes et la pluie sans fin et les marronniers dans la cour de récréation. Des visages surgissaient. Des noms. Perdus depuis quinze ans. Le souvenir d'une bagarre dans les toilettes, l'intervention de l'instituteur qui nous avait ramenés dans la classe en nous tenant par les oreilles. Des odeurs. La pierre humide, la moisissure dans la cave où on stockait les casiers de bouteilles et les fûts de bière. L'eau de Cologne dont s'aspergeait mon père le dimanche matin avant de m'emmener, parfois, au marché des Fossés, sur le cours Victor-Hugo, parmi les badauds et le baratin des bonimenteurs et le parfum de la barbe-à-papa et des berlingots.

Enivré par l'odeur et les couleurs de ma vie, j'avançais dans la puanteur de cadavres et de merde que nous dégagions tous, uniformément gris, des pieds jusqu'à la tête, blafards sous la crasse, troupeau battu piétinant dans l'abattoir sans limites qu'était ce chemin au sein d'un monde gris que la neige ne savait plus blanchir, guettant au loin les colonnes noires des incendies comme autant de repères couchés par le vent. Surpris et terrifiés quand l'un d'entre nous s'effondrait en dégueulant du sang parce qu'alors quelque chose soudain se colorait et que cette écarlate c'était la mort portée en soi tel un monstre et accouchée dans un dernier râle.

Et un jour, moi aussi je suis mort.

Je suis tombé sur la neige sale et dure, tassée par les milliers de pas. J'étais à quatre pattes et j'essayais de respirer, de pomper de l'air comme si j'avais pu me regonfler et me remettre debout mais à chaque fois j'avais l'impression de me vider encore plus. J'étais à quatre pattes et je sentais trembler mes bras incapables de me soutenir et le froid me brûlait les mains et les genoux. J'en avais tant vu qui avaient fait la même chose et qu'on avait essayé de porter sur quelques mètres en espérant qu'ils recommenceraient à marcher mais qu'on laissait tomber parce qu'on n'avait pas la force de les aider davantage. On devait s'éloigner parce qu'il y avait toujours alors un garde ou un SS qui arrivait en gueulant, écartant les hommes de la pointe de sa baïonnette ou faisant tournoyer son bâton, et qui se mettait à taper à coups de pied ou de matraque sur le type étendu à plat ventre. Des fois, il l'abattait sur place ou il le faisait porter sur le bas-côté et le laissait là, peut-être déjà mort.

Quelqu'un m'a pris sous les bras et m'a soulevé en me soufflant qu'on allait encore avoir des emmerdes et j'ai été surpris d'entendre parler français, je ne sais pas pourquoi, il y avait d'autres Français au camp et dans la colonne bien sûr, mais depuis qu'on marchait *on se parlait si peu que lorsqu'on adressait la parole à quelqu'un on usait je crois d'un sabir fait de quelques dizaines de mots empruntant à l'allemand et au français ou à l'italien, ou au polonais. Des mots de survie et de première nécessité, sans phrases, sans grammaire. Quelque chose comme des sons qu'échangeraient entre eux des animaux.*

J'ai entendu le garde gueuler et aussitôt on a été poussés dans le fossé sans que j'aie pu voir le visage de celui qui me soutenait et je suis tombé à plat ventre, le type couché sur moi, sur une couche de neige molle entassée là, presque douce, et je me suis dit que j'avais encore cette chance de pouvoir mourir sans souffrance supplémentaire. Deux coups de feu ont éclaté au-dessus de nous et au moment où mon épaule était clouée par une balle, l'homme qui m'avait relevé a pesé plus lourd et je me suis enfoncé dans la neige et j'ai un peu tourné la tête pour encore respirer quelques instants puis j'ai eu l'impression de m'enfoncer davantage et il n'y a plus eu que le froid, rien d'autre, même pas la douleur. Le froid, et plus rien.

J'étouffais. J'ai relevé la tête et j'ai craché de l'eau et des morceaux de glace et j'ai poussé un cri pour souffler et pour prendre de l'air. Le cadavre de l'homme m'écrasait et je ne pouvais plus bouger, je ne sentais plus rien de mon corps comme si je n'avais plus été qu'une tête coupée. J'étais allongé dans de la neige fondue et j'ai pensé que j'allais mourir de froid sous ce cadavre qui me plaquait au sol pour me garder avec lui dans la mort. Je me suis concentré sur mes mains. L'une était bloquée sous moi mais l'autre était au-dessus de ma tête et j'ai remué mes doigts, je les ai dégourdis et j'ai pu bouger mon bras. C'est à ce moment-là que j'ai entendu les gémissements du type et ça ne m'a même pas surpris. Puisque les vivants étaient déjà morts, les morts pouvaient bien revivre, d'un enfer l'autre. Je lui ai demandé de se lever parce que j'étais en train de crever sous lui mais il continuait de geindre, sa tête posée entre ses omoplates. J'ai essayé de prendre appui sur mon bras libre mais je n'avais aucune force et je ne trouvais parfois même pas assez de souffle et je suffoquais alors je me suis mis à remuer comme je pouvais, à me tordre sous ce corps en train de mourir et je l'insultais, putain de carne, va crever plus loin, je crachais des injures à celui qui m'avait aidé, soutenu, porté, qui avait encaissé à ma place les deux balles qui auraient dû me tuer.

Je ne sais pas combien de temps je me suis tordu comme un ver géant dans cette boue glacée. Le corps de l'homme a basculé tout d'un coup et j'ai trouvé assez de force pour ramper et m'éloigner de lui comme s'il avait pu me sauter dessus. Je me suis assis, appuyé au talus, et je l'ai regardé. Il s'était bizarrement redressé, cambré contre le rebord du fossé, les yeux grands ouverts, la bouche béante, pleine de bave sanglante. Je me suis approché de lui et j'ai cherché l'artère de sa gorge pour prendre son pouls mais je ne sentais sous mes doigts qu'un emmêlement de cordages noués autour des os saillant sous la peau. Je lui ai fermé les yeux en claquant des dents. Je n'étais plus que tremblements et le froid s'emparait de moi et je le sentais se répandre dans mon ventre et me paralyser peu à peu. Comme la veste de l'homme était sèche, puisqu'il était resté sur moi, je la lui ai prise et je l'ai passée mais son pantalon était souillé de merde et de boue alors il a fallu que je me lève pour essayer d'en trouver un autre.

J'ai fait quelques pas en tremblant, mon cœur s'est affolé et ma poitrine s'est remplie de douleur. J'ai massé mes côtes mais c'était pire, je ne savais plus où j'avais mal et je sentais sous mes doigts ce battement fou et vibrer mon squelette sous des coups qui allaient sûrement le disloquer. Ma blessure à l'épaule n'était rien dans cette cage de douleur que j'étais. Juste un trou qui me transperçait au-dessus de la clavicule. J'ai marché encore et j'ai retrouvé un peu de souffle et alors seulement j'ai levé les yeux du pavement de la route et j'ai regardé autour de moi.

La lumière était insupportable. Tout était blanc, à perte de vue, saupoudré de neige fraîche et encroûté de glace. Le soleil tombait là-dessus et tapait sur cette blancheur et en tirait des éclats aveuglants. Le ciel était d'un bleu pur tellement transparent et profond que je m'attendais à apercevoir en plein jour quelques étoiles.

La route était vide. Les traces de pas recouvertes de neige filaient vers l'ouest en millions de creux bleuissant sous la lumière crue. Empreintes de fantômes. Le silence était total dans l'air immobile. J'entendais cogner sous mon crâne le battement de mon sang mais ce ne pouvait être qu'un écho lointain de la vie, parce que j'étais mort. Je l'ai su à cet instant. Jamais je ne reviendrais de cette terre figée, jamais je ne quitterais ce chemin balisé de cadavres. Jamais je ne retrouverais la vie. J'allais sur cette route, parmi les morts abandonnés sur les bas-côtés, sans appui sur le sol poudreux et froid, ni consistance physique. J'étais seul désormais à me voir, à éprouver la réalité matérielle de mon spectre. Je me confondrais pour les autres dans la transparence de l'air. Leurs regards passeraient à travers moi sans deviner jamais ma réalité.

La nuit s'ouvrirait parfois autour de moi et seules me reconnaîtraient alors les âmes errantes que je croiserais par hasard, les yeux morts d'épouvante comme les miens, la gueule grande ouverte sur leur dernier souffle comme moi quand j'étouffe au milieu des vivants. Mais je me glisserais toujours, sans être

42

même aperçu, auprès des bourreaux tranquilles et des traîtres oublieux et ils ne sauraient pas qui vient les tuer ni depuis quel enfer se serait faufilée l'ombre qui les dévisage et leur sourit.

Je pouvais à peine marcher et je me faisais des promesses impossibles à tenir mais c'était la seule chose à quoi j'étais capable de croire, alors je m'accrochais à ça comme à une rampe branlante sur un escalier effondré.

4

Quand la lumière se rallume, alors qu'autour de lui s'élève la rumeur des conversations, Daniel reste encore quelques secondes assis à regarder l'écran blanc et muet. Il cligne des paupières comme dans la poussière et le soleil aveuglant de Tombstone, et il fait claquer sa langue à la manière de Doc Hollyday quand il a soif et il revoit la rue inondée de lumière bordée de ces trottoirs de bois où sont assises à l'ombre des silhouettes immobiles dans des fauteuils à bascule. Dans sa tête courent, bondissent et tombent encore les hommes pendant le combat, et résonnent les détonations, et claquent les leviers d'armement des Winchester. Les fauteuils cognent mollement les dossiers en se relevant et il sent ces coups amortis dans son dos en savourant cette solitude dans laquelle il laisse le film descendre en lui et s'installer dans sa mémoire. Les copains lui demandent souvent comment il fait pour se rappeler ainsi tous les films qu'il voit, le nom des acteurs et du réalisateur, des détails de ce genre auxquels eux ne prêtent guère attention. Il leur répond simplement qu'il aime ça et que s'il pouvait il irait tous les jours au cinéma et écrirait des livres là-dessus et des critiques dans les journaux. Les autres trouvent ça extravagant, écrire un livre, et quoi d'autre ? Lui, le mécano de la rue Furtado, le gamin grandi ici à

Bacalan, ce quartier d'ouvriers à l'orée de la ville et des marécages ?

Il n'ose pas dire qu'avec un mètre pliable il s'est fabriqué un petit cadre rectangulaire qui tient dans une poche et que souvent il regarde les gens et les choses entre ces angles droits et qu'alors n'existe que ce qu'il y voit, plus précis, plus profond, plus singulier, plus fort. Il n'ose pas dire, parce qu'on le prendrait pour un fou, qu'il cadre des femmes marchant dans la rue et qu'elles sont plus belles, que la ville elle-même qu'il enferme dans cette géométrie devient alors le décor d'intrigues qui pourraient surgir n'importe où, au coin de cette rue, au milieu de cette place, derrière cette fenêtre, dans cette voiture qui passe et roule trop vite…

Il entend au-dessus de lui cliqueter le capuchon d'un briquet, et aussitôt un nuage de fumée et sa senteur de tabac blond s'abat sur lui. Alain lui tend un paquet de Camel.

— Bon, tu restes pour enterrer les morts, ou tu viens avec nous ?

— Où sont les autres ?

— Dehors, qu'est-ce que tu crois ? On étouffe, ici.

Daniel prend une cigarette dans le paquet et Alain la lui allume avec son Zippo.

— Laisse voir, dit Daniel. D'où tu sors ça ?

Il soupèse le briquet, en ouvre le capot d'un coup de pouce, fait tourner la mollette. Odeur d'essence, flamme épaisse.

— C'est un marin, sur le port. J'ai bossé la semaine dernière cinq jours et j'ai causé avec un Rital. Il m'a dit qu'il en avait plein. Il est de Naples et là-bas ils achètent et vendent tout ce qui est américain, il m'a dit. Paraît que les soldats ricains ils ont ça dans leur paquetage.

— Tu pourrais pas en avoir un autre ?

Alain secoue la tête. Il lui lance le paquet de blondes entamé.

– Tiens. Garde-les. Il m'en a filé deux cartouches. Il devait appareiller hier, il revient pas avant février, ils font le Sénégal et la Tunisie juste après. Si ça se trouve, la prochaine fois, il vendra des sacs de couscous ou des statues en bois.

Ils sortent de la salle en riant, bras dessus bras dessous, et bousculent un peu une mémère qui râle et brandit le manche de son parapluie.

– Vous excusez pas ! Voilà les jeunes maintenant ! Voyous et compagnie ! Je t'enverrais tout ça en Algérie, moi…

– Mon fils il y est en ce moment, dit une femme derrière elle. Voilà la jeunesse d'aujourd'hui, comme vous dites. Ce qu'on lui fait. On les envoie à la guerre, comme si la précédente avait pas suffi. Alors laissez-les s'amuser un peu et taisez-vous !

La mémère s'est retournée et ne répond rien, stupéfaite, l'air idiot. Elle serre contre son flanc son sac à main et son pébroque.

– Si ça peut vous rassurer, j'y pars en février, dit Daniel. J'attends la feuille de route. Et je vous emmerde.

La femme s'empourpre. Un type surgit derrière elle et attrape le jeune homme par le bras.

– Qu'est-ce que t'as dit à ma femme ? Répète un peu ?

– Ah bon parce que c'est ta femme, ça ? Alors dis-lui bien que je l'emmerde, si elle a pas bien entendu. Et toi aussi, et dans les grandes largeurs. Ça te va comme ça ?

Des gens se sont arrêtés et regardent en silence. Une petite foule sombre, des figures pâles sous les éclairages vifs du hall. On ne sait pas ce qu'ils pensent. Ils attendent peut-être du grabuge. Un autre

46

duel, sans soleil, dans cette nuit d'hiver dont leur parvient par les portes ouvertes le souffle froid. Le type empoigne Daniel par le col et le pousse en arrière et il braille «Quoi? Quoi?», les yeux exorbités, la bave à la gueule. Il est courtaud, costaud, les poings aussi gros que sa tête de con, et Daniel recule et ne sait pas comment il va pouvoir se débarrasser de cet abruti parce que pour l'instant, poussé en arrière, déséquilibré, il ne peut même pas lui expédier un coup de latte dans le service trois pièces. Alain s'interpose. Il prend lui aussi le type par le col et le bloque si bien que l'autre se hisse sur la pointe des pieds pour en imposer encore un peu comme un coq sur ses ergots.

— Ils s'y mettent à deux, ces lopettes et vous, vous laissez faire!

Alain le lâche en le repoussant doucement. Des gens commencent à sortir, tête basse, peut-être déçus par l'empoignade. Le mec lâche prise mais reste planté devant les deux jeunes gens, pâle de rage, le front luisant de sueur.

— Cassez-vous, petits pédés! Les ratons y risquent pas de vous couper les couilles à vous!

Daniel fait encore un pas en avant mais Alain l'entraîne vers la sortie. «Viens, il lui dit. Laisse parler les cons.»

Les copains les attendent sur le trottoir, à l'abri de l'auvent où vient voler quand même, éparpillée par le vent, la vapeur froide du crachin. Irène et Sara, qui se parlent à voix basse, un peu à l'écart, et le grand Gilbert, qui fait un pas vers eux.

— Alors? Qu'est-ce que vous foutez?

Sa moustache noire sourit, ses yeux s'arrondissent sous sa tête hirsute. Trop grand et large dans sa gabardine serrée, les jambes longues qui dépassent du pantalon trop court. Une grosse écharpe bleue remontée jusqu'aux oreilles. Il dit qu'il s'en fiche d'être mal sapé quand les filles parfois lui en font gentiment la remarque. Tu pourrais faire un effort, elles disent. Beau gars comme t'es. Regarde ça. Un as de pique. Lui, il sourit, tout confus et mariole parce qu'elles s'occupent de lui, toutes autour à tirer sur les manches du veston ou le col roulé. Mais ils savent tous qu'il n'a pas un rond, avec sa mère à moitié folle et ses trois sœurs à nourrir, même en faisant le docker tous les jours en heures sup, ils savent que les fringues il les récupère auprès d'un oncle pas très riche non plus mais moins grand et plus malingre que lui. C'est même à cause de cette misère têtue que lui, au moins, il fera pas l'Algérie. Soutien de famille. Il a les épaules larges et les bras forts, mais parfois c'est bien lourd à porter et on le sent à la peine.

Alain raconte. Sara veut aller s'expliquer avec la bonne femme, qu'elle cherche déjà dans la foule. Elle secoue la tête en jurant à voix basse. Daniel hausse les épaules.

– On y va ?

Ils se mettent en marche, serrés les uns contre les autres, se heurtant parfois doucement des épaules. Sara vient se glisser entre Gilbert et Alain et s'accroche à leurs bras et s'y pend en les mettant au défi de la porter comme ça jusque chez elle, pendant que Daniel et Irène vont juste devant eux sans rien dire.

– Tu te rends compte ? Aller balancer ça à Daniel ! S'il y en a un qui a envie d'y aller en Algérie, c'est lui ! On aurait dû lui casser la gueule à ce connard !

Daniel se retourne et se campe devant lui.

– Qu'est-ce que tu dis ?

– Rien, fait Irène en le prenant par le bras. Il dit rien. Et toi, arrête un peu tes conneries, tu veux ? Tu crois que c'est le moment ?

– J'ai pas dit que j'avais envie d'y aller, j'ai dit que j'irais, c'est tout. Que ça me dérange pas plus que ça. Au moins, je verrai ce que c'est.

– C'est tout vu, dit Sara. Une guerre d'impérialistes. Après l'Indochine, ils veulent pas lâcher l'Algérie, tu penses !

– Ton père il en a fait une de guerre, non ? T'en parles tout le temps !

– Fais attention à ce que tu vas dire sur mon père, Daniel. Oui, il a fait la guerre contre les fascistes. Oui, il est mort, et je suis fière de ça même si je suis triste de pas l'avoir connu, de même pas avoir le souvenir de son visage. Et Maurice et Roselyne ils l'ont faite d'une autre façon, la guerre, comme ils ont pu, on est bien d'accord. Mais en Algérie, contre qui tu vas te battre ?

Ils sont arrêtés au milieu du trottoir, groupés en rond, et leurs haleines et les mots qu'ils se disent fument dans le froid comme s'ils sortaient brûlants de leurs bouches. La rue s'est vidée peu à peu. Des gens sont passés près d'eux en maugréant parce qu'ils gênaient, là, dans le passage.

– Contre toi-même, tu vas te battre, dit Irène d'une voix sourde, comme pour elle seule.

Daniel cherche son regard dans l'ombre de sa figure.

– Pourquoi tu dis ça ?

– Tu le sais très bien.

– Arrête de faire ta maline, avec ta philosophie. Tout ça parce que t'as le bac.

– Elle a raison, dit Sara. Souvent, à la guerre, les types ils se cherchent, ils cherchent leurs limites. On voit ça dans les films, toi qui aimes tellement ça. Sauf que tu veux voir la guerre mais que sera pour de vrai. Y aura pas Errol Flynn, juste des brutes et de la merde.

Qu'est-ce qu'ils ont vu à Palestro[1] ? Hein ? Ils sont encore là pour raconter l'aventure de leur vie ?

– Et alors ? Qu'est-ce que tu proposes avec ta grande gueule ? Que je déserte ? Que je m'embarque, comme veut faire Alain ? Et puis ma vie j'en fais ce que j'en veux.

– Moi ça m'irait, dit Alain. On s'enrôle comme novices sur un cargo mixte qui fait l'A-OF et à nous la bourlingue ! Au moins, tu te feras pas couper les choses par les bicots.

– Comment tu parles ? dit Irène. Merde, ça se dit pas, c'est dégueulasse de parler comme ça.

Sara a fait quelques pas puis se retourne.

– On en a un qui ne sait pas trop pourquoi il veut y aller et l'autre qui refuse mais qui cause comme un abruti de troufion. Ça me fatigue de parler avec vous.

– Ça va, dit Alain. J'aurais pas dû dire ça. Mais tout le monde parle comme ça, alors à force... Vous me connaissez, quoi ! je suis pas raciste !

– Et toi Gilbert ? Tu dis rien ?

Irène s'est tournée vers le grand échalas qui hausse les épaules.

– Oh moi... Je vais rester là au chaud pendant que les autres vont se faire casser la gueule, alors... Mais

---

1. Les gorges de Palestro : Situées à 80 kilomètres au sud-est d'Alger ; c'est là qu'une patrouille de militaires français tomba dans une embuscade tendue par des maquisards de l'ALN (Armée de libération nationale) le 18 mai 1956. L'attaque fit 21 morts. Les corps furent retrouvés affreusement mutilés. L'émotion en France fut considérable, et l'embuscade de Palestro, alors qu'il y en eut d'autres, très meurtrières également, devint le symbole de la cruauté de cette guerre et permit surtout d'accréditer dans l'opinion publique l'image d'insurgés «barbares» face aux efforts «pacificateurs» de l'armée française (*cf. L'Embuscade de Palestro*, de Raphaëlle Branche, Armand Colin, 2010).

[Toutes les notes sont de l'auteur.]

je trouve que les copains ont du courage, chacun de son côté. Je sais pas…

Ils restent silencieux quelques secondes, le temps que le crachin redouble.

– Bon, dit Alain. J'ai de nouveaux disques ricains, si ça vous dit on se les écoute en buvant une bière ?

Sourires. Ils se frottent les mains, remontent leurs cols et prennent la rue dans l'autre sens pour aller chez Alain. Mais Daniel ne bouge pas. Il les regarde s'éloigner quand Irène se retourne :

– Tu viens pas ?

– Non. J'en ai ma claque. Je rentre pioncer.

Les autres se récrient. Allez, Franck Sinatra, Dean Martin, ça se refuse pas !

Il leur dit bonne nuit et leur tourne le dos et ignore leurs appels. Il les entend s'inquiéter, derrière lui. Qu'est-ce qu'il a ? Irène répond quelque chose puis leurs voix se perdent dans la distance et le vent. Dès qu'il a passé le coin de la rue, c'est le silence qui revient avec seulement le petit bruit entêtant de la pluie qui chantonne dans les gouttières. Il marche vite, il court presque et la nuit le protège, plus profonde ici dans cette rue bordée d'usines qui grondent sourdement en jetant des lueurs et des fumées. Il tourne dans la rue de New York et prend déjà ses clés dans sa poche de pantalon. Il monte les trois marches à bout de souffle, tremble en cherchant la serrure, se jette presque dans le couloir en refermant derrière lui. Il reste comme ça dans le noir adossé au mur, laissant des gouttes froides finir de couler dans son cou, sur sa figure.

Il se met à penser à eux. Ça le prend parfois. Surtout à sa mère. Elle n'est plus qu'une silhouette, une ombre, le timbre d'une voix. Une femme qui chante. Lui ? Il venait parfois, souriant, joyeux. Il sifflait tout le temps. Il ne sait plus son visage. Il ne lui reste que cette photo où il reconnaît à peine le couple qui se tient par la main sur le cours de l'Intendance en août 1936, comme c'est marqué au dos à l'encre violette. Il convoque leurs visages dans cette obscurité mais son cinéma ne répond pas et l'écran reste sombre, parcouru seulement d'images fugitives du film. La démarche des frères Earp et de Doc Hollyday dans la rue et la poussière soulevée par leurs bottes. L'air tourmenté de Kirk Douglas. Le balancement des armes contre leurs cuisses. Ils marchent vers lui et peut-être qu'ils vont surgir au fond du couloir ou pousser la porte qui battra longuement derrière eux pour faire couler à flots la lumière torride d'Arizona. Daniel halète presque sous l'effort qu'il fournit pour se rappeler le visage de ses parents avec la sensation de tomber lentement au fond d'un puits dont l'ouverture au plein jour ne sera bientôt plus qu'une étoile tremblante. Et il sait qu'appuyés à la margelle ils le regardent tous les deux.

La porte de la cuisine s'ouvre et la tête de Roselyne apparaît, les yeux écarquillés. La lumière blafarde lui fait un air fatigué, une peau grise.

— Ah, j'avais bien entendu la porte. Qu'est-ce que tu fais dans le noir ?

— Rien. Je réfléchissais.

— Irène n'est pas avec toi ?

— Non, ils sont allés boire un café chez Alain et écouter des disques.

Elle hoche la tête, souriant vaguement. Elle serre autour de ses épaules son châle de laine puis sort de la poche de sa chemise de chambre un mouchoir qu'elle lui passe dans les cheveux.

— Regarde-toi. T'es tout mouillé. C'était bien ce film ?

— Oui, c'était bien. Un western.

— Ah ! je déteste ça !

Il la prend aux épaules et l'embrasse sur le front.

— Je sais… Et toi ? Qu'est-ce que tu fais debout ?

— J'arrivais pas à dormir. Je me faisais une tisane. Maurice s'est endormi sur son livre et il s'est mis à ronfler. Tu veux quelque chose ?

Daniel ne répond pas. Il tend ses mains au-dessus de la cuisinière. Des gouttes d'eau tombent de ses cheveux et grésillent sur l'acier brûlant. Il laisse la paix revenir dans son esprit et le puits disparaître pour retrouver un peu d'air libre.

— Je vais faire chauffer un peu de café.

Il en verse un peu dans une casserole puis prend dans le buffet une tasse et du sucre pendant que ça chauffe. Quand il s'assoit, Roselyne le dévisage.

— À quoi tu pensais tout seul dans le noir ?

Il remue le sucre dans son café, s'absorbant dans ce qu'il est en train de faire pour n'avoir pas à la regarder. Tintement de la cuillère contre la tasse. Le vent vient parfois murmurer dans la cheminée.

— Tu veux pas me dire ?

— Qu'est-ce que tu veux que je te dise ? C'est toujours pareil. Quand ça me prend j'arrive plus à penser à autre chose.

Elle essaie de lui prendre la main en glissant la sienne sur la toile cirée mais il se dérobe doucement.

— T'en as parlé avec ta sœur ?

Il secoue la tête.

Ils se taisent. Ils boivent du bout des lèvres leurs breuvages trop chauds. Roselyne observe Daniel, un sourire moqueur dans les yeux. Lui, il ne regarde rien. Peut-être le buffet, en face de lui, et les vitres de ses portes en verre dépoli ornées de motifs fleuris. Il se sent triste ou amer, il ne sait pas bien.

— Et puis, c'est pas tout à fait ma sœur.

— C'est tout comme. On vous a élevés ensemble. Elle avait deux ans quand tu es arrivé.

Roselyne s'interrompt, un grand sourire aux lèvres.

– Je me souviens de ça comme d'un de mes plus grands bonheurs : vous avoir tous les deux là avec moi. Pourtant, tes parents avaient été arrêtés, on ne savait pas, à l'époque, où on les emmenait mais des bruits couraient, tu sais. L'Allemagne, la Pologne… On parlait de camps de prisonniers mais tout le monde croyait que ça ressemblait aux camps où étaient les soldats. Mais bon, on était obligés de faire face. C'était dur, au point qu'on oubliait ce qu'était une vie normale. Irène elle t'a appelé Dada tout de suite, tu te rappelles ? Ça a duré pendant des années. Au début, elle te suivait partout, elle ne comprenait pas pourquoi tu ne pouvais pas sortir comme elle. Une fois, je me rappelle, c'était en janvier 44, elle s'est mise à parler de Dada chez le boucher, cette pourriture qui faisait du marché noir avec les Boches. Je ne savais plus comment l'arrêter. Elle racontait qu'elle discutait tout le temps avec, qu'elle jouait aux cartes et aux petits chevaux parce qu'il s'ennuyait dans sa chambre d'où il ne sortait jamais, qu'il restait trop longtemps aux cabinets, enfin tout un tas de trucs, j'ai vu le moment où elle allait tout dire, je savais plus quoi faire. L'autre salaud qui commence à la questionner, tu sais, l'air de rien, « Et comment il est ce Dada ? Il est gentil ? Pourquoi il peut pas sortir ? Il est malade ? Quel genre d'histoires il te raconte ? C'est quoi son vrai nom ? », il flairait quelque chose, il voulait savoir ce que c'était, comme un chien qui tourne autour d'un fourré. Elle n'avait que trois ou quatre ans, tu te souviens le baratin qu'elle avait, à nous soûler ? Eh bien la voilà qui s'arrête net, qui regarde ce con en se marrant et qui lui balance : « Il est bête lui, il confond tout. Un nounours ça sort pas dans la rue pour pas se mouiller et puis ça raconte pas d'histoires, c'est moi qui lui en

54

dis pour qu'il s'endorme dans mon lit. Dada, c'est pour Danilou. C'est comme ça qu'il s'appelle dans la forêt. » Gueule du type, son paquet de viande à la main. Rigolade générale dans la file d'attente devant une gamine avec un tel baratin, et qui prenait tout le monde à témoin, ses grands yeux verts comme des soucoupes. Pour la peine, on a eu droit à cinquante grammes de rognures de bœuf en plus. Quand on est sorties du magasin, elle a serré ma main et elle m'a dit « T'as vu comment je me suis rattrapée ? Je l'ai bien eu, pas vrai ? Il voulait que je lui parle de Daniel, t'as vu ? » Elle avait tout compris. La guerre ça fait vieillir les enfants plus tôt mais ça rend pas forcément plus intelligent, sans quoi les humains seraient tous des génies, mais cette gosse elle montrait que rien ne lui avait échappé du danger que tu courais, des salauds qui traînaient partout avec des sourires grands ouverts comme des chambres à gaz. Elle posait jamais beaucoup de questions sur les Allemands, les événements et tout ça, mais elle écoutait beaucoup, elle observait, elle nous regardait parler avec Maurice à table avec son air sérieux et des fois je croisais ses yeux immenses comme s'ils allaient m'avaler tout entière et j'avais peur pour ces yeux-là et je me demandais quel monde ils regarderaient plus tard. Bref… Elle s'est remise à sautiller sur le trottoir et moi j'avais peur comme toujours qu'elle trébuche sur les pavés de travers mais je me sentais heureuse comme ça ne m'était pas arrivé depuis longtemps.

— Moi aussi je vous écoutais. J'étais dans mon coin mais j'entendais tout. Et puis je tendais l'oreille pour savoir s'il y avait du bruit dans l'escalier. Je me disais qu'ils allaient revenir et qu'on rentrerait à la maison et que ça continuerait comme avant. Ou alors je regardais par la fenêtre. Je montais sur une chaise et j'écartais le rideau pour voir le plus loin possible. Et des fois j'avais le cœur qui sautait parce que je croyais voir maman traverser la rue. Je me demande si Irène n'avait pas mieux compris la situation que moi. Elle savait qu'ils ne reviendraient pas, que c'était fini. C'est pour ça que des fois elle me prenait contre elle sans rien dire et moi je la laissais faire même quand ça m'énervait.

Daniel allume une cigarette et se lève pour aller prendre sur l'évier un cendrier propre.

– Tiens, des blondes. Donne-m'en une.

– Tu fumes ? C'est Alain qui les a par un type sur les quais.

Elle allume sa cigarette et tire dessus en fermant les yeux.

– Ça va me faire tourner la tête, mais c'est trop bon !

Ils fument en silence, se souriant parfois, chacun dans ses pensées. Daniel se sent bien, ici, avec cette femme qui l'a élevé et a chassé d'autour de lui la nuit qui rôdait comme une fumée toxique. Il est ici chez lui, avec les siens. Avec Irène et ses dix-huit ans et ses yeux verts qui parfois n'osent plus croiser les siens, se détournent et se voilent comme on couvre une épaule un peu trop dénudée.

– À moi aussi ils me manquent, même après tout ce temps. Ta mère c'était comme une sœur. Tu vois, on n'en sort pas de ces histoires de frères et de sœurs… Moi aussi, des fois, je m'imagine qu'elle va rentrer, là, qu'elle est déjà devant la porte, alors j'attends quelques minutes ce qui va se passer. C'est bizarre comme impression, tu sais, ça semble évident, on est sûr que ça va se produire. On frappe à la porte et j'ouvre et elle est là, elle me sourit avec un air terriblement fatigué après tout ce qu'ils lui ont fait subir là-bas, tout ce qu'elle a dû voir… Alors on tombe dans les bras l'une de l'autre et on se met à pleurer et à rire et puis on parle pendant des heures... Combien de fois je me suis arrêtée dans ce que je faisais en espérant que mon espèce de rêve se réaliserait !

– Et mon père ?

– On en a déjà parlé... Quand il était là, avec vous deux, c'était un homme extraordinaire. Toujours gai, et doux. Il revenait avec des cadeaux, des jouets, parfois de l'argent. Et Olga, ta mère, l'accueillait comme on récupère un chat qui a passé trois jours sous la pluie et qui s'est bagarré avec d'autres matous. Elle le cajolait et lui il promettait qu'il ne recommencerait plus, qu'il resterait avec vous, que c'était fini les bêtises. Elle a cru longtemps ce qu'il lui racontait. Je crois que ça lui plaisait d'y croire, elle devait aimer qu'on lui raconte des histoires. Elle aimait peut-être les hommes chats, je ne sais pas... Elle se doutait bien qu'il y avait d'autres femmes, des très belles et des malpropres, nous en tout cas, avec Maurice on savait tout et on n'a jamais osé lui en parler. Moi, surtout, j'aurais dû... Mais qu'est-ce que ça aurait changé ? De toute façon, un jour, place Pey-Berland, elle l'a vu au bras d'une fille puis l'embrasser et rire avec elle. Je me souviens du jour où elle est arrivée ici en pleurs avec toi tout bébé dans ta poussette.

Roselyne se tait brusquement puis lève les yeux vers Daniel, comme étonnée de le voir là, de l'autre côté de la table, comme sortant soudain d'un songe.

– Pourquoi je te raconte tout ça ? Tu le sais déjà.

Daniel a laissé sa cigarette se consumer au bout de ses doigts en l'écoutant et la brûlure l'arrache à la rêverie où flottait son esprit. Il écrase le mégot dans le cendrier et la fumée se disperse comme les images transparentes qui lui sont venues, et ne subsiste que l'odeur de tabac, déjà entêtante. Il cherche la main de la femme et elle tend la sienne et ils se tiennent du bout des doigts sans se regarder, sans rien se dire.

— Ça me fait du bien, dit-il doucement. Comme ça, ils existent encore un peu.

Roselyne lui sourit avec un air triste.

— On va aller se coucher, tu crois pas ? dit Roselyne.

Ils soulèvent en même temps leur fatigue en s'appuyant à la table. Roselyne précède Daniel dans le couloir puis se retourne et lui caresse la joue.

— Dors bien.

— Bonne nuit.

Il entend derrière lui le petit grincement de la porte et les ronflements sourds de Maurice puis éteint la lumière avant d'entrer dans sa chambre. La fenêtre donne sur le petit jardin où une lueur indécise, effilochée par le vent, tombant du ciel trop bas, vient se coller à la vitre avec la pluie. Il ôte son caban humide et ses chaussures et s'allonge sur le lit tout habillé. Son esprit est un lieu confus, plein d'enchevêtrements. Ronces, lierre et fleurs étouffées. Il garde les yeux ouverts sur le plafond invisible et c'est peut-être ainsi qu'il s'endort, en écoutant la rumeur de l'hiver qui secoue parfois, il ne sait pas où, un volet mal fermé.

5

La jeune fille salue d'un signe de tête la femme revêche qui surveille la sortie des élèves en jupes bleu marine et chaussettes blanches emmitouflées dans des manteaux sombres. Elle s'éloigne du troupeau rébarbatif qui s'égaille peu à peu le long des hauts murs derrière lesquels s'entend le carillon d'une chapelle, puis traverse presque aussitôt le boulevard pour rejoindre l'arrêt de bus. La grosse sacoche qu'elle porte en bandoulière bat contre sa hanche et l'oblige à se tordre et à claudiquer un peu. Elle la pose par terre dès qu'elle arrive sous le panneau et ajuste à ses doigts des gants de cuir fauve. Elle guette au loin, parmi le troupeau bruyant de voitures et de camions, regarde l'heure à la petite montre dorée qu'elle porte au poignet.

L'homme se trouve à deux mètres d'elle et l'observe mine de rien. Ses yeux sont brillants, noirs, et se posent et s'attardent sur le visage fin de la jeune fille blonde aux yeux verts et se détournent dès qu'elle lève la tête pour regarder la circulation, le ciel plombé, les maisons, avec un air tranquille et sage. Lui aussi, de temps en temps, scrute l'horizon pour voir si l'autobus arrive puis il reporte son attention sur elle. Il garde les mains dans les poches de son gros manteau gris anthracite un peu défraîchi, au col remonté, il piétine pour chasser de ses jambes le froid et rentre la tête dans les épaules et souffle dans son écharpe qui enveloppe le bas de sa figure.

Quand le bus arrive, la jeune fille monte la première et il laisse passer les deux autres personnes qui attendaient aussi, une petite femme à tête d'oiseau portant un panier à provisions et un vieux barbu coiffé d'une casquette de marin. Il va s'appuyer contre une barre d'acier, s'accroche à une poignée en cuir et surveille la fille du coin de l'œil, assise à côté d'un homme qui dort. Il y a deux semaines, elle lui a faussé compagnie en descendant trois arrêts plus tôt et il a fallu qu'il coure au bout de son souffle pour l'apercevoir au loin entrer dans une maison de la rue Georges-Mandel. Elle y va rejoindre un garçon nommé Philippe qui étudie le droit place Pey-Berland. Fils de maître Duplat, avocat à la cour. Deux coups de téléphone lui ont suffi pour apprendre cela. Il ignore si ça lui sera utile mais il sait, et il se sent plus fort et plus sûr.

Aujourd'hui, elle descend comme prévu à côté du stade municipal et traverse le boulevard en direction de la rue d'Ornano. Il la suit sur l'autre trottoir. Elle ne se retourne jamais, elle avance vite, une main accrochée à la courroie de son volumineux cartable. Elle tourne dans la rue de Madrid, alors il traverse en pressant le pas mais la laisse prendre un peu d'avance parce qu'il sait où elle va. Dès qu'elle a disparu au coin de la rue, il court et la voit fouiller dans son sac devant chez elle. Il s'approche, elle se tourne vers lui et tient en l'air une clé d'acier et pousse un faible cri quand il l'attrape à la gorge d'une main et serre entre ses doigts son larynx juste ce qu'il faut pour qu'elle étouffe et que son visage s'empourpre. Il la tient toujours alors qu'elle glisse sur le seuil en battant des bras, les yeux exorbités, la bouche pleine de bave et d'un râle mouillé. Il lui cogne la tête contre la porte et lui arrache son cartable et l'ouvre et le jette au milieu de la rue où bouquins et cahiers s'ouvrent et s'envolent.

Derrière lui une fenêtre s'est ouverte et une femme se met à gueuler «Au secours, arrêtez-le!», mais il ne fuit pas, il se penche sur la fille en train de suffoquer en se tenant la gorge et la saisit par le col de son manteau.

– Dis bien ça à ton père, petite. Dis-lui bien que je suis revenu et que reviendrai.

Puis il s'éloigne à grands pas par l'itinéraire qu'il a pris pour venir, les mains dans les poches, cependant qu'une porte s'ouvre et qu'on crie. Des voix de femmes qui parlent de prévenir la police, vite, il faut trouver un téléphone.

Sur le boulevard, il prend un autre bus, bondé, sur-chauffé, aux vitres couvertes de buée où l'on s'entasse, coude à coude, monté presque sur les pieds du voisin, sa gueule aux dents gâtées au ras d'un nez qui coule, un bras contre une joue, des yeux dans les vôtres, parfois, qui vous tueraient s'ils le pouvaient pour que vous libé-riez un peu d'espace. La masse obscure d'humains serrée là-dedans se balance et s'incline au gré des coups de frein et des accélérations et il sent contre lui peser ces corps suspendus aux poignées comme des quartiers de viande et soudain il étouffe, et bouche ouverte il essaie de gober de l'air mais sa poitrine écrasée par la panique reste vide et sa gorge se noue, alors il doit forcer le passage, se glisser entre deux épaules, donner du coude dans les flancs d'un abruti qui le dévisage sans s'écarter ni bouger du tout et il souffle «Laissez-moi sortir, laissez-moi passer, je vous en prie!» et il se tient en extension comme un gymnaste aux barres parallèles ou un plongeur au-dessus des marches qui descendent vers la porte à soufflets marquée SORTIE et dès qu'elle s'ouvre il saute dehors et titube pour aller s'appuyer contre un mur, reprendre son souffle, cracher quelques sanglots qui secouent sa carcasse. Puis il marche pen-dant une vingtaine de minutes dans des rues vides, il marche vite, il court presque, comme un fuyard qui s'efforcerait de distancer ce qui le poursuit et tous les démons et les spectres qui se pendent à ses basques.

Chez lui c'est un petit appartement rue Lafontaine, non loin du marché des Capucins, dans un quartier où pour beaucoup l'espagnol est la langue partagée de la défaite et de l'exil. Une entrée, une petite cuisine éclairée par un vasistas donnant sur une cour étroite, une chambre. Peu de meubles. Une table, deux chaises, un buffet abandonné par le précédent locataire, une étagère pleine de livres. Un lit qu'il a acheté neuf, son seul luxe. Les draps sentent le propre, lavés chaque semaine pour 200 francs par une voisine. Il les sent chaque soir quand il se couche, chaque soir il emplit ses narines de cette odeur de savon et de lavande. Alors le sommeil vient vite et il peut s'y abandonner sans crainte. C'est le meilleur moment de la journée, cette plongée lente, la joue posée sur le tissu frais. Les nuits désormais lui appartiennent. Il sait que les cauchemars l'éveilleront en sueur et en larmes, il sait qu'il hurlera en croyant sentir à côté de lui la présence glacée d'un cadavre et qu'il devra allumer la lampe de chevet pour constater qu'il est seul dans ses draps parfumés, il sait que ça ne finira sans doute pas, mais ce moment, cette solitude, cette volupté du sommeil qui le prend dans sa molle tiédeur, il les savoure en poussant des grognements d'animal heureux.

Il remet quelques boulets dans la cuisinière, fourgonne un peu dans le foyer avec un tisonnier, puis va s'asseoir sur une chaise sans défaire son manteau. Là, il reprend son souffle en regardant autour de lui sans rien voir, l'esprit plein du regard de la fille terrorisée et de la sensation qu'il a éprouvée en serrant sa gorge entre ses doigts. Toute-puissance et lâcheté. Comme c'était facile et comme elle était faible, renversée dans sa panique, sans défense aucune. Il ne pensait à ce moment qu'au père qui ce soir allait rentrer chez lui et entendrait le récit de la gamine entrecoupé de sanglots.

À la fureur qui le prendrait mais aussi à la peur qui commencerait à poser en secret ses questions. Ça ne faisait que commencer.

Il aurait pu la tuer. La laisser morte sur le seuil. Il y songe à présent. Quelques secondes de plus, une pression supplémentaire sur la trachée. Il avait vu un kapo faire ça une nuit. Un Ukrainien insomniaque que l'alcool même ne parvenait pas à assommer et qui rôdait la nuit à l'entour des latrines et tuait à mains nues les prisonniers qu'il croisait et s'en vantait le lendemain matin en expliquant que ça le calmait et qu'il pouvait dormir, après. Il l'avait vu jeter un homme au sol et se pencher sur lui et tenir son cou entre les doigts d'une seule main, sans effort apparent, jusqu'à ce que se taisent ses râles. Il avait attendu, tassé contre un mur, plié en deux sur la débâcle de ses intestins, que le criminel s'éloigne puis il était allé se vider en retenant un gémissement de douleur et d'effroi. Le lendemain…

Il repousse les images qui l'assaillent avec la brutalité d'un assaut décisif puis il se lève et tape des pieds pour secouer le froid qui l'engourdit et le prend aux épaules pour le replonger dans l'obscurité glacée des nuits là-bas, dans leur rumeur de plaintes, de toux et de cris, ces nuits sans fin où il attendait l'heure de se mettre debout pour être sûr qu'il était encore vivant et tellement courtes parce que le sommeil semblait ne venir que pour lui ravir à chaque fois un peu de forces et le laissait accablé, s'enfuyant comme un pillard silencieux.

Il remonte le col de son manteau, s'approche de la cuisinière et tend ses mains au-dessus des plaques de fonte en écoutant le métal se dilater en claquant. Il se dit qu'il n'en peut plus, qu'il n'y arrivera pas et qu'il faudrait mourir, à présent, pour de bon. Puis il va cracher dans l'évier le goût immonde qui s'est mis à couler dans sa gorge.

6

Le commissaire Albert Darlac lui tient la main et la jeune fille sourit d'un air las en répétant pour la quatrième fois que tout va bien, qu'elle a eu peur, qu'elle a été attaquée par un vieux fou qui n'y reviendra pas. Elle est allongée sur le canapé de velours vert, en pieds de chaussettes, un gros coussin rouge sous la tête.

Élise. Quinze ans. Il n'est pas sûr d'aimer quelqu'un d'autre en ce monde. Quand il la regarde, quand il la touche, il sait que tout n'est pas mort en lui, il sait qu'il n'est pas qu'un assemblage d'organes baignant dans un jus amer mû par le seul désir de dominer et de corrompre.

Lui aussi il essaie de sourire mais c'est une grimace douloureuse et féroce qui découvre des dents bien alignées comme sur une bande de cartouches. Certains chiens déments sourient ainsi. Il se retourne vers le toubib en train de ranger son stéthoscope dans sa mallette.

– Elle n'a rien. Pas même une marque. Je vais lui prescrire de quoi dormir cette nuit et demain il n'y paraîtra plus. Je ne suis pas inquiet.

Darlac se redresse et soupire, caresse le menton de sa fille puis rejoint le médecin.

– Moi non plus, je ne suis pas inquiet. Parce que le type qui a fait ça je l'aurai bientôt à ma pogne et des marques il va en garder un bon bout de temps parce que je vais lui refaire la gueule. Sa pute de mère va pas reconnaître son putain de cadavre.

Il a parlé tout bas, en un grondement continu. Le médecin s'esclaffe.

– Tout de suite les grands mots. Tu ne changeras pas.

– Manquerait plus que ça…

Une femme apparaît, plutôt grande, mince, blonde aux yeux noirs, vifs, sertie dans un tailleur pied-de-poule. Jolie. Annette. Épouse du commissaire Darlac. Elle porte un plateau argenté. Tasses, cafetière, sucrier en porcelaine. Elle pose tout ça sur la table de la salle à manger. Le toubib la reluque sans dissimuler et elle lui adresse une œillade de cinéma, battement de paupières et moue discrète. Après quoi elle chaloupe vers le couloir d'entrée et annonce que le café est servi. On entend deux voix lui répondre et presque aussitôt deux inspecteurs entrent dans le salon.

– Alors ? demande Darlac.

Les deux hommes s'approchent de la table en se frottant les mains. Ils se ressemblent : mêmes cheveux noirs, même manteau gris. Comme sortis du même moule à flics. L'un porte des lunettes d'écaille qu'il remonte constamment sur son nez. C'est lui qui répond au chef.

– À part la voisine d'en face, personne n'a rien vu ni rien entendu avant qu'elle se mette à gueuler. On a un signalement assez précis qui correspond à celui qu'a donné votre fille. Un homme de quarante-cinq ans environ, cheveux gris très courts, visage marqué, peut-être avec des cicatrices. Assez grand, plutôt agile et rapide. Il est reparti sans se presser vers la rue d'Ornano. Rien d'autre.

Ils remercient Mme Darlac qui vient de les servir et manient malaisément les tasses par leurs anses fines comme si elles allaient se briser entre leurs doigts à tout moment. Ils remuent leur kawa l'auriculaire en l'air, à petits bruits, et ils sirotent et se brûlent, et leurs yeux vont de la fille Darlac à la mère, sans doute pour y deviner une ressemblance.

– Il est bon, votre café, madame.

Sourire de madame, qui s'est assise auprès de sa fille et lui masse les pieds.

Pendant un moment, chacun se tait. Darlac s'est campé devant une porte-fenêtre et fume et soupire bruyamment, secouant les cendres de sa cigarette à ses pieds. Les autres contemplent son dos large, ses épaules taillées carré par la coupe du veston.

– Il va neiger, hasarde l'épouse du commissaire.

Il hausse les épaules.

– Si t'as rien d'autre à dire, tu peux rapporter les tasses à la cuisine. Ton café c'est du jus rital. Dégueulasse.

Les deux inspecteurs et le toubib zyeutent au fond de leurs tasses comme pour y déceler des traces de poison. Madame débarrasse, rassemble les petites cuillères et soulève le plateau d'un geste sûr et silencieux, sans le moindre tintement, quand on s'attendrait à la voir trembler sous le coup de l'insulte et du mépris. Elle traverse la pièce le regard fixe porté droit devant elle, masquée d'un demi-sourire indéchiffrable, avec un pas souple de ballerine. Étrange beauté blessée peut-être ou bien terrible. Les trois hommes qui la regardent passer ne respirent plus dans cette atmosphère raréfiée.

Darlac se retourne vivement, écrasant sa cigarette dans le pot d'une plante verte.

– Bon, les hommes, en attendant qu'il neige, on va se bouger le cul.

Il indique d'un coup de menton la porte de la cuisine.

– Si vous voulez un souvenir, j'ai des photos. Ça devrait vous plaire. Les coulisses de la Revue Tichadel[1]. Signées par l'artiste, si vous voulez.

Les deux flicards baissent les yeux en souriant bêtement.

– Demandez au Dr Chauvet, qui a pourtant le droit de l'ausculter. Hein, qu'elles sont bien ces photos, toubib ?

– Très suggestives, fait l'autre avec un clin d'œil égrillard. Tichadel, c'était mieux dans les coulisses que sur scène !

Darlac a déjà son manteau sur le dos et claque dans ses doigts pour entraîner ses hommes à sa suite. Il se retourne vers le médecin qui s'asseyait pour rédiger une ordonnance et montre du doigt sa fille assoupie sur le canapé.

– Tu me la remets sur pied. Celui qui touche à elle il est mort, alors prends garde à bien la soigner.

Voix sourde, presque étranglée. Chauvet hoche la tête, jette un coup d'œil à la jeune fille.

– Elle n'a aucun besoin d'être soignée. Peut-être protégée, mais tu es là pour ça. Tu sais bien que tu as toujours pu compter sur moi, non ?

Darlac tord sa gueule en mettant son chapeau.

– Bien sûr, dit-il, puis il rejoint ses hommes dans la voiture garée sur le trottoir et la porte claquée tremble derrière lui.

Dès que le moteur tourne, il donne ses instructions en s'efforçant de se décontracter au fond du siège. Aller visiter les asiles psychiatriques au cas où un maboul se serait échappé ou aurait été remis dehors, éplucher le fichier des pointeurs et autres violeurs qui

---

1. Spectacle de music-hall avec chanteurs « à voix » et danseuses dénudées qui s'installait à Bordeaux, au théâtre de l'Alhambra, au moment des fêtes de fin d'année.

traînent dans la ville et ses banlieues. Il ne croit pas à la piste du maniaque ou du dingo qui passerait à l'acte là, devant sa porte à lui, le commissaire Albert Darlac. Évidemment. Et les deux inspecteurs non plus, qui se taisent parce qu'on ne discute pas avec lui, parce que ça n'en vaut pas la peine, brutal, têtu, méchant comme une congestion cérébrale. Et aussi parce qu'ils s'en foutent. Ils opinent du bonnet, ils échangent en coin des regards que l'autre ne voit pas, en train d'écrire des choses sur son petit carnet ou bien scrutant les trottoirs d'un air menaçant comme si l'agresseur allait apparaître au coin d'une rue.

Dès qu'ils sont descendus de voiture, les deux flics prennent congé en soulevant leur galure puis s'éclipsent sans demander leur reste, expliquant qu'ils ont du travail.

– C'est ça, mes cons, il marmonne. Allez travailler et posez bien vos culs sur vos chaises.

Au moment où il entre dans son bureau, le téléphone se met à sonner.

– Commissaire Laborde. Il faut que je vous voie. Tout de suite.

La ligne est mauvaise, crachotante. La voix métallique. Un aboiement dans une citerne.

Darlac raccroche violemment et jure et se débarrasse de son manteau comme d'un adversaire. Commissaire Laborde. Ce nom lui tourne en tête et son cœur tape de rage, de colère et de dégoût. Il allume une cigarette et ouvre la fenêtre pour laisser entrer le froid, l'humidité, tout ce qui pourrait rafraîchir la haine enfiévrée qui l'a pris. Il souffle, serre les poings en regardant le ciel gris, la cour noirâtre, la façade sale de l'autre côté de la rue Abbé-de-l'Épée. La ville est crasseuse, souillée par le jus charbonneux du crachin d'hiver, nécrosée par les chaleurs moites l'été. Elle pue le gasoil, le salpêtre des caves de pierre refoulant par les soupiraux, la vase du fleuve brun, le poisson et les légumes étalés sur les éventaires des marchés. Il a l'impression que tous ces effluves sont venus se mêler dans la cour du commissariat et lui soufflent à la figure toute la pourriture qui submerge la ville et le pays depuis la fin de la guerre, cette haleine fétide charriée par toutes ces gueules qu'on a autorisées à s'ouvrir.

Il écrase sa cigarette dans un cendrier Cinzano déjà plein et crache dans la poubelle et referme la fenêtre dans un fracas de vitres mal jointes.

Le commissaire est au téléphone et lui fait signe de s'asseoir mais Darlac préfère rester debout rien que pour éviter d'obéir à cet enfant de putain. Il se plante devant un tableau de liège où sont punaisées des circulaires de service. Juste au-dessus, une grande photo de De Gaulle à Bordeaux, en septembre 44. Le grand homme venu mettre au pas ses complices cocos est devant un micro, entouré des chefs de la Résistance mais aussi de quelques collabos déjà recasés sur qui l'épuration passera, plus tard, comme un nuage insignifiant, à peine une ombre : vraies ordures, faux résistants, flics, préfets, chefs de cabinet qui ont organisé les rafles, contresigné les demandes d'arrestations, torturé à bras raccourcis, outrepassé et anticipé les ordres boches mais ont senti le vent tourner en 43 et se sont inventé des actes de bravoure et fabriqué des alibis, ont sauvé utilement quelques Juifs et gardé traces de cet héroïsme pour que le moment venu, quand se réuniraient les tribunaux et que s'aligneraient les pelotons d'exécution, les mous du bide viennent témoigner en leur faveur. Ils étaient là, pas tous, bien sûr, observant la foule derrière le Grand Con, se demandant peut-être qui de leurs victimes se rappellerait à leur souvenir et regrettant déjà, qui sait, qu'il y ait toujours des survivants à tous les massacres pour venir raconter et montrer du doigt les bourreaux.

Darlac se rappelle que dans la foule émue et joyeuse naviguaient des types à l'air farouche, mains dans les poches fermées sans doute sur la crosse d'une arme, des FTP qui rongeaient leur frein, d'autres au visage creux et fermé, survivants des réseaux trahis puis démantelés, abasourdis de voir toute cette racaille se pousser du col à la tribune. On avait dispersé quelques inspecteurs pour épier ces aigris et prévenir tout geste d'humeur ou de désespoir, puisque dans les rues pavoisées, en ces jours de liesse, erraient des chagrins singuliers, des solitudes douloureuses que personne ne prenait le temps de voir.

Dans son dos le commissaire parle à voix basse puis se tait puis tapote sur son bureau avec un crayon à papier avant de reprendre sa conversation, et Darlac s'absorbe dans l'examen de la photo et des huiles en train de parader et il éprouve encore tout le mépris que lui inspirait la populace meuglant la *Marseillaise*, emportée par les élans patriotiques et les velléités vengeresses quand elle avait rampé pendant quatre ans sous la botte dans la peur et la faim et la délation. On fait des gens ce qu'on veut. Il suffit qu'ils aient faim ou peur et qu'on tende un dévidoir à leur haine parce que haïr leur donne l'illusion d'exister. Les Juifs hier. Les Arabes aujourd'hui. L'Algérie est en train de remodeler le peuple français autour d'un ennemi commun cerné par tout un vocabulaire assassin : le frisé, le bronzé, le bicot, le crouille, le raton. Sournois, certes, mais seul, pauvre, faible. Pas comme ces troufions schleus robustes et bien armés qui inspiraient crainte et respect. Salauds, mais tellement francs. On les voyait venir de loin, au moins. Le Français n'aime pas les adversaires puissants : il veut tout de suite faire la paix avec en croyant faire le malin.

C'est pourquoi Darlac n'a jamais compris les résistants. Peut-être parce qu'il ne voyait pas bien à quoi ils

70

résistaient. Il ne comprenait rien à la politique et s'en était dégoûté. Marquet, le maire, ancien radical, désormais pétainiste et collabo, les communistes, qui signaient un pacte avec Hitler, puis appelaient au sabotage et faisaient péter des bombes et dérailler des trains. Il ne supportait pas les gens menés par des idées. Des patriotes puritains. Fous exaltés. Malades. Du panache, bien sûr. Des couilles. Même les femmes. Il a hésité, pendant deux mois ou trois. Il se sentait le même courage qu'eux, sans trop savoir à quoi ça servirait. La patrie ? L'honneur ? La liberté ? Non. Ça l'aurait amusé peut-être pour l'aventure, le secret. Un peu comme dans les films avec Gabin. Le soir, dans la brume, un destin de fugitif prenant dans ses bras les plus beaux yeux du monde.

Mais le pognon, la puissance, le cul, le confort étaient de l'autre côté. Et puis les Allemands semblaient invincibles et leur ordre casqué couvrait le chaos, comme la voûte dense des arbres géants, où vivent les grands oiseaux, s'étend au-dessus de la jungle primitive. On a depuis éclairci la forêt, mais il a compris qu'au ras du sol, dans la fange qui fermente, il se sent à son aise. Il ramasse ce qui tombe des branches ou ce qui naît de la décomposition. Il grimpe pas aux arbres. Il joue pas les singes savants ni les perroquets criards et bariolés. Il sait quelle est sa place dans la vaste hiérarchie du monde et quels profits il peut en tirer. Cette connaissance est la seule qui vaille pour lui.

– Grand moment, n'est-ce pas ?

Léger tressaillement. Darlac se retourne. Le commissaire s'est calé dans son fauteuil, jambes croisées, et le regarde venir s'asseoir. Des yeux bleus très clairs, très durs, qui ont dans l'ombre, hors du halo lumineux de la lampe, leur lueur propre.

– J'y étais. On y était tous, ou presque. Vous vouliez me parler ?

– Comment va le Crabos ?

– Pourquoi vous me parlez de lui ?

– Pour avoir de ses nouvelles.

– Il paraît qu'il s'est barré en Espagne. Bon débarras. Il nous fera plus chier.

– Pourtant il faisait plus grand-chose, non ? Quelques filles, son troquet rue de Bègles… Et puis malade, à ce qu'on m'a dit. Encore le cancer.

– Il va peut-être mourir au soleil. C'est mieux qu'à l'ombre. Il faisait venir un peu d'héroïne et d'opium, mais bon…

Le commissaire sourit.

– Rien à foutre des camés. On va causer sérieusement, commissaire Darlac. D'accord ? On se connaît, on va rien se cacher, c'est entendu ?

Darlac soupire. Hoche la tête. Bouge son cul pour s'assurer que sa chaise est bien solide parce que ça va secouer. Turbulences. Trou d'air. Rien que du vent, somme toute. Cette idée l'oblige à réprimer un sourire. Mais un mauvais moment quand même.

– Qu'est-ce que vous êtes allé faire rue du Pont-de-la-Mousque lundi soir ?

– Mon travail. Je cherchais le Crabos, justement.

– Vous l'avez trouvé ?

– Oui.

– Pourquoi vous ne me l'avez pas dit quand on en a parlé, à l'instant ?

– Quel intérêt ? Il est parti en Espagne, comme je vous ai dit, c'est plié. Ça n'intéresse plus personne, ce que devient ce moitié crevé.

– Alors pourquoi vous le cherchiez ? Et puis, il y a quatre jours il était donc encore à Bordeaux, non ? C'est pas comme s'il était parti bouffer de la paella y a deux ans, pas vrai ?

– Vous savez très bien pourquoi je voulais le voir. Pour les mêmes raisons que vous. Parce qu'il avait peut-être des choses à m'apprendre sur la mort de Penot. Et parce qu'on a retrouvé un de ses hommes à la base sous-marine avant-hier. Trois balles. Il avait été travaillé à la salope. Ça commence à faire beaucoup.

Laborde soupire. Il reprend son crayon et recommence à tapoter les bords de sa table. Il réfléchit, s'apprête à dire quelque chose, secoue la tête, puis fixe Darlac dans les yeux et se met à parler :

– On avait dit que Penot on s'en foutait. Une ordure. Un des gros bras de Poinsot[1], personne ne comprend encore comment il n'a pas été collé au mur à la Libération comme son patron.

– On est sûrs qu'il a donné un coup de main au braquage de Bayonne l'année dernière. Il bossait pour Destang, du coup contre Crabos qui a toujours raconté partout qu'il lui ferait la peau. On ne pouvait pas s'en foutre, comme vous dites.

– Le frère du Crabos était communiste. Il a été torturé par Poinsot et Penot puis déporté. Il est mort là-bas. Tout le monde sait ça. On va quand même pas s'emmerder à chercher celui qui a canné un ancien tortionnaire. À moins que…

Darlac attend la suite, raide sur sa chaise. L'autre le

---

1. Pierre Napoléon Poinsot : commissaire, chef de la SAP (Section des affaires politiques) à Bordeaux jusqu'en janvier 44, date à laquelle il est nommé sous-directeur des Renseignements généraux à Vichy. Auxiliaire particulièrement efficace et zélé de la Gestapo. Lors de la retraite de l'armée allemande, il se réfugie à Constance. Arrêté alors qu'il tentait de passer en Suisse, il est jugé à Riom par une cour spéciale et exécuté le 1er juillet 45. Son service, dans les locaux de la préfecture de la Gironde, était spécialisé dans la traque des résistants, en particulier les communistes auxquels il vouait une haine farouche, et la torture y était systématiquement pratiquée. On estime à près d'un millier le nombre de personnes fusillées ou déportées par sa faute.

fixe avec dureté, accoudé à son bureau, et il attend aussi et ses yeux bleus virent au gris acier. On entend une machine à écrire claquer en rafales courtes, un téléphone sonner dans le vide. Tous ces bruits familiers viennent vibrer dans la pièce entre les deux flics et se vrillent en eux lentement à la façon d'un supplice chinois.

Laborde se tait, ses yeux braqués sur Darlac, un demi-sourire aux lèvres, puis il dit d'une voix sourde, les mains bien à plat sur le bureau :

– De toute façon, je veux plus voir votre cul du côté de la rue Saint-Rémi. Surtout si vous molestez des gens qui nous sont utiles.

– Ah oui, la taulière... Elle m'a pris d'un peu haut, cette pute.

Silence. Le commissaire ouvre un tiroir et affecte de fouiller dedans. Darlac bouge sur sa chaise.

– C'est tout ?

– Pourquoi ? Vous voulez déposer une demande de mutation pour Oran ? Accordée.

Darlac encaisse. Il se lève. Dans son dos, la voix sourde du commissaire, presque étouffée, le rattrape.

– Faites attention à vous... Et à vos auxiliaires. La guerre est finie. La Libération. Vous en avez entendu parler, je suppose ? Alors changez de méthodes, ou ne vous faites pas prendre.

Chacun soutient le regard de l'autre. Ne pas baisser les yeux. Laborde hausse les épaules et rit en silence.

– Barrez-vous. Et continuez d'être prudent.

Le commissaire se plonge dans la lecture d'un dossier avec un petit geste de la main pour congédier Darlac.

Dans le couloir, Albert Darlac se rend compte qu'il est baigné de sueur, le souffle court. Il descend en courant l'escalier pour rejoindre son bureau et là il ouvre à nouveau la fenêtre, respire deux ou trois fois à fond, bras en croix, les poings serrés. Puis il prend dans un tiroir un baudrier de cuir alourdi par un gros pistolet noir qu'il ôte de son étui. Les arêtes d'acier sont polies par l'usage. Un colt 1911, cadeau d'un officier en 45. Il enlève son veston et s'équipe et loge son arme sous son bras gauche.

Ensuite, il se regarde dans l'encadrement de la fenêtre ouverte dont la vitre lui renvoie un reflet sombre, épais, sans visage.

Quand il sort du parking la nuit est déjà là, grise, gorgée d'eau, parsemée de lueurs incertaines. Ville terne que la pluie semble éteindre alors qu'ailleurs elle allume les rues d'éclaboussures de couleurs et fait rutiler les grandes avenues. Les trottoirs sont parcourus de silhouettes troubles. Il grelotte au volant de sa 403, les mains nouées sur le volant. Il se demande s'il a de la fièvre et allume une cigarette dont le goût âpre l'écœure aussitôt et qu'il jette par la vitre descendue. Il roule comme ça fenêtre ouverte dans la confusion des rues étroites engorgées de voitures et de camions et de vélos qui se jettent sous ses roues. Spectres bossus et criards qui gueulent et l'insultent et après lesquels il aboie lui aussi des injures et des menaces.

Il se gare non loin d'un petit bar-cave sur la place Nansouty puis il marche courbé sous le vent et il a froid malgré son manteau. Dans le caboulot, étroit, bas de plafond, encombré d'étagères pleines de bouteilles et de barriques, ça sent le vin et le bouchon. Il y a un couple au fond, à côté d'une porte vitrée marquée « PRIVÉ », attablé devant deux verres de rouge. L'homme et la femme sont assis droits sur leur chaise, presque raides, et fument en se regardant, et ne se disent rien. On ne saurait leur donner d'âge. Émile Couchot, le patron, tire du vin d'un tonneau et remplit des bouteilles qu'il range dans un casier de six. Il salue Darlac d'un signe de tête puis revient à ce qu'il fait, la main sur le robinet. Le picrate mousse dans la bouteille. L'homme enfonce le bouchon en tapant dessus du plat de la main.

– Voilà, les jeunes, il dit au couple quand il a fini. Z'allez pouvoir vous régaler. Je vous marque ça.

Il s'approche de Darlac en s'essuyant les mains dans un torchon.

– T'es venu pour la gosse ?

Darlac hoche la tête.

Couchot passe derrière le comptoir. Deux types entrent et saluent à la cantonade. Ils s'assoient et commandent un monbazillac. L'un d'eux a posé à côté de lui une trousse à outils qui fait un bruit de métal.

– Ça roule les trains ? leur demande le patron.

– Comme sur des rails, répond un des types.

On se marre. Émile verse le vin doré, prend à la machine une dose de cacahuètes puis apporte le tout aux deux cheminots.

– Elle est pas là la daronne ?

– Elle fait la soupe.

– Tant que c'est pas le bouillon d'onze heures…

– Çui-là, on t'invitera pour venir le boire, et tu sentiras rien passer.

Ils rient encore. L'homme et la femme au fond de la salle se sont tournés vers eux et les regardent en souriant avec une expression mêlée d'envie et de lassitude. Même peau boursouflée, mêmes yeux larmoyants et rougis. Morts. Leurs vêtements élimés, étriqués, sont de la même couleur que le mur contre lequel ils sont adossés maintenant : gris, brun. Misère camouflée.

Darlac tourne le dos à tout ça et regarde derrière le bar les alignements de bouteilles et les tonneaux marqués à la craie qui disent leurs appellations contrôlées. Il aimerait que tous ces minables s'en aillent. Le couple d'épaves. Les deux travailleurs syndiqués. Le pistolet pèse sous son aisselle et il se dit qu'il pourrait les abattre tous sans qu'ils comprennent rien à ce qui leur arrive et il verrait dans leurs yeux l'ultime expression de leur bêtise profonde, cette ignorance satisfaite de peu qui tient debout leurs petites existences.

Couchot revient derrière son comptoir et lui demande ce qu'il veut boire.

– Rien. Il faut que je voie la fille.

– Je voulais t'en parler, justement. Mais tu vas bien boire quelque chose, avant. J'ai reçu un saint-émilion, tu vas voir ça.

Il sort une bouteille de sous le comptoir et la débouche. Le vin coule dans un verre avec un bruit de gorge.

Darlac flaire le vin, en prend une gorgée qu'il fait remuer dans sa bouche, l'avale lentement. Émile guette son avis, penché vers lui, la bouteille toujours à la main.

– Pas mal. Qu'est-ce que tu voulais me dire à propos de la fille ? Y a un problème ?

– Non, non, c'est que… Bref, elle a voulu se barrer hier, on a eu toutes les peines du monde à l'en empêcher, et ensuite elle nous a fait une crise de nerfs que j'ai dû la calmer avec une ou deux baffes, cette garce. On l'a mise à l'étage dans une piaule, mais pour aller à la salle de bains elle doit sortir et faut faire gaffe, quoi. Nous, on a du mal, c'est pas simple, tu sais.

Darlac se tait. Il hume son vin, il le regarde à la lueur d'une lampe.

– Faut me comprendre, dit Couchot. C'est une responsabilité !

Darlac soupire. Secoue la tête.

– C'est pour ça que j'ai pensé à toi. Parce que les responsabilités tu les fuis pas. Y a plein d'autres endroits où j'aurais pu la planquer. Et je viens ici parce que je sais que je peux compter sur toi. Ça me déçoit que tu me parles comme ça. Mais bon…

Darlac lui tape l'épaule en essayant de sourire. Comme on flatte, après l'avoir corrigé, un con de chien qui s'était enfui histoire de lui montrer qui punit et récompense.

— Elle est où Odette ?

— Elle prépare à bouffer. C'est elle qui a la clé.

Darlac pousse la porte vitrée. La femme aux yeux morts lève vers lui sa figure gonflée et il a l'impression de l'avoir déjà vue, il y a longtemps, plus jeune, plus fraîche, mais il décide qu'il s'en fout puisqu'elle est devenue ça, c'est-à-dire plus grand-chose. Il traverse une remise où s'entassent des caisses et des tonneaux et des casiers, où flotte toujours cette odeur de vinasse et d'humidité. Il entre sans frapper dans une cuisine éclairée *a giorno* et une grande femme surmontée d'une tignasse presque rouge se retourne en sursaut, un couteau dans une main, un oignon dans l'autre. Une gamelle de soupe est en train de chauffer devant elle.

— Tu m'as fait peur !

— Où elle est ?

— Dans la chambre du fond. T'as la clé au crochet, là, près de la porte.

Elle se retourne. Il prend la clé et reste là, sur le seuil menant vers l'escalier, et il la regarde. Jupe noire étroite, moulée sur ses hanches. Pull-over mauve. Un tablier gris noué à son cou et à ses reins. Il baisse les yeux vers ses jambes fines, gainées dans des bas dont il distingue le trait noir de la couture. Elle a toujours aimé la lingerie. Il a longtemps aimé la lui retirer. Mais c'est vieux. Tout a vieilli.

— On te voit plus, fait la femme sans se retourner.

Elle s'essuie les yeux du revers de la main et renifle à cause de l'oignon.

– Tu me vois, là, non ? Me dis pas que je te manque.

– Ça me ferait chier. Mais disons que tu passais plus souvent, avant.

– Avant quoi ?

– Comment va Annette ? Elle ose toujours pas demander le divorce ?

Elle parle au-dessus de sa soupe. On voit ses mains saisir de droite et de gauche ce qu'il faut pour l'assaisonner.

– C'est moi qui devrais demander à divorcer. Elle sait toujours pas faire le café. Et chaque année elle perd pas mal de son charme.

– Toujours sentimental. Et ta fille ?

Il hésite un instant. Odette se retourne. Son rimmel coule, elle a le regard brouillon. Elle ricane.

– Qu'est-ce qu'elle sait faire, elle ?

– Ta gueule. Parle même pas d'elle.

Il s'engage dans l'escalier alors que la femme rit dans son dos. Quand il ouvre la porte de la chambre, la fille est allongée sur le lit, mal éclairée par une lampe de chevet à l'abat-jour posé de travers, son manteau en guise de couverture. Elle pose sur la table de nuit un roman sentimental et le regarde approcher. Il prend une chaise et s'assoit près d'elle et ôte son pardessus.

– Tu me reconnais ?

La fille acquiesce d'un battement de cils.

– Arlette, c'est ça ? Arlette comment ?

– Darriet.

Il note ça sur son carnet. La gamine s'est redressée et s'appuie sur un coude. Elle a de grands yeux noirs, de longs cils épais.

– Depuis combien de temps tu fais la pute ?

– Six mois. Je suis partie de chez moi le 14 juillet. C'est facile à se rappeler. Une copine m'a fait rencontrer un type et…

– Quel type ? Qui c'est ?

– Je connais que son prénom. Robert. Il m'a fait rencontrer des hommes, il m'a dit que ça me permettrait de gagner ma vie. J'étais d'accord, de toute façon. Tout plutôt que retourner chez mon père. Je préfère que n'importe qui me baise mais pas lui.

– Comment il est ce Robert ?

– Un blond, avec des lunettes. Grand. Il lui manque deux doigts à la main gauche. Il a l'accent parisien.

Il écrit sur son carnet. Qui est ce type ? Un nouveau ? D'où il sort ?

– Alors, ce Parisien ? Il est comment avec toi ?

– Il me loge dans une piaule, derrière le cours de l'Yser, pas loin de chez lui.

– Et lui, il crèche où ?

Elle fait non de la tête. Elle serre autour d'elle son manteau, la tête dans les épaules, soudain prise de frissons.

– Réponds, ou c'est le trou. Vagabondage, prostitution. Ou on te ramène chez ton connard de père. Dans les deux cas, t'auras pas le choix.

– Il va me tuer…

– Non. Il tuera personne, parce qu'on lui tombera dessus avant.

La fille regarde Darlac droit dans les yeux. Ils sont à moins d'un mètre l'un de l'autre. Elle essaie sans doute de deviner s'il cherche à l'empaumer.

Darlac ne dit rien. Retient presque son souffle. Ne pas forcer. Ne pas secouer trop fort cet arbuste. Fruit tombé, fruit gâté. Le voilà qui s'invente des dictons paysans. Il aime ces moments où il observe dans sa main se débattre les êtres qu'il est sûr d'écraser plus tard.

– 28, rue de Bègles. Chez sa régulière. Blandine, elle s'appelle.

Blandine. Darlac revoit les images qu'on montrait à l'école de la martyre chrétienne jetée aux lions. Y a que les bonnes sœurs pour trouver des blases pareils aux orphelines qu'elles mènent à la baguette avant de les foutre dehors, parfois directement sur le trottoir, dès qu'elles sont majeures. Sûrement elles font exprès, ces filles de foi. LA Blandine. La vénus des FFI. Elle est arrivée à Bordeaux en suivant une colonne de francs-tireurs landais qui l'avaient prise sous leur aile pour veiller sur le repos des guerriers. Au bout d'un mois, elle avait installé entre l'église Saint-Pierre et les quais un discret bordel très républicain et patriote où on venait lui présenter les armes au garde-à-vous. Le maquisard qui la taxait au passage s'était fait virer fissa par des pros qui lui avaient démonté quelques dents à coups de crosse. C'est comme ça qu'elle avait connu le Crabos, un des beaux mecs de l'époque, et qui se croyait bandit d'honneur parce qu'il avait magouillé du bon côté.

– Tu turbines où ça ?

Elle garde les yeux baissés, triturant le tissu de son manteau.

– C'est des hommes qui viennent dans une chambre sous le toit, au-dessus d'un bar d'un copain à Blandine, cours de la Marne. C'est propre. Pas plus de deux ou trois par jour. Des fois des vieux qui peuvent plus. Qu'ont des montres en or et des gilets sous leur veston. Qui payent plus cher parce que je suis jeune. Blandine, elle m'a dit qu'y en a qu'aiment les petites filles de moins de dix ans, mais elle dit que c'est des détraqués et qu'elle veut pas les voir ceux-là. Moi, je crois que c'est les mêmes mais qu'ils se contentent de ce qu'ils trouvent avec moi.

Elle a raconté ça d'une voix traînante, monocorde, sans regarder Darlac. Quand elle lève enfin les yeux vers lui, ils sont immenses et noirs et tristes.

Le commissaire détourne le regard. Il connaît trop ces putains cafardeuses qui cherchent à vous enjôler avec leurs grands yeux battus et tout brillants de larmes. Il ne supporte pas. Elles lui font peur comme ces clébards abandonnés qu'on regarde ou caresse et qui se mettent à vous coller et dont on n'arrive plus à se débarrasser même à coups de pied.

– Et Crabos ?

– Qui ?

– Le type avec qui t'étais l'autre soir. Le crevard.

– Ah oui. Bertrand. Et alors ?

– Alors dis-moi depuis quand tu le connais. Avec qui tu l'as vu. Si tu réponds bien, on te sortira de là, on te protégera. Loin de toute cette merde.

– Lui, c'était pas pareil. Il me respectait. On parlait beaucoup.

Darlac émet un ricanement qui grince.

– Qu'est-ce que t'essaies de me faire croire ? Qu'il t'emmenait dans des hôtels borgnes pour causer du temps qu'il fait ? T'étais à poil dans un lit l'autre soir, non ? J'ai pas rêvé !

– C'est ça qui vous intéresse ? Que je vous raconte ? Il m'a jamais baisée, figurez-vous. Il y arrive plus, à cause de sa maladie. Il a plus la force. Alors il me demande de me déshabiller et de me coucher à côté de lui. Contre lui. Il me tient dans ses bras. Il me touche un peu, si ça lui plaît… Et on parle, des fois. Il me raconte son enfance, des trucs comme ça. Et moi aussi. On va à l'hôtel pour sauver les apparences, comme il dit. Il veut pas qu'on dise qu'il n'est plus un homme. Il est très gentil, il me paie le resto, il me donne des sous pour que Blandine m'emmène au cinéma.

La gamine se tait et prend un air rêveur. Soudain elle a douze ans, un visage pâle et doux. Elle soupire un grand coup en jouant avec ses doigts.

– Il voulait m'emmener en Espagne avec lui. Au

bord de la mer, près de Valence. Il voulait que je quitte Bordeaux, il disait que ma place n'était pas ici, que je valais mieux que ça.

— Et tu l'as cru ?

— Faut bien croire à quelque chose.

Elle s'est assise sur le lit et son genou a frôlé celui de Darlac. Ils sont toujours à quarante centimètres l'un de l'autre et Darlac l'observe et la voit comme une enfant perdue qui a beaucoup pleuré et que les larmes dessécheront jusqu'à ne laisser d'elle qu'un corps automate autour d'un cœur de pierre. Mais le contact de sa jambe contre la sienne laisse une empreinte tactile, un fourmillement qu'il frotte avec sa main et qui ne passe pas. La tête lui tourne alors il se met debout brutalement, renversant sa chaise derrière lui, et la fille lève les yeux, l'air effrayé, puis se recroqueville sur le lit, contre le mur, les bras serrés autour de ses jambes.

— Je vais rester là longtemps ?

Elle a parlé dans un souffle et lui reste debout, bras ballants, dans la pénombre, et la fille cherche son regard et ne trouve que deux creux sombres sans éclat.

— T'es pas bien ici ? Odette et Émile te traitent bien, non ?

Elle hausse les épaules. Elle reprend son manteau et le pose sur elle.

— Je devrais te ramener chez tes parents. T'es une fugueuse, et aux yeux de la loi tu dois habiter chez eux. T'as quel âge ? Seize, dix-huit ?

La fille se recroqueville davantage. Ainsi couverte par son manteau on croirait un être incomplet qui ne parvient pas à se dépêtrer de la pénombre. Petite. Sur le point de disparaître.

— Dix-sept et demi.

— Déjà six mois de turbin… Comment tu…

— C'est ça ou avoir mon père sur le ventre. Alors tous ces fumiers, au moins, je les connais pas. Ils font ce qu'ils veulent et ils s'en vont et je vais me laver au savon de Marseille.

Elle a dit ça très bas, très vite, les yeux rivés au mur en face d'elle.

Darlac se lève et la contemple. Il aperçoit sa nuque, le haut d'une épaule, courbes blafardes dans ce recoin sombre. Il prend son pardessus et l'enfile sans quitter la fille des yeux.

– Dans deux ou trois jours je viendrai te chercher. Je connais quelqu'un qui te fera gagner du pèze, et t'auras pas besoin de te faire grimper dans une soupente. Dans dix ans, tu raccroches et tu t'achètes un troquet ou un magasin de fringues, comme tu voudras. Ou je te ramène au commissariat et on voit après avec un juge.

– C'est ça, oui. Pour qu'il m'enferme dans un pensionnat avec des putains de bonnes sœurs ou des gardiennes toutes gouines. Merci.

Elle lève vers lui des yeux brillants, noirs, fixes. Pour la première fois depuis qu'il est entré dans la pièce.

– C'est d'accord. Comme tu voudras.

Il ferme la porte derrière lui sans bruit pendant que la gamine se recouche en chien de fusil, puis il descend en touchant à travers son pantalon son membre raidi par la proximité avec cette beauté sans fard, ce corps si jeune et si mince, et il ne comprend pas bien ce qui lui prend.

De retour dans la salle déserte, parmi les relents de tabac froid, il s'accoude au zinc et Émile s'approche pour lui en servir un autre, qu'il refuse d'un geste de la main.

Darlac allume une cigarette blonde.

Émile essuie des verres, l'air pensif. Le commissaire s'occupe en détaillant un pan de mur tapissé d'étiquettes où s'inscrivent des noms prestigieux et des millésimes déjà anciens.

– Je viendrai la chercher dans trois ou quatre jours, dit Darlac en écrasant sa cigarette dans un cendrier. Occupez-vous bien d'elle. Et nourrissez-la, bordel. On dirait un fantôme.

Émile range ses verres propres et se sert un Lillet. Il lève son verre en direction du flic et en boit la moitié puis soupire bruyamment.

– C'est bien parce que c'est toi, dit-il. Moi, je sais pas d'où tu la sors, cette fille. Si ça se trouve, y a des mecs qui la cherchent, et je voudrais pas qu'ils la trouvent ici. Ça se fait pas, de piquer les filles aux autres.

Darlac hausse les épaules. Il joue avec son briquet. L'allume et l'éteint plusieurs fois en soufflant la flamme.

– Mais si... Ça se fait tout le temps. Tu connais pas la vie des bêtes.

Il s'éloigne vers la sortie puis se ravise et se tourne vers le bistrotier.

– Allez, ça va. J'ai été un peu rude. J'ai eu une journée dégueulasse et c'est toi qui as pris.

Émile hausse les épaules. C'est rien. T'inquiète. Il a l'habitude, et si ça se trouve, il aime ça.

Sur le trottoir, malgré le crachin qui le cueille à froid, Darlac se met à rire bruyamment, seul dans la rue, et il en titube, marchant vers sa voiture comme un homme ivre.

7

Daniel a aidé le patron au palan pour soulever un moteur de Traction mort, les pistons collés par la rouille. Il a fallu qu'ils nettoient les nids de guêpes logés partout, sans compter les araignées recroquevillées, toutes sèches, qui tombaient en poussière sous leurs doigts. Après, chacun est retourné à sa tâche. Refaire l'allumage d'une 4 CV, puis les freins d'une Aronde. Le patron s'est réservé le moteur de la Traction. En ce moment, on l'entend débloquer les écrous à coups de marteau et souffler et grogner sur son établi.

C'est pas un bavard, le daron. Il s'appelle Claude Mesplet. C'est un homme trapu, au poil noir, à la peau mate, presque grise. Des bras épais. Des jambes comme des arbres. Ne sourit jamais. Ou alors avec les yeux. Un éclat plus net, quelques rides qui se creusent un peu. Il ne rit que quand il est soûl. Faut alors qu'il boive beaucoup, et c'est assez impressionnant. Daniel l'a vu plusieurs fois, pendant des réveillons du premier de l'an, quand ils étaient gamins, lui et Irène, avec Roselyne et Maurice. Pour l'occasion il picolait tout en parlant, en coupant la viande, en servant du vin, grave et prévenant, son sourire allumé constamment au coin des yeux, tendre avec Marguerite, sa femme, que tout le monde appelle Margot, avec leur fils, surtout, Joseph, qui regardait la tablée dans son fauteuil roulant, un peu de bave au menton, et en tapant parfois sur la table avec ses mains crochues pour grimacer des sourires à ceux qui se tournaient vers lui. Fracassé avant de naître par des coups de pied dans le ventre, en 43, pendant quatre jours d'interrogatoire chez Poinsot.

Un peu avant minuit, soudain, ça se déclenchait. Claude se mettait à rire. On ne voyait pas qu'il était bituré. Pas le genre à chausser les pompes à bascule. Aucune hésitation dans le geste. Il aurait pu vous régler, même schlass, et sans cale, des vis platinées en fermant les yeux. Simplement, il commençait à émettre, comme pour lui-même, une sorte de couinement convulsif qu'il essayait d'abord de réprimer, qu'il noyait d'un gorgeon supplémentaire. Puis n'importe quoi le dégoupillait. Le bruit d'un bouchon qui sautait, un verre renversé. Une vanne de Maurice. Une histoire d'usine racontée par Roselyne. Le regard d'un gamin. Une cascade déferlait alors sur la table. Quelque chose qui vous emportait dans son fracas de torrent. Et Joseph riait avec eux. Il riait comme eux, jusqu'aux larmes. C'était une joie qui faisait bien commencer l'année, quand ils s'embrassaient en se serrant fort pour se souhaiter les plus belles choses.

Il a toujours cet air grave, préoccupé, le Claude. Daniel l'appelle comme ça, par son prénom, en le vouvoyant. Et l'autre lui parle avec ce calme dont il semble ne jamais se départir, sans jamais élever la voix, même quand tourne un gros diesel ou quand Norbert redresse de la tôle à coups de masse. Il parle grave et enroué sur une fréquence qui se joue de tous les vacarmes. En six mois, Daniel connaissait le métier. Claude lui en avait confié les secrets comme un magicien à son initié. À voix basse, parfois tard le soir, ou aux petites heures avant l'ouverture du garage. Au début, les mots techniques prononcés à mi-voix, devant un moteur dont ils décrivaient l'agencement sorcier et les pièges maléfiques, ressemblaient à une incantation de jeteur de sorts. Puis peu à peu Daniel avait repris à son compte cet abracadabra dont des bribes, parfois, éclairaient étrangement les mystères noirs de cambouis.

Pour l'instant, ils sont tous les deux le nez dedans et le cliquetis des outils parle pour eux. Le froid est sur leur dos comme un contremaître à l'usine qui vous pousse au cul pour aller plus vite. Sûr, mieux vaut bouger pour secouer un peu ses grandes mains glacées qui s'agrippent aux épaules, mieux vaut s'occuper pour n'y pas penser, et traiter par le mépris cette présence obsédante. Alors, du jeu dans les bielles, un problème de masse qui met tout le bastringue en court-circuit, ça oblige à une certaine patience et puis ça intrigue, on se demande comment on va pouvoir dépanner ça ou bricoler une solution ingénieuse qui ne coûtera pas trop cher au client. On écorche ses mains sales, on se met la matière grise sous tension. On se chauffe à l'intelligence.

Norbert est allé acheter du pain pour le casse-croûte. Avec son œil plein de sang et sa gueule marbrée d'ecchymoses, il paraît qu'il a fait peur hier à la boulangère qui pour la peine lui a offert une chocolatine.

Claude paie toujours le pain. Il apporte souvent un pâté, un reste de blanquette qu'ils partagent alors tous les trois. C'est un partageux, le daron. Une espèce rare qui disparaîtra avec les derniers spécimens. Daniel le sait bien, qui en parle souvent aux copains plutôt narquois. «Un patron c'est un patron, y a pas, il te baisera un jour ou l'autre», ils disent toujours. Il a du mal à les contredire. Les exemples abondent. Partout, il entend causer de cette bataille du quotidien menée dans les ateliers, contre les larbins de la direction, ingénieurs, contrécrous, petits chefs lâchés parmi les machines et qui flairent aux chevilles les ouvriers en pleine bourre, jappant au rendement, prêts à mordre, et les mecs ont bien envie, souvent, de virer d'un coup de latte ces roquets sournois. «On leur tient la dragée haute, à ces pourris. On leur enfoncera dans la gorge, bientôt, tu verras.» C'est ce que lui a dit un jour Herrero, une grande gueule du Parti. «Et Thorez montre la voie, le peuple finira par le comprendre et le suivre.»

C'est drôle, il repense à ça maintenant, aux prises avec un écrou qui fixe un démarreur. La voie, quelle voie ? Cette nuit, il a rêvé qu'il suivait un chemin étroit dans une vallée encaissée entre deux pentes pierreuses. Il y avait d'autres types avec lui, il le savait mais ne les voyait pas. Soudain, quelqu'un sautait sur lui et lui coupait la gorge avec un couteau. Il s'est réveillé en se tenant le cou et cherchait la plaie sous ses doigts. L'Algérie. C'est la première fois qu'il fait ce genre de rêve. Il met ça sur le compte des actualités qu'ils ont vues l'autre jour au cinéma et qui montraient une patrouille avancer prudemment sous un soleil de plomb. Il faut dire aussi que chaque soir, quand il arrive à la maison, il va voir sur la table de la cuisine s'il n'y a pas le papelard de l'armée pour l'envoyer au casse-pipe. Et chaque soir, Roselyne lui dit : «Non, t'inquiète pas, y a rien.» Sauf qu'il s'inquiète parce qu'un de ces jours il y aura forcément quelque chose posé sur la table. Et alors, peut-être, Roselyne n'osera-t-elle rien dire.

Vers dix heures ils cassent la croûte. Rillettes, saucisson. Le pain frais sent bon et craque tendrement quand on le coupe et leur met l'eau à la bouche. Ils ne disent rien. Tendent la main vers l'objet convoité, le font passer à celui qui le demande : couteau, terrine, bouteille d'eau. Pas d'alcool, ici. Jamais. Ni vin, ni bière.

89

Le patron dit que c'est, après le bourgeois, le pire ennemi de l'ouvrier. Son poison familier. Un des opiums qui tiennent le peuple hébété dans sa misère. Daniel trouve qu'il exagère un peu, mais il s'en fout parce qu'à part une bière de temps en temps il ne boit pas. Il déteste le vin, dit que ça sent fort. Les odeurs de vinasse et de bouchon qui montent parfois des chais, aux Chartrons, quand il passe devant à vélo, l'écœurent pour de bon. Il déteste les poivrots, et il pense que s'ils aiment leur misère eh bien qu'ils s'y vautrent comme dans leur vomi. Il ne voit pas très bien quel rapport le patron fait avec cet opium du peuple. Tiens, le père de Norbert. Personne ne le pousse à picoler jusqu'à ne plus tenir sur ses cannes, tous les jours comme il fait, pour ensuite martyriser sa femme et ses gosses. Un jour il en crèvera, et le plus tôt sera le mieux, avant que son fils lui plante dans le ventre le couteau à jambon. La tête éclatée contre un trottoir, ou aplati sous un camion, son vélo plié autour de lui, le guidon enfoncé dans la viande.

Il y a des gens qui aiment leur malheur et le cultivent, quand d'autres sont jetés en enfer qui ne demandaient qu'à vivre heureux et tranquilles dans la paix ordinaire des gens de peu.

Quelque chose se produit qui l'oblige à s'interrompre, couché sous un carter trempé d'huile. Il ne comprend pas tout de suite ce que c'est puis s'aperçoit que le patron a cessé de travailler à l'établi et voit ses pieds se diriger vers la porte ouverte sur la rue. Quelqu'un attend sur le seuil. En contre-jour, Daniel distingue les jambes des deux hommes face à face. Comme Norbert est dans le fond du garage en train de redresser un pare-chocs à grands coups de marteau, il n'entend pas ce qui se dit alors il se met debout et reconnaît celui qui attend : c'est le type qui a laissé sa moto avant-hier. Habillé de la même façon, les mains dans les poches de sa canadienne, le bas du visage mangé par son écharpe. Il fixe avec le même regard à la fois intense et absent. Un regard de gouffre. Il montre d'un mouvement de menton la moto un peu plus loin sur sa béquille et Daniel voit qu'il parle sans presque ouvrir la bouche. Le daron répond en agitant les mains, en bougeant les épaules, il lui explique sans doute qu'ils ont beaucoup de travail et qu'il ne pourra pas lui rendre sa moto avant plusieurs jours. L'homme hoche la tête et son regard saute fugacement par-dessus l'épaule du patron et fouille le garage si bien que Daniel se baisse pour ne pas être vu parce qu'il ne pourrait pas croiser ces yeux dans lesquels tout semble s'absorber et se perdre, ni même les sentir posés sur lui.

Norbert s'arrête de taper et Daniel se tasse encore un peu comme si le silence soudain le mettait à découvert et il observe tout ça à travers les vitres d'une Simca. Il entend dire « Désolé, je peux pas faire mieux », et l'inconnu approuve d'un air pensif. Les deux hommes ne se disent plus rien et se regardent et leurs respirations se mêlent dans le froid en petits nuages fugaces. Mesplet secoue la tête puis la rentre dans ses épaules larges, les bras ballants. Norbert recommence son tintamarre et Daniel a envie d'aller lui enlever des mains ce foutu marteau pour essayer de saisir encore quelques bribes de ce que les autres vont pouvoir se dire. Pour l'instant, on croirait deux statues figées par le gel. L'inconnu ne cille pas, immobile absolument. Seule la vapeur qu'il souffle prouve qu'il est vivant. Le patron piétine, s'impatiente sûrement. Soudain, sans un mot, l'homme tourne les talons et part. Daniel sort sur le trottoir et allume une cigarette et le regarde s'éloigner, comme l'autre jour, grand et maigre, les jambes raides.

— Qui c'est ? Qu'est-ce qu'il voulait ?

Le patron ne répond pas. Il ne quitte pas la longue silhouette des yeux.

– Rien, il répond. Il voulait savoir si on s'était occupé de sa moto. Un emmerdeur.

Il scrute le bout de la rue, où l'homme a disparu, comme s'il redoutait qu'il revienne.

– Il avait l'air de râler. Vous le connaissez ?

– Laisse tomber, je te dis. Et puis merde, depuis quand j'ai des comptes à te rendre sur ce que je raconte aux clients ou ce qu'ils me disent ? Y a pas du boulot ? Si ? Alors tu bosses, et c'est marre. Je te paye pas pour discuter le bout de gras sur le trottoir.

Daniel se le tient pour dit. Il fait un signe à Norbert pour lui éviter d'aller se frotter au daron avec ses questions parfois décourageantes ou ses jeux de mots à deux balles sur les vis piétinées et des rodages dessous le pape. Ils travaillent toute la matinée chacun dans son coin, sans se soucier des autres.

Puis vers midi, tout d'un coup, le patron laisse en plan son moteur de Traction, il va se laver les mains puis se change et leur annonce qu'il a une course à faire, qu'il en a peut-être pour l'après-midi. Il dit à Daniel de fermer avant six heures, pas la peine de faire des heures supplémentaires, y a pas d'urgence, il fera jour demain. Il y a juste le père Gomez qui vient récupérer sa 2CV, elle est prête, la facture est sur le bureau.

Dès qu'il est parti, ils repoussent la grande porte et s'installent près du poêle. La mère de Norbert n'a pas pu lui faire sa gamelle, alors ils partagent celle de Daniel. Un frichti de flageolets et de mouton qu'ils ont fait tiédir. Comme Roselyne prévoit toujours trop, ils se régalent à tour de rôle, piochant à la cuillère puis lichant le fond de sauce avec du pain.

– Qu'est-ce qu'il a le patron ? demande Norbert, la bouche pleine.

– Si on te demande, t'auras qu'à dire que t'en sais rien.

Le garçon avale, goulûment. Il mâche à peine, toujours, comme si on allait lui ôter de la bouche ce qu'il est en train de manger.

– Toi non plus, t'en sais rien. C'était le mec qu'a apporté la moto, hein ?

– Oui, merde, va faire chauffer le café.

Norbert s'en va fourgonner devant le réchaud.

– N'empêche, il a une drôle de gueule. Je l'ai vu tout à l'heure. Moi, il me fout la trouille. Il te fait pas peur, à toi, ce mec ?

Daniel sent courir en lui un tressaillement.

– Non, pourquoi ?

La peur ? Non. Un malaise, plutôt. Une sorte de vertige.

La peur, elle l'a pris à la gorge à six ans, sur le toit, assis contre une cheminée, dans le vent froid d'une nuit qui ne finissait jamais. La peur, il en a pissé sur lui quand il a entendu la cavalcade des flics dans l'escalier qui gueulaient des ordres et tambourinaient aux portes et quand sa mère en gémissant l'a serré contre elle et lui a recommandé de rester sage, mouillant sa figure et son cou de larmes et murmurant des mots qu'il ne se rappelle plus, juste avant que son père le hisse par un vasistas sur le toit et lui donne un bout de pain dans un sac en papier et lui dise d'attendre qu'on vienne le chercher.

La peur de sentir la maison s'effondrer sous lui. Ou de tomber du toit en se penchant pour voir si quelqu'un arrivait. La peur de voir la nuit tomber dans le silence des oiseaux endormis avant que papa et maman reviennent pour le prendre dans leurs bras et le mettre au lit, là, dodo, l'enfant do.

La peur qu'ils ne reviennent pas.

Maintenant, il n'a plus peur.

Alors cet homme au visage froissé de tourments, avec ses yeux qui vous fouillent ou qui semblent tout le temps chercher à voir quelque chose d'inaccessible à travers vous, il pressent qu'il arrive de bien plus loin que tous ces marins qu'on croise le soir sur les quais et qui roulent et des pieds et des épaules, le grand remuement des océans encore dans les jambes, parce que le sol lui aussi bouge trop et ne se bloquera, bien arrimé aux murs, qu'après quelques bières et une bouteille de scotch.

Mais lui : raide et maigre et coupant comme une statue de tôle ou de verre. Et ce regard absent ou creux qui semble vouloir vous entraîner vers le fond de son tourbillon. Daniel ne l'a croisé que quelques instants mais il ne peut pas se défaire de cette sensation de vertige.

Ils vont boire leur café sur le trottoir pour profiter de l'air presque doux que souffle l'océan en attendant la pluie et ils fument leur cigarette adossés à la porte de fer bien tranquilles en regardant les gens passer, des ouvriers qui marchent vers les ateliers de la gare, quelques femmes chargées de cabas. On entend un train klaxonner, un autre hurler de tous ses freins. Le vent du sud leur apporte ce vacarme-là, et des bruits de métal que d'habitude ils n'entendent pas.

Pendant qu'ils parlent, Daniel observe le bout de la rue parce qu'il lui semble que l'homme va reparaître et marchera droit sur lui sans le quitter des yeux puis le forcera à le suivre. Il a précisément cette sensation et dès qu'une silhouette tourne le coin son cœur tremble.

Tout l'après-midi il sursaute dès que quelqu'un passe devant la porte, dès qu'une ombre vague vient flotter sur le seuil du garage. Alors il plonge sous les capots, il rampe sous les châssis, il se cogne à la ferraille collante d'huile noire, il essaie de se fatiguer davantage pour ne plus y penser mais rien n'y fait. C'est Norbert, vers six heures moins le quart, qui lui crie que ça va comme ça pour aujourd'hui, qu'il en a plein le dos. De toute façon, sous les ampoules chiches qui pendent aux poutres, on n'y voit pas la moitié de sa misère, c'est dire. Sans les baladeuses, il faut tâtonner pour trouver un moteur. Ils poussent la grande porte de fer en accompagnant d'un cri son affreux grincement.

La pluie est là, qui tombe en poussière froide sur la ville, et Daniel louvoie dans un crachin de lumières épongé par la nuit et manque dix fois se casser la gueule sur les pavés glissants ou passer sous les roues de camions qui ne le voient pas. Dès qu'il peut, après le cours du Médoc, il fonce tête baissée en espérant peut-être fendre la purée mouillée et la voir s'écarter devant lui comme la mer Rouge dans *Les Dix Commandements* qu'ils étaient allés voir un dimanche après-midi Irène et lui, au Français dans la grande salle à colonnes et dorures. Mais aucun miracle ne se produit et il arrive à la maison emmitouflé d'humidité et de froidure.

Et Irène est là, justement, et le couvre de son vaste regard vert et le prend dans ses bras malgré l'eau sur lui qui suinte et dégoutte. Et lui, il regrette de ne pas sentir les formes et la chaleur de son corps à cause de son emmaillotage glacé.

Sur la table, il y a une enveloppe à liseré tricolore appuyée contre un verre. Roselyne, devant l'évier, n'ose pas se retourner.

Après le repas ils en parlent à mi-voix, restés à table devant les assiettes vides que Roselyne n'a pas débarrassées aussitôt comme elle le fait toujours. Maurice a sorti une bouteille d'armagnac et s'en est versé un peu au fond de son verre avant d'en proposer à Daniel qui le regardait faire. C'était bon ce parfum et ce goût de l'alcool mêlé au reste de café. Ça s'est adouci dans sa bouche en feu avant de descendre incendier son œsophage et son estomac. Puis la flamme s'est mise à ronronner comme dans un poêle et la chaleur lui en est remontée au visage.

Il glisse dans un étourdissement et les écoute causer mais lui parle peu parce qu'il a l'impression de ne plus savoir ce qu'il doit dire, penser ou faire. Dans quelques semaines il sera à la guerre. Il a vu des épopées, des colonnes en marche, des embuscades, des charges héroïques, des résistances acharnées à court de munitions, des corps à corps au couteau, à la baïonnette ou à coups de crosses, des patrouilles perdues, des combats dans la jungle, des visages luisants de sueur ou couverts de boue. Des bonshommes fauchés dans le fracas des rafales et le miaulement des balles, des morts maquillés d'écarlate renversés dans les bras de leurs copains, des soldats qui ignoraient la peur ou bien des lâches qui se rachetaient à la fin en se sacrifiant, des officiers loyaux, des généraux qui parlaient aux mecs comme à leurs fils en leur pinçant la joue, je sais que vous en bavez, les gars, mais au pays tout le monde est fier de vous, je vous fais confiance parce que je sais que vous allez tout donner, pas vrai ? Merci mon général, vous pouvez compter sur nous, et le trois-étoiles allait plus loin trimbaler avec une feinte bonhomie son regard clair et ses tempes grisonnantes. Il en a vu des films, il a couru tout Bordeaux depuis qu'il a quatorze ans, et quand il sortait de la salle il se sentait toujours plus grand, plus large d'épaules et il prenait cette dégaine désinvolte, vachement relax de celui qui en a vu et semble traîner dans son sillage tous les courages et toutes les horreurs.

Dans quelques semaines il sera à la guerre. Il pourra tuer et mourir. C'est la chose la plus importante qui lui soit arrivée depuis que. Depuis quoi au juste ? Il ne sait pas bien s'il lui est arrivé quelque chose. Il sait que quelque chose lui manque et il sent ça là, au creux de son ventre, entre sternum et estomac. C'est là comme un trou. Une boule de vide. Des fois ça fait mal, ça se noue, c'est amer et alors il crache ou dégueule quelques glaires. La guerre. Il a peur, soudain. Mais il voudrait aller voir de quoi, en dépit de tout ce qui l'écœure.

Un peu comme quand enfants, avec des copains, ils se lançaient des défis : marcher le plus longtemps les yeux bandés sur la bordure d'un trottoir. Fumer des cigarettes par le bout allumé. Descendre une volée de marches sur un vélo sans frein. Mettre sa main au feu.

Bien sûr, Maurice lui a raconté la sienne de guerre, en 39, l'attente dans les Ardennes à nettoyer les mitrailleuses, à faire de l'exercice et du maniement d'armes et ce cabot-chef, cette ordure, qui gueulait tout le temps et les faisait ramper dans la poussière, ou cavaler sous la pluie à la moindre incartade. Et puis les premiers bombardements, au loin, ce grondement qui approchait, et les nuits de veille, les patrouilles la peur au bide avec à la main ces vieux flingots de 14 qui s'enrayaient facile, et les premiers macchabées qu'ils avaient trouvés à deux kilomètres de là, quatre types effondrés les uns sur les autres, sang et tripes mêlés, qui puaient déjà, il a raconté ça, une seule fois, tiens, un soir comme celui-ci, et sa voix tremblait et ses doigts autour de son verre seuls bougeaient parce qu'il s'était figé pendant son récit, laissant errer son regard sur eux trois autour de la table peut-être sans les voir parce que tout lui revenait et lui tombait sur la tête comme un voile de deuil à mesure que derrière chaque mot surgissaient des images, des odeurs et des cris.

Il avait raconté l'hiver, terrible, les engelures, les types blottis dans des trous, serrés autour des braseros, le vent d'est qui venait les débusquer dans leurs abris en tourbillons cinglants puis soufflait leurs feux de bois vert pour les enfumer, la neige qui s'abattait des jours entiers tellement épaisse et dense qu'ils n'auraient pas vu arriver sur eux un régiment de chars allemands.

Il n'avait pas tiré un coup de fusil, sinon pour chasser parce que les seules alertes, longtemps, furent celles que donnaient des sentinelles abruties de sommeil ou bourrées de gnôle qui ouvraient le feu sur des biches venant le matin gratter la croûte de glace pour trouver un peu d'herbe.

La guerre s'était approchée d'eux, ils l'avaient entendue grogner ses canonnades, faire trembler quelquefois le sol de son pas écrasant, ils avaient vu passer des camions pleins de morts, des bataillons en fuite, avaient plongé au passage de chasseurs boches qui semblaient ne les avoir même pas vus ou avaient peut-être négligé cette piétaille surnuméraire, déjà vaincue. Puis un jour un colonel leur avait donné l'ordre de se replier, de calter, même, sans quoi deux régiments de panzers leur rouleraient dès le lendemain sur la gueule, alors ils étaient partis et s'étaient retrouvés sur les routes écrasées de soleil, crevant sous leurs tenues d'hiver, poursuivis par les colonnes de fumée qui s'élevaient à l'est. On leur avait repris leurs armes et leur barda en leur conseillant de ne pas moisir là, de rentrer chez eux puisque qu'il n'y avait plus rien à faire, on les démobiliserait plus tard.

Maurice avait mis quinze jours à rentrer, englué dans la débâcle. Il avait aidé à enterrer des morts au bord des routes mitraillées par les stukas, poussé des carrioles, dépanné des bourgeois en rade avec leur belle voiture contre une centaine de kilomètres à 10 à l'heure de moyenne parmi la cohue, serré à l'arrière contre une mémé en état de choc, hagarde et délirante, ou assis sur le toit, ses pieds en sang macérant dans ses chaussures de troufion.

Il était arrivé à la maison un matin et Roselyne avait poussé un cri de terreur et s'était refugiée dans les cabinets parce qu'elle ne savait plus si c'était lui, barbu, puant, couvert de crasse et de sang, les yeux fous de fatigue, parce que cet autre-là ce ne pouvait pas être lui, ce ne serait plus jamais lui, peut-être un étranger lui ressemblant, revenu d'on ne sait où et capable de quoi. Il lui avait parlé, appuyé contre la porte branlante, il avait dit des choses douces, leurs mots secrets, comme un code, il avait prononcé son sésame le souffle court, près de tourner de l'œil. Puis il avait presque gémi que la vie allait continuer, puisque rien n'était fini, ni la guerre ni aucun combat, ni même un peu de bonheur arraché aux ronciers qui envahissaient tout, alors elle avait ouvert pour lui tomber dans les bras, évanouie et lourde, et lui sans force, vacillant, pour la porter sur un lit.

Daniel les écoute lui conseiller de se trouver une planque, dans un bureau, tiens, ou au Matériel, recommande Maurice, avec ton métier cache-toi dans un moteur de camion, comme ça t'iras pas crapahuter au casse-pipe. Et puis la guerre y en a qui aiment ça, laisse-les la faire. Surtout celle-ci contre le peuple algérien, ajoute Irène. La plupart des appelés ne savent pas ce qu'ils vont faire là-bas ni pourquoi on les y envoie, cette guerre n'est pas la tienne, ni la nôtre, Daniel.

Oui, bien sûr, murmure-t-il, abasourdi par tout ce qui se bouscule sous son crâne. Il aimerait se resservir un peu d'armagnac pour s'achever carrément et s'amollir dans la torpeur qui ouate sa cervelle, mais il n'ose pas, et puis il n'aime pas l'ivresse, il est toujours malade, pendant, après, tenaillé par l'impression qu'il va mourir et vomir son cœur et son âme.

On frappe à la porte. Trois grands coups. Ça résonne durement dans le couloir et ils ont tous sursauté. À cette heure, par ce temps. Ils se regardent.

– C'est sûrement Alain, dit Irène.

Daniel s'est tourné vers elle. Pourquoi Alain ? Roselyne baisse les yeux.

Il se lève, sort dans le couloir, attrape sa canadienne au vol. Il entend Roselyne derrière lui :

– Où tu vas ? Tu as vu le temps qu'il fait ?

Alain est sur le trottoir, sa casquette enfoncée jusqu'aux yeux. Daniel referme derrière lui doucement.

– T'as des sous ?

– J'ai touché ma quinzaine hier. Et toi ?

– Ça ira.

Ils marchent un long moment sans plus rien dire. Le dernier bus les dépasse un peu avant le pont tournant et ils regardent s'éloigner ses feux rouges et sa pâle lueur brouillée de buée sur les vitres. Sur les quais veillent quelques réverbères faiblards et s'aperçoivent quelques hublots éclairés entre les hangars. Le vent les pousse, leur courbe la nuque. Nord-ouest. Daniel jette un coup d'œil à Alain, clope à la gueule, visage obscurci sous la visière de sa casquette.

– Alors ?

Le copain hausse les épaules. Soupire. Tire sur sa cigarette et souffle devant lui, loin, la fumée vite emportée.

– Alors je me soûle la gueule, tiens.

Il secoue la tête, comme pour se défaire des idées qui lui viennent.

– Putain merde, il ajoute. J'irai pas.

– Et comment tu fais pour pas y aller ? Tu seras déserteur.

Ils se taisent. Ils ruminent, chacun dans son silence. Après les bureaux d'embauche des dockers, ils

100

aperçoivent quelques enseignes lumineuses. Ils hâtent le pas, leurs épaules se heurtent parfois parce qu'ils claudiquent sur les gros pavés de traviole. Devant le Havre, ils laissent sortir deux types qui rigolent dans une langue étrangère et partent d'un pas hésitant, la tête rentrée dans leur carrure large, et se tapent dans le dos et crachent par terre.

— Je vais trouver un embarquement, dit brusquement Alain.

— T'es dingue. Ça marchera jamais.

— On va à l'Escale. Mon oncle m'a dit que je trouverais un mec qu'il connaît. Il venait souvent là quand il naviguait. Je t'en ai parlé, non ?

Bien sûr que Daniel a entendu parler de l'oncle Auguste, le héros de la famille, bourlingueur couturé et cabossé de partout qui a essuyé toutes les tempêtes, dégelé la Baltique, asséché tous les bars avant de les détruire, cassé des gueules comme à la fête foraine on dégringole des boîtes, visité tous les bordels entre Copenhague et Dakar, baisé sans s'arrêter pendant des nuits entières des laiderons ventrus ou des femmes sublimes, s'arrosant le mandrin à la vodka polack ou au champagne russe pour le faire refroidir… En a-t-on entendu dans le quartier à son sujet. Du temps qu'il sortait encore de chez lui, grand et droit et beau, malgré ses cicatrices – une rixe à coups de tessons à Liverpool ou Tanger ou Rotterdam, il savait plus, et ça changeait tout le temps – des fois il s'asseyait vers les six heures au bout du zinc chez Mauricette, rue Achard, son bonnet délavé sur la tête, et racontait ses légendes à qui voulait l'entendre. Il y avait toujours un gus pour le relancer dans ses épopées soulographes et ça repartait, mais le bougre s'y connaissait en raconteries, sûr de ses effets plus que de ses souvenirs et les soirs où il venait, les types qui traînaient là après huit heures plutôt que de rentrer au bercail s'assoupir dans leur fauteuil en écoutant la radio préféraient se laisser embarquer par ce bonnet menteur qui était tout de même parti plus loin qu'ils pourraient jamais le rêver et ils restaient silencieux, tour à tour narquois et bluffés, immobiles au-dessus de leurs verres.

Il loue à présent une bicoque cité Pourmann, l'Auguste, où il vit reclus entouré de masques africains, les murs tendus de colliers magiques et d'amulettes rapportés de ses périples, depuis qu'une jeunesse demi-putain lui a vidé le compte courant et le cœur et l'a planté là, au milieu de son musée exotique, pour aller se faire grimper par une petite frappe du quartier Saint-Pierre.

Alain pousse Daniel de l'épaule et ils entrent dans la chaleur épaisse et sombre d'un bar, peuplée d'ombres et de voix et de visages découpés autour de tables en formica sous des abat-jour rouges ou noirs, et ils marchent vers le comptoir et se hissent sur des tabourets. La femme qui se tient derrière est une blonde à la Jane Mansfield serrée de près par un pantalon fuseau noir et un pull mauve où brillent quelques fibres argentées. Elle regarde les deux garçons s'installer mais elle ne bouge pas, accoudée au zinc, en train de fumer une cigarette et de causer avec un type courtaud et fluet au cheveu noir et à l'air sournois, jetant de toutes parts des regards en coin pour épier et soupeser tout ce qui respire alentour. Ils sourient tous les deux comme des loups, ils montrent leurs dents mais leur visage demeure impassible. Quand elle ne parle pas, la bouche de la femme s'affaisse et tire vers le bas sa figure, un pli amer au coin des lèvres.

À l'autre bout du bar deux filles juchées sur les tabourets parlent avec un colosse barbu qui se penche vers elles parce qu'il ne comprend pas ce qu'elles lui disent et elles se marrent en lui répétant des choses à l'oreille et l'homme secoue la tête et rit aussi et en profite pour leur passer dans le dos une main qu'elles repoussent doucement.

Alain s'est retourné vers la salle et jette un coup d'œil aux clients qui bavardent et rient parfois.

– Y a pas une table de libre.

– Pourquoi on est venus ici ?

Daniel détaille les étiquettes des innombrables bouteilles alignées sur les étagères, s'étonne de la variété sans doute infinie de breuvages destinés à l'arsouille.

– Tu crois qu'il faut se servir soi-même ? demande Alain à haute voix.

– Essaye juste pour voir, grince la blonde, sa cigarette coincée entre les dents.

Le demi-portion avec qui elle parlait plante son regard noir et malsain dans celui du garçon.

– Qu'est-ce qu'il a lui ? Il veut faire le service ?

– Ça va, murmure Daniel. On va changer de boutique. C'est des cons, ici. Viens.

Il est déjà descendu de son tabouret quand il voit le caïd de comptoir s'avancer vers eux. Il sourit de travers, on sent le gazier plein de vices, méchant comme un clébard dressé à la schlague, expert en coups tordus. Soudain, une bouteille vide apparaît dans sa main droite.

Alain ne recule pas. Daniel a posé une main sur son épaule et à présent ils font face tous les deux.

– Pour ces messieurs, ce sera quoi ?

Le type fait tourner sa bouteille devant lui, serrée dans son poing. Il sourit toujours, bien campé sur ses jambes courtes. Silence dans le rade. On se demande si quelqu'un respire encore. Les deux filles et leur géant ont reculé près du juke-box, derrière les feuilles larges d'un gros ficus.

Quand le verre se brise sur le coin du comptoir, une sorte de hoquet serre toutes les gorges. La blonde s'approche, un torchon à la main

– Ça va, Christian. Laisse-les partir, ces branleurs.

– Non, ils vont pas partir comme ça, qu'est-ce que tu crois ? T'as vu comment ils m'ont parlé ? T'as vu comment ils la ramènent, ces deux tantouzes ? Je vais juste me les faire gentiment. Ils se souviendront de Christian Penot, ces enculés. Ils iront pleurer chez leur salope de mère pour qu'elle leur recouse la gueule.

Puis il y a un homme qui vient s'appuyer au bar entre le nabot menaçant et les deux garçons en les priant tous les trois de l'excuser, sans leur adresser un regard. Il commande tout de suite un whisky double. Il est vêtu d'un manteau de laine gris, il a posé son chapeau sur le zinc non sans avoir poussé du bout des doigts, d'un air très absorbé, quelques éclats de verre. Jane Mansfield le considère bouche bée, essuyant machinalement un verre, la poitrine gonflée par la surprise. Elle cherche le regard de Penot mais l'autre se hausse du col et de la pointe des pieds pour s'adresser à l'intrus.

– Oh, machin, tu vois pas que tu gênes ? On était en pleine discussion.

L'autre l'ignore. Il redemande son whisky.

– Va montrer ta tête de con ailleurs. Tu comprends ou je te fais un dessin ?

Sans se retourner, presque sans bouger, l'homme lui expédie son coude en pleine face. Penot fait trois pas titubants en arrière, sa main sur le visage, du sang pissant entre ses doigts. La blonde commence à gueuler, elle brandit une manivelle au-dessus des pompes à bière et à son cou cliquettent des éclats de cailloux en toc. Elle dit qu'elle va appeler les flics mais n'en fait rien puis se met à proférer de l'ordure en claquant du bec. Dans la salle, des gens se sont levés. Des chaises raclent le sol, des verres se renversent. L'inconnu marche vers Penot, qui tient toujours son tesson de bouteille, et lui écrase le poignet sous son pied. Le nain lâche le goulot brisé dans lequel l'autre shoote aussitôt.

– Tu me connais ? demande l'homme, penché au-dessus de lui.

Penot fait non de la tête, il se tient le nez et au-dessus de sa main posée en coque il roule des yeux ronds de panique. Un coup de pied dans le flanc lui arrache un couinement.

– Tu me connais pas, hein ? Mais moi je te connais. Je sais même où tu crèches. Je sais aussi pour les petites filles. Tu vois, je sais. Y a plein de gens qui savent. Après dix, onze ans, tu les trouves trop vieilles, pas vrai ?

Penot ferme les yeux. Sa gueule est couverte de sang.

– Mais les flics ils disent rien parce que t'es une donneuse, pas vrai ? Et puis ton frangin, qu'était de la basse-cour, c'était une belle merde aussi, pendant l'occupation. Alors ils s'en foutent, ils te laissent faire tes saloperies avec les gamines. Mais à présent qu'il s'est fait saigner comme un goret, ils vont avoir moins de raisons de te couvrir, tu crois pas ?

L'homme lui donne de la pointe du pied un petit coup dans le flanc.

– Et maintenant décarre d'ici. Et fais bien attention à toi, si tu veux pas finir comme ton putain de frère.

Penot se redresse au moment où la blonde lui apporte un torchon mouillé pour qu'il se nettoie. Elle l'aide à se relever et l'accompagne jusqu'à la porte en lui murmurant des propos consolants. Plus grande que lui, sur ses talons aiguilles, on dirait qu'elle cajole un gamin qui s'est cogné dans une porte.

– C'est bon, c'est terminé. Y aura pas de grabuge, dit l'homme aux clients. Fallait juste calmer cette vermine. Tournée générale.

Il fouille dans sa poche et en sort un paquet de

billets qu'il pose sur le comptoir. On recommence à causer, *mezza voce*. Personne n'ose trop bouger. On aperçoit pourtant là-dedans des gaillards dont on devine sous les manches des vestons ou des cabans les bras épais, le poitrail de percheron. Des dockers, des matafs, des gonzes rugueux. Mais chacun sait reconnaître une embrouille entre malfrats : c'est aussi dangereux qu'un nœud de crotales. Fou qui se risquerait à le démêler.

Daniel a laissé sa main sur l'épaule de son copain. Ne pas bouger. Chercher à comprendre qui est ce mec aux cheveux grisonnants, à l'impassible violence. Il échafaude des hypothèses, fouille dans ses souvenirs. Bernique. Le type se retourne vers eux, souriant, patelin. On sent qu'il n'a pas trop l'habitude de la bonne humeur, avec son visage long, son nez bossu, ses sourcils noirs, épais, et ces yeux qu'il a, très enfoncés dans la figure, peut-être gris, ou bleus. Pas le genre de type sur le ventre duquel on vient taper en l'invitant à boire un apéro de plus. Surtout, il est grand et il bouge les épaules avec la robuste souplesse d'un boxeur.

— Qu'est-ce que vous prenez les gars ?

La blonde ramasse les billets sans un mot puis s'active au service. Trois whiskies pour ces messieurs, trois. Ensuite, elle cavale entre les tables pour abreuver le troupeau.

— Merci, dit Alain en levant son verre. On était mal barrés.

— Il vous aurait tailladé la gueule. C'est un vicieux.

— Pourquoi vous nous avez aidés ? demande Daniel. Après tout…

L'homme toise Alain en plissant les yeux.

— C'est toi le neveu d'Auguste, non ? Il m'a dit que tu serais là. Et c'est sûrement pour me voir que t'es venu. De toute façon, j'allais pas laisser cette pourriture se faire reluire en vous saignant. On le connaît, ce gus. C'est du poison concentré.

– C'est vrai ce que vous avez dit de lui ?

– Quoi ? Les petites filles ? Bien sûr que c'est vrai. Il a déjà fait du gnouf pour ça. C'est de famille, la saloperie, chez les Penot. Son frère il était auxiliaire chez Poinsot, la Gestapo française, ici. Cours du Chapeau-Rouge ils avaient leurs salles de torture. Et celui-là, il rabattait des filles pour les Schleus, en se servant au passage. C'est le genre de type qui va au bout de son vice quand les circonstances le permettent. Et pendant l'occupation, toutes sortes de saloperies étaient permises et ces mecs-là ont poussé sur le fumier.

Daniel tâche de se rappeler si Maurice lui a déjà parlé de ça. Poinsot ? Connaît pas. Il lui demande comment il sait tout ça.

Jane Mansfield est revenue derrière son comptoir et tend l'oreille tout en remplissant des verres. L'homme jette un coup d'œil dans sa direction.

– Parce que j'y étais. Et puis plein de gens savent mais ils ferment leur gueule.

– Vous étiez où ?

– T'inquiète pas pour ça.

Ils boivent en silence. Daniel se sent un peu parti. L'œsophage en feu, les yeux brouillés de larmes. Il regarde Alain, qui louche sur le fond de son verre, le dos voûté, presque avachi sur le comptoir. Derrière lui, les conversations et les rires ne sont plus qu'une rumeur qui bourdonne dans sa tête lourde et il a chaud, et il se met à transpirer au sein de cette atmosphère poisseuse de chaleur et de fumée.

– Et vous ? reprend l'homme. Qu'est-ce que vous foutez ici ? Ah oui, c'est vrai : l'Algérie, hein ?

Alain sèche son whisky et prend une grande inspiration avant de répondre.

– Ouais. On se donne du courage pour partir au casse-pipe. Dans trois semaines.

L'homme hoche la tête.

– Quel merdier.

– Il vous a dit, mon oncle ?

– Oui. Mais ça va pas être facile. Je connais un bosco sur un bateau norvégien qu'est en dette avec moi. Il accoste demain, ça tombe bien. J'irai le voir. Il reste trois jours, le temps de décharger. Des fois, il prend un mousse à bord, pour un mois ou deux. Tu vas peler des patates et nettoyer les chiottes mais au moins tu te feras pas couper les couilles. Ils font l'Allemagne, la Pologne, le Danemark et aussi l'Angleterre. Là-bas, on t'emmerdera pas pour les papelards, à part en Pologne où tu devras rester à bord. Il me faudra une photo et trente mille francs. C'est le tarif pour des faux papiers.

Alain tourne le dos à Daniel et fouille dans sa poche et sort son portefeuille. Photo, argent. Il compte les billets. Daniel vient entre eux pour entendre et mieux voir et peut-être se montrer, mais ni l'un ni l'autre ne semblent se soucier de sa présence.

– Ça fait une somme, tout de même, dit-il.

– T'inquiète. J'ai des économies. Je voulais m'acheter une moto. Je crois que ça attendra.

L'homme a fait disparaître billets et photo dans sa poche de pantalon. Il regarde sa montre.

– Va falloir que j'y aille. Après-demain, on est jeudi. On se retrouve le soir à dix heures au Bambi bar, plus loin, près du cours du Médoc. Je te présenterai le mec. Tu verras, c'est un bar à putes, mais lui il aime bien, il a ses habitudes. Moi, c'est Jacky.

Il se lève, leur serre la main et sort. Daniel regarde autour de lui. Panoramique. Tout cela ne peut être qu'un décor où quelques figurants attendent qu'on crie « Coupez ! » pour quitter le plateau et rentrer chez eux.

Il regrette de n'avoir pas sur lui son cadre pour y contenir la scène et se donner l'illusion d'en contrôler les effets mais il voit à peu près ce que ça donnerait : une vision navrante sous une lumière blafarde. Alain demeure immobile, le regard perdu derrière le bar, dans le miroir où se multiplient les bouteilles. Plus loin, Jane Mansfield fume une cigarette en sirotant un vin cuit, la paupière lourde, le rimmel humide.

Daniel pousse son verre loin de lui, remonte son col.

– J'en ai assez vu pour ce soir. Je rentre.

Dehors, il prend le vent de face. Il a cessé de pleuvoir mais il se recroqueville, les mains dans les poches, et il ne voit pas la ville détrempée luire faiblement autour de lui, presque éteinte. Alain court derrière lui mais il ne ralentit pas pour l'attendre.

– Merde, qu'est-ce que t'as ?

– Rien. Tu prendras pas le même bateau que moi. Grand bien te fasse.

– L'Algérie, j'irai pas. J'ai pas envie d'aller me faire casser la gueule pour ces connards de colons.

– T'as trop écouté Sara. Tu seras déserteur.

– Non. Insoumis, on dit. J'y foutrai même pas les pieds, dans ce bordel. Et puis Sara a raison. On n'est que de la chair à canon, pour le gouvernement. Comme pour toutes les guerres. Et toi ? T'y vas ? Comme ça ? Sans te poser de questions ? Elle te dit rien Irène ?

– On en a déjà parlé cent fois. Tu sais bien ce que je pense de tout ça. Mais ce que tu vas faire, ça sert à rien. Vaut mieux aller sur place, et faire ce qui est possible.

– Ah bon, parce que tu crois qu'on peut faire quoi, là-bas ? Saboter les camions ? Boucher les canons avec des tracts ? Tu vas flinguer des officiers, peut-être ? En trois mois tu seras comme eux. T'as bien vu les autres, ce qu'ils en disent. Ou alors t'iras au trou, et tu serviras plus à rien non plus.

– On peut faire prendre conscience aux autres que…

– Non. La guerre, cette guerre, quand ça te prend c'est comme si tu devenais fou. Ça te bouffe. T'as vu les mecs qui sont revenus ? Perez ? Bernard ? Tu te rappelles ce qu'il disait Perez avant de partir, avec sa grande gueule ? Et les trains bloqués, et les CRS ? Ça a servi à quoi ?

Daniel ne trouve rien à répondre. Perez, un costaud de la CGT et du Parti, voulait faire se révolter les appelés pour arrêter la guerre. Il s'est retrouvé en plein djebel à crapahuter et à foutre le feu à des villages, plus d'autres choses dont il refusait de parler. D'ailleurs, il ne parlait plus beaucoup et dormait encore moins, à ce qu'on racontait.

– Je sais plus.

Alain le prend par l'épaule et le secoue.

– On en reparlera une autre fois. On va pas se fâcher, non ?

Daniel le repousse d'une bourrade. Ils éclatent de rire puis ils se remettent à marcher sans parler. Quand ils franchissent le pont tournant, Daniel jette un coup d'œil aux navires à quai dans les bassins à flot.

– J'espère que ça va marcher, pour ton embarquement. Comme ça, tu pourras me raconter les ports et la mer, et les filles.

Après le pont tournant, la rue plus sombre les avale et on les entend parler bas et rire doucement comme si dans cette obscurité ils n'osaient pas faire de bruit de peur d'éteindre les quelques lampes tristes pendues au-dessus des pavés.

8

« Est-ce que tu m'aimes ? » Elle me demandait tou-jours ça, Suzanne, le dimanche matin quand on traî-nait au lit, dans ma chambre de la rue Beccaria. « Tu me le dis jamais », elle insistait. « Ce sont des choses qui se disent, tu sais. » Je lui demandais de se taire et de dormir un peu, qu'on irait ensuite manger un mor-ceau chez Hortense, un boui-boui derrière la place d'Aligre qui servait le dimanche midi la meilleure blanquette de Paris. Ensuite, on se baladerait jusqu'au canal puis on reviendrait se mettre au lit et faire encore grincer un peu le sommier parce qu'elle aimait ça, Suzanne, elle en redemandait toujours et elle s'y connaissait pour me redonner tous mes moyens. Elle me racontait qu'elle avait appris tout ça avec un soldat américain dont elle était tombée amoureuse en août 44 et qui pendant une dizaine de jours lui en avait fait voir de toutes les couleurs, comme elle disait. « Y a pas qu'Paris qu'a été libéré, moi j'te l'dis ! » elle se rappelait avec enthousiasme.

Alors on baisait jusqu'à l'épuisement et vers six heures du soir, la main entre les cuisses elle feignait d'avoir mal parce qu'on y était allés trop fort et se plaignait en minaudant puis se levait pour aller faire sa toilette devant le petit lavabo en me montrant bien tout ce qu'elle faisait. Des fois ça me reprenait malgré la fatigue mais elle devait partir chez elle dans le XIXᵉ, elle habitait avec sa mère, rendue à moitié folle par la mort de son mari en captivité, qui menaçait sans cesse de se balancer par la fenêtre et vivait le plus souvent recluse dans une chambre les volets clos parce que la lumière du jour lui causait des migraines, prétendait-elle. Suzanne s'occupait de cette malheureuse, terrifiée par la menace de suicide à laquelle, au fond, elle ne croyait pas vraiment. « Bon, faut que j'aille voir si elle a pas sauté », elle disait des fois en partant sur un ton désinvolte mais elle ne moisissait pas là et rien, pas même son envie insatiable de parties de jambes en l'air, ne l'aurait retenue une minute de plus.

Elle était ouvrière dans une fonderie d'Aubervilliers qui fabriquait des casseroles en aluminium. Elle était toute la journée devant une presse à emboutir du métal et à vingt-cinq ans elle était déjà à moitié sourde et elle parlait fort tout comme elle criait fort quand elle avait du plaisir et aux beaux jours, quand la fenêtre était ouverte, tout l'immeuble devait en profiter et je suis sûr qu'on devait l'entendre de l'autre côté du boulevard malgré la circulation.

On n'éprouvait rien l'un pour l'autre sinon une espèce de camaraderie qui faisait qu'on avait quand même des choses à se dire, qu'on discutait de politique en se promenant dans Paris, qu'elle m'emmenait aux Galeries Lafayette pour y rêver dans les rayons, y essayer des chapeaux ou effleurer de la lingerie. Parfois, dans un petit caboulot où on allait casser une croûte et danser un peu le samedi soir, on était rejoints par ses copains du Parti communiste parmi lesquels une femme de mon âge qui était revenue de Ravensbrück. Elle s'appelait Hélène et souriait tout le temps et avait un beau rire clair, des yeux noirs immenses, des cheveux bruns qui roulaient sur ses épaules. C'était peut-être la plus jolie femme de Paris. Elle aurait pu faire du cinéma, elle en aurait remontré aux vedettes de l'époque. En sa présence, je n'osais plus rien dire. Je l'observais à la dérobée, j'essayais de capturer la douceur de ses yeux et parfois je croisais son regard et ce que j'y trouvais alors me coupait le souffle : dans cette profondeur je ne voyais que de la douleur. Une misère définitive.

Elle savait, pour moi. Les autres nous avaient affranchis chacun de son côté. Mais on n'en parlait jamais. Parfois, une allusion, une nouvelle lue dans le journal faisait remonter le monstre à la surface mais aussitôt une poussée d'insouciance lui remettait la gueule sous l'eau et on recommençait à rire, à boire, à danser. La vie continuait, et il était obligatoire de vivre.

Et je désirais toutes les femmes et je voulais tout manger, tout boire dans ces moments-là et je m'oubliais dans cette exaltation bruyante, je me laissais porter par ce tourbillon en espérant peut-être qu'il m'arracherait du fond où j'avais été jeté des années plus tôt.

Je me souviens du soir où Hélène m'a invité à danser. Elle dansait vraiment bien. Ses longues jambes la soulevaient, la faisaient virevolter avec une grâce et une puissance qui semblaient ne jamais devoir connaître la fatigue. Elle avait pour cavalier celui qui devait être son ami de l'époque, Jacques, un type plus jeune qu'elle, un instituteur qui avait été FTP dans le Limousin et qui blaguait tout le temps, chaleureux et danseur émérite, lui aussi. Quand ils entraient sur la piste, souvent les gens s'écartaient pour les regarder. Je les revois encore dans cette cave où un orchestre jouait du jazz, la foule tapant dans ses mains en cadence et eux seuls au monde et moi dans mon coin qui ne parvenais pas à m'interdire d'aimer cette femme et qui buvais comme un trou pour noyer ce que ressentais et qui m'effrayait.

Un soir, elle s'est approchée et m'a tendu la main. C'était à un bal en plein air près de la Bastille, et les musiciens sur l'estrade avaient attaqué une série de valses lentes pour reposer les danseurs après les javas et les tangos. Hélène m'a serré contre elle en me prenant par la taille et je l'ai laissée conduire parce que je dansais à peu près comme une enclume surtout quand j'avais un peu bu. Surtout si j'étais dans ses bras, à elle. Je sentais sous mes doigts l'étoffe de sa robe mouillée de sueur parce qu'elle n'avait pas cessé de danser depuis près d'une heure. Ses cheveux volaient contre mon nez, ma bouche. De temps en temps, comme on tournait, j'apercevais Suzanne qui agitait son index dans notre direction en signe d'avertissement, souriante, et je lui répondais par des clins d'œil appuyés ou des grimaces. On dansait. Les chevilles, les cuisses d'Hélène venaient parfois contre les miennes pour me pousser et m'entraîner et, furtivement, son ventre venait effleurer mon bassin. Je ne pensais qu'à ce corps contre le mien, cette peau à quelques millimètres de moi, humide et tiède et de temps à autre je penchais la tête pour apercevoir son visage aux yeux presque clos et je ne trouvais rien à lui dire, pas même une réflexion sur ma façon de danser ou une bêtise galante, le genre de banalités qui me venaient si facilement.

Soudain, elle s'est rapprochée encore, m'a serré davantage. « Alors ? » elle a dit. « Qu'est-ce que ça fait ? »

Je n'ai pas compris. Je croyais qu'elle parlait du fait de danser ensemble, puisque c'était la première fois depuis des mois qu'on se connaissait. « C'est bien, j'ai répondu. J'en avais envie depuis un moment. »

La musique s'est arrêtée et des gens ont applaudi et crié. Autour de nous les couples changeaient, s'échangeaient danseurs et cavalières. « Mais non », a-t-elle répondu sur un ton agacé. «Toi, maintenant. Comment tu es ? »

L'orchestre a repris et on est restés immobiles, face à face à se regarder et c'est à peine si on respirait, bouche ouverte, malgré notre essoufflement et le poids qui venait écraser notre poitrine. « Je ne sais pas. Pour l'instant, j'ai l'impression de flotter. Je me laisse porter. Je profite. Et puis par moments c'est comme si je me regardais faire, de loin. »

Elle a hoché la tête, l'air pensif, ses yeux plus noirs et plus profonds que jamais posés sur moi. « Et toi ? »

Elle a réfléchi deux secondes puis elle a dit : « Moi ? je danse. » Et elle m'a entraîné de nouveau au milieu de la piste et j'ai suivi ses virevoltes avec mes pieds de plomb, les jambes courbatues, la tête lourde.

Je l'ai revue peut-être une dizaine de fois et jamais nous ne nous sommes reparlé vraiment, en tête à tête, je veux dire. Jacques n'était plus là. Il était rentré au pays, appelé par le Parti pour être candidat à des élections. Alors Hélène dansait avec d'autres hommes, jamais plus d'une danse, et elle bavardait, et elle riait, et Suzanne et ses copains refaisaient le monde, convaincus que Staline ne laisserait pas la classe ouvrière française seule face aux briseurs de grèves, que Maurice, comme ils l'appelaient, guiderait le peuple de France vers des lendemains meilleurs. Je pensais qu'ils avaient raison, je me rappelais les sol-dats de l'Armée rouge qui nous avaient retrouvés, la dizaine que nous étions, terrés dans les ruines d'une ferme, réduits à mâchouiller la viande congelée d'une vache crevée, je me rappelle leurs regards effarés devant nos cadavres animés malgré tout ce qu'ils avaient dû déjà voir, et leur gentillesse et leurs menus gestes pour qu'on ait moins froid, moins faim, pour qu'on ne meure pas. Alors il me semblait que ces gens pouvaient bien sauver le monde, même si je ne savais pas vraiment de quoi, parce que je ne voyais pas ce qui pourrait nous arriver désormais.

Je crois qu'Hélène pensait la même chose que moi : elle parlait peu, se contentant le plus souvent de s'indigner à l'unisson ou d'acquiescer avec ce sourire capable de changer à lui tout seul la vie des gens si on l'avait placardé sur les murs ou montré au cinéma. Je croisais parfois son regard sombre qui se voilait alors d'une souffrance que je ressentais aussitôt comme mienne. J'ai essayé plusieurs fois, quand on sortait, un peu hébétés par le bruit, la tête lourde d'avoir trop fumé et trop bu, de me trouver près d'elle et de lui parler mais je ne parvenais à rien dire et la dernière fois que je l'ai vue elle a pris mon bras et m'a dit : « On est bien, tu trouves pas ? Il fait bon, c'est le joli mois de mai ! »

« Ça n'empêche pas que nous… » j'ai commencé à répondre, mais elle a posé sa main sur ma bouche : « On est vivants, non ? Plein d'autres sont morts. Faut s'arranger avec ça. Comme on peut. De toute façon, personne n'écoute. » Elle s'est ensuite éloignée de moi en me faisant de la main, au-dessus de sa tête, un petit signe d'au revoir.

C'est le souvenir que je garde d'elle. La chaleur de sa peau sur ma bouche. Puis cette main battant au-dessus de ses cheveux comme une aile. Avec son regard insondable et son sourire que j'essaie de convoquer le soir quand je sens le gouffre m'aspirer. Parce que je me dis que si elle était capable de sourire ainsi, de produire tant de lumière, de chaleur et de répandre ça autour d'elle, alors je dois avoir la force de rester, moi, porteur de ce feu, et de tenir debout et d'avancer encore un peu.

Un vendredi soir, Suzanne m'attendait en bas de chez moi, ce qu'elle ne faisait jamais. Dès que je me suis approché elle s'est laissé tomber dans mes bras en pleurant. *La veille, vers six heures du soir, Hélène s'était jetée sous un métro, gare de l'Est.*

On est allés dans un café en se tenant l'un l'autre parce qu'on aurait pu tomber là, sur le trottoir, à bout de forces. Les gens s'écartaient de notre chemin comme ils l'auraient fait devant un couple ivre. On a commandé une fine et l'alcool nous a fait monter aux yeux d'autres larmes et Suzanne m'a raconté ce qu'elle avait appris par une camarade de déportation : la mère d'Hélène, morte, dont on l'avait obligée à transporter le corps parmi d'autres jusqu'au crématoire. L'espèce de folie dans laquelle elle avait sombré, refusant de manger le peu qu'il y avait en expliquant qu'ainsi sa mère en aurait davantage, et cette habitude qu'elle avait prise de danser, titubante, dès qu'une kapo entrait dans le block ou s'approchait du commando de travail. Par ailleurs elle restait lucide, elle continuait d'aider les plus faibles malgré son épuisement, elle discutait à perte de vue sur la fin de la guerre, analysait le courage du peuple soviétique à Stalingrad, rêvait à ce qu'elle ferait de retour en France. Il paraît qu'elle avait déjà ce sourire qui ranimait les presque mortes.

« Moi ? je danse. »

Après, on est restés sans rien dire, assis l'un en face de l'autre à regarder les gens et les voitures passer sur le boulevard dans la rumeur des conversations et le tintement des verres.

Le jour de l'enterrement, on était en juin, le soleil brûlant nous écrasait les yeux et l'air lourd faisait pendre au bout de leurs hampes les drapeaux rouges comme des torchons humides. Je me souviens du silence. Du crissement du gravier sous les semelles. Une femme a pris la parole. Sa voix était forte et calme. Je ne sais plus ce qu'elle a dit. Elle a parlé d'Hélène, bien sûr, de son courage, de son dévouement, sans doute. Toutes ces choses banales et vraies qu'on dit quand des personnes comme elle meurent. En l'écoutant, j'imaginais Hélène au bord du quai, parmi la foule, guettant le train sous lequel elle se jetterait. Mais je n'arrivais pas à voir son visage. Quel était son visage à ce moment-là. Quand la femme a eu fini de parler, quelqu'un a fredonné le Chant des partisans et les cent ou cent cinquante qu'on était, dans cette chaleur moite, éblouis par la lumière impitoyable, on a fredonné pendant que le cercueil descendait dans la fosse.

J'ai regretté à ce moment-là de ne l'avoir pas prise par la taille et attirée contre moi pour l'embrasser. Je trouvais insupportable de ne plus la voir jamais secouer ses cheveux ou poser sur nous – sur moi – le voile noir de ses yeux. Je réalisais alors qu'il faut aimer les vivants parce que les morts s'en foutent et vous laissent tout le restant de vos jours avec vos remords et votre chagrin. Olga, Hélène. Je les avais laissées partir sans rien faire, incapable de comprendre et de vivre.

On s'est revus, Suzanne et moi, encore quelques fois. Mais il y avait quelqu'un dans la chambre qui nous observait. Ou qui faisait les cent pas, de la porte à la fenêtre. Quand je lui en ai parlé, Suzanne a jeté autour d'elle des regards effrayés dans le silence de cet après-midi d'hiver seulement troublé par le chuchotis de la pluie. Alors, on n'a plus osé. Ou plus voulu, je ne sais pas. On avait exactement la même sensation de cette présence auprès de nous, entre nous, on ressentait la même tristesse terrifiée. Une nuit où j'étais seul, j'ai vu Hélène le front contre la vitre, retenant de la main le rideau. Je me suis dressé dans le lit avec l'espoir qu'elle se retournerait et m'adresserait un de ses sourires qui dissiperait les

118

ténèbres, mais son image a été absorbée par l'éclairage de la rue.

Elle est venue presque toutes les nuits pendant un mois. Je me suis mis à lui parler mais elle ne me répondait pas, elle se contentait seulement de tourner vers moi son regard triste. Je lui demandais si elle pouvait danser, si elle pouvait encore le faire là où elle était maintenant, mais elle est restée immobile, sa main toujours retenant le rideau. Puis je ne l'ai plus vue. Je me réveillais la nuit, vers deux heures du matin, et je scrutais l'obscurité pour l'apercevoir, je crois même que j'avais envie de distinguer dans la lueur bleuâtre de la fenêtre sa longue silhouette et le désordre de ses cheveux bouclés autour de son visage, mais c'était fini, le rideau restait figé et lourd, l'éclairage de la rue ne jetait plus dans la chambre que des traces indécises. Il me semblait qu'elle était là, pourtant, autour de moi. Je croyais voir dans l'obscurité l'ombre de ses yeux. J'attendais son fantôme et je m'en voulais de cette espérance superstitieuse. Puis elle m'a laissé. Ma solitude s'est creusée peu à peu. Certains jours, je parvenais à ne plus penser à elle. Mes nuits suffisaient à me tourmenter, pleines de silhouettes et de cris et de corps que je sentais sur moi, partout autour, tremblants de fièvre et de peur.

J'ai croisé Suzanne à une manifestation, l'année suivante. Elle était jolie et fraîche, au bras d'un grand type timide. On s'est embrassés comme de vieux copains, heureux de se retrouver, d'échanger quelques nouvelles banales. Elle allait se marier. Elle m'inviterait, mais elle n'avait pas mon adresse. Puis un mouvement de foule l'a emportée de l'autre côté du boulevard, je la voyais me chercher des yeux. J'en ai profité pour rentrer chez moi, la gorge tapissée de sable, le cœur gros qui me coupait le souffle.

9

Ils sont sur le quai à la proue du navire, le *Katrina*, un cargo mixte norvégien qui doit appareiller dans quelques heures, et l'étrave les domine de sa courbe parfaite de sabre brandi. On ne voit pas le fleuve. Il n'est qu'une étendue noire où surgit parfois un miroitement flou, un feu follet, peut-être. On sent son odeur de vase et de gasoil, ses bruits de bouche suçant la rive de béton. Ils se tiennent tous les cinq au pied d'une grue, exactement à l'endroit prévu pour le rendez-vous, et tapent du pied tant il fait froid. Irène a noué son écharpe sur sa tête en fichu, le col de son manteau remonté, le bas de la figure mangé par un bâillon de laine rouge. Sara porte un béret noir enfoncé jusqu'aux sourcils, enfouie dans un caban trop grand pour elle parce que c'est celui de son père, un colosse anarchiste mort à Lerida en août 38 pendant la retraite sur l'Èbre.

Alain et Daniel ont la même silhouette : casquette et canadienne. La seule différence est le gros sac et la valise posés aux pieds d'Alain. Gilbert s'est assis sur une caisse, les pieds posés sur un nœud de cordages, et il fume en regardant l'obscurité de l'eau.

Ils sont là depuis dix minutes. Le type avait dit onze heures pile, ils sont là et pas lui. Le bosco non plus. C'est lui qui doit assurer l'embarquement.

On entend des hommes crier puis rire. L'un d'eux

commence à chanter mais sa voix se brise dans une quinte de toux. Un moteur quelque part s'emballe, ronronne, s'arrête.

Daniel écoute ces bruits erratiques et s'efforce d'inventer des images sur cette bande-son mais il ne parvient qu'à voir le groupe qu'ils sont tous les cinq, silencieux et seuls et frigorifiés et il cadre une série de gros plans mal éclairés sur des visages enténébrés. Il cherche le regard d'Alain mais ne voit qu'un creux sans éclat, éteint par sa propre nuit. Il s'approche et lui tend une cigarette.

Flamme du briquet américain. Rien que l'ombre des cils. Alain remercie d'un hochement de tête.

– Ça va ? demande Daniel.

– Faut bien.

Sourire forcé. Mon frère, pense Daniel, qui lui donne un petit coup de poing dans le bras.

– Ça finira bien. On va s'en sortir.

Les filles se rapprochent. Le paquet de cigarettes passe de main en main. Les visages s'éclairent à la lueur du feu, les yeux brillent mais ne disent rien.

– Y a quelqu'un qui vient, dit Gilbert.

Il se lève et les rejoint et ils regardent tous la silhouette qui marche vers eux. C'est lui. Jacky. Long manteau, chapeau mou. Haut et large, démarche souple, silencieuse.

– Pardon pour le retard, dit-il en les saluant.

Il serre la main des garçons. Il garde celle d'Alain dans la sienne.

– Alors ? T'as pas changé d'avis ?

– Non. Je recule pas. J'ai pas dépensé tout ce fric pour rien.

– Le fric, c'est rien. Je te le rembourse tout de suite si tu veux.

– Gardez-le. Je sais ce que je fais. Cette guerre,

j'irai pas. J'en ai parlé cent fois avec Daniel. Et puis je veux partir d'ici. Je peux plus, je…

Il se tait et prend de l'air comme s'il suffoquait.

– Je veux voir comment c'est, ailleurs. Mais pas en Algérie.

Irène s'approche et le prend par le cou. Elle lui colle un baiser sur la tempe.

– *Comme je descendais les fleuves impassibles / Je ne me sentis plus guidé par les haleurs…*

Il la regarde d'un air étonné.

– C'est de la poésie : *Le Bateau ivre*, de Rimbaud. *Et j'ai vu quelquefois ce que l'homme a cru voir !*

– Pourquoi ivre ?

– Ça, dit Jacky, tu le verras bien assez tôt !

Il rit en lui tapant sur l'épaule. Irène s'apprête à murmurer quelque chose puis renonce.

– Peut-être qu'en partant naviguer tu vas mettre de la poésie dans ta vie dit Sara. Tu verras le soleil se lever comme nous on ne le verra jamais.

Il hausse les épaules.

– Je m'en fous de la poésie. Je veux me barrer d'ici. La guerre, c'est juste une occasion pour franchir le pas.

On entend des pas résonner sur l'échelle de coupée, un peu plus loin. Jacky scrute l'obscurité pour mieux apercevoir la silhouette qui prend pied sur le quai.

– Voilà Oskar, le bosco.

Un homme râblé marche vers eux, les mains dans les poches de son pantalon. Il porte un bonnet roulé sur le sommet du crâne, une vareuse sans couleur définie. Peut-être grise. Il salue à la cantonade d'une voix sourde. Visage rond, lisse. Regard clair, presque transparent. Jacky se met à lui parler dans un anglais plein de gestes de mains et de hochements de tête. L'autre a l'air de comprendre. Il ne quitte plus Alain

des yeux, l'air absorbé par ce que Jacky lui bara-
gouine.

– OK, il dit au bout d'un moment.

Puis il sourit à Alain et lui pose une main épaisse,
aux doigts courts, sur l'épaule.

Alain semble redevenu petit garçon. Il regarde le
bosco avec crainte et respect, les yeux brillants. Les
copains sont serrés autour de lui et ils essaient de
déchiffrer ce que pourrait dire encore ce visage que
ses yeux si clairs tiennent à l'écart de la nuit.

– Moi parle un peu le français, dit-il. Quelques
mots. Mais le cuisinier lui il est français aussi alors tu
peux demander à lui. *Good guy*, tu verras. Tu l'aideras,
au début. Servir en cabine les passagers, et d'autres
choses. OK ?

– Oui, dit Alain, mais le mot reste dans sa gorge et
il doit tousser pour le décoincer. Oui, répète-t-il. C'est
d'accord. *All right.*

Le bosco éclate de rire.

– Tu parles anglais, alors ça va !

Au-dessus d'eux, à bord, des hommes parlent fort et
toute une agitation sourde, métallique, grinçante,
résonne sur le pont.

– Dans une heure on part, dit Oskar. Marée haute.
Vingt passagers pour Tanger, et après Dakar. Chaud,
là-bas ! Pas comme ici ou comme chez moi en
Norway ! Il faut que je te montre au captain.

Jacky salue la compagnie d'un geste de main, gra-
tifie Oskar d'une bourrade complice et s'en va de son
pas silencieux.

Alain les regarde tous les quatre en souriant d'un
air navré.

– Bon, les copains, cette fois-ci…

Il prend Irène dans ses bras et ils s'échangent des
baisers sonores en s'efforçant de se sourire.

– Je penserai à ton bateau ivre, dit-il. Mais, juré, je

123

boirai pas trop ! Je resterai sage ! Déjà que je suis un déserteur...

— Non, un insoumis, ça s'appelle. Et je ne sais plus très bien ce que c'est qu'être sage, en ce moment.

Sara s'approche et cache son visage contre la poitrine du jeune homme.

— On avait dit qu'on pleurait pas, dit-il.

Elle lève ses yeux brillants vers lui et secoue la tête.

— C'est déjà fini. Et puis c'est pas comme si on allait te fusiller ! Tu reviens dans cinq semaines, tu passeras bien nous faire une petite visite avant de repartir bourlinguer ! Mais tout de même, tu vas me manquer.

Elle se retourne vivement pour rejoindre Irène et elles restent de dos, se tenant par le bras et se murmurant des choses à l'oreille.

Daniel et Gilbert le serrent contre eux en lui tapant dans le dos puis l'embrassent finalement, bruyamment, pour bien montrer qu'on est entre hommes, qu'on ne se fait pas de ces baisers furtifs qui disent la tendresse ou l'amour.

— C'est comme un cousin qui s'en va, après tout, explique Gilbert.

— Ou un frangin, dit Daniel.

Alain le prend par le col de sa canadienne et le tire vers lui. Il lui parle tout près. Leurs yeux brillent du même éclat sombre.

— Fais attention à toi, d'accord ? Joue pas les héros. Planque-toi. Laisse partir les connards devant si ça les amuse, et reviens en bonne santé, c'est compris ?

— Oui, c'est compris. Merde, arrête un peu, on dirait Maurice ! Toi tu vas voir du pays et moi je verrai la guerre. Je t'ai déjà dit pourquoi je voulais la voir. Mais je suis pas un héros. C'est bon pour les films ces conneries. J'ai pas envie de crever là-bas. On aura comme ça plein de choses à se dire. Je veux qu'on puisse parler de tout ça quand on se retrouvera. Alors t'as pas à t'en faire. Je vais revenir. Comme toi. D'accord ?

Alain hoche la tête. Il sourit tristement.

– Fais gaffe. Tu vas pas que la voir la guerre. Tu vas la faire, parce que tu seras en plein dedans.

– Faut y aller, dit Oskar. C'est l'heure, maintenant.

Il s'éloigne en longeant les flancs du bateau, tête basse, sans se retourner. Alain s'arrache. Il recule, ses sacs au bout des bras, et les regarde tous les quatre.

– Je… il commence à dire.

Puis il s'enfuit. Il court derrière le bosco, les bras tendus par le poids insoutenable de tout son bien. Le marin s'arrête et l'attend. Puis Alain lâche ses sacs et court vers Sara et la prend dans ses bras et soulève sa petite personne et ils s'embrassent à pleine bouche comme ils n'ont jamais osé le faire.

– Je t'écrirai, dit-il. Un jour, on se quittera plus jamais.

En douceur ils se repoussent mutuellement et se regardent – quoi ? – trois secondes, les yeux profondément dans ceux de l'autre. C'est fini. Alain court rejoindre Oskar qui prend un des sacs et le fait voler sur son dos comme si c'était un orciller.

Ils écoutent les pas sur l'échelle de coupée, ils voient la main de leur ami glisser sur la rampe mais pas une fois il ne se penche et Daniel sait qu'il ne veut pas montrer sa figure tordue de chagrin, pleine de larmes.

– On y va ?

Sara s'est retournée, déjà près du hangar. Elle s'impatiente, mains dans les poches, tapant du pied. Irène la rejoint la première et elles se mettent en marche, rapides et légères, bras dessus, bras dessous. Daniel et Gilbert hâtent le pas et franchissent juste derrière elles le portail entrouvert. Ils ne disent rien, ils laissent les filles se dire leurs secrets pendant qu'ils marchent tous quatre vers le nord sur le trottoir étroit, le long des grilles qui enserrent le port.

Un peu plus loin, à un moment où un peu de vent vient leur glacer la figure, Irène et Sara éclatent de rire puis se retournent vers eux :

– Vous savez pas ? dit Sara. Je vais me marier !

Ils rient tous les quatre. Ils plaisantent, se bousculent, indifférents au vent froid et aux mauvais jours. Puis ils se taisent et marchent en silence vers chez eux, là-bas tout droit vers le nord, dans leur quartier qu'on prendrait bien pour un faubourg, presque une île en fait, cerné par le fleuve, les bassins à flot, les marécages, relié au reste de la ville par trois ponts tournants quand ne vient pas se coincer entre les écluses un bateau manœuvrant vers une cale de radoub. De rares voitures les dépassent et derrière les grilles la nuit couvre comme une bâche les wagons, les camions et les hangars et les milliers de stères de grumes venues d'Afrique. Rien ne bouge. Quelques lampadaires suspendus n'éclairent qu'eux-mêmes. Leurs ampoules brillent d'une lueur incapable de tomber par terre et qui reste accrochée alentour en halo faiblard. Par place, dans le château d'un cargo, un sabord éclairé troue la nuit d'un carré clair.

Daniel essaie d'imaginer Alain seul dans sa cabine, peut-être en train de tâter le matelas ou d'y poser un sac et il sent au cœur un gros pincement qui le fait grimacer dans le noir. Il ne sait pas ce qu'est un ami. Il ne sait pas la différence d'avec un copain. Il faudra qu'il en parle avec Irène qui connaît si bien les mots et leurs nuances. Ami, frère… Sœur… Qui est quoi ? Il regarde les cheveux châtains d'Irène qui moussent par-dessus son écharpe, presque blonds dans l'obscurité et il a envie d'aller la prendre par le cou et de la serrer contre lui et… Une fois de plus, il est saisi par ce désir

126

qui lui vient souvent quand elle s'approche de lui avec ces gestes de tendresse familière, ces élans de frangine qu'elle a parfois, ces taquineries de gamine qu'il lui connaît depuis toujours, enfin depuis que ses parents l'ont recueilli et adopté puis aimé comme leur fils et que cette fille a posé sur lui pour la première fois ses grands yeux rieurs en lui tirant doucement une oreille.

Elle est sa sœur, évidemment. Et pourtant pas du tout. Surtout la personne au monde la plus proche de son cœur. Qui en devine chaque tressaillement. Celle qu'il a laissée entrer dans son secret en ouvrant pendant des heures, au creux de l'oreille, les portes de ses peines et de ses cauchemars. Chuchotements étranglés parfois de sanglots. C'est ainsi qu'elle sait les yeux brillants des moineaux sautillant sur le toit, boules de plumes qui guettaient dans le froid ce petit géant tassé contre la cheminée. Qu'elle a presque les mêmes souvenirs que lui. Elle est remontée avec lui sur le toit, quand il lui a raconté cette journée de la rafle, de sorte que parfois il se surprend à se souvenir d'elle à ses côtés pendant qu'il attendait contre la cheminée, sous le ciel gris et glacé, au milieu des oiseaux ébouriffés, qu'on vienne le chercher.

Irène.

Il la regarde marcher et il aime son pas et cette pensée le trouble et lui met en tête un vertige d'enfant tournant sur un manège, voyant défiler les visages sans pouvoir les retenir.

Surtout quand, juste après le pont tournant, les filles se mettent à chanter à tue-tête *Milord* et dansotent et rient aux éclats et les invitent, Gilbert et lui, lourdauds qui suivent sans rien dire, à venir danser avec elles.

Ils redeviennent silencieux à mesure qu'ils approchent de chez eux, longeant les murs d'usines, écoutant malgré eux le vacarme assourdi de l'aciérie, ses geignements de monstre mangeur d'hommes.

Lorsque Irène et Daniel se retrouvent seuls, ils se tiennent un moment par la main, comme ils font souvent, depuis l'enfance.

– Elle veut vraiment se marier avec Alain, Sara ?

Irène éclate de rire.

– Elle est folle. Mais ça fait longtemps que je lui dis, pour Alain. Comment il la regarde, et tout.

– Ah bon ? Moi, j'ai rien vu. Et il m'a rien dit.

Elle lui pince le bras.

– Toi, tu vois rien de ces choses-là. Tu verrais même pas une fille entrer dans ton lit, si ça se trouve. C'est parce que tu regardes pas. Et puis les mecs ça parle pas d'amour, c'est bien connu. Sont tout juste bons à se raconter leurs performances en rigolant bêtement.

Daniel ne trouve rien à répondre à ça. Il encaisse, il essaie de comprendre, il range ça dans sa poche avec son mouchoir par-dessus.

Une fois couché, il cherche le sommeil en espérant rêver de bateaux et d'horizons immenses et de ports grouillants, pleins de soleil. Il force son imagination, il convoque des souvenirs de cinéma mais les images s'échappent sans cesse ou se figent et s'éteignent. Il s'endort dans le désordre de son cœur, l'esprit lourd d'une crainte confuse.

En pleine nuit, il se réveille en touchant sa jambe qui vient d'être arrachée par l'explosion d'une grenade. Il reste haletant, couvert de sueur, encore aveuglé par le soleil inondant son cauchemar, une main tâtant son genou, et il lui semble qu'il ne se rendort plus jusqu'à la sonnerie du réveil, hébété de fatigue et de tristesse.

10

Il se réveille en sursaut parce qu'il a senti bouger près de lui ou qu'un gémissement est venu souffler à son oreille et il reste immobile dans le noir, les muscles raidis, le cœur affolé, et il regarde cette obscurité impénétrable et constate qu'il vit encore, puisque ça lui fait mal. Il est sur le dos, les couvertures au ras du menton qu'il maintient de ses deux poings serrés de crainte qu'elles ne tombent ou soient tirées par quelqu'un. Il faut à chaque fois un long moment de terreur avant que ne lui revienne à l'esprit l'endroit où il se trouve : une chambre chauffée par le poêle à gaz qu'il entend maintenant ronronner. Un lit neuf tendu de draps propres où il est seul. La ville, autour de lui, qui dort encore. La ville où il est né, a grandi, vécu, aimé. Où gisent ses souvenirs d'*avant*. Lambeaux de journaux déchirés poussés par le vent, décombres d'une fête qu'une tornade a balayée. Guirlandes arrachées, lampions éteints. Au milieu de quoi il erre et croit entendre parfois des bouffées de musique, une valse accordéon, une confusion de voix enjouées.

Cliquetis rythmé du réveil. Passage lointain d'un camion, cours de l'Yser. Écoulement sourd des gouttières. Il trouve comme chaque matin ses repères d'aveugle et, comme chaque matin, il aura tout à l'heure la sensation d'ouvrir les yeux pour la première fois depuis longtemps. Il ose étendre sa main à côté de lui et ne trouve que la fraîcheur du drap, alors il roule sur le flanc puis s'étale à plat ventre et s'abandonne en soupirant.

Le sommeil le reprend, parcouru de visions. Souvenirs rêvés. Cauchemar de la mémoire. Il bouge là-dedans et geint et pleure, parfois.

Chaque matin et son aube inespérée déchirée par la sonnerie du réveil, à l'autre bout de la pièce, qu'il laisse finir avant de se lever sans effort.

Il se lave au lavabo installé dans un recoin de la cuisine en humant les parfums mêlés du café et du savon. Il frotte sa peau jusqu'à la rougeur, il passe le gant sous l'eau puis l'essore puis frotte encore pour se rincer puis se frictionne en s'essuyant. Dans la petite glace accrochée devant lui il ne peut pas se voir entièrement mais il sait que son corps ne garde aucune trace à part la cicatrice sous la clavicule et ce trou dans l'omoplate. Aucune douleur. Son corps est long et sec et dur. Muscles, tendons, os. Son corps est encore jeune, à bientôt cinquante ans. Il le sait, il le sent. Il ne vieillira pas tant que ça ne sera pas accompli. Il gardera cette force et cette vitalité intactes comme on garde une arme au secret dont on graisse et vérifie les mécanismes. En s'y entraînant, aussi.

Son visage n'est que marques, empreintes, stigmates. Chemins creusés dans un sol trop tendre, tranchées jamais comblées après une guerre perdue. Cartographie ancienne, sans âge. Écriture cunéiforme qu'on croit comprendre sans savoir la lire.

Du café à peine sucré, du pain beurré qu'il trempe et mâche en fermant parfois les yeux. Il laisse couler au fond de sa gorge le breuvage brûlant, il sent la chaleur se répandre en lui.

Chaque matin à cette table en bois aux pieds inégaux calés avec du carton, assis sur cette chaise qui grince et craque, il jouit de ce moment les deux mains autour du bol à petites gorgées qui lui font venir des larmes aux yeux. Et, se dédoublant presque, il voit l'homme qu'il est devenu savourer ce que d'autres se hâtent d'expédier, ce que lui-même, longtemps, a négligé, avant d'avoir un jour à soulever le corps d'un camarade mort dans la nuit pour prendre le bout de pain sur lequel il s'était couché.

Chaque matin dans sa bouche le goût et le parfum d'une reconquête silencieuse.

Dans le couloir déjà plein d'une odeur d'eau de javel et de savon, il entend la radio de Mme Mendez qui a dû mettre ses lessiveuses sur le feu, le bavardage indistinct d'un animateur puis de la musique et, s'éloignant derrière lui, la voix d'Édith Piaf. La rue est étroite, sale, poissée d'humidité. Odeur piquante du charbon brûlé. Il enjambe le caniveau où s'écoule une eau blanchâtre, tiède, qui fume un peu dans l'air froid. Dès qu'il est sur le cours, il hâte son allure et règle sur ses pas sa respiration tranquille. Il traverse la cohue du marché des Capucins en louvoyant entre les diables chargés de cageots et de caisses et les fourgons garés n'importe où et les chalands qui traînent de gros paniers ou lambinent aux éventaires. Odeurs de viande, de légumes, de marée, de diesel. Les appels des marchandes de quatre-saisons et des poissonnières, criards, claquant sous la halle, le rire de bouchers sortant d'un bar, leurs tabliers tachés de sang et les avant-bras nus, l'accompagnent comme autant de balises sonores sur l'itinéraire qu'il s'est tracé depuis quelques mois. Il marche ensuite dans des rues étroites sous des façades noires puis il entre dans le fracas du cours Victor-Hugo saturé par la circulation, puant le gasoil, parcouru de passants pressés comme lui qu'il croise ou frôle ou heurte parfois en murmurant une excuse vaine.

Il entre dans la rue Bouquière déjà encombrée de camionnettes arrêtées sur les trottoirs, déchargées par des commis en blouse grise. Ballots de fringues, kilo-mètres de coton, de laine, de tergal, unis, imprimés, écossais, à pois ou à fleurs : ameublement, confection. Gros, demi-gros. Un magasin tous les dix mètres. Chacun sa spécialité, ses clients.

Celui où il travaille est un long couloir large trois mètres sous quatre de plafond, aux murs couverts d'étagères pleines de rouleaux de tissus, de coupons, de vêtements par paquets de vingt : pantalons, cos-tumes, vestons, gilets, blouses et bleus de travail. On cherche en vain une couleur un peu gaie. On est dans le gris, l'anthracite, le marron, le bleu marine. Le beige, à la rigueur, qui se remarque. De fines rayures sont une fantaisie. Le pied-de-poule est une extravagance.

Le patron, M. Bessière, est derrière un comptoir en train d'examiner un coupon de tweed. Il lève à peine le nez pour le saluer dans un soupir.

– Bonjour, André. C'est pas le travail qui manque, aujourd'hui. Et toujours des soucis.

Il dit tous les jours à peu près la même chose. Sub-mergé de travail. L'air épuisé dès le matin, les yeux battus, blafard sous sa coupe en brosse grisonnante, le front luisant à la lueur navrante des néons. Avec sa blouse blanche impeccable, on dirait un toubib ou un pharmacien neurasthénique qui ne supporterait plus d'annoncer aux gens qu'il ne peut plus rien pour eux et qu'ils doivent se préparer à mourir en souffrant beaucoup. Ensuite, de la même voix caverneuse, il se plaint que les affaires vont mal, que les gens ne s'ha-billent plus. Il justifie ainsi les salaires minables qu'il paye. S'il pouvait faire mieux, ce serait de tout cœur, pensez bien. Mais il y a la compétition impitoyable. Les grandes surfaces. Voyez en Amérique. Le péril est à nos portes, il fondra bientôt sur le petit commerce pour le mettre en pièces. Il se morfond derrière sa caisse, un crayon sur l'oreille. On le croit certains jours sur le point de mettre la clé sous la porte et d'aller se pendre dans la cave.

C'est dommage. Il devrait évoquer plus souvent sa maison à Caudéran avec son grand jardin et les trois ou quatre appartements qu'il possède en ville, même si parfois un locataire lui donne du souci. Ça lui ferait un bien fou, à ce pauvre M. Bessière.

– Bonjour, André. Le travail vous attend. Merci d'être en avance.

Il dit ça, des fois. Quand il est de bonne humeur.

André. L'homme a toujours ce pincement au cœur quand il s'entend appeler ainsi. Le prénom de rechange lui est venu spontanément l'année dernière à Paris quand le type qui lui fabriquait des faux papiers lui a demandé ça juste après lui avoir tiré le portrait. Un nom, un prénom. Le faussaire avait un stock de cartes d'identité vierges, récupérées à la Libération dans les bureaux de la préfecture à la faveur du désordre des combats et de la course aux certificats de résistance à laquelle se livraient les flicards. C'était un ancien FTP. Georges. Seulement ce prénom. Il lui racontait ça sous une lampe rouge dans son petit labo photo pendant que les clichés trempaient dans le révélateur. Il s'étranglait en évoquant l'infamie des flics français. Après avoir raflé les Juifs et traqué les résistants au service du maréchal et de la Gestapo, ils se sentaient tout soudain l'âme républicaine et se pressaient dans les couloirs de la préfectance en bras de chemise, brassard tricolore au biceps, pour offrir leurs services à ceux qu'ils avaient pourchassés pendant quatre ans. Autant dire un gros troupeau de veaux cavalant dans tous les sens, affolés par l'arrivée des cow-boys et soucieux de sauver leur cul du marquage au fer rouge, ouvrant le feu sans viser depuis les fenêtres avec leurs pistolets .7,65 sur des chars allemands qui passaient en trombe de l'autre côté de la

Seine. « Un mois plus tôt, ces fumiers-là nous auraient livrés rue Lauriston en nous cassant la gueule à coups de matraque. Mais bon… l'Histoire est plus forte que les hommes, faut croire. Et on avait envie d'y croire. »

André Vaillant. Il a trouvé tout de suite que ça sonnait bien. Il a essayé d'oublier son vrai nom, cette étiquette collée sur sa vie d'avant, qu'il a essayé chaque jour d'arracher : Jean Delbos. André Vaillant, né le 18 mars 1911 à Courbevoie, s'est donc mis à exister. Après, Georges et lui, ils sont allés casser une croûte et boire un coup dans un boui-boui de la rue de Charonne. L'autre lui a raconté la bataille autour de Madrid, la chute de Barcelone, le départ en catastrophe de sa brigade, les camarades en larmes. Le rêve effondré. C'était la guerre, là-bas. Canons, aviation, blindés. Il en a vu. La mort hideuse. Des copains en morceaux. La défaite qui s'annonçait à grands coups de massacres. Mais il ne se rappelle pas avoir eu peur. Plutôt envie de rentrer dedans, d'aller chercher les fascistes partout où on aurait pu les débusquer et les affronter bien en face et livrer à chaque instant le combat final.

Puis est venue la lutte clandestine. Les rendez-vous. La préparation des coups. Les planques. L'ennemi partout. Au coin d'une rue, derrière une fenêtre, dans un couloir sombre, tapi sous une porte cochère. Tu le cherches et c'est lui qui te trouve. Tu ne sais plus. Vertige.

Alors, sans jamais l'avouer aux copains, la terreur, celle qui te cloue en pleine rue sans plus pouvoir faire un seul pas ou t'empêche toute une semaine de dormir, réveillé par un claquement de portière dans la rue, la terreur qui déchire ton sommeil de papier à coups de cauchemars où tu les entends monter l'escalier et défoncer la porte, où tu te vois attaché sur une chaise sous leurs coups et leurs tortures sans savoir si tu auras la chance de mourir avant de donner les trois noms

que tu connais parce que tu n'en peux plus, parce que
personne ne sait comment tenir la position face à ces
armes-là, ce raffinement de brutes, le plaisir dont ils
jouissent visiblement et qu'ils recherchent sans faiblir,
souhaitant peut-être que, justement, tu ne parles pas
pour que ça dure et qu'ils en profitent bien, cela,
c'était la vraie terreur, qui l'avait tenaillé pendant les
années de Résistance.

André l'écoutait parler à voix basse, de sa voix
enrouée par l'émotion, maîtrisant l'élan de ses mains
qui voulaient faire des gestes, peut-être pour ne pas
qu'elles en disent plus que lui et le trahissent. Comme
un Italien manchot. Ses épaules avaient des élans et
ses poings restaient serrés pour empêcher les mains de
s'envoler. Il avait connu un Juif de Turin qui parlait
ainsi, avec ses épaules, les bras coupés par l'épuisement.

Il aimait Georges, ce franc-tireur tenaillé encore par
la peur et qui parlait beaucoup pour la faire taire.

Oui, cette terreur, disait-il, à l'idée de tomber entre
leurs mains parce qu'on savait ce qui arriverait, ce vertige avant d'entrer dans un immeuble ou de traverser
la rue pour rejoindre un rencard, le silence qui toujours se faisait en toi à cet instant, tellement écrasant
qu'il semblait devoir se répandre partout autour et te
désigner aux yeux de tous comme responsable
de cette surdité soudaine de l'air, il l'avait éprouvée
tant de fois et en rêvait encore. « Certaines nuits je me
réveille sur la chaise de la Gestapo alors que je ne m'y
suis jamais assis, je suis à la place des copains qu'on
n'a plus jamais revus ou dont on nous a juste décrit les
hurlements qu'ils poussaient ou l'état dans lequel on
les renvoyait en cellule, merde, des fois je suis là et
j'ai peur de parler, tu te rends compte ? Et je me
réveille et je sais plus où je suis et je chiale des fois
comme un môme ! C'était ma hantise, bien sûr, mais

135

presque quinze ans après, ça me poursuit encore, comment c'est possible ? »

André n'a rien répondu, il s'est contenté de hocher la tête en soutenant son regard écarquillé.

– Pourquoi je te raconte ça à toi ? Y a que ma femme qui sait. Et deux ou trois camarades qui sont comme des frères.

L'ancien des Brigades l'a regardé mieux, rejeté contre le dossier de sa chaise, puis a souri.

– Tu dis rien, mais t'as dû en voir, de ton côté. C'est marqué sur ta gueule.

Prisonnier. Ça lui est venu d'un coup, sans réfléchir, s'improvisant une destinée. Il avait été pris dans la poche de Dunkerque et s'était retrouvé dans un stalag près de Brême. Trois tentatives d'évasion, trois échecs. Après la guerre, il avait travaillé dans une filature près de Douai mais on l'avait viré après une grève alors voilà, comme ensuite il avait, disons, commis des actes un peu graves, un peu de sabotage, un peu de… il a hésité, oui, c'est ça, un peu de brigandage, bref, il fallait qu'il change d'air et de blase.

Brigandage. André a trouvé le mot curieux et beau. Comme une arme ancienne qu'on ferait resservir.

Pas sûr que l'autre ait cru à son histoire. Il approuvait en hochant la tête mais son regard était plein d'étonnement et peut-être d'admiration pour ce talent de conteur. En tout cas la fable lui plaisait, et c'était sans doute l'essentiel. « Du brigandage ? » il a répété, comme pour mieux savourer le mot. « Moi aussi, je brigande, il a dit en souriant. On est du même bord. »

André, donc. Il repense au brigand FTP et s'en veut un peu du mensonge qu'il a dû lui servir et il songe à ce qu'il laisse derrière lui, ces vies successives, deux, trois, il a lu quelque part que les Indiens en Amérique pensent disposer de l'équivalent des vies, addition-

nées, des trois chevaux[1] qu'ils posséderont, et il sait
bien que deux déjà sont morts sous lui ou l'ont jeté à
terre avant de fuir, il ignore où, peut-être dans des
prairies éternelles où ces animaux vont, heureux et
tranquilles. Le troïsième marche à son côté. Il le tient
par la bride et lui parle tout bas. Il n'est pas encore
monté sur son dos, il attend qu'ils se connaissent
mieux. Bientôt. Viendra aussi le temps de l'assaut
décisif. Garder de la force. En rassembler autant que
possible malgré, parfois, la fatigue.

Il s'assied à sa table de travail, tout au fond de
l'antre, séparé du reste du magasin par une haute éta-
gèrc aux planches ployant sous des rouleaux de toile et
des lots de blouses. Recoin où flotte parfois une vague
odeur de salpêtre. Un calendrier est accroché au mur,
où il a noté les échéances, les tâches à accomplir. Une
photo en couleurs de la place Saint-Marc, à Venise,
qu'il a découpée dans un magazine.

Elle lui avait dit un jour, début 40 : « Quand la guerre
sera finie, on ira à Venise. On laissera le gosse à ma
mère et on partira en amoureux. Dis, qu'est-ce que t'en
penses ? J'ai vu des photos, ça a l'air vraiment joli. Et
puis il paraît qu'il faut voir ça avant de mourir. » Il avait
dû éluder sa question, comme toujours dans ces cas-là.
Mentir sur ses vraies intentions et ses projets. Il a beaucoup menti dans sa vie. Comme au poker. Et bluffé,
donc. Comme quand elle lui demandait d'où il revenait,
tard le soir ou tôt le matin, puant le tabac et le vin et
qu'il mentait, encore, et qu'elle accueillait ses explica-
tions embrouillées d'un soupir las. Elle ne verra jamais
Venise. Ils n'auront besoin de confier leur fils à personne. Et lui n'a plus personne à qui dire la vérité.

Il allume la lampe et soupire en apercevant les

---

1. Hommage au roman d'Erri de Luca, *Trois Chevaux* (éditions
Gallimard).

livres de caisse, les factures, les bons de livraison, les avoirs griffonnés à la main par le patron. Il s'y met. Il sait que pendant quatre heures il pourra faire fonctionner sans retenue son cerveau en calculs et travaux d'écritures et qu'il sortira de là l'esprit libre et léger parce qu'il n'aura pensé à rien d'autre qu'aux chiffres et aux nombres, occupé par les opérations mentales qu'il s'oblige à poser, comme il le faisait là-bas, des journées et des nuits entières, pour empêcher son cerveau de geler et son corps d'être pris dans la glace.

Derrière lui la porte s'ouvre, et lui parviennent le bruit de la chasse d'eau et les remugles de tinettes dans le sillage de Raymond, le commis, qui lui tape sur l'épaule en lui donnant du « monsieur André ». C'est un petit homme trapu aux sourcils épais, au menton prognathe, sans cou, sans âge, avec des bras longs capables de soulever des charges énormes sous lesquelles parfois il semble sur le point de disparaître. C'est la créature du père Bessière. Son monstre familier. Il l'a peut-être trafiqué dans son sous-sol, rafistolé avec des morceaux d'autres pauvres diables, comme un docteur fou. Il le traite avec un mélange tiède de mépris et de compassion. Il le punit au gré de sa mauvaise humeur, l'engueule selon le chiffre d'affaires et lui inflige des retenues sur sa paye qu'André n'effectue pas sur les comptes ni sur les bulletins de salaire. Raymond va s'installer derrière son comptoir, toujours exactement à la même place, son visage carré inexpressif et renfrogné percé d'un regard vague. Il passe autour de son cou le ruban bleu de son mètre souple, et il vérifie dans un tiroir que ses craies sont bien là et sort deux paires de ciseaux qu'il actionne vivement et qui rendent un bruit clair d'acier frotté.

Le téléphone sonne, un premier client pousse la porte. La journée commence.

André s'oublie dans les nombres, se soûle d'addi-

138

tions, vide son esprit dans des colonnes de chiffres. Parfois, il lève les yeux sur la photo de Venise et fixe durant quelques secondes une femme en robe rouge qui passe devant la basilique.

Vers treize heures quinze, il en serre cinq à Raymond, salue le daron qui répond dans un soupir, et sort et crache dans le caniveau, sa journée de travail finie. Tous les jours qu'il vient ici, il s'inscrit scrupuleusement dans cette routine boutiquière, sans dévier, jamais. Comme on suit en escalade une voie déjà marquée, sans négliger aucun piton, sans se permettre aucune fantaisie. Sans à-coup ni relâchement. Parce que au-dessous, le ravin est sans fond.

Ensuite, il a le temps. Sur le cours Victor-Hugo, il est presque aveuglé par le soleil qui faufile quelques rayons parmi les nuages. L'air est plus doux. La pluie va s'installer pour la semaine, comme souvent, ici, en hiver. Alors il lève les yeux vers les lambeaux de ciel bleu pâle, il se laisse aveugler par les éclats violents de la lumière qui tombe sur la rue mouillée.

Il entre au café Montaigne et va s'asseoir sur une banquette, dans un coin, non loin du comptoir. Il peut voir qui entre ou qui arrive sur le trottoir, à travers les vastes fenêtres. Des élèves du lycée proche sont installés un peu plus loin, contre les vitres, et rient, et se chicanent, cravate dénouée, col de chemise ouvert. Il entend qu'ils parlent d'Algérie, de Guy Mollet, de Soustelle, en appellent à Mendès... Ils sont cinq. Ils boivent du café, penchés pour se parler au-dessus de miettes de pain, reliefs de leurs sandwichs. Puis ils baissent la voix, l'un d'eux chuchote et fixe tour à tour chacun de ses yeux sombres. Les mines se font plus graves et les regards s'accrochent au sien.

André décide de détourner les yeux pour ne pas être pris pour un mouchard. À l'autre bout, quatre vieux types jouent aux cartes. Ils s'esclaffent, leurs jetons cliquettent faiblement quand ils les jettent sur le tapis vert. Tout près de la porte, il y a cette vieille femme tout en noir, minuscule, son petit chien au long museau et aux yeux proéminents sur les genoux, devant un verre de bière. Il les voit là chaque fois qu'il vient. À la même place, dans la même position. La vieille et le chien regardent vers l'extérieur, semblent suivre des yeux les mêmes passants, comme s'ils guettaient l'arrivée de quelqu'un qui a déjà beaucoup de retard. André se demande qui elle attend. Quelqu'un qui ne vient pas. Ou qui n'est jamais revenu. Mais qui n'est pas mort, oh non, puisqu'on ne lui a rien dit d'officiel, à elle. Elle n'a vu de nom sur aucune liste. Elle ne sait pas. Préfère peut-être ne pas savoir. On lit parfois dans les journaux des récits de retrouvailles inespérées. Alors pourquoi pas ?

Tout à l'heure, la vieille dame se lèvera et son chien sautera sur ses pattes, ébrouant sa carcasse cylindrique, il mordra le cuir de sa laisse et ils sortiront et disparaîtront vers le cours Pasteur lentement. Demain. Sûrement demain.

On vient de lui apporter son sandwich et un ballon de rouge quand la porte s'ouvre et qu'un type, là-bas, le salue d'un mouvement de menton et s'approche en ôtant son chapeau. Ils se serrent la main. L'homme fait signe au garçon puis il s'assoit en soufflant et défait les boutons de son manteau puis ceux de son veston. Il est assez grand, avec une figure en lame de couteau, des yeux noirs. Grisonnant sur les tempes. Il regarde autour de lui mine de rien puis change de place et vient s'asseoir perpendiculairement à André et jette aussitôt un coup d'œil à la rue. Inspecteur Mazeau.

— Merde, j'ai cru que je pourrais pas venir. On a eu un meurtre à Mériadeck. Une pute qui a égorgé son barbeau et un miché. Y avait du sang partout, elle les a pas loupés. Y en a même un qu'elle a à moitié décapité… Problème, elle est incapable de nous expliquer avec quoi elle a fait ça. On n'a rien retrouvé. Ni couteau, ni rasoir, ni hachoir, rien. Juste cette connasse complètement bourrée en compagnie des deux macchabs, dans un décor de boucherie en gros. C'est le taulier qui l'a trouvée comme ça vers dix heures, comme elle libérait pas la chambre. On pense pas qu'il a planqué quoi que ce soit, c'est un indic des Mœurs. Il tient à sa boutique, on ferme les yeux sur la came qu'il fourgue de temps à autre à condition qu'il rencarde bien. Quoique avec ce genre de tordu, on sait jamais quand ils vont te la faire à l'envers. La fille a pas dû se les farcir avec sa lime à ongles, alors on se demande. À part trembler dans sa chemise de nuit pleine de sang, elle ne peut rien dire ni rien faire. Pour nous, elle a pas pu agir seule, mais pour savoir, macache, ce genre de radasse, dressée à la dure, ça cause pas aux flics.

Il souffle. On dirait qu'il a couru, ou marché vite.

André regarde son front qui luit un peu. Quelques perles de sueur à ses tempes. Le garçon vient, l'homme demande un jambon beurre et un demi.

– Ça m'a creusé, toutes ces conneries. J'ai eu le temps de rien prendre depuis ce matin.

La vieille femme sort avec son chien. Elle s'éloigne à petits pas. Les lycéens éclatent de rire. Ils sont couchés sur la table, secoués par l'hilarité, ou bien renversés contre le dossier de leur chaise, gorge déployée. Les joueurs de belote abattent leurs cartes avec de grands gestes. André voit tous ces bouts de vie comme autant d'îlots dans un chaos océanique.

– T'es pas bavard, aujourd'hui.

Le serveur revient apporter la commande. Le flic attaque son sandwich, mastique bruyamment, avale avec peine, pousse tout ça d'une gorgée de bière et souffle, et secoue la tête.

– Ça fait du bien !

– Alors ?

Mazeau enfourne une nouvelle bouchée tout en le regardant les yeux plissés. Peut-être sourit-il, ou fournit-il un effort quelconque pour manger.

– Alors j'ai du nouveau, dit-il, la bouche pleine.

André grignote un bout de pain qu'il prélève de son sandwich. Sa gorge est nouée. Il n'entend ni ne voit plus rien autour d'eux. Il attend que l'autre se décide, occupé à se nourrir. Les flics sont ainsi. Ils aiment démontrer leur maîtrise de la situation en jouant avec la patience ou l'impatience des gens qui passent entre leurs mains. Jouir de cette emprise.

– Un proche de Darlac. Une sorte de cousin de la couille gauche. Émile Couchot. Marié en 47 à Odette Bancel. Ils tiennent un bar-cave place Nansouty. Cette Odette, c'est comme la sœur de sa femme Annette. Une ancienne pute à Boches, elle aussi. Danseuse chez Tichadel, comme la femme de Darlac. Elles créchaient ensemble pendant l'occupation, on raconte qu'elles avaient monté un numéro de gouines pour public trié sur le volet dont des Boches, qu'aimaient les trucs raffinés, comme on sait. En 44, quand elles ont senti le vent tourner, les deux frangines ont snobé les partouzes schleues et ont cherché à placer leur cul sous protection. Du coup, elles sont allées vers ceux qui leur semblaient avoir la plus longue à l'époque, parce que leur analyse de la situation n'allait pas plus loin ni plus haut, à savoir des flics et des truands. Annette s'est laissé embarquer par Darlac, et l'autre, Odette, a mis la main dans le slip de Couchot, qui faisait son beurre avec son cousin Darlac, justement, en trafiquant des objets pillés chez les Juifs déportés et en prenant des commissions sur les ventes de biens confisqués. Il a pas été le seul et puis il jouait petit bras, pas comme les avoués de Bordeaux qui s'en sont mis plein les poches, mais ça lui a suffi pour s'acheter son troquet et un cabanon sur le bassin, pour lui et sa bonne femme. Il a l'air de s'être rangé des voitures, mais ça nous étonnerait pas qu'il continue à faire du bizness dans les coins. En tout cas, Darlac lui rend visite de temps en temps. Et Darlac, c'est pas le genre de mec à aller voir les gens juste pour leur serrer la pogne, et la famille, il s'en tape.

André ne dit rien, il digère les informations que l'autre vient de lui donner. Il ébauche mentalement un schéma familial autour de Darlac. Il y a quelque chose qui cloche.

– Quel âge elle a la fille de Darlac ? Quinze, seize ans, non ?

Mazeau sourit, prenant un air finaud.

– Tu en conclus quoi ?

– Qu'elle est née en 42 ou 43. Avant que sa mère ait rencontré Darlac. Ça veut dire que ce n'est pas sa fille. Qu'il l'a reconnue après coup. Qu'elle est née peut-être des coucheries de sa mère avec un Boche. Et que vous pouvez pas l'ignorer, vous, les flics.

Mazeau hausse les épaules. Il jette un coup d'œil par-dessus l'épaule d'André.

– De toute façon, à quoi ça te servirait de savoir ça ?

– À comprendre. À savoir comment il est fait, comment il réagit, à savoir sur quoi appuyer pour lui faire mal.

André regarde dans les yeux Mazeau qui hoche la tête d'un air entendu, avec un sourire figé. On croirait qu'il a compris ce qu'il vient d'entendre.

– C'est sûr, hasarde-t-il.

André mord dans son sandwich sans perdre des yeux le flic, qui baisse les siens, regarde ailleurs, sirote une gorgée de bière. Ils ne se disent rien et la rumeur du café autour d'eux empêche le silence de peser. Puis André se penche vers lui et pointe son index sur sa poitrine.

– Et toi, quel est ton intérêt à me dire tout ça ? T'es avec qui ? Tu trahis qui ?

Mazeau secoue la tête d'un air navré. Il se fait un regard de chien battu.

– Je comprends pas ta méfiance. Merde, t'es tout le temps méfiant. Comme si tu croyais plus à rien ni à personne. Si je te donne ces informations, c'est parce qu'on se connaît depuis longtemps, que je sais qui tu es, d'où tu viens. Et puis parce que t'as eu les *cojones* d'aller buter Penot. Et que je pensais pas que tu le ferais. Alors je te refile Couchot. Encore un proche de Darlac. Tous ces sacs à merde sont passés à travers les mailles du filet à la Libération, et ça me gêne pas qu'un mec comme toi en rattrape quelques-uns. Et puis je te dois bien ça.

– Tu me dois rien. C'est pas parce qu'on a été copains que…

– On *a été* ?

– Oui, enfin… je sais plus trop où j'en suis, où on en est. Je…

– Laisse tomber. On a tous déconné. On a tous laissé notre honneur dans ce merdier. Mais tu sais bien que si j'avais pu…

Le policier finit sa bière les yeux baissés sur la table.

André regarde à travers les baies vitrées. Son visage n'exprime rien. Il laisse l'autre ravaler ses remords avec sa bière, ça va lui passer très vite, dès le premier renvoi. L'inspecteur principal Eugène Mazeau a toujours été un salaud pénitent. Travaillé par le doute et de vieilles leçons de morale apprises par cœur aux écoles chrétiennes. Mais capable de se débarrasser des questions de sa bonne conscience comme on chasse en été une guêpe trop curieuse, et aussitôt prêt à de nouvelles combines et trahisons. Le hasard, sans doute, ou un scrupule tenace, a voulu qu'en 43 il se colle avec

144

un groupe de flics républicains qui ont monté un réseau de résistance dans la police bordelaise. Il est tombé du bon côté, comme à pile ou face, après être resté longtemps sur la tranche. Depuis, il vit dans l'ombre des lauriers patriotiques du commissaire Laborde, l'homme qui tient la ville, celui à qui rien n'échappe, pas même quelques menus bénéfices d'activités que la loi et les bonnes mœurs condamnent mais sur quoi la grande fraternité gaulliste ferme pudiquement les yeux.

Lui non plus, Mazeau, n'est pas venu, n'a rien fait, rien dit. Mais ce n'était pas à lui de le faire. Trop jeune, à l'époque. Et puis, Darlac avait promis. Darlac savait ce qui se préparait. Il avait juré devant Olga, devant le gosse, un soir, qu'il les préviendrait dès qu'il saurait quand la rafle aurait lieu. Il avait pris le gamin sur ses genoux. Il avait embrassé ses cheveux. André revoit la scène comme si c'était hier. Son sourire, à elle, les yeux tout brillants de larmes à l'idée qu'ils échapperaient tous les trois au massacre obscur perpétré en Pologne et dont tout le monde commençait à parler à voix basse comme d'un enfer capable d'absorber l'Europe tout entière.

Mazeau se redresse, semblant sortir d'un songe ou d'une hébétude. Il cherche des yeux le garçon.

– Tu prends un café ?

Un café. André acquiesce. Maintenant, il faut que le flic parte. Il sent tomber sur lui cette chape impalpable de silence et de solitude. Ne plus parler. Ne plus entendre. Aller là-bas et rôder autour de cette adresse, de ce Couchot et de son rade. Voir ce qui est possible. Mais Mazeau se remet à parler.

– Darlac est persuadé qu'il s'agit d'un règlement de comptes entre clans. Il croit qu'un truand sur le retour, à moitié crevard, Bertrand Maurac, dit Crabos, s'en prend à ce pourri de Destang, une vieille relation

145

de Darlac, et qu'il a envoyé un mec à lui saigner Penot. Il pense qu'avant de crever, Crabos a décidé de liquider Destang et sa tribu pour solder les comptes de l'occupation. Penot était auxiliaire au SAP, il s'est faufilé à la Libération. Enfin… tout ça, tu le sais déjà. Du coup, pour calmer tout le monde, Darlac et ses gros bras ont raccompagné le Crabos à la gare l'autre jour, direction l'Espagne, où il va retrouver quelques copains à lui qui gèrent son pognon. Personne n'a envie qu'une guerre se déclenche ici. Laborde, tu sais, le divisionnaire ? l'a promis au maire. C'est comme un pacte entre eux quand ils ont pris la ville après la guerre. On n'est pas à Marseille. Tout le monde se connaît, mais on fricote pas. On n'a pas eu besoin des truands pour contrôler la ville. Ici, ces fils de pute sont bêtes mais pas très méchants… Dès qu'ils commencent à rouler leur caisse, il suffit de montrer un peu sa gueule et ils se tiennent à carreau.

Le flic raconte tout ça d'une voix sourde, les bras croisés sur la table, penché vers André, la tête dans les épaules. Le serveur vient leur apporter des cafés alors il se tait, les yeux brillants, peut-être un peu fier, le souffle court.

André vide sa tasse d'un coup. Café tiède, douceâtre. Il laisse l'autre en faire autant puis se lève et prend de l'argent dans son porte-monnaie et laisse sur la table un billet.

– Qu'est-ce que tu fais ? Tu t'en vas ?

– D'après toi ? J'ai besoin de marcher. On étouffe, ici.

Mazeau regarde autour de lui comme s'il cherchait une source de chaleur ou un ventilateur en panne.

– Je t'appelle, ajoute André. Il faut vraiment que j'y aille.

En passant près de lui il lui pose une main sur l'épaule dans un geste de consolation, ou d'excuse. Il ne sait pas exactement, sur le moment, pourquoi il fait ça. Il sort du café et l'air frais le prend par le cou alors il ajuste son écharpe et marche vite vers la rue Sainte-Catherine, pleine de voitures arrêtées et de piétons qui se déplacent par grappes, qui se faufilent entre les capots fumants en files indiennes. Il descend vers la Garonne et le vent lui fait venir aux yeux des larmes qu'il essuie du dos de la main et il essaie de se défaire de cette suffocation en respirant par la bouche au rythme de ses pas, comme un sportif.

Arrivé non loin de la rue des Menuts, il fait brusquement demi-tour et heurte un vieillard en train de se débattre avec la laisse de son chien et il marche pendant une cinquantaine de mètres et traverse la chaussée soudain, dans une trouée du trafic et, rendu de l'autre côté, il observe le trottoir d'en face pour voir si personne ne le suit.

Il rentre chez lui en se retournant souvent, revenant parfois sur ses pas, et il s'en veut de ces précautions de films d'espionnage tenaillé par la conviction, depuis qu'il a écouté Mazeau et scruté les expressions fausses de sa figure et les mensonges de ses mains, qu'il ne peut pas faire confiance à ce flic ni à aucun autre, et peut-être à personne.

Dans l'après-midi, il essaie de dormir et ne parvient qu'à somnoler parce que son cœur bat trop vite. Puis il prend son cahier et écrit. Longuement. Sans ordre aucun, dans la débâcle de ses souvenirs qui viennent quand ils veulent, comme de gros poissons remontent et se débattent la gueule ouverte à la surface d'une mare mourante.

Il attend la venue de la nuit qui tombe soudain avec la pluie. Il reste un moment à écouter le bruit doux des gouttières, les horloges déréglées des égouttements, et il épie par la fenêtre les lueurs indécises répandues sur le pavage de la rue. Il s'emplit de cette confusion discrète

147

et en décèle les nuances, les rythmes, les lignes mélodiques, les syncopes. Il n'est jamais allé au concert, il ne sait rien d'aucune musique, mais il se rappelle ce Hongrois, Gregor, violoncelliste, qui écoutait dans la nuit du camp tous les sons possibles et même ceux qu'il n'aurait jamais cru entendre et les lui décrivait à voix basse. « Et là, tu entends ? Un kapo qui marche dans une flaque de boue. Il est lourd et lent. Il est soûl. Et maintenant, quelqu'un qui se gratte le bas-ventre. On entend ses ongles crisser dans ses poils. » Une fois, ils avaient entendu le dernier souffle d'un homme. Il avait prononcé peut-être un mot, ou un nom en expirant. Ils avaient écouté ensuite le silence qui leur venait de l'endroit où se tenait le mort, à l'autre bout du baraquement, soufflant sur eux comme un vent muet, puis avaient discuté en chuchotant de ce qu'il avait bien pu dire. « Moi, je crois que je sais qui j'appellerai, si j'en ai la force. Si je crève pas en dormant », avait dit André. Une fois, un avion les avait survolés, haut dans le ciel. Gregor avait trouvé la note du grondement des moteurs et l'avait tenue jusqu'au bout de son souffle court en le prenant par la manche, interrompu par la toux et les sanglots. Il était mort avant de pouvoir entendre le roulement des canonnades se rapprocher et occuper leurs nuits dans cette attente, sourds à tout le reste.

Il se secoue et se redresse, s'habille en frissonnant et sort.

C'est un bar-cave comme il en existe des dizaines dans la ville, qui vend aussi bien du gros rouge en vrac à des gus qui viennent là avec leur casier de bouteilles vides que des crus plus élaborés et chers ou des petits châteaux méconnus, des adresses qu'on se repasse en douce comme si l'on se livrait à un inavouable trafic.

Un type seul à une table braille à propos d'un copain à lui qui a gagné 10 millions à la loterie, mort au volant de la Mercedes qu'il s'était offerte après avoir viré sa femme qui aurait préféré faire un voyage en Amérique.

– C'est le destin, ça, putain de moine ! Ça se commande pas, t'y peux rien ! Le gonze, y préfère les bagnoles à sa femme ou à l'Amérique, qu'est-ce que tu veux ? Et moi c'est pareil !

– Ça c'est pas dur, dit un grand mec adossé au zinc, un verre de rouge à la main. Y a qu'à voir la gueule de ta mémère ! Mais bon, je serais toi, je changerais quand même de bagnole, c'est plus facile !

– Moi ma femme je l'emmènerais à *Nouyork*, elle en parle tout le temps depuis qu'elle a vu des Américains à la Libération, près de Paris elle était. Et au retour, crac ! j'en prends une autre ct je m'achète une Chambord ! Quand t'as du pognon elles regardent plus si t'as une sale gueule ou si tu pues des pieds, elles voient que l'artiche et c'est tout !

Les trois autres clients se marrent et trinquent à la santé de madame et le type s'agite sur sa chaise en riant jaune.

André s'approche du comptoir et Couchot vient vers lui en riant et lui demande d'un mouvement de menton ce qu'il veut. André hésite. Il jette un coup d'œil aux bouteilles alignées derrière l'homme qui le dévisage.

– Je sais pas trop… Un vin doux.

– Un sainte-croix-du-mont, alors. J'ai ça au frais. Vous verrez, il est pas mal du tout.

Le verre est frais entre ses mains. Éclats d'or au creux de ses paumes. Il sent le vin et la salive lui vient à la bouche. Parfums qu'il ne sait pas reconnaître, mélange de douceurs. Il boit une gorgée et ça lui fait du bien et il se redresse et regarde autour de lui le petit bistrot, les types qui rigolent et s'offrent une nouvelle tournée. Il aperçoit vers le fond, dans le mur de droite, une porte marquée « c'est par là » et il se dirige par là en se retournant vers le patron qui acquiesce d'un hochement de tête.

Couloir sombre où il s'immobilise, saisi par l'obscurité le temps que ses yeux perçoivent un trait lumineux sous la porte donnant sur la rue et que sa main trouve un interrupteur. Lumière jaune, faible, jetée comme une eau sale sur la lèpre des murs. Il marche vers le fond, une porte s'ouvre sur une cour minuscule où se cache une maison d'un étage, étroite, volets fermés sur le peu de lumière qui filtre à travers les persiennes. Une radio chante là-dedans. Sur sa gauche, la porte des chiottes, trouée d'un cœur. L'ampoule qu'il allume n'éclaire que le trou. Des carrés de papier journal sont accrochés à un bout de fil de fer. Un broc d'eau peut-être vide, il ne sait pas, il ne regarde pas.

Il revient dans le couloir et marche vers la porte s'ouvrant vers l'extérieur. Pas de verrou, rien. Il se demande alors s'ils ferment celle qui communique avec le troquet.

Dans la salle, les rires et les coups de gueule ont cessé. Il revient au comptoir et reprend son verre sous l'œil interrogateur de Couchot qui fume une Gitane. André montre son verre.

– Vous en vendez ? Il est drôlement bon.

L'autre s'approche, clope au bec, et le considère en clignant d'un œil à cause de la fumée qui le pique.

– Oui, j'en vends. Vous habitez dans le quartier ?

– Un peu plus loin, cours de l'Yser. Ça fait deux mois.

– Vous êtes espagnol ?

– Pourquoi vous me demandez ça ?

– Parce que c'est plein d'Espagnols, par là.

– Non. Je viens de Toulouse, j'y étais pour mon travail. Je suis né ici.

– Y a beaucoup d'espingouins, là-bas aussi. Et puis vous avez pas l'accent.

– Vous les aimez pas trop, hein ?

– J'ai de la famille à Toulouse. Là-bas, les Espagnols, on connaît. Pour moi, c'est des feignasses. Sont venus nous envahir à cause de leur guerre, là. Cocos et compagnie. Et ils continuent parce qu'ils crèvent la dalle, chez eux, à rien foutre. Notez, j'ai des bons clients espagnols. Sont pas les derniers à lever le coude.

André finit son verre. Il s'invente un sourire et se le colle sur la figure.

– Qu'est-ce qui vaut mieux : lever le poing, ou lever le coude ?

Couchot le regarde en plissant les yeux.

– Elle est pas mauvaise, celle-là. Je la resservirai. Et vous répondez quoi, vous ?

– Qu'on a deux bras et que c'est pas pour rien.

Couchot ne dit plus rien et ouvre une trappe et descend à la cave. On entend des heurts aigrelets de verre. Il remonte bien vite en brandissant la bouteille.

– Combien je vous dois ?

– Quatre cent cinquante.

– Plus le verre.

– Non, je vous l'offre. Dégustation gratuite.

Couchot emballe la bouteille dans une page de journal. André paye avec un billet de cinq cents francs. Monnaie qu'il glisse dans sa poche de pantalon. Il prend congé puis sort en même temps qu'un mec titubant. Celui qui racontait cette histoire d'abruti mort dans une Mercedes. Il se met à rire tout seul sur le trottoir, appuyé contre une voiture. André s'éloigne à grands pas, presque en courant, la nausée au fond de la gueule.

Il vomit dans le caniveau. Le vin liquoreux n'est plus qu'une gerbe amère qui lui brûle la gorge. Un peu plus loin, aveuglé de larmes, il jette la bouteille au loin, soulagé de l'entendre exploser sur les pavés.

11

Le type est étendu au pied du comptoir, le tesson de la bouteille enfoncé bien droit dans la face, le goulot émergeant de la bouillie de chair de façon incongrue, bouchon encore vissé. Bourbon. Darlac connaît cette marque. Il a goûté une fois puis recraché aussitôt. Il déteste le goût de vomi de ces bibines amerloques. Pareil pour le whisky. C'est même pire. Goût de tourbe, on lui dit. C'est ça. Finis ton infusion de terreau et ferme ta gueule.

Du sang partout. Gorge ouverte. Saigné d'un coup, défiguré de l'autre. Darlac se penche au-dessus du carnage. Reste un œil, entrouvert. L'autre… Le commissaire renonce à détailler la nature des plaies. Le légiste pourra écrire là-dessus, si ça l'inspire et surtout si ça intéresse quelqu'un. Le mort est Roger Chavignon, trente-cinq ans, qui venait de temps en temps picoler jusqu'à ce que le patron le foute dehors quand il commençait à tomber de sa chaise et cherchait des crosses aux clients. Monsieur avait le vin mauvais, lui si paisible et discret, presque timide. C'est peut-être pour ça qu'il s'arsouillait. Histoire qu'on le remarque, qu'on l'entende. Va savoir, Édouard. Il vit, ou vivait, avec femme et marmaille rue des Menuts, non loin d'ici. Manutentionnaire intermittent aux Capucins, où il donnait parfois un coup de main à vendre des légumes. Le commissaire contemple ce crétin et cette bouteille qu'on croirait jaillie de sa cervelle comme une brusque pensée, et se dit que ça fait un minable de moins sur terre. Si ça se trouve, l'enquête va montrer qu'il foutait des coups à sa femme et à ses gosses, puisque ce genre de gus aime bien se reproduire. Et que sa femme supportait ça la peur aux miches et qu'elle va arriver dans l'heure qui suit pour se jeter en sanglots sur le corps de son seigneur et maître.

Darlac trouve que certaines gens méritent le merdier où ils pataugent. Consentent à leur malheur consciencieusement construit. Mais lui, flic, il est là pour éviter que la fange déborde et empêcher que les pauvres prennent l'habitude de faire justice eux-mêmes, au cas où l'idée leur viendrait de s'en prendre aux vrais responsables de leur triste sort. Ainsi va l'ordre du monde. Chacun à sa place, le troupeau sera bien gardé.

Le coupable, lui, est assis là-bas au fond de la salle, bracelets aux poignets, entre deux képis en train d'en griller une. Tout à l'heure, il a pleuré, essuyant ses yeux de ses manchettes pleines de sang. Il a été rattrapé par des clients quand il a voulu se carapater, qui l'ont dûment plaqué au sol et assommé à coups de chaise avant de se tirer pour éviter les ennuis. Un petit mac qui a mis ses deux cousines au tapin. Jean-Pierre Lopez. Il vit chez maman, qui tient les comptes, après avoir élevé les orphelines, filles de son frère, à la mort de leurs parents. Elle se rembourse de quelques dettes... C'est que ça coûte, deux gerces à blanchir et nourrir, dans le genre ingrates, qui auraient bien mis les bouts à leur majorité sans même dire merci, comme si on avait pas fait tout ce qu'il fallait.

Le commissaire ne se serait pas déplacé si on n'avait trouvé sur le gus un calibre. Du gros, du professionnel. S'il n'a pas artillé dans le rade, c'est qu'il gardait son arme au chaud pour un usage plus sérieux.

Un minable pareil sur un gros coup, c'est du nanan : ça se retourne comme une fiotte et ça vous dit la messe avant qu'elle se fasse.

Darlac a serré le père il y deux ans, mâle dominant de la horde, à cette heure en train de tirer dix piges à Toulouse pour complicité de meurtre. Complicité active, bien sûr, que la cour n'a pu établir clairement grâce à un avocat retors. Tel père... On sait la suite, même si Darlac n'y croit pas trop à ces prédestinations fabriquées par le supposé bon sens populaire. Il s'approche du fils prodigue et s'assoit de l'autre côté de la table.

— Alors Lopez, tu veux toujours pas nous dire pourquoi tu l'as tué, Roger ? Tu sais qu'ils aiment bien quand c'est carré, les juges. Et nous aussi, d'ailleurs. Rappelle-toi ton père. À vouloir empaumer tout le monde, il a pris un maximum.

Lopez secoue la tête.

— Non, il dit. Ça vous regarde pas.

— Ça nous regarde pas, t'es sûr ? T'égorges un mec dans un lieu public devant six témoins et tu fais maintenant ta discrète ? C'est quoi ? Une histoire de gonzesse ? De tapin ? Les autres disent qu'il t'a cherché, que ça lui a pris tout d'un coup alors qu'il avait même pas fini sa première boutanche. Tu le connaissais ce cave ?

L'autre pique du nez, se plonge dans l'examen de ses doigts.

— Bon. Tu nous raconteras ça plus tard. De toute façon, tu vas partir direct au trou et quand t'en sortiras tu seras à moitié mort et gâteux. Dis-moi : tu l'as trouvé où ton calibre ?

Lopez lève vers lui des yeux étonnés.

— Le calibre ?

— Oui, le pistolet, si tu préfères. Chambré en 11,43. Une belle arme.

– Ah oui. C'est un copain qui me l'a prêté.

– Nom du copain ?

– Je peux pas le dire.

La main de Darlac s'écrase sur sa gueule sans que personne l'ait vue partir. La chaise bouge, les deux flicards en tenue s'écartent prudemment.

– Nom du copain ?

Lopez commence à pleurer, secoué de sanglots silencieux.

– Merde, j'en sais rien, moi ! Je l'ai croisé dans un bar, un soir, on avait des connaissances communes, alors on a commencé à parler, comme ça, et il m'a proposé de me prêter un feu pour que je m'entraîne, comme ça, je vous dis.

Darlac l'attrape par le col de sa chemise, le secoue. Envie de lui serrer la gorge là, de chaque côté de la pomme d'Adam et de le voir bleuir.

– Joue pas avec mes nerfs, petit con. Dis-moi d'où vient ce flingue.

Il le lâche. L'autre s'affaisse sur lui-même, dodelinant de la tête, avec une grimace boudeuse d'enfant corrigé. Il chiale et renifle. Ce sinistre guignol commence à s'attendrir. La suite ne devrait être qu'une formalité.

– Un type qui s'appelle Raymond. Il est souvent à l'Escale, sur les quais.

– Et tu vas dans les bois tirer sur les arbres, c'est ça ?

L'autre lève les yeux d'un air étonné, essuie ses joues du revers de la main.

– Oui, ce genre de chose, oui… Pour savoir comment ça marche.

Darlac lui tape sur l'épaule et lui adresse un sourire de loup.

– T'es un bon mec, je le savais. T'es un peu comme ton père : plus con que méchant. Sauf que là, t'as

155

saigné un mec. Il va falloir être serviable, si tu veux pas finir sur la bascule à charlot.

Il se redresse et fait signe à un inspecteur, Lefranc, qui écoute le patron du bistrot en train d'énumérer le ban et l'arrière-ban de sa clientèle en pleurnichant que jamais il n'avait vu ça, parce que ici c'est un établissement tranquille qui ferme à huit heures le soir après le dernier apéro, recta monsieur l'inspecteur, même qu'il laisse des fois même pas le temps aux joueurs de ramasser leurs brêmes.

– Allez, on en a assez entendu. On embarque monsieur, faudra qu'il nous explique. Vous avertissez le parquet, je veux qu'on me le garde. J'appelle le procureur ce soir.

Du coup, les flics s'agitent, deux gardiens entrent avec fracas en cognant leur brancard partout et jettent sur le mort et sa bouteille plantée une couverture kaki et le chargent avec un ho-hisse qui fait rouler un képi au sol. À l'autre bout de la salle, Lopez est soulevé de sa chaise et emmené dehors.

– Y a le patron qui voudrait vous parler. Qu'à vous, dit Lefranc.

Darlac soupire, jette un coup d'œil à sa montre et marche vers le bistrotier.

– Qu'est-ce que vous voulez ?

– Vous allez pas me fermer, non ? C'est une maison honorable, ici.

Le commissaire sourit : il montre ses dents.

– Mais non, on va pas vous fermer. Vous tenez un établissement d'utilité publique, mon vieux. Vous occupez le bon peuple à de saines activités, pourquoi on irait vous empêcher de continuer ? L'administration est bonne fille, de toutes les manières.

Il lui tourne le dos et cherche son chapeau, qu'il a laissé au portemanteau tout à l'heure. Il jette un coup d'œil à la salle vide, au désordre des tables et des chaises.

– Ça va vous faire de la publicité, vous allez voir. Vont tous venir voir le lieu du crime, ces vautours. Ils vont picoler à la santé du mort, ça sera croquignolet. À votre place, je rouvrirais sur l'heure, après un coup de serpillière sur les saletés qu'a faites le mort. Ils vont aimer voir la trace, ils tourneront autour, leur verre à la main, comme des Peaux-Rouges autour du poteau de tortures.

Il sort sans écouter ce que dit le type qui occupe ses mains à rincer des verres et dehors il dévisage la trentaine de curieux qui assistent au départ des fourgons et il déteste leurs trognes avides de détails déjà déçues de n'avoir rien vu, même pas les pieds du mort, à peine la tête baissée de l'assassin au milieu des képis. Ils se consolent en épiant l'inspecteur Lefranc et un autre en civil qui fument près de leur voiture en échangeant des notes prises sur des carnets, il y en a même qui tendent ostensiblement l'oreille pour attraper une information.

– Regardez-les, dit Darlac. Bande de veaux.

Les deux flics jettent un coup d'œil indifférent puis reviennent à leur conciliabule.

Darlac fait quelques pas vers la foule et ôte son chapeau d'un geste ample.

– Si l'un de vous veut venir faire le ménage, le patron embauche.

Les regards se détournent. Deux ou trois femmes s'en vont. Les deux inspecteurs se marrent. Darlac se demande si c'est de lui qu'ils rient ou de ces charognards groupés sur le trottoir d'en face. Il monte en voiture et démarre en trombe et voit dans le rétroviseur leurs faces ahuries tournées vers lui et il ne ralentit que lorsqu'il a tourné le coin de la rue. La ville, en ses menues occupations, dans sa paix mortifère, n'est pour lui qu'un décor hostile peuplé de figurines qu'il aimerait renverser ou percuter pour sentir dans la carrosserie le choc sourd et mou de leurs corps projetés en l'air, tel un gamin furieux balayant d'un revers de main ses petits soldats.

***

C'est ici qu'il est bien, Albert Darlac, après tout ce merdier, ces histoires minables, ces dégénérés qui se massacrent entre eux, le sang, les mensonges, les procédures à établir dans le respect des lois, comme si ces parasites en avaient grand-chose à foutre, je te les collerais contre un mur et on ferait payer par la putain de famille les balles tirées… Il pense à ça en regardant couler le vin dans son verre et son cœur bat de rage et de haine mais il sait que dans un instant tout va s'apaiser en lui, rideau tiré, volets bouclés.

Il prend une bougie et mire son vin à sa lueur flottante. Il fait rouler le rubis sur l'arrondi du verre. Il flaire, il reluque encore une fois, puis boit. Fait ensuite bouger le nectar dans sa bouche pour s'imprégner les muqueuses. Déglutit lentement. Soupire. Émet un grognement d'aise en lisant une fois encore l'étiquette sur la bouteille. Le saint-émilion d'Émile, c'est quelque chose. Il sent au fond de son palais s'ouvrir des arômes. Premier Grand Cru classé, 1947. Tu m'étonnes. Il sourit. Il est rare qu'il sourie. Il ne sait pas bien. Ou alors c'est une grimace narquoise, un rictus amer, ou méprisant. Même quand il est à la maison, comme ce samedi soir, à table, attendant que madame le serve. Même à sa fille Élise, il a du mal à sourire. Il n'a d'yeux que pour elle, doux, fascinés, inquiets. Et des gestes de la main, caressants, légers, qu'elle ignore de plus en plus souvent, ces temps derniers, maintenant qu'elle est jeune fille.

Elle est en face de lui, de l'autre côté de la table, le visage penché sur son assiette, ses longs cils bruns voilant son regard. Elle trace avec les dents de sa fourchette des traits parallèles qu'elle efface en les croisant pour tâcher de dessiner un quadrillage.

– Tu as l'air bien songeuse, dit Darlac en reposant son verre.

La jeune fille lève les yeux vers lui comme si elle s'apercevait de sa présence. Elle hausse une épaule, fait tourner entre ses doigts la fourchette en argent. Elle jette un coup d'œil vers la cuisine, où l'on entend sa mère sortir quelque chose du four.

– Non, c'est juste que...

– C'est bientôt prêt ! Commencez le pâté sans moi, j'arrive !

La voix se veut enjouée, claire parmi les tintements et les cliquetis d'ustensiles. Épouse modèle, ménagère affairée.

Darlac s'empare du plat et découpe des tranches épaisses. Volaille et foie gras. Cadeau d'un boucher-charcutier des Grands-Hommes qu'il a tiré l'an dernier d'un mauvais pas : une dette de jeux réclamée avec insistance par un bras cassé, un julot casse-croûte qui se faisait menaçant. Comme c'était un ancien rugbyman, un colosse taillé à la serpe qui promettait de transformer la boutique en abattoir, l'honorable artisan de la barbaque, qui vendait du rôti aux rombières des Chartrons, avait eu peur pour ses os.

Il ne savait pas à qui il s'attaquait, le demi de mêlée. Il ne pouvait pas deviner que Darlac et le désosseur de ces dames avaient été en affaires en 43 : quelques meubles précieux, quelques bibelots et des tableaux volés dans les appartements après les rafles ; et un terrain juste après Mérignac, sur la route de l'aéroport, trois hectares de prés à vaches qui finiraient bien par se construire un jour, confisqués d'un trait de plume par un sous-fifre de la préfecture, certifiés par un notaire.

L'autre abruti s'est fait serrer un soir par une douzaine de flicards dans les bras de sa gagneuse, parfumé à l'eau de Cologne, des billets plein les poches. Et un petit paquet d'opium plié dans du papier journal pour faire le compte, glissé en douce, à la faveur de la confusion, par un inspecteur en service commandé. Les flics ont failli se poser des questions, sur le moment, tant sa surprise semblait réelle. Un doute a commencé de soulever leurs chapeaux. Puis ils ont conclu que ce trouduc était un acteur formidable, comme beaucoup de branquignols qui leur passaient sous la lampe. Enfoncés, Gabin et Gérard Philipe. Tous les jours au bureau c'est cinoche en relief, théâtre en chambre, rires et larmes pour scénarios foireux. Le moindre inspecteur en sait autant que Louis Jouvet dans *Entrée des artistes* et démonte preuves en pogne les fausses confidences, les vraies fourberies, démasque les ingénues sanguinaires, traque les airs faux, soigne les trous de mémoire, tape même les trois coups avec un annuaire quand le rideau tarde à se lever.

Puis il s'est énervé, le géant : il a gueulé qu'il connaissait des huiles, grâce au rugby. Des gros manteaux qui avaient leur patère à la mairie, il connaissait du beau linge, tas de cons, il leur a dit pendant que la fille était traînée dehors par la tignasse parce qu'elle râlait trop fort. Il a refusé de reconnaître que ça lui appartenait, cet opium. Il touchait pas à ça, lui. On cherchait à l'empaumer, ça se passerait pas comme ça. Il gueulait, il niait, farouche, puis il s'est déchaîné et il a sauté à la gorge d'un inspecteur pour l'étrangler avec ses paluches comme des battoirs, sans doute pour faire rendre gorge à la vérité. Promptement maîtrisé à coups de crosse, de pied, de poing, il a finalement lâché le flic qui commençait à bleuir. Une méchante mêlée s'est ensuivie, furieuse, à huit contre un. Une fois debout, les pinces aux poignets, il a continué d'aggraver son cas à chaque geste qu'il faisait, ruant des coudes et des pieds malgré ses côtes cassées, à chaque mot qu'il mâchouillait, la bouche en sang, mâchoire démise, puisqu'il agonissait les condés d'injures, multipliant les motifs d'inculpation au milieu des ecchymoses et des nez éclatés. Injures et voies de fait contre des agents de la force publique, tentative de meurtre sur la personne d'un fonctionnaire de police, ajoutées à la possession de produit stupéfiant et au proxénétisme, les flics lui récitaient à tour de rôle le code pénal en lui donnant des gifles pour qu'il se calme.

Le commissaire repense au récit que lui en a fait son envoyé spécial qui avait carotté un peu d'opium dans une armoire secrète des Mœurs. Il sourit en tartinant son bout de pain.

— C'est que j'en peux plus, moi, murmure Élise, sans le regarder.

Darlac s'apprêtait à mordre dans sa tartine. Il s'interrompt, se penche vers elle.

— Qu'est-ce qui se passe ?

Elle pose sur lui ses beaux yeux verts, doux comme un châle de soie, et le commissaire frémit sous cet effleurement.

— Ces inspecteurs qui me suivent partout…

— Lesquels ? Qu'est-ce qu'ils ont fait ?

— Rien, je…

— Quoi rien ? Explique-toi !

Les mots ont claqué plus fort qu'il n'aurait voulu. Il agite sa main comme s'il pouvait les rattraper ou les adoucir.

— Dis-moi, si quelque chose ne va pas.

— Ils sont toujours là, à me suivre partout. À pied, en voiture… Quand je pars le matin, ils sont là. Quand je sors du lycée, ils sont là.

– Ils ne sont pas assez discrets tu trouves ?

– Non, enfin je… Bon je les connais, alors j'ai l'impression de ne voir qu'eux. Et puis, l'autre jour, Madeleine, tu sais, mon amie ? Elle s'est aperçue de quelque chose, elle m'a demandé si on n'était pas suivies et elle m'a montré le grand, celui qui s'appelle…

– Morlaas ?

– Oui. Et je n'ai pas osé lui dire alors elle a eu peur et je ne savais pas comment la rassurer. Et puis au bout d'un moment, on ne l'a plus vu, ça allait mieux. À moi aussi, ça me fait peur. J'ai toujours l'impression que l'autre type va revenir et m'étrangler.

Ses yeux sont pleins de larmes. Elle tamponne doucement ses paupières avec sa serviette.

Darlac fulmine. Il essaie d'imaginer ses hommes plantés à dix mètres de sa fille, discrets comme des clowns en goguette. La discrétion était l'absolue condition. Gagné. « *Ach !* Police française ! », ricanaient les schleus au moindre raté, et ils avaient parfois raison, ces cons, même si elle les avait servis avec loyauté et zèle et une efficacité certaine, la *französisch Polizei*. Demandez à ces résistants surpris d'être gaulés par des flics bien français… À ceux qui ont causé dans les caves de la préfecture, travaillés au corps par Poinsot et ses équarrisseurs. Certains auraient donné père et mère pour que ça s'arrête, mais on ne leur en demandait pas tant, une adresse, un contact suffisaient, comme une carte qu'on tire d'un château patiemment monté par des doigts tremblants. Il a toujours défendu cet honneur-là, le commissaire Darlac. Celui du travail bien fait. Les Français se débrouillaient fort bien tout seuls avec leurs communistes et leurs Juifs et leurs terroristes, la plupart du temps. Les Allemands étaient là en couverture, tant pis pour eux s'ils n'ont pas su gagner leur guerre.

Mais présentement, il faut protéger et piéger, et ces peigne-culs n'en sont pas capables, même si l'autre dingue ne sera pas assez stupide pour attaquer de nouveau. Ce type, il a eu Penot au couteau, dans son couloir, saigné à blanc. Personne n'a rien vu, rien entendu. Pas une trace, pas une empreinte. Comme un fantôme. Flinguer Penot c'était facile, à la portée de tous : revolver en pogne, un type s'approche au moment où il monte en voiture et lui explose le crâne sur le tableau de bord. Effet visuel garanti, ça fait réfléchir les demi-sels, tous les baltringues qui traînent autour des caïds. Ou bien pendant qu'il se tape un ragoût dans son rade préféré, puisque monsieur avait ses habitudes, connues de tous. Là encore, cervelle tiède dans l'assiette et son coulis de raisiné. Et le premier qui bouge mange chaud tout pareil. Les photographes de l'Identité judiciaire se régalent. Font trois rouleaux rien que pour la beauté du geste. À Marseille, même ici parfois, c'est ainsi que ça se termine. Le bar ferme quelques jours, c'est un peu désert à la réouverture, puis les clients reviennent, parfois de loin, pour visiter le lieu maudit et goûter ses spécialités.

Mais là… Ce mec est sûrement un homme de patience. Il guette, il prépare. Il suit, il est là, et personne ne le voit. M. Tout-le-monde. Un homme gris dans cette ville grise. Tenue camouflage. Et contrairement au troupeau de tarés pervers, de feignants vicieux ou de crétins impulsifs que compte la cour des miracles appelée milieu dans les journaux, celui-ci semble posséder un cerveau et sait s'en servir. Darlac se sent flatté par ce défi. Il s'élève au-dessus du troupeau de veaux qui l'environne : flics, truands, putes, escrocs, souteneurs, tous plus jobards les uns que les autres, indécrottables gorets se disputant la pataugeoire merdeuse où ils piétinent. Il pressent, le commissaire, un criminel à sa hauteur, d'une autre espèce, solitaire sûrement, à la poursuite d'un but, d'une obsession, peut-être. Inaccessible à la pitié, méprisant l'argent et les biens matériels. Une sorte de moine fou ? Qui fait reluire ses bastos comme de l'argenterie avant de vous les loger dans le buffet. Un raffiné, comme qui dirait un intellectuel mûri par la taule, aigri par les matons ? Un type que la mort n'effraie pas, qui n'a peut-être plus rien à perdre, va savoir. Qui ne se laissera pas prendre vivant.

Le voilà qui gamberge, parti dans un feuilleton, le commissaire, comme à la poursuite de Fantômas. Ou de Judex. Il ne fait pas bien la différence mais il sent qu'entre cet homme et lui c'est personnel : « *Dis à ton père que je suis revenu et que je reviendrai.* » Il entend encore la voix d'Élise, secouée par les sanglots, répéter cette phrase que l'autre lui a soufflée au visage. Reste à savoir d'où il revient. Et quand il reviendra.

Darlac tend à travers la table sa main à la rencontre de celle de sa fille qui la lui laisse, molle et froide, quelques secondes puis la retire avec une brusquerie qu'elle essaie de maîtriser mais qu'il ressent.

— Je leur dirai de se faire plus discrets. Ce sont des butors. Mais tu sais ce que ce type a dit. On ne peut courir aucun risque.

La jeune fille hoche la tête. Sèche ses yeux.

Madame revient à ce moment-là en chantonnant. La Belle de Cadix a des yeux de velours, mais sa chansonnette s'éteint dans le silence qui pèse au-dessus de la table.

— Élise ? Qu'est-ce qui se passe ?

Darlac la fait taire d'un claquement de la langue, sans même la regarder, alors elle s'assied et son visage se ferme et se voile de colère humiliée et ses yeux ne regardent plus rien, errant parmi les couverts, les assiettes, les tranches de pain posées dans la panière

164

comme si elle vérifiait machinalement qu'il ne manque rien.

– Tu sais bien pourquoi mes hommes te suivent. Ils te protègent de ce fou, tu peux comprendre ça ? Tu veux qu'il t'attaque encore ? Tu veux qu'il…

Annette Darlac s'est penchée soudain sur la table pour attraper la terrine. Son masque de cire est venu s'interposer entre sa fille et son mari et tous deux la regardent se rasseoir cependant qu'elle les ignore, tout occupée à se servir avec des gestes brusques, très droite, trop raide sur sa chaise pour dissimuler la tension qui la tient. Le cliquetis des couverts d'argent leur tient lieu de conversation. Ils mangent tous trois du bout des lèvres, chipotant de la pointe du couteau, chacun plongé dans ses pensées. La fille jette à la dérobée des regards craintifs à son père qui observe derrière elle un tableau accroché au mur, une pastorale du XVIIIe peinte par un petit maître bourguignon, d'après ce que lui a confié un expert quand il a fait évaluer des biens récupérés pendant la guerre. « *Un élève de Boucher. – Si vous le dites. – Dans les trois ou quatre millions, c'est une œuvre magnifique.* » Darlac a décidé de garder la *croûte*, comme il dit. Il déteste ce couple de bergers en train de se conter fleurette au milieu de moutons dodus, un chien endormi à leurs pieds. Il déteste les minauderies de la fille, l'air pédé du garçon, mais à ce prix-là, ça doit figurer bien placé au-dessus du buffet, comme sur sa table le service en porcelaine, qui appartenait au même lot.

Madame se lève sans un mot et part vers la cuisine. Darlac cherche le regard de sa fille, le trouve, le perd aussitôt qu'elle détourne les yeux.

L'arrivée du gigot fait diversion : il l'examine et le flaire pendant qu'une main protégée d'un torchon plié en quatre pose devant lui le plat brûlant. Il s'empare d'un grand couteau et tranche dans la viande rosée.

Une poêlée de pommes sarladaises est apportée. Alors il se sent bien, Albert Darlac, en découpant les tranches de gigot, en lorgnant du coin de l'œil les lamelles de cèpes mêlées aux pommes de terre. Il se hâte de servir ; des mercis sont murmurés d'un air pincé mais il s'en fout, l'assiette remplie, juteuse, odorante, un verre plein d'un nectar rubis. Plus rien ne compte que cet instant de plénitude, et la première bouchée l'enlève à l'emprise de toute contingence, le monde peut crever, c'est dans ces moments-là qu'il se sent vivant, lui.

Ils mangent ainsi dans un silence à peine entrecoupé de questions murmurées de la mère à sa fille et de réponses énoncées d'une voix faible. Le lycée, la jupe bleu marine, des nouvelles de Constance, une amie opérée la semaine dernière de l'appendicite. Et à l'institution : le professeur de latin, sœur Anne-Marie est-elle toujours aussi sévère ? Conversation intermittente, semi-clandestine, sous le regard faussement indifférent de Darlac qui épie les regards, les hésitations, à l'écoute de l'intonation des voix, de tout ce qui pourrait trahir un secret partagé par les deux femmes, ou même une simple décision prise dans son dos.

Lui, il reprend deux fois de la viande, il se tartine encore un peu de pâté, il ne prend pas de fromage et décide de garder au fond de la bouteille un peu de vin pour demain. Il s'organise. Après le gâteau à l'orange que madame a préparé – toujours, le vendredi soir –, il se laisse aller contre le dossier de sa chaise pendant qu'elles débarrassent la table, le temps qu'arrive le café. Cigarette américaine. Son visage se détend un peu, le pli amer qui tire vers le bas sa bouche s'est relâché.

Une soirée comme il les aime. Il est dans son fauteuil, parcourant le journal ; sa fille est partie dans sa chambre et madame fait la vaisselle en chantonnant.

Toujours elle chantonne. Une séquelle de ses années au music-hall, quand elle poussait la chansonnette à l'Alhambra en levant haut la jambe. Elle chante pour elle les succès entendus à la radio. En ce moment, elle rabâche «Je t'appartiens», de ce Gilbert Bécaud qui fait rêvasser devant les éviers avec sa voix de crooner essoufflé, quand ce n'est pas Édith Piaf, qui pleurniche à gorge déployée sur sa vie de pauvre fille. Il déteste cette naine bruyante. Madame adore aussi les gueulantes de Luis Mariano ou Marcel Merkès et Paulette Merval. Le couple énervant. Glapissements guimauve. Elle se paie même des matinées au Grand-Théâtre, le dimanche après-midi avec sa copine Suzy, pour aller écouter tous ces gueulards à paillettes. Sans compter les disques qu'elle écoute dans la journée sur le phono que la frangine lui a offert l'an dernier. Lui, il refuse d'entendre ça. Il n'aime que Maurice Chevalier et Ray Ventura. En voilà qui lui donnent un peu de bonne humeur quand il les écoute. Il vomit tous ces imbéciles qui chantent l'amour, ces roucoulements à l'eau de rose.

Au lit, en attendant que madame ait fini ses ablutions, il essaie de s'intéresser à un roman d'aventures, peut-être un western, mais il n'y comprend rien, laisse filer les lignes, confond personnages et épisodes, puis balance le livre par terre. Annette sort de la salle de bains et s'approche du lit. Elle ne porte que le déshabillé qu'il lui a acheté la semaine dernière. Darlac glisse une main sous le drap pour toucher son membre durci. Il éprouve toujours le même désir pour ce corps qui n'a pas vieilli, qui ne s'est pas alourdi, juvénile presque, aux courbes élancées. L'envie du premier jour le tient toujours, quand il l'avait vue en 45 improviser un strip-tease pour des troufions ricains dans un rade des quais, en dansant sur une table.

Elle ne danse ni ne chante plus. Ou alors ces refrains stupides entendus à la radio.

Elle vient vers lui sans le regarder parce qu'il lui a interdit de poser les yeux sur lui dans ces moments-là. Elle le prend dans sa bouche – il aime tellement ça – mais comme il n'est pas satisfait il la gifle puis se couche sur elle et la pénètre brutalement. Elle se débat à peine pendant qu'il la viole, vite jetée à plat ventre par un coup de poing à la tempe. Il tire ses cheveux en l'insultant et soulève vers lui son visage pour voir sa grimace. « Chiale bien, salope ! » Il marmonne et grogne des flots d'ordure. Il la creuse, il la force, il a mal tant il s'acharne mais c'est bon parce qu'il sait qu'elle souffre au plus profond, corps et âme, à chaque coup de reins qu'il lui inflige.

Quand c'est fini, elle pleure.

Recroquevillée en chien de fusil, lui tournant le dos. Pas de sanglots, pas un soupir. Il sait qu'elle pleure. Parce que toujours, dans ces moments-là, il va toucher sa figure pour mouiller ses doigts à ses larmes.

– C'est ça. Pleure, pauvre fille. Tu me dois bien ça.

Sommeil lourd. Trou noir où viennent bouger parfois des ombres qui le poursuivent jusqu'au matin.

Téléphone. En bas. Il laisse sonner, cinq, six fois. Il sait qu'elle est réveillée mais qu'elle ne bougera pas. Il sait que c'est pour lui. Il se lève, ne trouve pas ses pantoufles, sort sur le palier pieds nus, descend. Maugrée. Oui, merde, j'arrive.

– Oui, Darlac à l'appareil. Quoi ? Quand ? Oh putain… Et eux ?

Il écoute ce qu'on lui dit, passant une main dans ses cheveux courts, dans sa nuque en sueur. C'est l'inspecteur principal Carrère, qui s'excuse puis raconte.

– J'arrive.

Darlac a dit ça sans souffle. Il raccroche dans un vertige. La nuit danse lentement autour de lui.

Il remonte dans la chambre, allume une lampe. Il regarde madame pendant qu'il s'habille avec ses fringues de la veille. Il sait qu'elle ne dort pas, il sait qu'elle épie ses gestes, son souffle, le moindre raclement de gorge, mais il ne lui dira rien. Il n'a pas envie d'une crise de larmes, de discussion. Il se sent lui-même K-O debout par ce qu'on vient de lui dire. Nul besoin d'une pleureuse hystérique en ce moment, il serait capable de…

Une fois dans la rue, il se sent mieux et marche d'un bon pas vers sa voiture. La pluie a cessé, pas le vent. Humide et tiédasse. Vent de sud-ouest. La ville est déserte et luit faiblement de reflets mornes jetés par l'éclairage fantomatique des rues. Il roule vite, ne ralentit jamais aux carrefours, broie le volant entre ses mains.

Dès qu'il descend de voiture, l'odeur de feu et de vinasse le prend à la gorge. Salut réglementaire de deux ou trois agents auxquels il répond par un grognement en bousculant quelques curieux en robe de chambre. Il enjambe des tuyaux, marche dans des flaques d'eau, ébloui par les gyrophares orangés des véhicules de pompiers et de police. Carrère est là, une cigarette à la bouche, et tourne vers lui des yeux arrondis de stupeur. Il montre un immeuble fumant aux fenêtres éclatées, béantes, à la toiture effondrée. Des pompiers remuent là-dedans des poutres et des tuiles et leurs lampes jettent des traits de lumière dans la fumée qui monte encore des décombres. La bâche de l'enseigne pend au bout de ses tringles, dégouttant d'eau.

– Tout a brûlé en une heure. Essence et gaz, d'après les pompiers. Et puis des gens ont entendu une explosion avant de voir les flammes. Deux autres bouteilles ont explosé pendant l'incendie, ça n'a rien arrangé. Je t'ai appelé parce que je savais que tu connaissais la maison. J'ai deux hommes là-bas qui cherchent quelque chose, mais avec la nuit, dans cet amas de ruines, je ne sais pas ce qu'ils vont trouver. On attend un générateur pour avoir de la lumière.

Un officier casqué de chrome s'approche, salue, serre la main des deux flics. Il se présente : lieutenant Bordes. Il a sur la figure des traînées de suie, une grosse moustache noire.

– On cherche des victimes éventuelles. Le toit s'est effondré sans doute à cause des explosions des bouteilles de gaz et a embarqué tout le reste. Même les murs porteurs ont morflé. On a trouvé des traces d'essence dans ce qui reste de la cuisine. Quelqu'un a foutu le feu, gaz ouvert. Voilà.

Il parle d'une voix rocailleuse, avec un accent béarnais. On l'appelle, il s'excuse, retourne auprès de ses hommes dans les ruines.

Darlac ne quitte pas des yeux ce qui reste de la façade : un pan de mur, deux rectangles obscurs où s'accroche encore le cadre brisé d'une fenêtre. La voix de Carrère l'arrache à sa songerie et il tressaille un peu.

– Ça va ? pas trop secoué ? C'est un parent à toi ? Merde, un incendie criminel… Manquait plus que ça.

Darlac ne répond pas et s'éloigne vers les décombres. Il s'arrête sur le seuil calciné, les pieds dans une flaque d'eau. Les relents de vin et de bouchon saturent l'air, mêlés à l'âcre odeur de bois brûlé, de caoutchouc. Il entre sous ce qui reste du plafond bas de l'estaminet au plâtre effondré laissant paraître le hourdi de briques. Les pompiers travaillent pratiquement à la lampe de poche. Ils sont quatre à déblayer, soufflant, geignant d'effort pour soulever une poutre, un meuble à demi calciné. Pour le moment, ils balancent derrière eux des tuiles. Les deux inspecteurs, un peu à l'écart du chantier, regardent autour d'eux d'un air hésitant, poussant du pied des débris, les mains dans les poches de leurs imperméables. Darlac les observe et se retient de hurler après ces deux crétins qui s'imaginent peut-être que les indices vont leur sauter à la gueule et qui jouent la montre en attendant de rentrer au bureau taper les procédures le cul au chaud. On n'y voit rien, les yeux piqués par la fumée qui flotte encore et s'échappe du tréfonds de ce désastre. Il s'aventure au milieu des poutres effondrées, croit distinguer le moignon d'une chaise. L'un des limiers l'aperçoit, ils le saluent tous les deux.

– On trouve rien, dit l'un.

– Vous voulez dire dans vos poches ? C'est ça ? Y a rien dans vos poches et pourtant depuis un moment vous cherchez bien ?

L'inspecteur ne comprend pas. Il hésite entre lard et cochon.

– Foutez-moi le camp, espèce de cons.

– Mais…

– Laissez faire les pompiers. Eux, ils bossent. Bougez vos gros culs d'ici.

Les deux flics tournent les talons en se prenant les pieds dans des gravats et s'éloignent en râlant. Il les regarde brosser de la main leurs impers, remonter leur col, allumer une cigarette tout en marchant vers leur patron.

Les pompiers déblaient, soulèvent, sondent. Ils se parlent à voix basse. Il y en a un qui a pu monter à ce qui reste de l'étage et on entend des craquements quand il marche et du plâtre tombe en plaques ou se pulvérise et ses collègues redoutent qu'il passe à travers le plancher à tout moment et lui crient de faire gaffe.

Darlac n'ose pas bouger. Il a l'impression qu'au moindre pas il va marcher sur un corps, il a peur de

171

profaner cet endroit où la nuit se condense. Il s'aventure pourtant, sur la pointe des pieds et des choses crissent et craquent sous ses semelles. Il aperçoit la masse du zinc, à deux mètres de lui, mais ne parvient pas à reconnaître la salle du troquet. Sur sa droite, l'escalier de pierre n'est plus qu'une volée de marches tombant dans les ténèbres. Il cherche son souffle. Il a l'impression qu'il a oublié de respirer depuis qu'il est arrivé. Il entend derrière lui manœuvrer un fourgon, un type qui gueule par-dessus le bruit du moteur pour guider le chauffeur. Deux projecteurs montés sur le toit éclairent la scène. Les ombres des hommes, immenses, jetées sur les cloisons encore debout, ont des dos ronds et des lenteurs de prédateurs affairés sur le cadavre d'une proie. Contre le mur du fond, l'étage s'est effondré en un amas inextricable de planchers, de poutres et de briques. On aperçoit une armoire, appuyée de guingois contre une poutre, ses portes ouvertes vomissant du linge aux teintes pâles. Le pied d'un lit, dépassant d'un tas de pierres.

Il se rappelle les bombardements pendant la guerre. Ces maisons les tripes à l'air et les gens qu'on trouvait hébétés devant leurs ruines, stupéfaits d'en être sortis. Et ceux qu'on trouvait dessous : dans leur lit, collés à un évier ou à une cuisinière selon ce qu'ils faisaient au moment où la bombe avait troué les tuiles pour exploser juste au-dessous. Pas toujours entiers. Ou décalqués contre un mur, traces d'humains, empreintes macabres d'un corps qui n'existait presque plus. On les appelait lui et ses hommes parfois pour des constatations, surtout quand des pillards avaient été vus dans les parages par la défense passive, juste au cas où ces pourris auraient parachevé le boulot des munitions anglo-canadiennes histoire de pouvoir ramasser vite fait un larfeuille ou quelques bijoux de famille.

Il entend les pompiers marcher dans du verre, écrasant des tessons de bouteilles sous leurs bottes. Puis l'un d'eux gueule « Stop ! » et tout s'arrête et tout se tait et seul le ronronnement des moteurs fait vibrer ce silence.

– Y en a un, là !

Les autres s'avancent. On entend Carrère demander qu'on le laisse passer, puisque pour le moment cette enquête est la sienne. Darlac se précipite, le cœur tremblant. Il ne comprend pas bien cette émotion qui le tient. Émile et sa femme c'étaient des gens d'un peu loin, de la famille à distance, des comparses parmi d'autres. Mais la fille ? Comment, déjà ? Arlette. Il ne sait pas ce qui lui arrive à se bouleverser ainsi comme une gonzesse. C'était rien cette fille. Juste une jolie môme à faire bander les mecs comme lui. Il aurait pu l'avoir gratis, autant de fois qu'il voulait. Mais il ne mange plus de ce pain-là depuis quelques années. Plus d'appétit, peut-être.

Il s'approche encore. Les hommes courbés sur un entassement de débris calcinés hérissés de pieds de tables ou de chaises renversés qui pointent comme des bouts de carcasses, soufflent et geignent d'effort et se parlent par gestes. Il aperçoit dans le faisceau des lampes des pieds aux orteils boursouflés et noirs, une cheville nue, l'autre dépassant d'une jambe de pantalon. Pieds d'homme. Une semelle de caoutchouc a fondu sous le talon. On croirait un énorme caillot de sang noir.

Une poutre est en travers du mort alors ils s'y mettent à quatre pour la soulever et la jeter de côté, après quoi ils déblaient briques et gravats et dégagent le corps et font apparaître celui d'une femme couchée sur le ventre.

Ils baignent dans une soupe de suie, de vin et d'eau, parmi un fatras de meubles, de bouteilles brisées, de haillons à demi consumés, de plaques de plâtre. Ils ne sont plus couverts que par des lambeaux de tissu grignotés par le feu. Leurs visages sont méconnaissables, les chairs à vif, noircis, grillés. Bouches béantes. Lèvres retroussées. Dents blanches, luisantes. Masque sanguinolent de leurs ultimes hurlements.

Un pompier s'éloigne pour aller dégueuler. C'est un jeune. Ce sont peut-être ses premiers brûlés. Il est vrai qu'il y a cette odeur, maintenant. Les types respirent fort, ils s'essuient souvent la bouche du revers de leurs mains gantées.

Darlac sort de là avec la sensation que son cœur a envahi toute sa cage thoracique et tape là-dedans comme un poing énorme et lui expédie des coups dans les côtes et lui mâche l'estomac. Il reste devant la façade aveugle, il allume une cigarette mais la jette dès la première bouffée, écœuré.

Un cri. Comme un type qu'on étranglerait.

– Ici ! Une autre !

– Je croyais qu'ils étaient que deux dans la maison !

Carrère lui fait signe d'approcher depuis le seuil. Darlac essaie de courir sur ses jambes raides, sans souffle, poussé par le vertige.

Le cadavre de la fille est sous un lit qu'on soulève, recroquevillée en chien de fusil, couverte de son manteau. On ne voit d'elle que ses chevilles fines, pâles.

– Asphyxiée, dit le lieutenant de pompiers. Regardez. Pas de trace de brûlure. Elle s'est planquée sous le lit quand ça s'est mis à cramer.

Carrère prend des notes sur un carnet, sans regarder ce qu'il écrit, dans cette obscurité mouvante.

– Enlevez ce manteau, que j'y voie.

Silence autour du visage encore caché dans les mains, les cheveux noirs répandus tout autour. Carrère écarte un bras, doucement, lentement. Il murmure « Là, comme ça », comme quand on a peur de faire mal à un gosse. La lueur d'une lampe vient trembler là-dessus.

La bouche est grande ouverte, les yeux mi-clos.

– C'est une gamine, dit le lieutenant.

Il a ôté son casque et s'essuie le front du revers de la main. Il détourne le visage, les yeux plantés dans le noir.

– On touche plus à rien, dit Carrère. On attend le photographe.

Darlac s'éloigne sur la place, le souffle court, pour essayer de calmer la créature qui bouge en lui. Il ne comprend rien. Comment ont-ils pu savoir que la gosse était là ? Et puis ils ne l'auraient pas tuée avec les autres. Et pourquoi cet acharnement ? Flamber une baraque, ses occupants ? On n'est pas en Sicile ! Ils l'auraient récupérée pour la ramener au Crabos ou au Parisien, le fameux Robert. Il passe en revue leurs gueules à tous comme quand on sort devant un témoin la collection de têtes de nœuds pour une identification. Et lui ? Et celui-là ? Et le témoin se tâte, hésite, demande à revoir. Oui, peut-être lui, mais il faisait sombre. Darlac les connaît tous, ceux qu'il est en train de visionner mentalement. Il sait leurs voix, leurs tics, leurs manies, leurs vices, des plus véniels aux plus infâmes, leur haleine puant le tabac ou l'alcool ou la dent cariée, l'odeur de leur sueur, de leurs pieds et du reste, pour ceux qui ne se lavent que les joues après le rasoir. Il sait par cœur leurs verrues, leurs grains de beauté, l'implantation de leurs sourcils, de leurs cheveux, la couleur de leurs yeux nuances comprises, bleus, gris, verts, noisette, noirs, et tous leurs reflets torves. Et il ne lui sert à rien, ce fichier de mémoire qu'il déballe. Toute la truande bordelaise, ramifications politiques comprises, gaullistes ou collabos, gros bras et colleurs d'affiches, lui tourne en tête en un manège sans frein et lui se voit planté au milieu comme dans ces westerns où les Indiens bariolés dansent autour du mec qui va mal finir.

Puis l'évidence le frappe au creux de l'estomac. Il est venu. C'est lui. L'autre, l'espèce de fantôme. Il a marché ici, sur cette place. Voilà. Il est entré par cette porte, là-bas, qui flanque le troquet. Il s'est planqué dans la cour. Ou dans les chiottes. Il a attendu que le rade ferme. Il a tapé quand tout a été calme. Ce mec n'aime pas les bistrotiers, on dirait. C'est un cauchemar qui marche et qui lui tourne autour. Il ne faudra plus dormir pour ne pas qu'il vienne. Ou d'un œil, pour l'avoir et le renvoyer dans les limbes.

Carrère arrive, traversant la chaussée lentement, tête basse. Il lève vers Darlac un visage aux traits tirés, les yeux brillants, l'air effaré.

— Tu te rends compte ? dit-il dans un souffle.

— De quoi je dois me rendre compte ?

— Tout ce merdier… Ils sont deux à vivre là et voilà qu'on trouve cette gosse. Merde, d'où elle sort ? Toi qu'es de la famille, tu sais rien ?

— Non, je sais rien, je viens les voir deux fois par an et encore… Et puis calme-toi, collègue. C'est pas les premiers macchabées que tu vois, non ? Ce qui m'intéresse, c'est celui qui a fait ça. Pas la peine de pleurnicher sur les morts. Y a un mec qui cavale dans cette ville, et qui a fait cramer trois personnes.

— N'empêche… Cette gamine qu'est-ce qu'elle foutait là ? On va fouiller. Le visage est pas abîmé, on pourra avoir de bonnes photos, on en passera une dans le journal. Et puis peut-être que les clients ou les voisins ont vu quelque chose : des allées et venues, des types bizarres… Dans ce quartier, tout le monde se connaît plus ou moins, c'est un peu comme au village.

Il parle tout seul, les yeux baissés, en se caressant le menton. Les deux inspecteurs rappliquent au trot comme s'ils avaient trouvé la carte de visite de l'incendiaire dans les décombres.

– Du nouveau ?

– Non, rien. On venait des fois que vous auriez besoin de nous.

Carrère les considère d'un air ébahi. Il a l'air d'être un bon mec, ce Carrère, un flic sérieux, intelligent, humain, peut-être l'oiseau rare dans le poulailler, la pépite au milieu de la caillasse, mais là, on voit bien qu'il retient son souffle pour ne pas se mettre à hurler de rage après ces deux abrutis, qu'il garde ses mains dans les poches pour éviter de les leur expédier dans la gueule.

– C'est bon, vous pouvez rentrer.

Comme les deux autres ne bougent pas, il tend le cou vers eux, il se hausse presque sur le pointe des pieds, une main en porte-voix.

– Barrez-vous, dit-il sur un ton égal. Disparaissez.

Ils s'éloignent sans rien dire, sans marquer la moindre hésitation.

– D'où ils sortent ces deux cons ? demande Darlac. Je les ai jamais vus.

– Ils ont été mutés : l'un de Nantes, l'autre de Paris, le mois dernier. Ils ont des casseroles au cul mais je sais pas lesquelles, j'ai pas eu le temps de creuser. On les a collés à la nuit. Le commissaire Verne m'a dit que c'est là qu'ils feraient le moins de dégâts.

– Tu prends l'enquête ?

– J'en sais rien. On s'est farci les constatations, on va se taper les procédures, mais ça risque de nous passer sous le nez, comme souvent. Pourquoi ? Tu veux enquêter dans l'intérêt des familles, en tout cas de la tienne ?

Darlac le saisit par le revers de sa canadienne. Geste rapide, brutal, puis le lâche aussitôt.

– Dis jamais ça, putain de toi. Touche pas à ça, ou...

Carrère sourit d'un air malin. Il époussette du revers de la main l'endroit où le commissaire l'a accroché

– Ça va, Darlac. J'ai compris. Tout le monde comprendra parce que tout le monde te connaît. Tes amis, maintenant ta famille, c'est chasse gardée, on sait ça. Mais fais gaffe quand même : tu crois avoir le cul au chaud dans ta forteresse parce que tu tiens les truands par les couilles, mais tu trônes dans un château de cartes. Et puis tu vois, ton cousin, il devait pas valoir beaucoup plus cher que toi, alors je m'en fous qu'il ait grillé avec sa bonne femme. Mais cette gosse, je crois qu'elle avait rien à foutre là, qu'il y a là-dessous un gros lézard, et moi ou d'autres on le trouvera. Alors, peut-être qu'on reparlera de tout ça. Allez. Adichats, comme on dit chez moi. J'ai du boulot.

Il tourne le dos à Darlac et traverse d'un pas vif la place. Il parle avec deux pompiers, il salue le photographe en train de rembobiner sa pellicule, puis disparaît derrière un camion rouge.

Darlac est sonné. L'autre tape dur, mine de rien, avec son petit gabarit et sa voix posée de prof qui t'explique en douceur que tu es le cancre de l'année et que tu vas redoubler et que ça ne servira à rien. Il regarde l'heure à sa montre et constate qu'il est presque cinq heures du matin. Puis il revient à lui peu à peu, recouvre un peu de lucidité. Ses sens le remettent en contact avec l'obscurité, le froid humide, le vent qui le fait frissonner.

Il décide de marcher vers sa voiture. Il court presque. Il se fait l'effet d'un fuyard. Pas bon, ça. Il doit se ressaisir. Il se retourne et regarde d'où il vient, la place envahie de véhicules, une ambulance qui approche, et peu à peu, très lentement, la distance s'établit, le mépris pour toute cette merde remplace la crainte d'y être enlisé.

Il ouvre la portière et se laisse tomber dans cette coque de silence que la buée sur les vitres rend opaque. L'idée même de rentrer chez lui et de retrouver le regard interrogateur et la moue hostile de madame et la provocation muette et ondulante de ses hanches lui soulève le cœur. Il met en route et roule vers le marché des Capucins pour y boire quelque chose de chaud ou de fort, et y manger, peut-être, quelque chose de lourd et salé. Il a cette envie dans le ventre. Violente. Ensuite, il ira chez Francis, le frangin, le fidèle, le plus dur de tous, pour échafauder un plan d'action, une stratégie, et essayer de mettre ce tueur fantôme, cet invisible dangereux hors d'état de nuire. À la guerre comme à la guerre.

12

André repose le journal et cherche sur son bureau quelque chose à attraper pour occuper ses mains et il trouve une gomme que ses doigts commencent à écraser et malaxer puis la désintègrent en menus fragments qu'à nouveau ils saisissent pour les réduire en une poussière molle qui s'étale, rosâtre, sur les pages du livre de comptes. La gosse avait quinze ou seize ans. On l'a retrouvée sous son lit, dans les décombres de l'immeuble abritant un petit bar-cave. Elle était sans doute séquestrée dans une chambre du premier étage, dont on a pu constater que la fenêtre et la porte étaient verrouillées.

Le journal est posé devant lui, ses pages dépliées, et dans le flou de son regard absent André y distingue une armée immense rangée en cohortes tracées au cordeau prêtes à envahir le monde et se jeter sur tout ce qui vit et bouge. Insectes ravageurs commandés par une volonté perverse. Chaque fois que ses yeux reviennent sur l'article il replonge dans ce quadrilatère armé dont chaque mot le cogne à coups de crosse, le pousse et le blesse de la pointe de baïonnettes, et il est molesté par des poings gantés et jeté à terre par des bottes qui s'acharnent sur lui. Il est lynché par la fureur de ces mots qu'il a lui-même provoquée et il a l'impression que ces bourreaux alignés en colonnes le réclament comme un des leurs.

Il se sent submergé, attiré peu à peu vers le fond, pris dans un bourbier qui l'absorbe lentement et il regarde autour de lui le décor gris, les étagères, les rouleaux de tissu entassés jusqu'au plafond sale, toute cette tristesse rassurante s'éloigner de lui. Au bout du comptoir, penché sur une commande, le père Bessière ressemble à un souvenir qui s'enfuit. L'envie le prend de tendre la main et d'appeler au secours pour qu'on le tire de là, pour qu'on le hisse sur une berge ferme et qu'il puisse reprendre son souffle et ramper loin du gouffre.

Mais il s'aperçoit que décidément il n'est plus de ce monde parce que tout semble s'éteindre autour de lui, perdre relief et couleurs. Il le savait déjà depuis qu'il était mort mais l'illusion dans laquelle il a flotté toutes ces années se dissipe de nouveau. Il essaie de se concentrer sur la photo de Venise mais elle n'évoque plus rien, aucun visage, aucune voix, aucun regret. Il n'a plus, soudain, ni passé ni lendemain. Il essaie de se lever mais un vertige brutal le jette au sol et il tombe à genoux, accroché à sa table et le patron s'alarme et lui demande ce qui lui arrive et sa voix lui parvient assourdie, déformée par un écho de cathédrale. Il se redresse et se remet debout, il croise le regard effaré de Raymond, sa paire de ciseaux en l'air, la mâchoire décrochée, puis il prend son manteau derrière lui et marche vers la sortie dans un brouillard de voix et d'images brouillées par ses larmes. Il s'entend dire « Je reviens, il faut que je sorte », et il marche dans la rue sur le trottoir étroit, obligé de s'effacer devant les silhouettes qui le croisent ou de louvoyer entre les voitures et les camionnettes de livraison, sous un jour incertain qui sent la pluie et la marée.

Il entre dans le premier café qu'il rencontre, la chaleur et le bruit de voix le cueillent comme s'il heurtait un mur capitonné et s'enfonçait dans cette mollesse paralysante.

Café arrosé, téléphone.

La saveur du rhum l'écœure et le café trop chaud lui brûle la gueule.

– Je voudrais parler à l'inspecteur Mazeau. De la part d'André.

Il attend. Il écoute dans le combiné des bruits confus de bureau, des voix qui s'interpellent. Le monde décante autour de lui. Il aperçoit derrière le bar les détails des étiquettes sur les bouteilles, l'éclat du verre sous les lampes, la pâleur du miroir dressé derrière les étagères.

– Oui, putain, qu'est-ce que t'as foutu ?

Voix de Mazeau basse, embarrassée.

– Il faut qu'on se voie.

– Je crois aussi, oui. J'ai deux ou trois choses à te dire, espèce de con. Tu pouvais pas attendre un peu ?

– Attendre quoi ? Je n'attends pas parce que je n'ai pas beaucoup de temps. Parce que je n'aurai pas toujours la force. Peut-être même que j'en peux plus.

– T'as fait le con, tu t'en rends compte ? Fais donc attention. On se voit demain. Tu me rappelles ce soir.

– Non. Aujourd'hui. Il faut que tu m'expliques ce qui s'est passé. Ou alors, je me livre. Dans une heure je viens me rendre. Je ne peux plus…

– D'accord, d'accord. Calme-toi. Ce soir, au Concorde, vers huit heures. Je peux pas avant.

Petit choc dans l'écouteur. André raccroche lui aussi, repousse la tasse à moitié pleine et paye et sort sans entendre le garçon l'appeler pour lui rendre sa monnaie.

Toute la journée, il marche dans la ville de son pas rapide, presque sportif. Toute la journée, il fatigue son corps pour ne pas penser à cette gosse qu'il a brûlée vive, et chasser de son esprit la vision de corps cal-

182

ciné qui l'obsède et dont il a dans les narines l'odeur terrible. Mais lui reviennent et se confondent d'autres images, les formes qu'ils avaient aperçues dans un coin du crématoire avec des camarades, comme un énorme insecte à la carapace rugueuse, excoriée, qu'ils n'avaient d'abord pas identifiée comme un amas de corps humains, refusant peut-être de reconnaître là ce qui restait d'êtres de chair et de sang. Il essaie de remplir ses yeux de visages croisés, de jolies femmes en chapeau et manteaux élégants sur le cours de l'Intendance, il tente de conjurer l'horreur en s'arrêtant devant les vitrines de la rue Sainte-Catherine et leurs éclairages blancs et leur élégance neuve ; des femmes, toujours, aux lèvres peintes, aux sourires légers et il songe, parce qu'il est peut-être fou, qu'une de ces fées l'effleurera du doigt et le sauvera de l'enfer en l'expédiant dans un monde de silence et de douceur mais rien ne se produit, bien sûr, alors il se perd un instant dans le dédale de rues de la vieille ville et entend au fond des ruelles obscures s'écouler dans les gouttières la tristesse du jour.

Il se hâte, couvert de sueur et plein de larmes, et parcourt sans savoir comment il y est venu les rues désertes où il a été enfant et s'arrête, haletant, devant la maison où il a grandi, attendant que quelqu'un en sorte. Son cœur s'arrête quand un gamin jaillit en courant, un chien en laisse, sa casquette enfoncée jusqu'aux oreilles, et il se revoit cavalant sur les gros pavés disjoints ou jouant assis dans l'encoignure d'une porte. Alors il quitte presque en courant ce quartier de maisons sombres avant que quelqu'un ne sorte encore, et il débouche sur le quai des Chartrons noyé dans le vacarme du trafic. Il lève les yeux vers les proues des navires, leurs cheminées et leurs châteaux blancs soulevés par la marée haute sous un soleil insoutenable qui tient les nuages écartés et fait luire sur la ville les coulures et les flaques de pluie.

Soudain, comme il se remet en marche, tous ils sont là autour de lui à le regarder, à murmurer, et il les voit, tous ceux que sa mémoire à vif ne peut empêcher de surgir comme des noyés remontant du fond d'un étang,

Ils le suivent sans le lâcher jamais. Souviens-toi, tu te rappelles ? Leurs voix résonnent dans ses pas mêmes, morts et vivants, et chaque coin de rue, chaque place est un théâtre d'ombres et de regrets où se joue une pantomime indistincte, et il les revoit tous les deux traverser la place des Quinconces en se tenant la main, le petit garçon en culottes courtes et chemisette bleu ciel, elle dans une robe mauve à col de dentelle et ceinture rouge. Mon Dieu, murmure-t-il, marchant vers ce mirage, sachant bien que nulle entité magique ne l'écoute et que personne ne se retournera vers lui en s'exclamant : « Tiens, Daniel, vois papa qui arrive ! »

Mon fils.

Il pense à Daniel, dans ce garage, le jour où il s'est enfin décidé à s'approcher, qui ne l'a pas reconnu et qui pourtant le dévisageait si intensément. Et qui le croit mort, ou le sait. Il a cherché sur les traits du jeune homme la bouille de l'enfant mais il n'a pas réussi à superposer les deux visages. Il en a tremblé toute la journée et toute la nuit. Comment lui dire ? Quoi lui dire, surtout ?

Il repense au petit corps léger qu'il avait hissé sur le toit. « Attends ici, surtout ne bouge pas. Maurice va revenir te chercher. Cache-toi bien ! » Il revoit le regard écarquillé d'effroi, les larmes plein les yeux qui ne coulent pas. Il se rappelle le claquement de la targette qui a refermé la lucarne.

Alors il se remet à marcher comme un fugitif, regardant par moments derrière lui, et peu à peu ses

184

ombres le laissent seul avec ses remords et il chemine sous le ciel changeant, aveuglé par la lumière ou courbé sous des nuages énormes qui l'obligent à s'abriter des averses sous les stores des magasins, dans la rumeur des conversations refugiées là et le martèlement assourdissant de la pluie.

Sur ce trottoir, en face de l'hôpital Saint-André, il a été heureux, les tenant tous les deux par la main. Il essaie de retrouver et de capturer cette sensation, se souvient d'un dimanche, oui, c'était forcément un dimanche parce que ce jour-là il le passait le plus souvent à la maison avec eux, toute la semaine à traînasser autour des tables de jeu ou dans le lit des filles, ce dimanche-là, ils allaient à un manège ou voir Guignol au jardin public et le petit sautillait, parlait sans cesse et s'étonnait de tout et se taisait quand ils croisaient des groupes de soldats allemands en goguette, se serrant un peu dans les jambes de sa mère. Il aimerait avoir de vrais souvenirs, de ceux que l'on date et qu'on peut savourer et revivre en les embellissant, mais il ne garde à l'esprit que des ciels bleus s'approfondissant entre des nuages lourds de pluie, le babil d'un petit garçon, la beauté d'une femme dont il peine parfois à se rappeler le visage. Depuis, il a tant vécu, tellement loin de la vie, affaissé au bord du néant, que sa mémoire n'est plus qu'un archipel où affleurent des îlots rocheux déchiquetés. Récifs où ses cauchemars le plantent et le disloquent.

Il revient ici pour la deuxième fois depuis son retour dans la ville. La première fois, il est tombé à genoux entre deux voitures pour vomir, sa tête éclatant de douleur comme sous des coups de gourdin. Assommé. Hors d'haleine. Un homme s'est approché pour l'aider, lui a tendu la main en lui demandant s'il devait appeler du secours à l'hôpital, de l'autre côté de la rue. André s'est redressé et a aperçu le visage inquiet penché vers lui mais il a lâché la main qui le tenait et a glissé contre la carrosserie d'une voiture. Il a demandé qu'on le laisse, ça allait passer, il a remercié l'homme. « Vous êtes sûr ? Vous savez, je peux appeler quelqu'un, je ne peux pas vous laisser comme ça dans le caniveau. »

Il y avait donc des hommes encore capables de tendre la main à quelqu'un effondré par terre sans le connaître, loin du regard du moindre témoin, seulement mus par un instinct profond qui avait donc survécu, aussi ?

Le voyant debout, à peu près ferme sur ses jambes, l'homme s'est éloigné, sombre et banal, et André l'a regardé disparaître parmi les autres passants avant de se remettre à marcher sur ce même trottoir.

C'est la maison de deux étages, avec ces volets blancs écaillés, dans cette rue Desfourniel. Ce sont les fenêtres du deuxième étage avec ces combles où ils rangeaient du bric-à-brac, si bas qu'on n'y pouvait tenir debout. Avec cette lucarne, invisible de la rue, sur la pente du toit versant au-dessus du jardinet. Le gosse était bien caché, blotti contre la cheminée. Avec Olga, pendant qu'on les emmenait vers les voitures, ils n'avaient pas osé se retourner, encore moins lever les yeux, puis le convoi avait démarré et tourné au coin de la rue et tout avait disparu.

André reste là, planté sur ce trottoir, scrutant les fenêtres fermées, la ligne brisée des toits sur le ciel d'un bleu pur. Il lui semble qu'il ne pourra plus bouger d'ici, comme s'il était prisonnier de ce lieu et du bloc de temps dans lequel il est désormais figé comme ces monstres préhistoriques qu'on retrouve dans le sol gelé, intacts mais morts. Il aimerait pouvoir invoquer les fantômes et faire avec eux le chemin à l'envers en leur disant tous ses misérables remords, il lui suffirait de les sentir tout près de lui vibrer doucement comme ils savent faire pour marcher vers la maison et monter vers l'appartement l'escalier de pierre blonde et pousser la porte, alors peut-être pourrait-il de nouveau les serrer contre lui, et tout reprendrait comme avant la catastrophe à la différence qu'il resterait alors avec eux et pourrait les prévenir et les faire fuir tous les deux, mon amour, mon petit bonhomme... Il murmure ces pauvres mots et rien ne se produit, bien sûr, qu'un souffle d'air qui le fait tressaillir et frissonner. Et puis il sait bien que les fantômes viennent quand ils veulent, petite foule bruissante ou ombre solitaire ; ils étaient là tout à l'heure, pressants, confus, absorbant autour de lui l'air qui lui manquait, et ils le laissent à présent dans son absolue solitude, tremblant de froid, incapable de s'arracher à ce coin de rue.

Dans l'après-midi, il entre dans des cafés et tente plusieurs fois de se soûler mais les cognacs qu'il essaie d'avaler il les recrache, étranglé, la gorge en feu, ou bien il vomit les verres de vin qu'il a ingurgités aussitôt sorti. C'est ainsi depuis quelque temps : il ne peut plus boire d'alcool. Un dégoût le prend et la nausée lui secoue l'estomac, ou bien sa gorge s'enflamme et il suffoque, obligé de recracher. Quels que soient les parfums qu'il a sentis dans le verre. Grand cru ou piquette, alcool noble ou rinçure d'alambic. Les serveurs l'observent derrière leurs comptoirs, parfois goguenards devant ce pékin qui ne supporte pas de boire, souvent méfiants ou inquiets parce qu'il pourrait claquer là en s'étouffant, ou dégueuler au beau milieu des tables, les yeux larmoyants, le teint olivâtre, titubant comme s'il en tenait déjà une sévère.

Collée au fond de sa gorge, l'odeur des corps brûlés. Il a l'impression de la sentir sur ses vêtements.

De la porter sur lui. Peut-être même en lui, puant lui-même la chair de tous les bûchers.

Finalement, il parvient à être ivre, un peu. Dans un bar tout près de la faculté des lettres, plein d'étudiants bruyants qui s'engueulent à propos de l'Algérie, il enchaîne trois kirs qui s'ajoutent à ce qu'il a pu garder les fois précédentes. Il sent qu'autour de lui le monde est plus mou, et sous ses pieds le sol plus souple. Les éclats de voix et les rires des jeunes gens s'assourdissent et il évolue dans une ambiance cotonneuse, et quand il regarde autour de lui tout lui semble nouveau et curieux, lointain et plat comme un écran de cinéma. Visages flous, interchangeables. Êtres de pacotille.

Quand il sort de là, la nuit est déjà tombée. Il s'en étonne et s'aperçoit qu'il a passé presque deux heures assis à sa table et il ne sait plus à quoi il a bien pu penser pendant tout ce temps, même pas à la jeune fille qu'il a tuée. Il se met à marcher vite pour se dégriser, puisque cette ivresse ne lui est d'aucun secours et noie son esprit dans une brume qui l'inquiète soudain. Il fait un grand tour avant d'arriver sur la place de la République, où se trouve le café de la Concorde et son rendez-vous avec Mazeau. Il a plus d'une heure d'avance, alors il passe deux fois devant le bar, observe les alentours : voitures stationnées, silhouettes immobiles, et repère à travers les vitres des clients attablés ou debout au comptoir. Il pressent un piège, une souricière, comme on dit dans les journaux, il se dit que le flic pourrait bien vouloir accrocher l'incendiaire de la place Nansouty à son tableau de chasse parce que c'est bon pour l'avancement. Parce qu'on est toujours trahi, y compris par soi-même.

Alors il tourne, il va et revient, il reste à un arrêt de bus pour observer les mouvements suspects. Il décide d'intercepter Mazeau avant qu'il entre pour parler avec lui en marchant et éviter de se laisser boucler dans le café. Il sent la fatigue lui monter dans les jambes, venin brûlant mêlé à l'alcool. Il aimerait se coucher. Dormir, peut-être.

André s'appuie au poteau de l'arrêt de bus et ferme les yeux mais les rouvre bien vite car il a peur de s'endormir debout et de tomber comme ça lui arrivait parfois. Il se frotte les yeux comme un gosse ensommeillé et c'est alors qu'il les voit : ils sont trois et remontent la rue d'un pas vif, courant presque, la tête dans les épaules sous leurs chapeaux. Mazeau va devant. Comme un faible crachin s'est remis à tomber, ils baissent la tête sans regarder autour d'eux. Mazeau et un autre flic entrent au Concorde pendant que le troisième traverse la rue et se poste en face et allume une cigarette puis se fond dans l'obscurité, adossé au tronc d'un platane. André n'aperçoit de lui que le bout incandescent qui brasille à chaque bouffée. Son cœur s'emballe, lui fait mal. Toute sa cage thoracique durcit de cette douleur et sa respiration devient courte.

Il force sa poitrine à se gonfler, aspire par la bouche de grandes goulées d'air, masse du bout des doigts ses côtes douloureuses et il passe sur sa figure, sur sa nuque, une main mouillée de pluie.

Il trouve assez de souffle pour commencer à remonter la rue vers la place Pey-Berland et ses jambes raides consentent à lui obéir à peu près. Il longe les murs du palais de justice, effleurant de sa main la pierre rugueuse. La rue déserte bordée de voitures ne luit que de l'éclat des capots mouillés et peu à peu il parvient à marcher plus vite, à respirer mieux. Il voit devant lui la mairie, le trafic des autos sur la place et au même moment le vent rabat sur lui une odeur de tabac et il se retourne vers ce type qui se jette sur lui en lui gueulant «Police ! Ne bouge plus !» en même temps qu'une portière s'ouvre juste devant lui.

Le flic derrière lui le ceinture en lui plaquant les bras le long du corps et André parvient à se jeter sur la portière et à la rabattre de tout son poids sur celui qui descendait de voiture et qui hurle maintenant de douleur parce que sa jambe est restée coincée dans cette subite mâchoire. Côté chauffeur, un autre sort, alors André recule et la tête du flic heurte le mur avec un bruit sourd et ses bras desserrent leur étreinte, de sorte qu'André peut lui expédier au hasard son coude dans la gueule et sent quelque chose craquer et entend le flic glisser au sol en geignant. Dans la voiture, l'autre braille et son collègue, un peu lourd, pataud, prend pied sur le trottoir et redresse sa large carrure puis tend ses bras en croix pour bloquer André, un sifflet à la bouche, mais il ne s'en sert qu'une fois en un roulement strident et le lâche, parce que soudain il est au sol piétiné par cet homme silencieux qui a foncé sur lui le pied en avant comme s'il allait l'escalader. Sans doute, alors qu'il se débat, fouillant sous son veston pour y trouver peut-être son arme, ne voit-il pas le fugitif disparaître au coin de la rue et n'entend-il pas ses collègues qui sont sortis du Concorde à son coup de sifflet et arrivent en courant.

André cavale pendant une centaine de mètres puis doit s'arrêter, jambes coupées, et marche en s'appuyant aux murs, titubant, les poumons écrasés. Il regarde derrière lui et n'aperçoit aucun poursuivant. Il imagine les flics en train de se réconforter et de compter leurs plaies et leurs bosses. Il avise un autobus qui s'approche d'un arrêt alors il monte à bord et se jette sur le premier siège qu'il trouve et laisse son corps s'abandonner contre le dossier. Il est trempé de sueur, de pluie, une odeur de laine mouillée monte de son manteau, mêlée à des relents âcres de sueur. Des regards se posent sur lui, il aperçoit dans un rétroviseur les yeux du chauffeur qui le surveillent. Il défait quelques boutons de son pardessus, il dénoue sa cravate et ouvre son col de chemise et respire un peu mieux. Il essaie d'apercevoir où il se trouve et voit soudain à travers le pare-brise l'alignement des lanternes du pont de Pierre. Les vitres sont couvertes de buée et de pluie et il a beau les essuyer de sa manche, il ne parvient à voir du fleuve qu'une obscurité totale, puis distingue les lampadaires de l'avenue Thiers, les quelques néons des bistrots.

Il descend au premier arrêt, place Stalingrad, et il reste là dans le vent à regarder s'éloigner le bus avec un soulagement étrange d'évadé qui aurait sauté en marche d'un convoi. Il aimerait rentrer chez lui puisqu'en principe Mazeau ne connaît pas son adresse, puisque personne ne la connaît, ni même sa véritable identité. Il songe à son lit, à un café et à quelques biscuits et cette idée lui creuse l'estomac. Mais il doit refranchir le pont, traverser le quartier Saint-Michel, marcher, encore, et de cela il n'a pas le courage, pris par tout le corps d'une fatigue qu'il n'avait pas ressentie depuis longtemps et qu'il sait ne pas pouvoir surmonter cette fois-ci.

Il décide de monter l'avenue pour trouver un hôtel. Il y en a quelques-uns dans le quartier parce que la gare d'Orléans est tout près, alors il s'enfonce dans cette trouée sombre sous les lanternes qui se balancent dans la vapeur froide du crachin. Il passe devant des cafés pleins aux vitres voilées de buée et parfois une porte s'ouvre et laisse sortir une rumeur rigolarde et une bouffée chaude saturée de fumée de cigarettes ou de friture. Puis il aperçoit une enseigne éclairée d'une grosse ampoule annonçant l'hôtel Saint-Émilion et pousse la porte autant qu'elle le retient de tomber.

L'homme aux cheveux gris presque ras qui se tient derrière le petit comptoir de la réception se redresse et se raidit en regardant André approcher d'un pas mal assuré. Il a même un léger mouvement de recul et jette vers la porte d'entrée un coup d'œil inquiet comme si la nuit allait déverser dans son corridor d'autres effarés.

– Qu'est-ce que vous voulez ?

André se tient au bord du comptoir. La tête lui tourne un peu, le sol bouge. Il s'efforce de garder son regard dans celui de l'homme qui le toise.

– Une chambre. Il vous en reste ?

– C'est possible. Vous n'avez pas de bagages ?

André sort son portefeuille, en extrait un billet de 10 000 francs et plaque la gueule de Bonaparte sur le plateau.

– J'ai de quoi payer.

– J'espère bien !

L'homme prend le billet et le frotte entre ses doigts puis soupire.

– C'est bon, dit-il en prenant le livre de police. Marquez-vous là-dessus. L'important, c'est que les gens aient de quoi payer. Le reste, je m'en fous.

André inscrit le nom d'un type mort le jour de Noël 44. Il revoit ses yeux grands ouverts, sa bouche tordue. Le chiffon froissé dans son poing encore serré.

– C'est pas banal, comme nom.

– J'y peux rien, dit André en essayant de sourire.

L'homme remue lentement la tête d'un air pensif et range le billet dans son tiroir de caisse. André ne bouge pas. Il regarde derrière le type le panonceau qui indique le tarif des chambres : 4 000 sur la rue, 5 000 côté cour, et le type suit son regard et lui tend un billet de 5 000 en soupirant puis attrape une clé sur le tableau accroché au mur.

– La 12. Premier étage. Douche et W-C au fond du couloir. J'ai changé les draps ce matin, et la serviette. Vous étonnez pas s'il y a du bruit vers minuit, j'ai des clients qui arrivent tard.

La chambre donne sur la rue. La crapule à gueule de sous-off a dû encaisser son petit bénef ou ce qu'il croit être le prix de son silence pour taire l'arrivée d'un voyageur sans bagages à l'étrange nom étranger. Papier peint sans couleur, pisseux, peut-être beige. Au plafond, une ampoule répand une lumière chaude sous un abat-jour rougeâtre agrémenté de franges. Le lit grince un peu quand André s'assoit dessus, le matelas est mou et profond, avachi comme une énorme bête sournoise capable d'absorber sans coup férir n'importe quel corps et de ne le rendre que des jours plus tard en partie digéré. Il se débarrasse de son manteau et de son veston sans se lever et il fait jouer ses épaules, se masse la nuque, s'étire puis se lève finalement et ouvre le robinet du lavabo où il boit de grandes gorgées d'eau qui le laissent essoufflé devant le miroir où le guette l'image grisâtre de ses yeux cernés, de ses traits tirés.

Il fait un peu de toilette avec le bout de savon qui traînait sur le lavabo. Il essaie d'ôter de sa peau cette moiteur de fièvre, l'odeur âcre, malade, qui monte de son corps. Nu, il regarde sa carcasse longiligne, ses muscles secs, tendus sur ses os saillants. Rassuré que ça tienne encore debout.

Rhabillé, il s'endort aussitôt sur le couvre-lit, les volets ouverts sur l'avenue et les grondements erratiques des autos et les faibles lueurs qui empêchent les ténèbres de l'étouffer. Il rêve d'incendies. De silhouettes en train de flamber au bout de corridors infranchissables, de cris de femmes derrière des portes closes qu'il ne sait pas enfoncer, de corps calcinés entassés dans un jardin parmi lesquels il reconnaît le visage d'Olga.

Il se réveille dans une obscurité bleue dispensée par la fenêtre et le murmure de la pluie, épouvanté, et il se redresse et regarde autour de lui les volumes indistincts de la chambre sans savoir où il se trouve, puis le gloussement d'une femme derrière la cloison, les craquements du plancher le rassurent un peu et il se rendort, la figure enfoncée dans l'oreiller par la fatigue. Mais à chaque fois la fournaise se rallume et brûle et Olga se débat contre sa chevelure en flammes, hurlante, et lui ne peut l'atteindre, bras coupés par la terreur de son cauchemar.

Au petit matin, la tête lourde, il quitte l'hôtel sans avoir vu personne et franchit le pont au-dessus du fleuve boueux où se tordent quelques lambeaux de jour. Il traverse sans rien voir la ville en train de s'éveiller dans le tintamarre ferraillant des autobus et des camions, il passe au milieu de la puanteur de leurs échappements.

Arrivé près de chez lui, sur le cours de l'Yser, il recommence le même manège que la veille pour repérer les hommes en embuscade. Il passe et repasse devant sa rue, il entre dans un bar qui ouvre à peine et qui sent l'eau de javel et la sciure que le patron est en train d'épandre sur le carrelage.

Café, croissant. Il se sent tellement bien soudain que pendant une minute plus rien ne lui semble grave ou dangereux. Il savoure ce moment où son corps n'est plus un fardeau qu'il traîne puis sort et traverse la chaussée en épiant le moindre pékin qui errerait bizarrement dans le coin.

Il pénètre dans le couloir sombre comme on se jette dans le feu. Respiration coupée, muscles tendus jusqu'à la douleur. Ils peuvent être déjà là, planqués dans tous les coins, qui surgiront en gueulant et lui colleront le canon de leurs armes sous le menton. Il court presque jusqu'à l'escalier. Il reconnaît les mêmes odeurs que tous les matins, la radio chez Mme Mendez, l'antique peinture verdâtre fendillée, écaillée, il se glisse comme un voleur dans cette quiétude grise et triste qui le rassure.

Il repousse avec soulagement la porte de l'appartement et reste un moment debout au milieu de la pièce avec la sensation d'être parti depuis si longtemps qu'il prend plaisir à retrouver les objets pourtant à leur place, les volumes identiques, les senteurs de l'encaustique et du linge propre qui lui sont familières avec un sentiment mêlé de nouveauté et d'habitude vite retrouvée. Puis il ôte ses vêtements et les abandonne sur le fauteuil et marche vers la cuisine, met de l'eau à chauffer dans une grande casserole.

Il se savonne, parcouru de frissons, il frotte sa peau jusqu'à la rougeur comme il fait d'habitude. Le savon lui pique les yeux, il aime son goût sur ses lèvres, son odeur qui vainc enfin les relents rances que la culpabilité et la peur, hier, ont collés sur lui. Il se rince en faisant couler sur lui, les pieds dans un tub, un peu d'eau chaude et il se sent revivre et se dit qu'il ne quittera plus jamais sa tanière, seul pauvre endroit où il se sente à peu près en paix. Il rêve un instant d'une vie recluse, d'une retraite d'ermite sur une montagne où n'auraient d'importance que l'aube et le couchant et les échos du passé dans un silence de bêtes furtives et de vent dans un feuillage. Il agite ces pensées tout en s'essuyant la tête et quand il écarte sa serviette, il sursaute dans son tub et manque tomber par terre parce que Mazeau se tient à l'entrée de la cuisine, un pistolet à la main.

André a le réflexe de cacher son bas-ventre et le flic sourit méchamment de cette pudeur, et lui fait signe de son bras armé.

– Laisse tomber ta serviette, fais pas ta gonzesse. Je te préfère comme ça, t'es à ma pogne.

André roule sa serviette en une grosse boule et la garde serrée sur son estomac. Il ne peut rien faire. Il n'aperçoit aucun objet, aucun couvert qui traîne qu'il pourrait expédier à la gueule de son visiteur. Et puis quoi ? Une balle va plus vite qu'un couteau. Mazeau ne sourit plus. Il repousse son chapeau en arrière et s'adosse au chambranle de la porte.

– On n'avait pas rendez-vous, hier soir ?

André se sent sous son regard, nu, comme sous celui des SS ou des kapos. Il se demande s'il aura la force ou le courage de tuer cet homme. Il réfléchit très précisément à la façon dont il pourra le désarmer dès que sa tension se sera relâchée, dès qu'il aura tellement l'impression de maîtriser la situation qu'il baissera sa garde et ne verra pas le coup venir.

– J'ai eu peur, dit-il. Trop de flics.

– T'as amoché trois inspecteurs.

– J'ai eu peur. Il en sortait de partout. J'ai pas réalisé.

André s'oblige à baisser les yeux, à feindre un air contrit. Il voûte un peu ses épaules. Il sent Mazeau sur ses gardes, il sait bien que les flics se méfient de tout et de tous et qu'on ne la leur fait pas comme ça. D'ailleurs, il se redresse, se campe mieux sur ses jambes. André devine l'emprise plus forte de ses mains sur la crosse de l'arme.

– Pas réalisé quoi ?

– Que je ferais mieux de me laisser prendre. C'est fini pour moi, de toute façon.

– Oui, mon con, c'est fini pour toi. T'as tué trois personnes. Et parmi elles, cette gamine. Alors, tu te laisses arrêter gentiment et on rentre tous les deux au commissariat.

– Je dirai tout. Que c'est toi qui m'as donné l'adresse. Tu m'as tendu un piège. Tu savais que cette fille était planquée là.

– Je savais rien du tout. Tu voulais quelques ordures ayant des liens avec Darlac, je t'en ai donné.

196

La fille, c'est encore une de ses magouilles. Il a dû la récupérer je ne sais où et il l'a planquée là en attendant de savoir quoi en faire.

– Je dirai tout et tu plongeras avec moi. Sauf que moi je m'en fous. Je fais du rabe, depuis que je suis sorti. Je suis déjà mort. Toi, tu as ta femme, tes mômes.

Mazeau pouffe de rire. Le pistolet tremble au bout de sa main. André ne voit que ça. Se demande si... Renonce.

– Qui te croira ? Qui es-tu au juste ? Tout le monde te croit mort, même toi tu le crois. Tu as changé d'identité, presque de gueule, et quinze ans après tu reviens te venger ? Tu te rappelles jusqu'en 43, quel genre de type tu étais ? Joueur, traficoteur, chéri de ses dames ? Tu crachais pas dans la soupe, à l'époque, non ? Qui va même t'écouter pleurnicher sur les camps de concentration et ce que tu y as vécu et ta vengeance dérisoire ? Tu crois que ton copain Darlac va se laisser foutre à poil sans rien dire ? Il va ressortir les vieilles fiches de police, il va broder sur ses souvenirs, et tu seras plus qu'un minable demi-sel de plus qui est revenu régler ses comptes ! Et puis, les déportés de nos jours tout le monde s'en fout, tu vois pas ? Y en a que pour la Résistance et ses héros ! Et moi, j'étais du bon côté, alors qu'est-ce que tu t'imagines ? Les gens ils veulent oublier toute cette merde, surtout qu'on envoie leurs fils en Algérie se faire étriper par les ratons. Ils ont d'autres soucis que d'écouter le mari infidèle d'une Juive raconter sa triste vie. Réfléchis juste un peu : t'es coincé. T'as tué trois personnes et t'auras du bol si t'évites la guillotine.

Il se tait et fouille dans sa poche et en sort un porte-feuille et le lance aux pieds d'André.

– Tiens, regarde, André Vaillant. Maintenant, je sais comment il faut t'appeler. Allez. Habille-toi et on y va.

André ne bouge pas.

– On ne va nulle part. En tout cas pas moi. Tu peux tirer, si tu veux. Tu n'as rien compris.

Mazeau arme le chien de son pistolet et tend le bras vers le sol.

– Je vais te tirer une balle dans la jambe. Je dirai que tu m'as sauté dessus. Légitime défense. Sang froid, puisque tu ne seras que blessé. Je te ramène rue Castéja[1] et on me félicitera. Les collègues, le divisionnaire. Je serai promu. Et toi, t'iras boitiller au fort du Hâ[2]. T'es déjà passé par là, non ? Je m'en fous que la justice te condamne. J'y crois pas à ces conneries. La justice, c'est une balle dans la tête pour la racaille, et c'est tout. Et comme t'es déjà mort et comme tu t'en fous toi aussi, on est presque d'accord : tu me suis, tu finis de mourir et moi je profite un peu.

André hoche la tête. Il fait un pas en avant et l'autre le braque d'un bras raide, les jointures de son poing blanchies par sa pression sur la crosse.

– Je peux ? Il faut que j'aille à l'armoire.

Mazeau recule pas à pas.

– Doucement. T'y vas doucement.

André avance. Il sent sous ses pieds nus les aspérités du plancher. Il se concentre là-dessus pour irriguer de nouveau son corps de sensations et de force. Mazeau le tient toujours en joue, sans trembler. Il est à deux mètres de lui, imper et veston défaits pour libérer ses épaules.

---

1. L'ancien commissariat central de Bordeaux était situé dans cette rue jusqu'à ces dernières années.

2. Ancienne forteresse médiévale, tout près de l'hôtel de ville de Bordeaux, qui fut une prison à partir de la moitié du XIXe siècle, en service jusqu'en 1967. Il n'en subsiste aujourd'hui que deux tours dans l'enceinte de l'École nationale de la magistrature. Pendant l'occupation, on y enferma des Juifs arrêtés lors des rafles dans l'attente de leur déportation, ainsi que de nombreux résistants.

Il y a un choc contre la porte d'entrée, puis des cris d'enfants dans le couloir. Des rires, une cavalcade dans l'escalier. Mazeau sursaute, se détourne, et André surprend son regard écarquillé de surprise et balaye de sa serviette le bras armé du flic et se jette sur lui et les voilà qui basculent tous les deux par-dessus le fauteuil.

Mazeau heurte le sol de la tête et reste pendant quelques secondes sidéré, peut-être groggy, les yeux au plafond. André le saisit par le col de sa chemise, à califourchon sur lui, et le soulève péniblement en lui cognant la tête contre le plancher pour l'estourbir. Il ne sait pas si le flic a lâché son arme, il pense seulement à rendre ses gestes plus efficaces mais il est lourd, il résiste à la traction, alors André se met à genou sur sa poitrine et l'homme se débat en essayant de rouler sur le côté pour le renverser et en ruant des genoux dans son dos. La figure de Mazeau est cramoisie, des veines saillent méchamment à ses tempes, sur son front à cause de sa respiration empêchée, elle devient soudain glissante sous les mains d'André, mouillée de sueur et dure d'os et anguleuse, et il fait rebondir ça sur les lames du plancher en se disant que du carrelage serait plus efficace, moins souple, mais il redoute d'entendre le craquement mou du crâne et de voir s'étendre par terre une flaque de sang parce qu'il a déjà entendu ça au camp, le jour où un kapo avait tué un prisonnier parce qu'il ne lui avait pas cédé le passage en sortant du baraquement, il se rappelle, André, le bruit de la mort à l'arrière de cette tête décharnée et le trouble immédiat du regard, et les tressaillements de tout le corps s'affaissant contre le poteau de béton taché de sang. Brusquement, il aperçoit à la limite de son champ de vision, sur sa gauche, le pistolet se dresser et il frappe là-dedans du revers de la main mais l'arme se redresse encore comme un serpent giflé alors il attrape le flic par les oreilles et tire et pousse pour l'assommer contre le sol jusqu'au moment où il sent sous lui s'amollir le corps et cesser tout mouvement.

Il saisit le pistolet et se redresse pour reprendre son souffle. Mazeau respire calmement comme s'il dormait. André s'habille en hâte, tourné vers le policier inerte, posant parfois l'arme sur une étagère, au cas où, mais l'autre ne bouge toujours pas. Il sait qu'il n'est pas mort, à peine assommé, feignant peut-être pour affaiblir sa vigilance. Vu de là, allongé sur le sol, les bras écartés du corps, on pourrait croire à un type tombé de fatigue en train de récupérer. Ou de réfléchir.

Parce que André bondit presque à l'idée qui aurait dû lui venir plus tôt, dès que l'autre est apparu devant lui : dans la rue, il y a deux bagnoles pleines de flics qui attendent un signe, ou un certain laps de temps pour intervenir. Ils gardent sûrement les deux bouts de la rue. Ils vont se précipiter dans l'escalier l'arme au poing et casser la porte et le plaquer au sol et ils le porteront dehors comme la dépouille d'un gibier et jetteront leur trophée à l'arrière d'une voiture. Il court regarder par la fenêtre mais bien sûr ne voit rien, évidemment ils ne sont pas là devant la porte à attendre en lui faisant des signes de la main.

Il prend une valise et y jette quelques frusques, ses cahiers et ses stylos. Il va dans la cuisine ramasser son portefeuille, vérifie qu'il n'y manque rien, n'oublie pas son carnet de chèques. Quand il revient dans la pièce principale, il voit l'autre bouger vaguement et ne sait plus quoi faire parce que dans une minute il va se lever et gueuler ou lui sauter dessus alors il ne sait plus quoi faire, il braque le pistolet vers la tête du flic mais sa main tremble et il lui semble que la détente résiste à sa pression, il se dit qu'il faudrait l'attacher et le bâillonner, ils font ça dans les films, mais l'autre n'attend peut-être que ça pour lui sauter à la gorge.

Très vite, il lui expédie un coup de pied dans la figure que Mazeau encaisse avec une plainte étouffée puis il le frappe encore en poussant des cris enragés, s'acharne des deux pieds sur ce corps qui ne bouge plus. Ensuite, il reste immobile quelques secondes au milieu de la pièce en laissant son regard aller du lit défait à la table où chaque soir il écrit ses souvenirs, de la fenêtre où la matinée s'éclaircit au plafond lézardé encore sombre de lambeaux de nuit qui y restent collés.

Il se décide à quitter son antre et descend l'escalier en courant, le pistolet devant lui braqué, et il sait que cette fois-ci il n'aura pas à appuyer bien fort sur la détente pour abattre le premier flic qui se mettra en travers de son chemin. Il franchit le seuil en courant, il ne respire plus, comme si son souffle allait attirer sur lui l'attention des types embusqués, mais il fait vingt, trente pas, parvient au coin du cours de l'Yser, cueilli par le soleil qui lui ferme les yeux. Des passants viennent à sa rencontre, le croisent sans le voir, et la ville s'ouvre avec fracas et le gobe dans sa grande gueule grouillante.

Et le voilà dans les rues qu'il reconnaît à peine, sa valise à la main, errant, dérivant vers le fleuve en suivant la pente de la moindre fatigue, courbé sous le bruit, secoué par tout ce fracas du trafic sur les quais. Par-delà les hangars, la marée haute élève les bateaux comme des cathédrales d'un blanc aveuglant sous la lumière, dans la sollicitude des grues penchées sur eux avec leurs gestes lents. Il marche en évitant de croiser les regards qu'il croit sentir posés sur lui, clandestin, fugitif, fantôme traqué, et il redoute qu'une main se pose sur son épaule et que des bras surgis de la foule massée aux arrêts d'autobus le plaquent au sol en lui cognant la gueule contre le macadam, ne bouge plus, fumier, on te tient et on ne te lâchera plus.

Devant les bureaux de la Transat il regarde les photos en couleurs des grands cargos mixtes qui vont en Afrique et il songe qu'il pourrait arriver bientôt dans un port écrasé de chaleur et se faufiler dans le chaos de son agitation, perdu, encore, en un pays qui ne serait pas le bout du monde mais l'impasse au fond de laquelle sa misère viendrait s'affaler à côté de celle des autres. Il s'imagine posant sa valise au pied d'un comptoir sordide où des Blancs macérant dans un jus amer de sueur et d'alcool laisseraient mijoter leur haine et leur crasse sous les pales feignantes d'un ventilateur énorme. Il se voit dans des rues poussiéreuses sans ombre, parcourues par des silhouettes harassées, cassées sur leur effort, visages noirs et luisants, pauvres diables, enfants criards, femmes courbées sur leur travail, il se voit dans ce monde-là comme un clou planté dans un œil.

Il aimerait que lui viennent les images d'un fleuve aux berges luxuriantes, aux eaux ridées par le glissement des pirogues, à l'écoute des appels retentissant dans l'air et des voix lointaines leur répondant mais il n'imagine rien, clichés froissés aussitôt qu'il y pense.

Partir ? C'est mourir un peu, disent les gens, sans savoir. Il sait que c'est vrai. Mais maintenant qu'il est revenu, autant mourir ici, et pour de bon. La destination est plus sûre.

Il reprend sa valise qu'il trouve légère et revient sur ses pas. Il marche vite, comme il aime, réglant son souffle sur ses pas. Il n'entend plus la ville, il ne voit plus que des ombres floues qu'il croise dans un bourdonnement permanent.

Un autre hôtel. Cours Pasteur. Derrière son guichet, la femme qui l'accueille ressemble à Juliette Gréco. Il remplit la fiche de police, paye deux nuits d'avance. La femme lui donne sa clé en le dévisageant d'un air surpris ou soupçonneux et il croise son regard noisette aux paupières alourdies de rimmel. Elle lui précise qu'il y a du linge de toilette dans l'armoire. Dès qu'il s'est éloigné de quelques pas, il entend de nouveau sa voix enrouée :

— Y a un peu de bruit, vers minuit, une heure. Après, ça se calme.

Il se retourne en haussant les épaules.

— Je dis ça parce qu'il y a des clients qui se plaignent.

Il essaie de sourire.

— Je ne me plains jamais.

Elle hoche la tête puis prend un magazine qu'elle ouvre d'un geste brusque. Et comme il s'éloigne vers l'escalier, elle parle encore :

— Les flics ne viennent presque jamais ici.

— Pourquoi vous me dites ça ?

— Comme ça. Pour que vous le sachiez.

— S'ils ne viennent pas c'est que tout va bien, non ? C'est rassurant…

La thurne est peinte en bleu clair et donne sur une rue étroite où résonnent les voix de jeunes gens qui parlent fort et rient. André boit au robinet du lavabo de longues gorgées d'eau. Quand il s'assoit sur le lit, il s'étonne du silence et de la fermeté du matelas puis s'allonge et laisse la fatigue se coucher sur lui.

Comme il commence à s'assoupir, il se lève d'un bond et va se passer la figure sous l'eau. Puis il glisse sa valise sous le lit et sort de sa poche le pistolet en se demandant où le cacher. Il ouvre l'armoire, cherche dessus, puis dessous, un endroit où il pourrait déposer l'arme mais rien n'est sûr alors il réfléchit encore, la faisant passer d'une main dans l'autre, puis il braque son reflet dans la glace sale au-dessus du lavabo et aperçoit son image raide et sinistre dans la pénombre de cette chambre minable et soupire puis finit par glisser le pistolet dans une poche intérieure de son manteau.

Quand il passe devant la réception, la femme ne lève pas le nez de sa revue mais il sait qu'elle l'observe par-dessous sa frange brune. Il se hâte, il marche d'un pas résolu, et il pousse la porte de la banque avec une énergie qui surprend Philippe, le caissier, qui le reconnaît et lui sourit.

– Monsieur Vaillant, comment allez-vous ? C'est pas le vendredi, pour la paye ?

Derrière lui, la secrétaire tape en rafales des colonnes de chiffres sur une liasse carbone. Comme d'habitude, elle ne salue pas, ne se détourne pas de son travail.

– M. Bessière m'envoie parce qu'il a besoin d'espèces pour payer un fournisseur qui lui fait des misères.

– Des espèces ?

Le caissier le regarde en rajustant ses lunettes.

– Vous savez bien que ça arrive, de temps en temps. C'est la société Duchêne à Bègles. Il veut solder tous les comptes qu'il a avec eux parce qu'ils livrent en retard, ils carottent sur les coupons, et ils ne fournissent pas les tailles qu'il faut. C'est permanent avec eux. Alors tout à l'heure au téléphone, Bessière s'est énervé et a décidé de ne plus traiter avec ces gens.

– Oui, mais là, je…

– Si ça pose un problème, je retourne à la boutique le lui dire et il viendra lui-même. Il ne va pas aimer ça, vous le connaissez…

– Non, non, c'est que… Combien il vous faut, enfin, il lui faut ?

– Cent cinquante mille.

L'autre hoche la tête sans répondre, puis il tord la bouche.

– C'est que… C'est que je ne sais pas si j'ai cette somme ici.

Il part vers le fond de la salle et ouvre un grand livre de comptes et suit du doigt des colonnes de chiffres.

– Ah si. Vous avez de la chance. On a eu un dépôt hier, et je vois que c'est resté là. Bien, bien.

Il fait remplir à André un bordereau. Signature, tampon. Puis il passe derrière la caisse et ouvre un tiroir métallique avec une petite clé qu'il porte autour du cou. Il pose les billets, coupures de cinq et dix mille, et les fait claquer entre ses doigts en les comptant.

André prend l'argent, soigneusement emballé dans une enveloppe de papier kraft. Il dit à vendredi pour la paye et salue en ouvrant la porte. Sur le trottoir, il jette un coup d'œil circulaire et n'aperçoit aucun flic en planque et se met en marche vers l'hôtel parce que maintenant il a seulement envie de dormir, s'abandonner pendant ces quelques heures où la police ne va pas savoir où le chercher, le temps que Mazeau se décide à parler et avoue qu'il a joué en solo et qu'il a perdu.

13

L'Algérie leur est apparue d'abord comme une ligne discontinue de lueurs tremblantes posée au ras des flots dans la nuit qui pâlissait déjà. Aux cris que les premiers l'ayant vue ont poussé à la proue, ils se sont rués pour voir eux aussi, se bousculant et se hissant sur la pointe des pieds en s'appuyant sur l'épaule d'un autre ou effectuant de petits sauts pour apercevoir la terre qu'on leur avait promise, à eux qui n'attendaient rien et n'avaient rien demandé. Ils sont ensuite restés silencieux, clignant des yeux à cause de tout cet air marin qu'ils prenaient en plein visage ou de la fatigue après des heures de gros temps qui leur avait coupé les jambes et retourné l'estomac et une nuit passée presque sans dormir sur ce rafiot surpeuplé boxé par une mer hachée, dans l'odeur des chiottes bouchées, les uns sur les autres, tassés sur des chaises longues ou des lits de camp, hébétés par le mal de mer, souillés parfois de vomissures parce que quelques-uns n'avaient pas résisté à cette houle d'est bagarreuse et sournoise. Alors, tangage ou roulis, tripes et boyaux, ils ne savaient pas la différence et restaient penchés souvent au-dessus du bordage à essayer de dégueuler, un masque luisant sur la figure de la même teinte olivâtre que leurs uniformes, à s'enfoncer les doigts dans la gorge pour dégueuler, à se donner des coups de poing dans l'estomac pour dégueuler, dégueuler,

dégueuler, et en crever pour que cesse enfin ce remuement de tout leur être, du cerveau jusqu'aux couilles, liquéfiés, brassés sans arrêt comme une mélasse dont ils voulaient se vider par tous les moyens, comme cet abruti, rendu fou par la nausée, qui avait essayé de s'ouvrir le ventre avec son couteau pour se débarrasser de sa tripaille qu'il n'arrivait pas à vomir. Ils avaient dû s'y mettre à trois pour l'empêcher de s'éventrer et un cabot-chef l'avait assommé d'un coup de poing dans la nuque pour le calmer en annonçant que ça serait huit jours de trou, bordel, pour refus d'obéissance et tentative de mutilation volontaire.

Daniel avait réussi à trouver un coin sur le pont supérieur, en contrebas de la passerelle et, avec Giovanni, un Lorrain rencontré pendant les classes à Mulhouse, enroulés dans leur couverture, leur barda comme oreiller, ils avaient pu dormir trois ou quatre heures dans le grondement sourd des machines et les inquiétantes vibrations qui secouaient par moments la carcasse du navire. Quand ils ont entendu les cris des autres troufions, ils se sont dressés et ont contemplé le chapelet lumineux tendu devant eux et tous deux restent là bouche bée, leur couverture glissant de leurs épaules, comme devant la révélation d'un prodige.

– C'est ici que les Athéniens s'atteignirent, dit Giovanni. Vache de merdier…

Daniel ne répond pas. Il regarde la mer sortir du noir et se teinter tour à tour d'acier et de bronze et le ciel pâlir puis flamber parmi un troupeau de nuages violets massés au loin qu'il imagine en train de garder le détroit de Gibraltar. Les colonnes d'Hercule, comme ils disent dans les péplums. Il sort son cadre de sa poche de poitrine puis le déplie et capture cette aube en un long panoramique qu'il arrête dès que la proue du navire vient trancher la surface des eaux et

207

brandit sa pointe vers la côte dont le trait s'épaissit à chaque instant.

– C'est mieux, vu comme ça ? demande Giovanni.

– J'sais pas. C'est la même chose et pas pareil. Je sais pas comment dire.

– Ouais… c'est la même merde, mais sans l'odeur…

– Je trouve qu'on voit mieux. On isole ce qu'on veut regarder du reste et on voit mieux.

Giovanni tend la main vers le rectangle d'acier.

– Montre.

Il referme ses deux mains en chambre noire et y met son œil et grimace en clignant. Il promène le cadre, sourit, s'arrête.

– C'est marrant… t'as raison. J'aime bien le cinoche mais j'avais jamais pensé à me faire le mien dans mon coin.

Il rend son petit cadre à Daniel qui le replie et le glisse dans une poche de poitrine.

– Pourquoi t'as pas demandé un sursis, puisque t'es étudiant ? Toute cette merde sera terminée, pendant ce temps.

Giovanni ne quitte plus des yeux l'horizon où s'avance l'Algérie. Il hoche la tête avec un sourire triste.

– Je te dirai un jour. Pas aujourd'hui. *Sois sage ô ma douleur et tiens-toi plus tranquille…*

Il rit pour lui-même, en silence.

– De qui c'est ?

– Baudelaire. Je te le passerai.

Ils se taisent. Quatre types les ont rejoints en braillant et se pressent contre le garde-corps et s'extasient devant le spectacle. Ils se demandent s'il y aura des mouquères à baiser et l'un d'eux mime, le bassin en avant, une branlade en direction de la côte.

– Tu vas voir c'que j'vais leur mettre, moi ! j'ai pris mon artillerie avec moi !

Ils rigolent. C'est à qui aura le plus gros calibre, ne sera jamais à court de munitions. Ils se tapent les cuisses.

– Et si tu te trompes de cible avec elles c'est pas grave !

– C'est la guerre, on va pas avoir peur d'un trou de balle, non ?

Ils s'écroulent de rire, se tombent dans les bras. Se font passer une flasque de raide en guettant alentour qu'un sous-off ne les voie pas. Ils toussent et s'étranglent en râlant que c'est bon quand même.

– Z'en voulez ? C'est d'la prune de par chez moi.

Un petit brun brandit la gnôle sous le nez de Giovanni, qui la prend et se tourne vers lui.

– À quoi on trinque ?

– On s'en branle. À ce que tu veux.

– Alors, à l'armée française et ses glorieux soldats !

Il s'en jette un gorgeon puis fait passer à Daniel.

– À nos morts, passés et à venir !

Les mecs le regardent dans un silence qui vient de tomber sur eux brusquement. Le petit brun récupère la flasque et la rebouche et la laisse tomber dans une poche de son pantalon de treillis.

– Pourquoi tu dis ça ?

– C'est la guerre, non ? C'est vous qui l'avez dit, pas vrai ? Des morts y en a toujours à la guerre.

– Ferme ta gueule, dit un autre, un rouquin au crâne ras. Dans six mois c'est fini, et on rentre à la maison. Le colon, pendant les classes, il nous a dit ça et il connaissait son affaire, il a fait l'Indo et il lui tardait d'arriver ici pour les mater, tous ces ratons. Qu'est-ce qu'y dit, lui, avec ses morts ?

Il est furieux. Il brandit son calot vers Daniel.

– Connard ! Tu seras mort avant moi !

Daniel soutient son regard. Que répondre à ça ? Et si c'était déjà vrai ? L'autre lui adresse un bras d'honneur

209

exaspéré et se retourne et bouscule ses copains pour s'approcher et s'appuyer au garde-corps. Daniel prend son sac et le hisse sur son dos. Pendant quelques secondes, accablé, chancelant, il se demande s'il va pouvoir faire un seul pas avec ce poids qui lui écrase les épaules et le rive au métal de la passerelle. Il entend le type proférer à voix basse des injures et des malédictions qui se perdent soudain dans la bouillie d'une langue inconnue. Giovanni arrive à sa hauteur et l'entraîne en le prenant par le bras. Plaisanteries des mecs à leur sujet. Pédés. Trouvez un coin tranquille pour vous enfiler. Salopes de tantouzes.

Ils rejoignent la foule des troufions sur le pont. Odeurs de tabac, de sueur, de pieds sales. Le vent marin ne peut rien contre ces macérations. Arrivée dans une heure. Les cabots gueulent. Une section se tient près des bordages, une cinquantaine de types en tenue de combat, casqués, fusil à l'épaule, leur sac posé près d'eux. Daniel s'étonne. Un caporal lui dit que c'est pour les actualités. On filme d'abord des mecs qui ont l'air de guerriers, histoire de montrer qu'on est pas là pour rigoler. Après, ils montrent les peigne-culs qui sourient à la caméra, contents d'être là, et qui viennent avec enthousiasme combattre la rébellion et protéger la population. Réglé comme du papier à musique. Daniel jette un coup d'œil à ses galons, se méfie de ce cabot trop bavard qui cherche peut-être à repérer les fortes têtes ou les réfractaires, les cocos.

– T'es d'où toi ? demande le caporal.

– Bordeaux.

– J'ai un oncle à Bordeaux. Il travaille dans la navale, aux Chantiers de la Gironde, il est chaudronnier.

Daniel regarde ailleurs. Il cherche Giovanni des yeux, l'aperçoit en train de donner une cigarette et du feu à un chasseur alpin qui abrite la flamme de son vaste béret.

– J'ai fait le peloton de sous-offs, parce que ça gagne mieux. C'est pour ma mère qu'est seule avec ma petite sœur. Pour les aider. Mais je suis pas une crevure. Tu peux me tutoyer.

Daniel le dévisage, épie cette bonne gueule qui cligne des yeux à cause du vent et frissonne en enfonçant ses mains dans ses poches, l'air couillon comme n'importe quel bidasse.

– Et toi d'où tu viens ?

– De Limoges. Enfin, à côté. Mes parents ils sont à la terre. Ma mère est seule pour faire tout. Y a un voisin qui l'aide mais il commence à se faire vieux.

– T'as pas essayé de te faire exempter ?

– D'après toi ? Ils ont besoin de chair fraîche, ils s'en tapent.

– J'ai un copain qui…

– Tant mieux pour lui, putain. Qu'il en profite. Chez lui ils sont sûrement encore plus dans la merde que nous. À l'armée ils ont dû penser qu'à partir du moment où t'as un peu de terre et quelques vaches tu peux t'en sortir. Savent pas cc que c'est, la terre, comme travail, ces feignasses.

Des coups de sifflet, des cris. Rassemblement. Le caporal lui tend la main et lui écrase les phalanges dans un étau durci par les cals.

– Faut que j'aille récupérer mes mecs. Une chose est sûre, on va en chier, tous autant qu'on est. À part quelques planqués des transmissions ou du matériel, et encore, ça peut chauffer n'importe où, d'après ce qu'on nous a dit. Faites gaffe, ton pote et toi.

Il s'éloigne parmi la foule kaki en pleine bousculade en se hissant sur la pointe des pieds pour s'orienter.

Le jour a blanchi, les nuages se sont dissipés pour laisser s'élargir le ciel pâle où viennent flotter des mouettes qu'on entend crier malgré le brouhaha d'hommes entassés sur le pont, pressés contre les bordages pour contempler la mer plate et sombre. La ville s'élève lentement devant eux, blanche, absorbant toute la lumière et tous les regards, et l'Algérie commence pour les hommes par ce chaos éblouissant écrasé par le ciel d'un bleu insoutenable.

Une fois débarqués, alors que le quai bouge encore dans leurs jambes et que parfois vertiges et nausées les reprennent, ils attendent devant un hangar, sous une grue qui grince et dont ils lorgnent d'un air inquiet les mouvements au-dessus d'eux quand passent des half-tracks, des automitrailleuses et des jeeps déchargés d'un cargo gardé par des gendarmes. Ils sont deux cents peut-être, vaguement groupés par section, assis sur des caisses ou allongés à même le béton, à fumer, à parler bas à cause des sous-offs qui leur tournent autour, clébards hargneux et gueulards. Mais surtout parce que le tumulte du troupeau d'hommes n'est plus là pour couvrir leurs voix et que les fanfaronnades, les blagues ou les poses de casseurs d'assiettes, tout ce bordel qu'ils avaient semé à bord du bateau comme un ultime défi à l'armée et à sa discipline a cessé dès que les premiers ont commencé à descendre l'échelle de coupée, attendus en bas par des officiers aux gueules impassibles derrière leurs lunettes noires, pistolet au ceinturon, et par une file de GMC bâchés, dont les chauffeurs, les pieds sur le tableau de bord, fument ou pioncent.

– Ce coup-ci, on y est, dit un grand flandrin blond à la peau laiteuse.

Daniel lève les yeux et l'aperçoit, en plein soleil, debout, les mains sur les hanches, hochant la tête d'un air navré. Il a dit ça pour lui-même et il regarde autour de lui l'activité du port, les camions qui passent, les dockers arabes qui marnent en plein soleil la tête parfois coiffée d'un turban et crient dans leur langue et rient en faisant tournoyer un chargement de caisses au bout de sa chaîne pour le réceptionner correctement. Leur peau est presque noire. Leurs chemises délavées sont auréolées de sueur.

Daniel observe lui aussi les hommes au travail, l'esprit vide, parce qu'il n'y a rien d'autre à faire. Il allume une américaine, sent un goût de cuivre envahir sa bouche à la première bouffée. Il a tellement fumé qu'il a l'impression de mâcher en permanence du carton. L'eau tiède de sa gourde, qu'il a bue tout à l'heure, n'a rien changé. Le goût d'aluminium a juste remplacé celui du cuivre, le temps qu'il avale une gorgée. Il fume et il regarde sa montre. C'est tout ce qu'il fait. Trois heures qu'ils ont débarqué, ont vu les convois partir, attendent la quinzaine de camions qui doivent les emmener vers une caserne où on leur donnera leur équipement de combat et leurs armes. Un capitaine est parti se renseigner. Ils l'ont vu s'éloigner à bord d'une jeep, ils ont râlé un peu, alors les sergents leur ont aboyé d'attendre et de fermer leurs gueules, ce qu'ils font tous, réduits à cette obéissance fatiguée.

Giovanni et Daniel ne trouvent plus rien à se dire, hébétés, l'un assis, l'autre étendu, le dos calé contre leurs sacs, tassés avec les autres dans le moindre coin d'ombre, traqués par le soleil, seule preuve que le temps ne s'est pas arrêté puisqu'il poursuit sa course en tapant dur et droit. On s'essuie le front, la nuque, avec son grand mouchoir parfumé, celui qu'une main de femme a glissé, il y a si longtemps, croirait-on, dans la valise. On se retrousse les manches. Des gourdes circulent. Une sirène retentit dans le lointain. Daniel s'aperçoit que du silence s'infiltre parmi l'agitation du port. Les dockers ont disparu et il n'aperçoit nulle part les gendarmes qui surveillaient tout à l'heure le déchargement des blindés. Les flèches des grues sont immobiles. Même les oiseaux de mer ont le bec cloué. Il y en a trois posés sur le toit du hangar, occupés à lisser leurs ailes au repos. Combien d'heures ont passé ? Il a l'impression de s'éveiller d'un somme qui aurait aboli sa perception du temps. Il commence à comprendre quels seront leurs premiers adversaires : le soleil et le temps. On n'est qu'en mars. Il essaie d'imaginer ce que ce sera en été, sous le vrai cagnard.

Le capitaine reviendra à bord de sa jeep à la tête d'un convoi de camions. Il faudra alors qu'ils grimpent sans délai sur les plates-formes, sous les coups de gueule et les insultes. Soudain, il n'y aura rien de plus pressé que de faire quitter à cette bande de moules, de larves, de couilles molles, ce quai où un peu d'ombre, enfin, commence à tomber du hangar.

D'Alger, ils ne verront que des rues s'enfuir à l'arrière du camion, des cafés entraperçus aux terrasses pleines de monde, et ils auront alors, tous, la même envie d'un verre rempli de n'importe quoi qui soit frais et où flotteraient des glaçons, ils laisseront derrière eux cette vie pleine de couleurs, de bruit, de poussière, des gens partout, des gosses, des voitures, des charrettes tirées par des bourricots pelés guidés par des types aux sourcils froncés par trop de soleil. Daniel tendra le cou pour mieux voir, comme ils feront tous, curieux, trop fatigués pour être inquiets et, depuis l'ombre surchauffée du plateau bâché où on les aura fait s'asseoir, il lui semblera que ce pays n'est constitué que de lumière et qu'on ne peut le regarder que dans l'éblouissement.

Ils franchiront l'enceinte d'un camp au milieu d'un nuage de poussière et de gaz d'échappement et sauteront des camions dans la lumière déclinante du soleil et on les dirigera vers une sorte de bunker où ils devront attendre encore qu'un caporal-chef fourrier leur fasse distribuer par ses arpettes un treillis qui sent l'antimite en leur assurant que oui, putain, c'est bien leur taille, j'ai l'œil qu'est-ce que tu crois? De toute façon qu'est-ce que ça change quand tu crapahutes ou que t'as les fells au cul t'es pas dans un défilé de mode et ils allument même les élégants, ces mecs ils s'en branlent de faire des trous dans un uniforme ajusté ou dans un sac de patates parce que c'est toujours ta viande qu'y a dedans. Alors les troufions préposés à la distribution poussent vers les bleus les tas de fringues kaki, allez, c'est bon, fais pas chier, dégage, y a du monde derrière. En revanche, l'adjudant fait attention aux chaussures qu'il leur donne, dites si ça va pas parce que vous allez morfler sinon, ici on marche bien ou on crève, vous avez compris bande de connards? Et magnez-vous un peu qu'on aille à la soupe, bordel, et ensuite vous suivez le sergent jusqu'à l'armurerie, pour compléter la panoplie.

Fusil à l'épaule, encombrés de leur barda, casque pendant à leur poignet comme un sac à main de femme, ils auront roulé leur uniforme sous le bras et se traîneront jusqu'à une immense tente et déposeront leur équipement sur un lit de camp avant de cavaler vers le baraquement faisant office de réfectoire, vite, fissa, couvre-feu à vingt et une heures, demain départ à six heures, alors dodo et pas de branlette, vous penserez à vos gonzesses une autre fois.

Vers minuit, ils seront tirés d'un sommeil fragile par des coups de feu, des cris, des ordres, et apercevront par les interstices de la toile de tente la lueur froide des fusées éclairantes. Le sergent leur dira de rester couchés et ira voir ce qui se passe, son P-M en pogne, sur le seuil de la guitoune. On entendra des rafales courtes, plus proches, plus sourdes, c'est les miradors qui ripostent à la mitrailleuse, commentera le serre-patte en revenant se coucher.

– C'est souvent comme ça ? demandera une voix dans le noir.

Les hommes seront tous éveillés, les yeux exorbités dans l'obscurité, et tous se tasseront sur la toile de leur lit comme pour éviter la trajectoire d'une balle perdue, déjà écrasés, déjà cloués par ce qu'ils n'osent pas encore appeler la peur. Ils verront le bout incandescent de la cigarette du sergent luire et l'odeur de tabac blond se répandra au-dessus d'eux et il toussera avant de parler d'une voix enrouée :

– Chaque fois qu'il y a un arrivage de bleubites. Y a que ces putains de politicards qui disent que c'est pas la guerre, ici. Bienvenue en Algérie, les gars. Dormez bien.

Il conclura ses paroles d'un petit rire graillonnant et on l'entendra tirer encore deux ou trois fois sur sa cigarette puis ronfler, presque aussitôt, comme une brute tranquille.

14

Deux semaines. Deux semaines, dix heures par jour, qu'ils travaillent là-dessus, ses hommes et lui. Clients, relations, familles, amis et ennemis des Couchot interrogés, harcelés, perquisitionnés. Rien. Des alibis indestructibles, des mobiles inexistants, une bonne foi à toute épreuve. Des innocents ahuris par les questions que leur posaient des flics hargneux, des imbéciles tombant des nues qui comprenaient à peine ce qu'on leur demandait et surtout pourquoi on venait, eux, les tarabuster avec ça. Au pire, d'honnêtes salauds totalement étrangers à cette affaire.

Comme ce Robert, ce petit marle jusque-là inconnu au bataillon qui avait mis la gamine au taf dans une mansarde avec des amateurs de jeunesse avant de la céder au Crabos. Renseignements pris, il s'agissait de Gaston Daumas, un truand de la porte de Pantin qui s'était réfugié à Bordeaux après un règlement de comptes – trois gus au tapis tout de même et il avait failli être le quatrième. Les collègues, là-bas, semblaient plutôt satisfaits de le savoir loin, affirmant que le climat du sud-ouest, humide et chaud, le ramollirait peut-être et lui ferait le plus grand bien. Ils étaient rassurés de savoir où il se trouvait, au cas où, mais ils n'avaient rien pour l'accrocher, pas de question vraiment gênante à lui poser.

Pour la petite Arlette il s'est allongé sans difficulté, oui, il l'a mise au turbin à la demande du Crabos à qui il rendait quelques services. Non, il ignorait où elle se trouvait mais il savait quel clan l'avait récupérée et le vieux crevard, depuis l'Espagne, lui a bien recommandé de ne pas bouger, de se faire tout petit parce que cette affaire ne le concernait pas. Se réglaient de vieux comptes, se vidaient là de vieilles querelles comme des abcès pourris, d'infâmes poubelles où croupissaient des morts sans sépulture.

Darlac lui a expédié quelques gifles, mais il n'a pas insisté : cette lope encaissait bien et pétait de trouille, c'était visible. Il avait dû la faire à l'envers à un caïd de Pigalle pour avoir eu comme ça des flingueurs au cul. Un jour, on apprendra qu'il a été troué au .11,43 et on n'insistera pas trop pour chercher qui tenait l'arme : les Parigots récupéreront la viande froide. Chacun chez soi pour garder les vaches.

Même du côté des parents de la petite Arlette, on n'a rien trouvé. Il a fallu attendre que le père dessoûle un peu pour pouvoir l'interroger, patienter dans cette cuisine crasseuse, entre une table encore encombrée d'assiettes où avait séché le dîner de la veille et un évier débordant de vaisselle sale, qu'il ait fini de se remplir d'eau et de se faire vomir dans la souillarde qui servait sans doute de cabinet de toilette, pour qu'il affirme, raidi sur sa chaise afin de n'en pas tomber, le teint vert-de-gris, qu'il ne se rappelait même plus quand sa fille, une brave gosse toujours gentille avec tout le monde, qui travaillait bien à l'école du temps où elle y allait, avait quitté le domicile familial. Quand on lui a demandé pourquoi il n'avait pas prévenu la police de cette fugue, il a bafouillé qu'il pensait la voir rentrer d'elle-même, vu qu'elle était mieux ici que dehors. Les deux inspecteurs se sont lassés de l'entendre balbutier ses réponses d'ivrogne et de poursuivre son regard

fuyant. Ils se sont levés soudain de leurs chaises bancales pour s'empêcher de lui taper dessus en le prévenant qu'il valait mieux pour sa gueule qu'il n'ait pas
raconté de craques ni rien oublié.

La mère, échevelée, les yeux rouges et gonflés,
regardait les policiers d'un air terrifié, renvoyant la
plupart des questions sur son mari qui saurait
répondre, lui, parce qu'il savait mieux ces choses-là.
Sa fille l'aidait beaucoup à la maison, au ménage et
pour s'occuper des plus jeunes. Une vraie petite
femme, sérieuse et tout, qui aurait pu être maîtresse
d'école. Et de se plaindre qu'à présent, elle aurait à
élever seule les quatre qui restaient, dont un chiard
d'un an qui braillait comme un goret qu'on égorge
dans un berceau installé au pied du lit de ses géniteurs,
« Même que des fois on se demande s'il est tout à fait
normal à gueuler comme ça, mon mari il dit qu'il lui
faudrait peut-être des piqûres pour le calmer. » Ils
n'ont rien pu tirer d'autre de cette femme vaincue qui
pleurait sa grande fille brûlée vive entre deux jéré-
miades sur la misère qui suintait des murs et salissait
tout dans cette thurne et rendait malades et méchants
les enfants.

Devant un tel tableau, les flics ont battu en retraite
et averti l'Assistance parce que le chiard dans son berceau, avec ses yeux globuleux et ses bras et ses jambes
maigres battant l'air au-dessus de lui, ressemblait à un
têtard perdu sur un tas de torchons et qu'une petite
fille, entraperçue derrière une porte, n'était vêtue que
d'un short et d'un gilet de peau, dans ce taudis glacial,
et portait sur les bras de méchants bleus, un sourire
d'idiote à ses lèvres fendues.

Voilà ce qu'il brasse en son esprit chagrin, le commissaire Darlac, tout en marchant vers l'église Saint-
Pierre sous un ciel gris, dans un air moite qui poisse la
ville entre les averses. Il y a des jours où il se verrait

bien faire la police à Nice ou Marseille, il sait qu'il y serait comme un renard dans un poulailler sans avoir à jouer les faux-culs et saluer les divisionnaires en courbant l'échine, dans ces villes où sous le ciel bleu l'air est tellement corrompu que plus personne ne songe même à se boucher le nez. Mais il se dit qu'il devrait nouer des liens nouveaux, prendre des contacts, faire ses preuves et que ça lui demanderait des efforts démesurés, du temps, surtout. Et comme il arrive à un âge où le temps, justement, commence à filer, cette perspective calme ses ardeurs méridionales et il regarde le ciel pluvieux d'un air hostile et il rentre la tête dans les épaules, redoutant plus le grain qui s'annonce qu'un quelconque jugement divin dont il n'a que foutre.

Ici, à Bordeaux, il connaît tout le monde. Il est en quelque sorte un des princes de ce petit royaume qu'on dit si tranquille. Justement : il pousse la porte vitrée d'une de ses baronnies, « CHEZ PIERROT », et aperçoit avec soulagement Francis au fond du rade, attablé devant un faitout en fonte dans quoi il pioche des morceaux de viande en sauce. Une dizaine de clients déjeunent. Des commerçants du quartier, des représentants, des gratte-papier en costard gris. Certains sont seuls, d'autres parlent à voix basse. Conversations murmurées et tintements des couverts et de la vaisselle.

Attablée avec Francis, une femme blonde, jeune, que le commissaire trouverait jolie sans le maquillage qui lui plâtre la face et les faux cils qui vident ses yeux bleus de toute expression. Elle sauce le fond de son assiette avec un bout de pain puis finit son verre d'eau. Les deux hommes se saluent d'un signe de tête, le flic s'assoit en soupirant, se défait de son imperméable, déboutonne son veston. La fille n'a pas bronché, n'a pas levé les yeux vers celui qui s'installait. On lui apporte une grande tasse de café où elle laisse tomber trois sucres qu'elle commence à remuer lentement, les yeux baissés, l'air absorbé par ce qu'elle fait.

– T'as mangé ?

Darlac secoue la tête.

– Roger ! Un couvert pour mon ami ! On partagera ! À la bonne franquette !

Darlac le laisse lui servir un verre de vin, qu'il sèche à grands traits comme si c'était de l'eau, puis il se retourne vers l'entrée.

– T'attends quelqu'un ?

– Non. Mais en ce moment, j'aime pas tourner le dos à la porte.

Francis claque des doigts sous le nez de la fille, qui fait battre ses cils démesurés, tenant sa tasse en l'air appuyée contre ses lèvres.

– T'as entendu ce qu'il a dit ?

La fille ne comprend pas puis regarde Darlac comme si elle découvrait sa présence.

– Va boire ton café ailleurs et laisse-nous, on a à parler. Après, tu m'attends à l'appartement, t'en bouges pas. T'as compris ?

La fille se lève sans un mot, les yeux baissés, emportant sa tasse de café, et se met à chalouper vers le bar où elle se hisse sur un tabouret. Darlac s'assoit sur la chaise encore chaude qu'elle occupait et il la suit des yeux, jaugeant la silhouette irréprochable perchée sur ses talons aiguilles.

– Qui c'est celle-là ? D'où elle sort ? Elle est muette ou elle est con ?

Francis se marre.

– En tout cas, elle parle, et plus souvent qu'à son tour. Comme ce matin on a eu une petite explication, elle me fait pas chier aujourd'hui. Je l'appelle Alison. Maintenant, je leur file des prénoms américains, ça plaît davantage aux michés. Y en a marre des Ginette et des Lucette, putain, c'est des prénoms pour les vaches, ça. Elle, elle fait les richards. Week-ends baise, escapades clandestines. Je lui loue un studio sur le cours de l'Intendance. Ça me coûte un peu, mais ces connards adorent ça, ils trouvent ça chic d'aller aux putes dans un quartier rupin, et ça désemplit pas, si je puis dire... Et les samedi et dimanche, monsieur est en voyage d'affaires et c'est moi qui ramasse. Des fois, ils l'emmènent à Arcachon ou sur la côte basque et là ça douille chaud pour eux. J'ai commencé ça il y a six mois, je sais plus si je t'en avais parlé, et ça marche tellement bien que je vais en prendre une autre pour répondre à la demande. C'est l'avenir, ça. Pas besoin de tout un cheptel de filles sur le trottoir les nichons à l'air ou accrochées au comptoir de bars merdiques. Et puis tu sélectionnes le client. Tu te farcis plus les obsédés de la bite, les maniaques et leurs petits caprices, les énervés qui massacrent les filles ou ceux qui veulent pas payer et qu'il faut convaincre après. Ça crée du grabuge pour pas grand-chose et des fois, même ici, tes collègues aiment pas trop quand le merdier déborde... Et du coup, je te parle pas du beau monde qui passe... Deux ou trois députés, des patrons en pagaille, d'honnêtes commerçants... Bouche-à-oreille, discrétion assurée, service impec assuré par des poules extra, voilà les trois mamelles de mon bizness ! Comme à Paris ! Et ces caves font la queue pour venir !

Il éclate de rire, content de lui, et se ressert du vin. Darlac ne peut s'empêcher de sourire tout en remplissant son assiette de bœuf en daube.

– De toute façon, je te garde la liste des clients au chaud, ça sert toujours de les tenir par le fond du slip.

Darlac hoche la tête. Il flaire son assiette puis harponne hardiment un bout de viande.

– C'est pas dégueulasse, hein ? fait Francis.

Le commissaire hoche la tête, boit un peu de vin, s'essuie la bouche.

— Bon, dit-il. Tu m'as pas fait venir pour parler gamelle, non ? Qu'est-ce que t'as pour moi ? Parce que nous, on est à poil.

— Tu t'attendais à ce que je te donne un nom et une adresse ?

Darlac soupire.

— Raconte.

— Personne a rien pu me dire sur le type qui fait ça. On a parlé avec des dizaines de mecs, avec des filles, aussi, parce qu'elles en voient passer des bizarres qui des fois leur disent des choses… Rien ! Et puis personne voit qui aurait intérêt à saigner Penot et à faire cramer Couchot et sa bonne femme. Moi, je te le dis : cherche autour de toi. C'est quelqu'un qui s'en prend à des gens qui te sont proches, ou qui l'ont été, comme Penot. Et puis il s'en est pris à ta fille. Il te tourne autour, tu le sais bien. Et je serais pas étonné si on s'apercevait qu'il est rencardé par des flics. Tu sais, du genre de ceux qui t'adorent et qui auraient voulu t'agrafer bien profond dans la poitrine des médailles en plomb à la Libération ou planter la grand-croix de la Légion d'honneur sur ta tombe… Ton commissaire divisionnaire, Laborde : s'il peut te faire tomber dans l'escalier il hésitera pas, non ?

— Laisse les flics tranquilles. J'en fais mon affaire.

— Sauf quand ça commence à causer en ville.

— Laborde a parlé ? À qui ? Quand ?

Francis s'adosse à la banquette, bien carré dans son gilet et sa chemise à fines rayures de fabrication british, et il sourit d'un air narquois.

— Arrête ton char, ça prend pas avec moi, dit Darlac. Dis ce que t'as à dire, qu'on en finisse avec cette histoire.

223

Francis pousse son assiette de côté et croise les bras sur la table, l'air grave, soudain.

– Tu connais Lucien Lavaud ? Lulu le Veau pour les intimes ?

Darlac fait non de la tête. Lui aussi s'est avancé, incliné un peu au-dessus de la table. Il sent des fourmis lui cavaler partout sous la peau.

– Un gros mec, mou et gros, et lent depuis qu'il est sorti de taule, y a trois ans. C'était un petit braqueur de bureaux de poste. Un branque qui faisait n'importe quoi. Il a fait du gras en cabane, il a dû se faire ramollir par des pédales maousses qu'on trouve là-bas et maintenant il paraît qu'il fait un peu de recel, je sais pas trop… Bref. On m'a dit que l'autre jour, dans un troquet de la barrière de Bègles, il a déblatéré sur le type que tu cherches. Il a dit comme ça que les flics étaient pas près de l'alpaguer parce que c'était un malin et qu'il avait des raisons personnelles pour faire ce qu'il faisait et que c'était pas près de s'arrêter. Il a dit aussi qu'il tenait ça de quelqu'un qui connaît bien les détails de l'enquête.

– Quelqu'un de chez nous ?

– D'après toi ? Je te dis ce que j'ai entendu. Maintenant, faut savoir que c'est un branquignol, ce type. Il picole, il parle à tort et à travers. Michou l'a connu au trou, il était tricard partout, il bouffait le plus souvent à un bout de table.

– Et un mariole pareil arrive à faire du fourgue ? Qui peut bien lui faire confiance ?

– Aucune idée. Il est pas dans mes circuits et j'ai pas envie qu'il s'en approche. S'il y a des gonzes assez cons pour bosser avec lui, tant pis pour leur gueule, ils vous tomberont tout cuits dans le panier à salade.

– Il fourgue quoi, ce dingo ?

– J'en sais trop rien. De la joncaille, des meubles,

des tringles à rideau, qu'est-ce que j'en sais ? Il doit être de mèche avec une ou deux équipes de bras cassés qui font dans l'immobilier.

– On le trouve où ?

– Barrière de Bègles, dans un de ces troquets, ou rue Son-Tay, un bistrot tenu par sa poule, il paraît.

Darlac se lève.

– On y va. Magne.

Francis boit une gorgée de vin puis range ses couverts en travers de son assiette.

– J'ai pas pris de dessert. Et puis t'inquiète pas, il va pas s'envoler, l'autre guignol. Assois-toi et prends un peu de tarte au citron.

Comme Darlac ne bouge pas, son imper sur le bras, Francis fait signe au patron de lui apporter la suite.

– Ou bien t'y vas tout seul. Moi, j'ai besoin de bouffer tranquille.

Le loufiat apporte une part de tarte et un café. Francis montre de ses deux mains tendues la chaise qu'occupait Darlac.

– Un café ?

Le commissaire accepte d'un hochement de tête puis se rassied en soupirant.

– Tu vas finir par faire du gras, toi aussi. Comme l'autre con.

– Peut-être. Mais j'ai les poches pleines et les couilles au chaud. Lui, il est assis sur une fourmilière, un bâton de dynamite dans le cul. Ça change tout, d'après moi.

Francis affecte de déguster sa pâtisserie, puis de siroter son café sous le regard furieux de Darlac qui fume en silence. Peu à peu, les clients sont partis et le patron est seul derrière son bar à faire du rangement. Darlac fulmine. Il allume une autre cigarette, suçote sa tasse de café jusqu'au jus sucré resté au fond. Il regarde sa montre, bientôt deux heures. Il se sent

225

devenir mauvais, dans le genre violent, et venimeux. Ça le submerge parfois, cette envie de faire mal à quelqu'un, de faire souffrir. Bien sûr, Francis n'est pas du genre à se laisser faire. Il est même capable d'infliger de grandes souffrances et d'en éprouver un intense plaisir. Mais bon. Darlac sent cette humeur mauvaise l'envahir peu à peu. Il a la conviction de tenir la première piste sérieuse qui le mènera à celui qu'il cherche.

Soudain, Francis se lève.

– Bon, on y va quand tu veux.

Un bar près du boulevard, sombre, presque désert à cette heure. Un poivrot accroché au comptoir parle au patron, un petit gros moustachu, qui lit le journal derrière sa caisse et marmonne de temps en temps un écho indistinct au monologue pâteux.

– On cherche Lulu, dit Francis.

La patron garde les yeux baissés sur sa page.

– Qui ça ? Lulu ?

– Oui. Lulu le Veau.

Le mec le regarde enfin. Méfiant.

– Le veau ? C'est pas une boucherie, ici. Tu t'es trompé, mon vieux.

L'ivrogne, vautré devant son verre de vin blanc, couine de rire puis s'étouffe et tousse et crache par terre, dos tourné, voûté, puis se rince le gosier en finissant son vin blanc.

– Police, fait Darlac en montrant sa carte. Il s'appelle Lucien Lavaud, on sait qu'il vient souvent écluser ici alors tu nous réponds ou je fais fermer ton boui-boui.

Le pochetron s'éloigne sur ses jambes flageolantes pour aller s'asseoir à une table. Les pieds d'une chaise grincent sur le carrelage.

– Fallait le dire tout de suite, dit le patron en repliant son journal. Si c'est la police qui le demande, alors c'est pas pareil. Et puis ça va me distraire des nouvelles qui sont pas bien bonnes. Je vous sers quelque chose ? offert par la maison.

Darlac et Francis refusent d'un même geste de la main. Le bistrotier s'accoude au comptoir, regardant autour de lui comme si on pouvait espionner ses propos.

— Je l'ai même pas aperçu de la semaine. D'habitude, le mardi, et le vendredi, il vient manger ici à midi, mais là, je l'ai pas vu depuis vendredi dernier, ça fait cinq jours. Il aurait dû passer aujourd'hui. Mais faut pas vous inquiéter, des fois il disparaît puis il revient la gueule enfarinée pour offrir sa tournée.

— On n'est pas inquiets, dit le commissaire. Tu sais où il crèche ?

— Comment je saurais ça, moi ? Du côté de la gare, c'est tout ce que je peux vous dire. Vous savez pas ça, vous, dans la police ? Un mec qui fait cinq ans de cabane et vous le perdez dans la nature ? C'est pas mon frère qu'aurait eu ce bol, pendant l'occupation : il serait encore vivant !

— Il a fait du trou ton frère ? Il faut qu'on pleure ?

— Non. Seulement Buchenwald. L'est mort là-bas début 45. Arrêté par des flics français. Peut-être vous, tiens !

L'homme a élevé peu à peu la voix. Il a roulé son journal et le serre entre ses mains et l'agite à la façon d'une matraque en direction de Darlac. Le commissaire lui tourne le dos et fait signe à Francis de le suivre puis marche vers la sortie. Au moment de sortir, tenant la poignée de la porte, il se retourne vers le bar.

— Il vaut mieux qu'il soit mort là-bas ton frère. Sinon, il ressemblerait à ça, dit-il en montrant le poivrot d'un mouvement de menton. C'était pas fait pour les faibles, les camps schleus. Mais bon, rassure-toi, c'est pas moi qui l'ai arrêté. Je courais pas après ce genre-là, je laissais ça à d'autres qui savaient s'en occuper.

Il sort en ignorant l'expression stupéfaite de l'homme et la bouche bée, trou sombre édenté, de l'ivrogne qui a levé la tête et fixe la porte refermée, la lumière grisâtre du jour de ses yeux larmoyants aux paupières gonflées.

Ils roulent chacun dans ses pensées ou perdu au milieu du roncier qui en tient lieu, la gueule à l'unisson du temps gris plombé. Ils regardent à travers les vitres la ville noyée sous le crachin. Les pavés luisent et grondent sous les roues. En dix minutes, ils arrivent devant le bar de la rue Son-Tay où le Veau a ses habitudes.

Ils le reconnaissent dès leur entrée : il est au fond, faisant face à la rue, et il lit la page des courses dans le journal, cigarette aux lèvres. Rond, large, les cheveux coupés en brosse. En bras de chemise, un gilet jacquard tendu sur son ventre proéminent. Darlac avise quatre vieux qui jouent aux cartes dans un coin, derrière la vitre. Une femme fume une blonde en vérifiant sa caisse. Elle leur dit bonjour, un œil à moitié fermé, ils ne répondent pas et se dirigent droit vers la table où est installé le Veau et s'assoient. L'homme s'est redressé, raide contre le dossier de la banquette.

– Y a pas de place ailleurs ? Qu'est-ce que vous voulez ?

– Te parler, dit le commissaire.

À nouveau, il sort sa carte et Francis l'imite. L'autre ne voit que du tricolore, n'a pas le temps de déchiffrer les noms.

– Inspecteur principal Germain, dit Darlac. Et voici l'inspecteur Gauthier.

Le Veau soupire, jette un coup d'œil désemparé vers la taulière qui n'en perd pas une derrière son comptoir.

– Et ces messieurs ils veulent consommer quelque chose ? Parce qu'ici, on consomme. On vient pas juste cirer les chaises avec son cul.

– Police, dit Francis sans se retourner. Occupe-toi du tien de cul et nous fais pas chier.

Les vieux ont cessé de jouer et surveillent du coin de l'œil ce qui va se passer.

Le Veau essaie de sourire, peut-être pour calmer les esprits.

– Je ne comprends pas, il dit. Qu'est-ce qui se passe ?

– L'autre jour où t'avais picolé, t'as ramené ta fraise à propos de l'incendie de la place Nansouty, et tu semblais en savoir long sur celui qui a fait ça. Je voudrais que tu me dises d'où tu tiens de si précieuses informations. Tu causes gentiment et on s'en va. Ni vu, ni connu, et on te laisse à tes petites affaires.

– C'est tout ?

Le Veau soupire. Il s'essuie le front du revers de la main. Darlac a saisi les bords de la table à pleines mains comme s'il allait la soulever et la balancer à travers le bar.

– Vous savez, dit le Veau d'un ton mielleux, c'est très simple, c'est un inspecteur qui m'a dit ça, et je suppose que vous en savez autant que lui. C'est pour ça que je vois pas bien ce qui…

Darlac sourit. C'est si rare que Francis l'observe avec inquiétude, regarde ses mains blanchir d'effort en se crispant sur les bords de la table.

– L'affaire est tellement grave qu'on vérifie tout, dit le commissaire. On recoupe, on reprend tous les témoignages.

– C'est l'inspecteur Mazeau, que je connais un peu. Je… Disons que je suis en relation avec lui, et qu'il me fait confiance.

– Eugène Mazeau ?

– Oui, c'est ça ! Vous le connaissez ?

– Bien sûr ! On travaille dans le même service. C'est un bon flic : la preuve, il sait lier des contacts avec des mecs précieux comme toi. Et qu'est-ce qu'il t'a dit sur ce type qui a foutu le feu ?

Le Veau se redresse, s'étonne :

– Vous devez le savoir, non, puisqu'il travaille sous vos ordres ?

– Je te l'ai dit : on vérifie tout. J'ai décidé de tout reprendre à zéro alors je récapitule, et tu fais partie des témoins importants.

L'autre pose ses mains à plat sur la table, bien droit sur sa banquette, comme s'il allait révéler un secret militaire.

– Il m'a dit comme ça que ce type on ne l'attraperait jamais, en tout cas, pas vivant. Et qu'il ne s'arrêterait pas tant qu'il n'aurait pas fini ce qu'il avait à faire. Comme qui dirait une mission qu'il accomplit. Franchement, on croirait que Mazeau le connaît, tellement il avait l'air sûr de lui.

– À ce point ?

Le Veau agite devant lui sa main potelée.

– Oui, enfin… C'est l'impression que ça m'a fait, mais vous savez comment il est l'inspecteur Mazeau : il parle beaucoup et il exagère un peu, des fois même il charrie, alors j'en prends et j'en laisse…

– C'est plus prudent, dit Darlac en se levant brusquement. En tout cas, tu viens de marquer des points. T'es un mec sérieux, on peut vraiment compter sur toi. Et tu sais, je fais pas ce genre de compliment tous les jours. Allez.

Il tend la main au Veau qui la prend mollement, une ombre d'hésitation dans le geste, puis la secoue sans quitter des yeux la gueule du flic tordue d'un rictus bizarre.

– Je vais peut-être avoir besoin de toi. Je peux savoir où te trouver ?

– Oh, je bouge pas trop en ce moment. Je donne un coup de main ici à Simone, je fais un peu la tambouille pour les habitués.

Francis s'est levé lui aussi et il s'approche du bar où Simone fume nerveusement, tout près du téléphone.

– Tu vois, c'était pas la peine de s'énerver. On a des mots, mais c'est les idées qui comptent, pas vrai ?

– Tiens, un flic philosophe, grimace la femme. En attendant, oublie pas d'ouvrir la porte avant de sortir, je voudrais pas que tu la prennes dans la gueule.

Ils rejoignent leur voiture et se jettent à l'intérieur pour échapper à la pluie.

– Alors ? fait Francis.

Darlac ne répond pas. Il regarde par la vitre la grisaille de la ville sous la pluie.

– Alors… dit-il au bout d'un moment. Alors Jeff et toi vous allez vous occuper de ce veau. Vous en faites ce que vous voulez, des escalopes, de la blanquette, je m'en fous. Mais je veux plus qu'on le voie. Ce soir. Avant qu'il ait l'occasion de parler à Mazeau. Démerdez-vous pour qu'il n'y ait pas de témoin. T'as eu des mots avec sa bonne femme, elle risque de te détroncher facilement.

– Je connais une cabane forestière vers Biscarosse où on sera tranquille. Qui c'est ce Mazeau ?

– Il a commencé sa carrière en 37, quand je suis passé inspecteur principal. Il est arrivé dans le service, c'est un peu moi qui l'ai formé. Un combinard qui a le sens de l'entourloupe. Du baratin à revendre des chaussures trouées à un cul-de-jatte.

– Ça peut être utile, d'enfumer les gus quand on est flic.

231

– Sauf que lui il remplit que les carafons. Les mecs qui en ont dans le pois chiche le voient venir de loin, avec sa gueule de curé à se taper les enfants de chœur. Pendant la guerre, il s'est planqué du bon côté au bon moment. Il sait nager entre deux eaux, comme une merde. C'est un flic lamentable : il retrouverait pas sa bite dans son slip si on lui faisait croire qu'elle a disparu, mais il sait se placer, lécher tout ce qu'il y a à lécher. Passons. Ce que je sais, c'est qu'il a rien à voir avec l'enquête sur l'incendie. Ce qui veut dire qu'il sait vraiment des choses par d'autres informateurs. Ce qui veut dire qu'il sait qui est cet enfoiré. Mazeau, c'est un homme à Laborde et ça c'est emmerdant. On marche sur des œufs, faudra la jouer en douceur, pour changer.

– Peut-être que c'est d'autres flics qui parlent et qu'il se contente de répéter ce qu'il entend.

– Non. Les hommes ne raisonnent pas. Ils ne se posent pas ce genre de questions sur la détermination de ce mec ou sur la mission qu'il accomplirait. Non… Ils sont jusqu'au cou dans l'enquête, à se farcir tous ceux qui n'ont rien vu, rien entendu… Ils pataugent tous dans ce merdier. Moi, je joue les couillons quand le lien avec moi est souligné. Ils m'ont demandé, pour Couchot, comment ça se faisait qu'après Élise on s'en prenait à un cousin. Ma fille est sous protection, même si je pense qu'il ne s'attaquera plus à elle. C'était comme une sorte d'avertissement. Et puis on va pas surveiller tous les gens que je connais ou que j'ai fréquentés par le passé. Quand j'aurai trouvé ses mobiles, j'aurai trouvé le mec. Peut-être même que je le trouverai avant ses mobiles. Et je te jure que je chercherai pas à comprendre.

Ils reviennent dans le centre-ville et Darlac récupère sa voiture et rentre chez lui suffoqué par une colère qui ne le lâche plus, emballant les battements de son cœur. Souvent, pendant le trajet, il tâte sous son veston le pistolet qu'il porte désormais en permanence et dont il aime sentir le poids à son épaule. Et souvent, il a envie de le dégainer et de le brandir à la gueule des gens, ces imbéciles gris qui se bousculent sur les trottoirs, qui s'éborgnent mutuellement avec leurs parapluies, qui s'impatientent aux arrêts d'autobus, il a envie d'agiter son arme et d'ouvrir le feu sur deux ou trois pékins et faire acte de puissance et de terreur et obliger l'autre, celui qu'il croit deviner dans son sillage, à se découvrir pour venir l'affronter face à face. Bien sûr, il congédie bien vite ces visions de western, il sait qu'on ne chasse pas les ombres avec un calibre. Il sait surtout que celle qu'il cherche autant qu'elle le poursuit ne se dissipera pas en plein soleil.

15

Ils se défont de leurs sacs et se laissent tomber à terre et restent allongés sur leurs lits, le pistolet-mitrailleur sur la poitrine ou le fusil couché près d'eux, et pendant un moment on n'entend plus que leur respiration, leurs soupirs, parmi le bourdonnement des mouches et les grincements des lits, dans la pénombre du baraquement dont personne n'a songé à refermer la porte sur la lumière blanche qui leur brûle les yeux et leur tanne le cuir depuis trois semaines.

Daniel a fermé les paupières et il écoute ce remuement fourbu. Il laisse son corps s'alourdir et la toile du pieu se tendre au point peut-être de craquer sous le poids de toute cette fatigue. Il sent sur sa peau la sueur mêlée de poussière sécher et lui faire un masque marbré, au teint terreux, comme ceux des morts qu'ils ont trouvés dès leur deuxième patrouille dans les ruines d'une mechta, deux paysans égorgés sur lesquels les tueurs avaient jeté un chien le ventre ouvert. Tous les bleus ont dégueulé et les autres se contentaient de respirer par la bouche pour ne pas se faire tordre l'estomac par la puanteur, leur foulard sur le nez, parce qu'ils ont beau dire, rigoler ensuite le soir une bière à la main, ils s'endorment aussi souvent avec cette vision de charogne et de sang noir, cette pestilence encore au fond de la gorge, qu'en compagnie du sourire de la fille qui leur écrit de temps en temps. Daniel se rappelle qu'ils ont dû reculer tous parce que les guêpes les attaquaient, dérangées dans leur festin par un caporal qu'on avait chargé de trouver sur les macchabées des papiers ou un quelconque indice pouvant les identifier et ils ont gesticulé un moment pour s'en défaire pendant que le lieutenant appelait le PC pour signaler la découverte des corps et savoir ce qu'il convenait de faire.

Il chasse cette image de cadavres mais elle ressurgit sans cesse, balle de caoutchouc lancée contre un mur qui lui revient après des rebonds fantasques dans sa mémoire et les flashs bizarres qu'elle allume à chaque choc, comme ces billards électriques qu'on voit dans les cafés. Il ouvre les yeux et fixe le plafond blanchi à la chaux, écran aveugle et muet, il touche du bout des doigts son fusil et la lunette de visée et garde sa main sur le métal tiède et regarde les autres étendus comme lui et son esprit est vide, il pense seulement à la douche qu'il va prendre, à l'odeur du savon, au contact d'une chemise propre sur ses épaules. Il pense à ces futilités, à ces détails infimes, ces sensations fugaces sur lesquelles il se replie comme en un fortin secret et inexpugnable.

Il aperçoit le sergent assis, penché en avant, son chapeau de brousse à la main, immobile, ses épaules soulevées par une respiration lente et profonde. Il secoue la tête parfois et de la sueur s'éparpille autour de son crâne ras et fait luire sa nuque et coule le long de son menton. Même lui a l'air d'accuser le coup, ce bestiau dur au mal, sec comme un nerf de bœuf, qui raconte qu'il a laissé sa graisse et sa fatigue en Indo, pompé par les moustiques, vidé par les sangsues, lessivé par la mousson et les seaux d'eau tiède qu'elle déversait sur leur gueule, là-bas, nuit et jour, comme si ce pays de merde, en se liquéfiant, allait les absorber tout vifs dans la boue où ils s'enfonçaient parfois jusqu'aux cuisses, inondés par leur propre dysenterie.

Même lui qui, après dix jours de crapahutages quotidiens et d'exercices de tir, a voulu étriller la section des nouveaux en enchaînant patrouille de nuit et ratissage d'un oued où ils n'ont fait qu'effrayer un troupeau de moutons dont le berger est resté introuvable, désorientés et stupides, peut-être revenus à l'état sauvage ces moutons, comme eux bientôt, traînant des pieds et trébuchant dans la caillasse, qui pourraient redevenir une sorte de horde nomade cherchant à massacrer quelque chose au bout de son épuisement.

Même lui, le sergent, qu'ils ont eu envie, tous, chacun à son tour, de balancer dans le ravin lors du franchissement de cette corniche qui s'effritait sous leurs pieds, les cailloux crépitant sans fin dans le précipice plus de cent mètres au-dessous d'eux. Ils ont progressé presque couchés contre la pente en s'accrochant aux touffes de végétation qui s'arrachaient au moindre faux pas. Il est passé le premier, presque en courant puis, arrivé deux cents mètres plus loin, sur du terrain stable, appuyé à un rocher, il a armé son P-M et a observé la crête de l'autre côté du vallon en leur répétant que personne n'irait chercher le connard qui roulerait dans le trou parce que ça ne valait pas le coup de se fatiguer à rapporter au camp un tas d'os déglingués.

Daniel le regarde, cet enfant de putain, Castel, il s'appelle, assis au pied de son lit, le dos courbé, laissant la sueur couler de lui sans bouger comme s'il priait, va savoir, ce type est peut-être un de ces moines soldats en croisade sur cette terre d'infidèles et de mécréants, va savoir s'il ne s'inflige pas, dans le secret de sa piaule, de grands coups de ceinturon pour expier quelque péché mortel… C'est Giovanni qui en parlait l'autre soir, des mortifications ça s'appelle, des tas de dingues mystiques font ça de par le monde, parfois en processions, pour racheter les fautes des hommes. Alors ici, dans la guerre, faute suprême, il peut se déchirer la couenne, ce con de serre-patte, tout seul dans sa carrée, se labourer le râble jusqu'à l'os, il est pas au bout. Et si ça le fait bicher, je peux y mettre du sel, dans ses lacérations, rien que pour le voir se tordre et demander après sa putain de mère.

Le soir, ils vont boire quelques bières au foyer, une trentaine ils sont là-dedans, tous ceux qui ne sont pas de garde ou de corvée ou malades ou déjà trop bourrés. La radio diffuse des chansons, Charles Trenet ou Gilbert Bécaud, que personne n'écoute vraiment à cause des cris des joueurs de cartes quand un mec réussit à pousser le petit au bout ou parce qu'un autre avait encore un atout que personne n'a compté alors ça gueule là-dedans sous une chape de fumée de cigarettes qui flotte au ras des abat-jour cabossés pendus au plafond. On se croirait presque dans n'importe quel tripot, n'étaient ces guirlandes de papier crépon tendues à travers la salle comme pour une fête de patronage laïque. Un capitaine, qui a occupé pour la première fois cette ancienne ferme abandonnée après une attaque en 56, s'est débrouillé pour récupérer des tables et des chaises, un comptoir, des abat-jour dans un mess d'officiers à Oran. Il a fait abattre les cloisons de briquettes qui constituaient les clapiers où logeaient les ouvriers agricoles. Depuis, les voilà dans plus de cent mètres carrés que les hommes se relaient pour nettoyer, entretenir et ravitailler en carburants variés.

Daniel a regardé un moment une partie de volley puis quand il a commencé à faire sombre, montagne aux versants noirs sur ciel doré, il s'est pris une bière et il est venu s'asseoir à une table où Giovanni discute ferme, à voix basse, avec Jean-André, le mitrailleur de la section. Ils sont chacun d'un côté, presque couchés sur la table, et se font face, tendus, le poing serré autour de leur canette, et se parlent au ras de la figure.

— C'est pas nous les criminels. C'est les fellouzes. T'as bien vu l'autre jour ce qu'ils font même à d'autres bicots, non ? Et tous les copains avec les couilles dans la bouche, les yeux crevés ? Ils ont besoin de faire ça ? Et c'est nous les criminels ?

— Et nous les Français ? Qu'est-ce qu'on fait de mieux depuis qu'on est là ? Les colons les exploitent et nous on vient leur faire la guerre parce qu'ils se révoltent. On fout le feu aux villages, on torture, on bombarde. Nous aussi on massacre.

— Arrête. T'as rien vu. Moi, ça fait un an que je suis dans ce merdier. Je peux t'en raconter. Toi, tu parles comme un coco et tu la ramènes parce que t'as fait des études. Ferme donc ta gueule. On en reparlera quand t'auras vu un copain tomber à côté de toi. Tu me fais chier.

Jean-André se lève et fait valser sa chaise derrière lui. Il reste debout, en sueur, sa chemise débraillée, ouverte sur sa poitrine maigre. Il s'envoie une gorgée de bière et pointe son doigt vers Giovanni, en agitant sa canette.

— Tu sais rien, pauvre con. C'est des théories, tout ça. Tu feras moins le malin un de ces jours.

À d'autres tables, on se retourne vers eux, mais dans la confusion de voix qui bavardent et de chansons gueulées par la radio, personne ne se soucie de savoir de quoi ils parlent.

— Qu'est-ce qu'il a le macaroni ? Il ramène sa gueule ? Il est pas content ? Sa mère elle sait pas lui faire cuire ses nouilles ?

Le type qui a crié ça est en train de jouer aux cartes. Il tourne le dos à Giovanni et il regarde ses copains d'un air content, la figure tordue de grimaces burlesques, et ses copains se marrent. Il s'appelle Marius Declerck, il est de Roubaix et passe pour un brave gars un peu bas de plafond qu'il ne faut quand même pas trop chatouiller quand il a éclusé ses quatre ou cinq litres de bière dans la soirée, ce qui arrive souvent.

Giovanni est debout. Daniel lui dit «Laisse tomber, c'est un connard» en le retenant par le bras. On voit les épaules du type secouées de rire mais les conversations ont baissé d'un ton et les gus à sa table se plongent dans l'étude de leurs brêmes comme si se jouait la partie de poker de l'année.

– Tu peux répéter ça?

Le type se lève aussi. Grand, large d'épaules, des bras épais et courts. Il regarde Giovanni de haut, un mauvais sourire à la bouche, à la main une bouteille vide.

Giovanni s'en fout. Il va lui sauter à la gorge et rester accroché par les dents. Il a vu des cabots nains se pendre comme ça au cou de dogues maousses et pas lâcher prise jusqu'à ce qu'on les assomme pour les décrocher.

– Moi, ce que je dis, c'est que t'es à peine français et que tu viens casser le moral des mecs. C'est ça les Ritals. Ça fout le bordel partout, t'as qu'à voir la merde que c'est chez eux, y a rien qui marche. Même les Boches ont pas pu compter sur eux. Alors je dis que tu devrais rentrer chez tes bouffeurs de spaghettis et nous laisser faire ce qu'il y a à faire ici entre Français.

Giovanni s'approche, attrape une chaise au passage. Les mecs se lèvent sans bruit. Certains laissent leur bière sur la table, d'autres la prennent avec eux et s'envoient un gorgeon comme si ça rendait plus intense la sensation. Quelqu'un a éteint la radio.

– Arrêtez, les gars. Si un sous-off arrive, vous allez vous retrouver au four.

– Ta gueule, toi. Laisse-les régler ça entre hommes.

Justement. Vrignon, le lieutenant, fait son entrée avec un caporal.

– Je préfère pas savoir ce que vous foutez, mais vous arrêtez immédiatement vos conneries. Bien reçu ?

On se rassoit. Raclement de chaises. Radio rallumée aussitôt. « *J'attendrai toujours ton retour...* » Les grésillements tuent le vibrato, mais tout le monde s'en fout, ça détend l'atmosphère.

Le géant s'est remis à sa partie de cartes. Giovanni tremble. Daniel lui demande si ça va mais il demeure silencieux, le regard planté dans le bois de la table comme si c'était un couteau. Puis il se lève et marche vers l'autre. Les gus qui jouent avec lui s'interrompent, lèvent vers Giovanni des yeux ronds. L'un d'eux recule un peu sa chaise.

Giovanni s'est penché vers lui et lui parle presque à l'oreille. À l'autre bout de la salle, le lieutenant, accoudé au comptoir, tend le cou vers eux. L'autre reste immobile, les yeux vagues, ses cartes en pogne.

– Fais bien attention à toi, mon pote. J'aurai ta gueule, tôt ou tard. Y en a d'autres, depuis que je suis tout gamin, et des plus mastards que toi, qu'ont morflé pour savoir qu'on raconte pas ce genre de saloperies. T'as compris, *Komrad* ? Tu piges mieux l'allemand, peut-être ?

– Va chier, dit l'hercule. T'as intérêt à faire ça un jour que je dors, attaché sur mon page. Et maintenant, casse-toi. T'as du bol que le lieut' soit là.

Giovanni pose sa main sur son épaule et aussitôt il ressent le tressaillement du type, toute sa répulsion qui frémit sous la peau.

– Moi aussi, je t'aime.

Il s'éloigne et revient s'asseoir auprès de Daniel. Il sourit.

– Qu'est-ce que tu lui as dit?

– Rien.

Il sourit toujours. Ses yeux se plissent et il regarde Daniel de façon énigmatique. Il prend sa bouteille et la lève vers lui.

– À la tienne, mon copain. Vive la sociale.

Ils trinquent. La bière est déjà tiède mais ils s'en fichent. Deux autres types s'approchent. Deux Parigots. Olivier et Gérard. Ils trinquent avec eux.

– T'as des couilles, Zacco. Il t'aurait cassé en deux, le Marius. C'est un vrai dingue quand il a picolé. Ils ont dû le muter ici parce qu'il s'est un peu emporté et qu'il a failli tuer un mec à coups de pied, en Kabylie.

– Comment vous savez ça, vous?

– C'est le caporal, tu sais, Carlin, le petit? C'est un bon mec. On était de garde l'autre nuit, il m'a un peu dit.

– De toute façon, à la guerre, les tarés se régalent, dit Giovanni. Autorisation de porter une arme et de s'en servir, permis de tuer… y a plein de mecs qui se vautrent là-dedans comme des gorets dans leur boue.

– Qu'est-ce qu'on peut y faire? demande Gérard. Peut-être que les humains sont des salauds qui s'ignorent.

– Pas tous quand même, dit Giovanni.

Ils se taisent tous les quatre, acquiescent en silence, couvrant d'un regard vide la salle où les bidasses tuent le temps, la nuque rase, débraillés et suant trop de bière, avec leurs figures de gamins ou leurs gueules d'ahuris.

– Ouais, fait Daniel. Peut-être pas tous, mais un bon paquet. Allez, je vais faire un tour, j'en ai marre de toutes ces gueules de cons.

Il se lève et sort dans la cour, une bouteille à la main, et dès que la porte du foyer s'est refermée les éclats de voix et les rires sont dissipés par le vent frais qui erre dans la montagne et fait claquer le drapeau en haut de son mat. Il passe près du mirador, planté au milieu du camp, et donne le mot de passe juste pour emmerder le type qui est de garde, à moitié endormi sur sa mitrailleuse, et qui lui répond d'aller se faire foutre, espèce de con, j'aimerais t'y voir, merde. Daniel s'éloigne et la sentinelle continue de dévider son chapelet d'injures, sa voix étouffée par le rempart de sacs de sable. C'est un Breton qui a dû laisser son père et son oncle sur leur bateau à Audierne pour venir faire le con ici, Le Goff, il s'appelle, Yvon pour les intimes, et il dit que tout lui manque, la mer, le vent, la pluie, et il répète à qui veut l'entendre qu'un jour pro-chain il se barrera de ce foutoir, rien à branler du FLN, des katibas et de l'état-major, rien à foutre de rien ici, qu'ils crèvent tous, lui tout ce qu'il veut c'est être sur le bateau et rapporter du poisson et escalader des vagues hautes comme des maisons, plonger dans des creux où il fait presque nuit, et c'est marre. Il raconte ça pendant les marches, au moment des pauses, et les gus fatigués qui l'écoutent regardent autour d'eux le ciel délavé par la lumière, les collines pelées, les bos-quets étiques, les chemins tracés par des siècles d'usage qu'ils sont seuls désormais à parcourir dans le cliquetis de leur chargement et ils ont de la peine à imaginer qu'en mer la nuit puisse tomber soudain entre deux montagnes d'eau sous un ciel fermé. Gio-vanni, une fois, s'est mis à réciter un poème de Victor Hugo.

« L'homme est en mer. Depuis l'enfance matelot,
Il livre au hasard sombre une rude bataille.
Pluie ou bourrasque, il faut qu'il sorte, il faut qu'il
aille… »

Les mecs étaient sciés qu'on puisse connaître comme ça tous ces mots et qu'on ait l'idée de les dire là, sous un chêne vert, les armes sur les genoux, le dos inondé de sueur sous les sacs. Le Breton l'avait écouté sans rien dire, les yeux baissés, puis l'avait remercié. Avait dit que c'était bien ça, putain. Victor Hugo avait dû s'en manger du gros temps pour en parler comme ça.

Daniel s'enfonce dans l'obscurité en contournant le corps de ferme où sont les cantonnements des sous-offs et du lieutenant et il marche dans un jardin à l'abandon où fleurissent quelques rosiers que personne ne prend le temps de tailler. Il sent dans ses muscles courbatus le sol s'élever lentement et il parvient à un muret surmonté de barbelés qui protège cet éperon de verdure dressé à pic, d'une trentaine de mètres, au-dessus d'un petit canyon.

Pas de lune. Seulement quelques étoiles piquées dans le ciel brumeux où elles se fondent par moments. Seulement la nuit si obscure qu'il se demande comment tant de soleil peut écraser cette terre. Il y a près de lui un banc de jardin en fer forgé qu'on a traîné là et qui devient bancal dès qu'on s'assoit dessus.

Mais rien ne bouge quand il se laisse aller contre le dossier.

– Qu'est-ce que tu fous là ?

Il saute sur ses pieds et trébuche contre une pierre, et une main le rattrape par l'épaule de sa chemise. C'est Castel, le sergent.

– Assois-toi, tu paieras pas plus cher.

Sa figure s'éclaire à la lueur du briquet. Il lui tend un paquet de cigarettes.

– On peut fumer ici ?

– Ça risque rien. On est protégés par les rochers. Et puis tu crois qu'ils vont embusquer un tireur en pleine nuit pour allumer deux gus qui fument ?

Daniel prend une cigarette. L'autre la lui allume.

– Alors ? dit Castel.

– Vous m'avez fait peur.

Daniel tire sur sa cigarette. Goût blond, sucré.

– Je t'ai pas fait peur. Je t'ai surpris. C'est pas pareil. La peur, c'est pas ça. Tu sais pas ce que c'est.

Voix pâteuse, traînante. On l'entend souffler la fumée par les narines.

– Comment vous pouvez dire ça ? Vous ne me connaissez pas.

– Mais si. Je te connais plus que tu crois. Trois semaines que je te vois en chier… Je connais de toi des choses que tu ignores.

– Vous êtes une espèce de grand sorcier, c'est ça ? Vous lisez dans les âmes ?

– Non. Sur vos gueules. Et vos pieds. Comment vous marchez, comment vous regardez autour de vous. Comment vous tenez vos armes et comment vous tirez. J'ai tellement vu de mecs mourir que je sais regarder ceux qui sont vivants.

– Vous êtes sûrement un philosophe.

Daniel sent les doigts de Castel serrer sa nuque et ses yeux s'étoilent de lueurs rouges. Ce type va lui broyer le cou.

– Te fous pas de ma gueule. Je peux te tuer, là, comme ça, si je veux.

Il oblige Daniel à se courber puis le lâche soudain. Daniel bondit sur ses pieds. Il ne distingue de l'homme assis qu'une masse informe.

– Assois-toi, ducon. Bien sûr que je vais pas te tuer. Y a des fellouzes pour ça. Et ta connerie dès que ça deviendra chaud.

Ricanement bref. Toux sèche.

– Je suis pas philosophe, non. Peut-être trop bourrin pour ça… Je suis juste un soldat, le genre qu'on envoie depuis toujours se faire larder la viande pour que des

244

philosophes puissent lui chier dessus sans bouger de leur chaise percée. Pour qu'ils puissent continuer de le faire. Comme au Moyen Âge. Y a ceux qui prient et ceux qui se battent.

– Vous priez jamais, vous ?

– Prier qui ? Tu connais quelqu'un, toi ?

On entend la rumeur du vent dans le vallon, sous eux. Castel allume une autre cigarette. Il racle des pieds le sol devant lui, comme agacé.

– Y a rien ni personne, putain. La vie, la mort. Après, on n'est plus qu'une charogne comme ces deux Arabes qu'on a trouvés l'autre jour. Tu te rappelles comme ils puaient, ces deux tas de merde ? Y a ça et puis plus rien, voilà. Tous pareils. Viets, Françouzes, fells… Tu gonfles, tu pues, tu coules et c'est tout.

Il se lève. Le banc prend de la gîte. Daniel aperçoit la silhouette du sergent au-dessus de lui.

– Allez. Je vais me rincer la gueule et pioncer. Demain, cinq heures. Y a du passage dans le secteur, il faut qu'on trouve ces fils de putes. On verra ce que je te disais pour la peur, parce que ça sera pas un parcours de santé pour traîner votre cul comme on a fait jusqu'à présent. On monte une embuscade. Avec un peu de pot, on va en casser pour de bon. Merde. On va se les faire.

Il s'éloigne en traînant des pieds dans les cailloux, murmurant des paroles confuses. Daniel se demande quelle heure il est. Pas encore dix heures, puisqu'on n'a pas sonné l'extinction des feux.

Il repense à ce que Castel a dit sur la peur. Il repense au froid qu'il faisait ce jour-là et au jour qui s'était levé si lentement qu'il avait fait des prières à un bon dieu quelconque pour qu'un peu de soleil vienne enfin. Il avait vu, dans les premières lueurs de l'aube, des oiseaux tout ébouriffés venir sautiller sur les tuiles près de lui, guettant ce petit géant posé là de leurs yeux minuscules, et il s'était amusé à leur jeter quelques miettes du pain que sa mère lui avait laissé dans un sac en papier. Il leur avait parlé et il lui semblait qu'ils l'écoutaient, qu'ils partaient et revenaient pour voir s'il était toujours là. Il leur avait fait des prières, plusieurs fois, pour leur demander d'aller voir où étaient papa et maman et de les lui ramener, et de leur dire qu'il avait froid et envie de faire pipi. Il avait murmuré pour lui tout seul des demandes insensées, il avait attendu l'apparition d'un bon génie qui serait sorti de la cheminée, il avait espéré la matérialisation de son vœu dès les derniers mots prononcés, comme dans les histoires que sa mère lui racontait le soir. Mais rien ne s'était produit, bien sûr. Il se rappelle avoir mangé le bout de pain et le cervelas que son père lui avait donnés. Il se rappelle le goût fort d'ail, pâteux. Il n'a jamais pu en remanger depuis.

Le soir, à la nuit tombée, la lucarne s'était ouverte et il avait vu cette tête d'homme coiffée d'un béret, creusée d'ombre par la lumière du couloir qui lui faisait un masque effrayant. Il avait tressailli et gémi à cette apparition avant de reconnaître Maurice et de ramper vers lui, étourdi de frayeur, engourdi par le froid.

La peur. Celle qui l'avait secoué en entendant ces pas et ces cris dans l'escalier. La peur de maman, qui s'est mise à gémir et à pleurer. Elle l'a pris dans ses bras et l'a serré contre elle et l'a couvert de baisers, étouffé de ses cheveux noirs, mouillé de ses larmes. Mon tout-petit. Mon amour. La peur des coups frappés à la porte qu'il prenait en pleine tête. *« Police, ouvrez ! »*

On va revenir. Attends-nous. Reste près de la cheminée. Fais bien attention. Sois mignon. Je t'aime. Maman et moi on t'aime très fort, d'accord ? Fais bien attention. Attends sagement. Son père avait refermé la trappe dans le toit. Son père. Revenu à la maison une semaine plus tôt, comme il faisait souvent, après des jours sans rentrer. Il réapparaissait parfois, les mains pleines d'argent et de tickets de rationnement. Souriant, blagueur. Il chantait tout le temps. Et maman se mettait alors à chanter avec lui. Elle ne cessait de l'attendre. Il la voyait guetter la rue derrière la vitre.

Il essaie de se rappeler le visage de son père. Il se souvient de sa voix, de ses chansons à tue-tête. Mais aucun trait, pas même un regard, ne se dessine.

Papa l'avait serré fort contre lui, baisé dans les cheveux, puis avait refermé la trappe.

Des portières avaient claqué dans la rue, des gens avaient crié. Les flics lançaient parfois des coups de sifflet. Ensuite, il y avait eu un grand silence.

– Daniel ?

Il tressaille. Pendant une demi-seconde, il ne sait plus d'où ni de quand vient cette voix. Si loin d'ici. Les souvenirs s'accrochent. Ne pouvant se retenir, il avait fait pipi sur les tuiles. Ça avait coulé jusqu'à la gouttière.

– Ouais. Je suis là.

Giovanni. Il marche avec précaution en soufflant fort.

– Putain, je crois que j'ai trop picolé. Les Parigots ont régalé. C'est des mecs bien.

Il s'assoit. Le banc tangue un peu puis se stabilise. Daniel ravale son envie de chialer.

– Qu'est-ce que tu fous là tout seul dans le noir ?

– Rien. Je réfléchissais.

– Pas bon, ça.

– J'ai parlé avec Castel. Il était bourré. Il m'a dit qu'on partait en embuscade demain matin.

Giovanni souffle.

– Fallait bien que ça arrive. Merde. On est dans la nasse.

– Il dit que des fells ont été signalés dans le coin.

Ils se taisent. La nuit vient fraîchir sur eux. Daniel frotte ses mains froides l'une contre l'autre. Il demande à Giovanni :

– T'as peur, toi ?

– Oui, j'ai peur. Tout le temps. J'ai l'impression que tout me menace. Et pas seulement de crever ici.

– De quoi d'autre ?

Giovanni soupire. Bouge sur le banc et le fait tanguer un peu.

– Je sais pas encore. Si on en sort entiers, je sais pas dans quel état on sera. T'as vu les autres ? Ceux qui sont là depuis quelques mois ? Tu les as entendus ?

– Demain, on va faire la guerre, Zacco.

– *Ils* vont faire la guerre. Moi, je tire pas sur les maquisards algériens.

– Ah bon ? Et toi tu vas marcher vers eux souriant en leur montrant ta carte du Parti pour qu'ils tirent en l'air parce que t'es du côté des gentils ? T'as vu où on est ? Comme tu disais, t'as vu la réaction des autres quand on leur parle, quand on essaie de leur faire comprendre ? T'as vu tout à l'heure ce connard qui t'a insulté ? Putain ça aussi c'est le peuple. Et il faut faire avec. Et puis comment on s'en sort si on nous tire dessus, si des mecs sont blessés ou pire à côté de nous ? On se met à gueuler « Halte au feu camarades, paix en Algérie » ?

– Et toi, tu feras quoi quand tu verras quelqu'un en gros plan dans ta lunette ? Ça sera pas du cinéma, pas vrai ? T'es le tireur de la section, mon pote. T'en rates pas une à 200 mètres, mais c'est du carton ou des boîtes de singe. Quand ce sera un fell, un mec de chair et de sang, t'auras intérêt à pas le rater parce que Castel et le lieut', eux, ils te rateront pas, ils sauront que t'as fait exprès de la mettre à côté.

Ils se taisent. Comme ils ne se voient pas, dans cette

nuit sans lune, face au djebel tenu par le silence, ils ne sont que voix et souffle, immobiles dans l'air froid qui tourne maintenant autour d'eux et laisse traîner ses mains gelées dans leur cou.

— Merde, je sais plus, dit Giovanni au bout d'un moment. J'ai trop picolé. J'ai pas l'habitude. Je me sens perdu.

Le vent fait grelotter des feuilles sèches dans l'arbre au-dessus d'eux. Ils lèvent les yeux vers ce frisson invisible.

— *C'était un temps déraisonnable / On avait mis les morts à table / On faisait des châteaux de sable / On prenait les loups pour des chiens / Tout changeait de pôle et d'épaule / La pièce était-elle ou non drôle / Moi si j'y tenais mal mon rôle / C'était de n'y comprendre rien.* C'est d'Aragon. Je ne sais pas quoi te dire d'autre.

— Tu fais chier avec ta poésie.

— Je sais. Mais j'ai que ça pour essayer de réfléchir.

Giovanni se lève et soupire et reste un moment debout à fumer. Il souffle bruyamment après chaque bouffée. Il jure à voix basse puis écrase son mégot sous sa chaussure.

— Je vais essayer de pioncer. À demain.

Daniel l'écoute s'éloigner, trébuchant dans la pier-raille. La poésie. Comme si c'était le moment, et le lieu. Il pense à Irène et à sa manie d'en réciter tout le temps, elle aussi. Ils iraient bien ensemble, les deux cocos : ils se diraient leurs récitations en vendant l'*Humanité*, ce serait mignon comme tout. Irène et Giovanni. Qu'est-ce que je raconte. Irène. Irène.

Il s'aperçoit qu'il murmure son nom. Et le vent lui apporte une odeur de thym et de poussière et lui jette sur les épaules un long frisson dont il s'ébroue comme un chien.

La nuit encore autour d'eux. Profonde, creusée d'un silence abyssal, ouverte autour des phares des GMC, du fracas des moteurs et des éclats de voix comme la gueule d'un monstre hésitant à gober une proie toxique. Pas une étoile, rien que la noirceur insondable de l'univers au-dessus du remue-ménage de la section en train d'embarquer. Au ras du sol, la poussière rampe déjà puis assèche leurs bouches déjà pâteuses d'un mauvais sommeil et de trop d'alcool, trahie par les faisceaux lumineux des véhicules. Les hommes s'aident à grimper à bord des camions et s'installent sur les bancs qui leur meurtrissent déjà le dos, encore à l'arrêt. Comme ils sont serrés, ils tiennent leurs armes entre leurs jambes, chargeur en place, cran de sûreté verrouillé. Devant eux, leurs sacs, surmontés de leurs casques. Tête nue, c'est une fois sur les plateaux des camions qu'ils ressentent le froid, alors certains fouillent dans leurs poches pour trouver leur calot et réchauffer un peu leur boule à zéro.

Sur la piste, les camions sont à quarante, peut-être cinquante à l'heure, et les hommes bondissent de leur siège et leurs vertèbres roulent contre le dossier et ils sont jetés les uns contre les autres par les cahots et les sauts qu'effectuent les camions en franchissant les ornières et les crevasses. Ils gueulent tous et demandent aux chauffeurs de ralentir et donnent contre la cabine des coups de pied et des coups de crosse mais rien n'y fait, ils les traitent de fils de pute et les autres les envoient se faire foutre si bien qu'au bout de quelques kilomètres ils se contentent de se tasser sur eux-mêmes en position fœtale, les bras croisés sur les genoux, le cul mâché et le dos en compote, déjà moulus avant d'avoir fait leurs premiers pas en mission.

C'est à dix kilomètres de leur cantonnement un col par où passent des armes à dos d'hommes ou de mulets et aussi de petits groupes de fellaghas qui viennent se ravitailler la nuit dans des mechtas situées aux limites de la zone interdite. Ils progresseront par les crêtes pour contrôler le versant nord. Le sud sera pris par la section du capitaine Laurent.

Le lieutenant Vrignon, blafard dans la vague lueur jetée par l'aube, leur a expliqué tout ça bien droit et raide, campé jambes écartées sur le chemin qu'ils devront prendre tout à l'heure, indifférent au vent de glace qui balaie le promontoire où les camions se sont arrêtés. Les mecs sont restés tassés contre les véhicules pour s'abriter autant que possible de ce blizzard algérien et ils ont tous remarqué le hochement de tête approbateur, la mimique respectueuse du sergent Castel quand l'autre a prononcé ce nom et ce grade, capitaine Laurent.

Au-dessus d'eux, les étoiles s'éteignaient. Pendant que Vrignon continuait son laïus, ils ne bronchaient pas malgré le froid, la tête enfoncée dans les épaules, leurs grands foulards de coton enroulés jusqu'au menton, et ils réprimaient les tremblements de tout leur corps, les muscles pétrifiés, en piétinant sur place.

Quand le sergent leur a ordonné de se mettre en marche, c'est presque avec plaisir que Daniel a hissé sur son dos le sac d'au moins vingt kilos et qu'il a aidé Giovanni à s'équiper parce qu'on lui a refilé deux musettes pleines de chargeurs pour le F-M. Ils ont marché d'un bon pas pendant une heure avec dans les jambes une froidure qui montait des pierres, le soleil levant dans le dos, à la poursuite de leurs ombres démesurées et tordues.

Ils sont une quarantaine et ne disent rien et regardent le plus souvent la trace du chemin ou les pieds de celui qui les précède. Tout à l'heure, Daniel a vu flamber sous le feu doré du petit matin les falaises vers lesquelles ils marchent. Cueillis par la lumière rasante, même les cailloux s'allumaient, morceaux de braise qu'aurait soufflés le vent. À présent, dans un éblouissement blanc, il sent sourdre la sueur de chaque pore de sa peau, et ruisseler puis sécher comme un oued qui se perd dans le sable. Il sent sur ses lèvres son goût salé, dans ses yeux la brûlure qu'il essaie de calmer en se frottant les paupières du revers de la main avec ce même geste qu'ont les enfants quand ils s'endorment.

Ils profitent de ce que le chemin descend dans une vaste cuvette où luisent quelques buissons verdoyants et une herbe drue pour allumer des cigarettes, se faire passer des paquets de tabac ou du feu et ils se parlent pour la première fois depuis deux heures mais ce qu'ils se disent tient en une vingtaine de mots, jurons compris, plus quelques insultes proférées sans conviction, sans conséquence. Leur colonne de murmures et de rires étouffés s'étire sur plus d'une centaine de mètres alors qu'ils foulent à présent un gazon ras piqué de fleurs bleues puis ils entendent tous la même chose au même moment : des types qui parlent arabe. Et tous ils voient, sur la ligne de crête de l'autre côté du cratère de verdure, la silhouette de deux chèvres. Ils s'accroupissent d'un même mouvement, le doigt sur la détente de leurs armes. Le sergent envoie un caporal faire le tour sur la gauche avec dix voltigeurs qui laissent leurs sacs sur place pour cavaler plus vite. Ils courent sur le flanc de la cuvette et on n'entend que le bruit de leurs pas assourdis par le sol vert et tendu comme une bâche. Deux éclaireurs basculent derrière un talus, les autres continuent à progresser sur la pente, courbés en deux.

Les chèvres s'alignent toujours plus nombreuses sur la crête et ne bougent plus et regardent les soldats en mâchouillant ce qu'elles ont dans la bouche. Cet alignement en contre-jour Daniel l'a vu souvent au cinéma quand des cavaliers apaches se rangent au sommet d'une colline avant d'attaquer une longue file de chariots ou une section de cavalerie. Il prend son fusil Garand[1] de l'étui, dégage la lunette de visée, et y colle son œil.

Giovanni pose une main sur son bras.

– Qu'est-ce que tu fais ?

– Rien. Je regarde.

– Et qu'est-ce que tu vois ?

– Ces cons de chèvres.

Un frisson métallique parcourt la colonne d'hommes à l'affût. L'imperceptible cliquetis des boucles de bretelle quand ils épaulent. La pression plus forte sur les crosses, les poignées, les queues de détente.

Deux hommes avancent là-bas, mains sur la tête, au milieu du troupeau qui commence à descendre vers le fond de la cuvette. Un vieux et un gamin grand et maigre, d'après ce que Daniel peut voir à travers son viseur. Chacun porte un bâton, une besace en bandoulière. Les deux éclaireurs arrivent derrière eux et les jettent au sol à coups de crosse, les maintiennent couchés à plat ventre un pied sur la nuque. La voltige les entoure. Leurs besaces sont vidées par terre, ce qu'elles contiennent est éparpillé d'un coup de pied ou écrasé sous un talon. Les chèvres se dispersent en bêlant et en profitent pour cavaler dans l'herbe et trouvent entre les mottes de petits joncs des affleurements d'eau qui clapotent et chuintent sous leurs sabots.

Le lieutenant envoie Daniel et Giovanni vers l'ouest comme guetteurs. Il crie aux autres de rester sur la hauteur, sauf trois à qui il demande de se poster avec

---

1. Garand : fusil de fabrication américaine, équipé d'une lunette de visée, parfois utilisé par les tireurs de précision pendant la guerre d'Algérie.

un F-M au sommet du raidillon qu'escalade le chemin. Ensuite il s'assoit sur un rocher et décroche le combiné de la radio, le dos tourné à la troupe pour parler, comme s'il s'agissait d'une communication privée.

Daniel et Giovanni grimpent sur un gros rocher qui surplombe le trou de verdure. D'ici, ils embrassent toute la vallée d'où la section est montée, une houle figée de collines et de crêtes. Le ciel blanchit peu à peu, la lumière leur écrase les paupières et ils scrutent les quelques arbustes qu'un hasard têtu a fait pousser par places mais trop éloignés, trop dispersés pour cacher un groupe de fells ou une attaque imminente. Daniel se plaît à imaginer des silhouettes d'animaux ou d'hommes qu'il traque ensuite avec ses jumelles, et déjoue les pièges capricieux de la lumière et des ombres. Il entend derrière lui la voix de Castel, traînante, éraillée, qui interroge les deux bergers alors il se retourne et voit les deux pauvres diables à genou, les mains toujours sur la tête. Ils lèvent les yeux pour regarder tous ces soldats debout autour d'eux, leurs armes vaguement braquées sur eux ou bien à l'épaule et qui fument ou boivent à leur gourde. Puis Castel se met à gueuler. Il frappe du plat de la main le vieux sur le haut du crâne, comme ça, pas très fort mais on entend le claquement sec que ça produit et l'homme se courbe puis se redresse en protégeant son visage de ses mains.

– Ils sont passés quand ? hurle le sergent. Tu les as forcément vus !

L'homme secoue la tête, agite ses mains, il dit qu'il n'a vu personne, qu'il est sorti ce matin avec ses chèvres et son fils, il dit ayez pitié, il dit encore des choses dans sa langue d'une voix étranglée. Le garçon demande qu'on les laisse tranquilles mais un coup de pied le fait basculer de côté et il se remet aussitôt droit sur ses genoux en vacillant un peu et garde la tête baissée, remuant ses lèvres sans qu'on entende rien de sa prière, peut-être, ou de sa malédiction silencieuse.

– Regarde ! dit Castel au vieux. Regarde, saloperie !

Il sort son pistolet, fait coulisser la culasse et colle le canon sur la tempe du garçon.

Giovanni accroche Daniel par la manche de son treillis.

– Parle ou je lui éclate la tête ! parle, fils de pute ! Et de toute façon ça fera un putain de rebelle de moins parce qu'ils vont venir te le prendre, ton bâtard !

Le vieux redit qu'il ne sait rien, qu'il n'a rien vu, qu'il est juste venu ici pour faire boire et manger son troupeau, s'il vous plaît, laissez-nous. Le garçon tremble et tressaille et il geint, les yeux fous de terreur.

Giovanni s'est levé. Il ferme son poing sur le levier d'armement de son fusil.

– Ne dis rien, ne bouge pas, murmure Daniel. Laisse-les. Ils vont se calmer.

– Ils vont pas tuer ce mec, c'est pas possible ! s'étrangle Giovanni.

Le sergent fait un signe à un soldat. Le mec arme son P-M et lâche une rafale en direction du troupeau. Il y va de bon cœur. Il passe peut-être la moitié d'un chargeur. Les chèvres sautent dans tous les sens ou s'effondrent ou bien fuient en boitant pour aller rouler dans la pente et elles poussent des cris d'enfants, des exclamations de vieilles femmes et l'on croirait, à les entendre, un troupeau humain fusillé. Il y en a deux qui se traînent sur leurs pattes avant, trois couchées sur le flanc, agitées de soubresauts. Les autres essaient de gravir les flancs du cratère herbeux mais les hommes se sont levés et les rabattent vers le fond à coups de pied et à grands cris, écroulés de rire, puis ils se montrent les éclopées qui rampent et braient et ils rient de plus belle. Le lieutenant Vrignon, qui s'est retourné

255

en entendant la rafale partir, regarde sans comprendre. Il raccroche son téléphone, prend son P-M et court vers le sergent et les deux Arabes, qui à présent se tiennent la tête et pleurent, et il se tord les pieds dans les ornières et butte parfois contre les grosses touffes d'herbe grasse.

Il s'accroupit auprès des deux hommes et les oblige à le regarder en leur soulevant le menton du canon de son arme et lui aussi il leur aboie au visage et il les gifle du revers de la main pendant que Castel les tient par les cheveux.

L'interrogatoire dure encore cinq minutes. Castel et deux troufions foutent le jeune garçon à poil et l'obligent à se tenir debout, mains sur la tête, et les deux soldats agacent son sexe de la pointe de leur poignard et lui disent que même une truie ne voudrait pas de cette viande molle. Ils balancent le vieux par les cheveux au milieu de ses chèvres et le soldat qui a fait ça se frotte les mains en couinant de dégoût parce qu'une mèche lui est restée entre les doigts, blanche, broussailleuse et sèche comme un paquet d'étoupe, collée par la sueur.

Quelques hommes se marrent. D'autres affectent de regarder ailleurs.

Puis le lieutenant siffle comme s'il appelait un chien et les hommes tournent les yeux vers lui et répondent au signe qu'il fait en reformant la colonne sur le chemin.

Les deux bergers sont assis, le visage dans les mains. Le garçon s'est rhabillé en hâte et serre autour de lui ses hardes en grelottant. Les bêtes qui leur restent sont revenues près d'eux et broutent ou les sentent ou les poussent du museau avec des bêlements.

Daniel redescend du promontoire où ils montaient la garde et derrière lui il entend Giovanni proférer à voix basse des injures et des menaces contre les sous-offs, l'armée, cette salope de guerre.

– Et nous on laisse faire, putain, tu le crois ça ? Ils auraient pu tuer ces deux mecs et nous on aurait dit quoi ?

Daniel ne répond pas. Il ne sait pas quoi répondre. Il s'occupe à ranger son fusil dans sa housse puis allume une clope, en offre une à Giovanni.

– Je sais pas ce qu'on peut faire. Peut-être rien. Parce qu'à la guerre on n'est plus libre de rien. On n'est même plus soi-même.

– Merde, si, regarde-toi, regarde-nous, on est comme avant, avec les mêmes idées, les mêmes réactions, non ?

Daniel soutient son regard très noir, immense, brillant. Il aimerait pouvoir penser comme Giovanni. Il aimerait pouvoir penser, simplement.

– Je sais pas, merde. J'en sais rien.

Le copain jette sa cigarette, charge son sac, s'emmêle dans les courroies avec son fusil. Il a le geste de tout balancer mais Daniel l'aide à soulever son barda. Autour d'eux, les hommes soufflent et soupirent en hissant leur chargement. Aucun ne regarde le vieil homme et son fils en train de récupérer autour d'eux le contenu de leurs sacs renversés par les soldats. Un bout de pain, quelques dattes, des miettes de fromage. Dans l'air transparent, sous un ciel d'un bleu dense et profond, la lumière traque et découpe chaque détail comme la pointe d'un scalpel. Peut-être que personne ne peut regarder cela sans douleur.

Ils se remettent en marche et la chaleur les fait taire et la fatigue leur monte dans les jambes et rend leur pas lourd et traînant. Le chemin grimpe sans cesse, doucement, et sournoisement les soumet à sa loi.

Ils font quelques heures plus tard une pause à l'ombre d'un bosquet de chênes verts et bouffent leur singe à même la boîte, des rondelles de saucisson avec du pain caoutchouteux. Ils boivent parcimonieusement l'eau de leurs bidons et font claquer leur langue peut-être pour se débarrasser la bouche du goût saumâtre ou métallique qui imprègne leurs muqueuses. Le sergent est le seul à être resté debout, la bretelle de son P-M en travers du torse, l'arme dans le dos, il dit que s'asseoir ça casse les pattes, et il va d'un groupe à l'autre en demandant si ça va, il conseille aux hommes d'économiser la flotte parce que dans ce pays de sable et de poussière l'eau n'est qu'une idée vague, c'est comme un métal précieux que la Terre cache dans ses profondeurs. Pas comme en Indo, il ajoute, où on moisissait dans l'humidité en deux jours comme un vieux bout de pain et où il suffisait de tenir cinq minutes sa gourde à la pointe d'une feuille géante pour la remplir.

Des gus lui offrent du sauciflard ou du chocolat et il refuse avec dédain et se contente de puiser dans sa poche des fruits secs et des graines qu'il gobe à pleines poignées. On dit que personne ne l'a jamais vu manger quelque chose de plus consistant pendant les marches et les patrouilles. Qu'il n'a jamais soif, qu'une gorgée de flotte lui suffit quand un troufion vide un bidon, qu'il carbure à l'économie parce qu'il ne trimbale sur lui que de la charge utile : muscles et nerfs, armement minimum plus une grenade qu'il garde pour lui si un jour les fells le prennent, pour lui et pour l'abruti qui s'approchera triomphant en croyant tenir un prisonnier. On dit aussi qu'il fait venir des bouteilles de gin par l'estafette du bataillon et qu'il coupe ça avec un fond de limonade pour donner du goût et qu'il picole tout seul dans sa thurne, une ancienne étable à cochons que les premiers occupants du poste, en 56, ont nettoyée au lance-flammes puis blanchie à la chaux. Ceux qui y sont entrés parlent d'un lit de toile, d'une table et d'une chaise, d'une cuvette posée sur un trépied devant un miroir et une étagère en bois. Des armes suspendues à des crochets fixés dans le mur. Rien d'autre. Ah si. Des photos de Chinetoques avec leurs putains de chapeaux à pente douce. Et puis des paysages avec encore des Chinetoques ou des Viets, on sait pas trop, qui marnent courbés au-dessus de l'eau d'une rizière.

Voilà ce qu'on dit du sergent Castel. Derrière lui et de loin.

Personne n'entend vraiment les claquements secs qui retentissent au-dessus d'eux. Castel se jette au sol, le lieutenant gueule «À terre ! à terre !» et Daniel voit Declerck, poussé en avant comme d'un coup de pied, tomber tête la première dans la poussière puis se tordre sur le dos en se tenant la gorge pour empêcher le sang de pisser mais entre ses doigts qui s'affolent l'hémorragie ne tarit pas, et le géant du Nord se débat en gémissant et rue et roule sur lui-même comme s'il voulait se débarrasser d'un agresseur grimpé sur lui. Giovanni rampe jusqu'à lui et compresse de son foulard sale la gorge déchirée en lui disant que ça va aller, t'inquiète, il faut juste appuyer dessus pour que ça s'arrête.

Au-dessus d'eux ça bourdonne dans les feuilles qui s'arrachent et tombent sur les hommes en confettis. Les arbres mordus aux branches miaulent. Daniel regarde autour de lui les mecs cloués au sol, sur le point de s'y enfouir comme des insectes dans du sable pour éviter les balles qui les cherchent et ne trouvent que du rocher ou s'enfoncent dans la terre en soulevant de petits nuages de poussière. Giovanni est toujours couché près de Declerck, la main appuyée sur son cou, le foulard trempé de sang entre les doigts mais le blessé ne bouge plus et gît sur le dos, les yeux et la bouche ouverte, les doigts crispés, enfoncés dans la terre.

Les tirs cessent brusquement. Des têtes se relèvent. Vrignon, le lieutenant, rajuste son chapeau et rejoint Castel. Les deux caporaux rassemblent les hommes en louvoyant, courbés, entre les sacs et les armes jetés au sol. Quelques-uns détournent les yeux du cadavre de Declerck, d'autres ne peuvent en détacher leur regard. Stupéfaits. Tout ce sang. Ils n'en ont jamais vu autant sans doute, pas celui d'un goret qui se vide dans un seau en couinant, non, du sang d'homme jailli comme une eau rouge d'un tuyau rompu, répandu sur la terre sèche, déjà bu, tache sombre désormais. Ils sont pâles, mâchoires pendantes ou serrées, la figure luisant d'une sueur que la chaleur n'est plus la seule à extraire de leur corps.

Le lieutenant s'accroupit et ceux qui étaient encore debout l'imitent, serrant leur arme entre leurs mains glissantes de transpiration. Il les dévisage sans rien dire, il croise chaque regard écarquillé ou battu. Il attend sans doute que son souffle court s'apaise pour pouvoir parler.

Castel est à plat ventre sous un fourré et scrute à la jumelle le flanc de la colline.

— Ils ont un F-M, dit le lieutenant. Ils nous fixent ici et ils attendent qu'on sorte, c'est pour ça qu'ils tirent haut des rafales courtes. Possible qu'ils aient une autre position un peu plus loin pour nous choper des deux côtés. Apparemment, y a pas de mortier, sans quoi on serait en train de nager dans la barbaque, et on va pas attendre qu'il arrive si jamais il est en route. Bon, on a un mort. Ils l'ont eu au hasard, ç'aurait pu être n'importe lequel d'entre nous, d'accord ? J'en veux pas un autre. Ce que je veux, c'est qu'on décroche d'ici sans bobo. Et on va pas laisser ces fils de putes s'en sortir comme ça, on va s'en faire quelques-uns, qu'au moins Declerck soit pas mort pour rien. C'est compris ? Alors vous arrêtez de ramper comme des blattes et vous redevenez des soldats.

Les hommes acquiescent en marmonnant, se redressent un peu. Giovanni passe ses mains pleines de sang dans la poussière et le sable et frotte et s'essuie à son pantalon. Daniel croise son regard vide qui se détourne, perdu dans sa face blafarde.

Le sergent se met debout. Tous le regardent avec terreur et rentrent la tête dans les épaules.

– Mon lieutenant, donnez-moi l'autorisation d'aller faire une reconnaissance. On doit pouvoir trouver ce F-M. Je crois savoir où est la position de tir.

Vrignon lève les yeux vers lui, jette un coup d'œil circulaire aux hommes assis à l'ombre, secoue la tête. Dépité ou résigné.

– Accordé. J'appelle le bataillon pour les informer.

– Deux hommes avec moi pour aller voir où ils sont, dit Castel. D'ici, vous nous couvrez. Rafales courtes, gaffe aux munitions, on sait pas combien de temps il faudra tenir ici. Pauly et Normand. Delbos, tu prends ton Garand. Les mecs, là-haut, y sont pas en carton, faudra mettre dans le mille. Pigé ? Laissez les sacs. Prenez juste votre arme et des grenades. Allez. On bouge son cul.

Quand il entend son nom, Daniel tressaille et se lève en même temps que les deux autres, lentement, et il extrait le fusil de sa housse et prend trois chargeurs. Dès qu'ils sortent de l'ombre, le soleil leur tombe sur les épaules et cherche à les plaquer au sol. Daniel suit Castel qui monte à travers le bosquet et sort du couvert des arbres pour se jeter derrière un rocher. Ils se retrouvent à genoux tous les quatre et le tir de couverture se déclenche. Le flanc de la colline se met à vibrer de poussière, d'éclats de roches, de fragments de branches et de feuilles jetés en l'air par les impacts.

Ils recommencent à grimper à quatre pattes cachés

par des fourrés épais et secs qui crépitent à leur passage et leur griffent la figure et les bras. Daniel est sur les talons de Castel qui cavale mais il glisse sur des cailloux qui roulent sous ses chaussures, c'est comme s'il courait sur un tapis de billes. Le souffle lui manque, une brûlure le saisit aux jambes qui semble irradier de ses os mêmes et cuire ses muscles de l'intérieur. Les deux autres, Pauly et Normand, halètent derrière lui et dérapent eux aussi et jurent à voix basse.

Les coups de feu sont plus sporadiques. Le F-M de la section a dû trouver une bonne position parce qu'on entend ses rafales taper plus lourd. Là-haut, les fells tiraillent mais on ne les voit pas, rien ne bouge hormis les feuillages arrachés par les balles qui s'y perdent et les bouffées de poussière soulevées par les impacts. On croirait que la colline riposte par elle-même aux coups qu'elle encaisse.

Une volée de balles passe au-dessus d'eux en bourdonnant et Daniel entend Pauly pousser un cri et chuter lourdement et gémir « Je suis touché, putain les mecs, ils m'ont eu ces enculés ! » alors il revient en arrière et s'accroupit auprès du blessé pendant que Normand braque en tous sens son P-M, l'œil sur le cran de mire, comme si les fellaghas allaient surgir de partout pour les achever.

— Où t'as mal ? Putain je vois rien !

Pauly halète et geint. Il roule des yeux terrifiés.

— Dans le dos, il parvient à dire. En haut.

Daniel le tire vers lui pour qu'il se tourne sur le côté et c'est là qu'il voit la veste de treillis tailladée et dessous le gilet de peau taché de sang et sous le gilet une traînée sanglante, comme une sorte de brûlure dont il tâte les alentours, ne sentant sous ses doigts que le renflement d'une côte.

— C'est rien. T'as juste une éraflure. Ça saigne et c'est tout.

– Mes couilles, oui ! J'ai pris une balle et tu me racontes des conneries !

Daniel se sent poussé sur le côté et tombe sur le cul. Castel est déjà penché sur Pauly.

– Montre. Qu'est-ce que t'as ?

Il l'oblige à s'allonger sur le ventre et examine la blessure.

– T'as rien, pauvre con. Un centimètre de plus et ça t'embarquait la colonne, mais tu dois juste avoir une côte fêlée alors arrête de chialer. Tu restes ici et tu bouges pas. On te prend en revenant. Et tu fermes ta gueule, tu comprends ? Normand, tu prends ses chargeurs et on y retourne. Leur F-M est là-bas, dans ce bosquet. On va se le faire.

Il repart. Daniel et Normand le suivent. Courbés en deux, le nez au ras du sol à bouffer de la poussière. Le sergent s'allonge derrière une butte de terre. Il fait passer à Daniel sa paire de jumelles.

– Regarde là-bas, l'arbre un peu plus haut, pointu, presque. En dessous. Tu vois dépasser le canon ? Les feuilles bougent aussi, des fois. Attends qu'il tire encore.

À cent cinquante mètres. Un fourré touffu de chênes verts et de genévriers. Daniel ne voit rien que l'éclat des feuilles luisant au soleil, immobiles, et rien qui bouge ou même frémisse.

– Tu vois rien ?

Le sergent chuchote à son oreille. Daniel cale ses coudes au sol, cesse de respirer. Il voit la fumée des départs avant d'entendre le crépitement des coups de feu.

Maintenant, il aperçoit quelques centimètres du canon et une partie du trépied. Il se demande comment il ne l'a pas vu plus tôt. La salive lui manque pour parler et sa bouche sèche tapissée de poussière n'émet qu'un borborygme. Il pense à ses deux bidons de flotte qui l'attendent en bas, à l'ombre. Il cherche le tireur, il épie le moindre tremblement de ce feuillage rêche et raide que le vent n'émeut pas souvent. Ses avant-bras tremblent. Son dos, ses épaules grillent, le col de sa veste râpe sa nuque trempée de sueur. Il fouille les profondeurs du taillis à la recherche d'une tache plus claire, d'un peu de peau, du glissement d'un médaillon lumineux sur un visage.

Soudain, il distingue le profil d'un visage, immobile, au-dessus de l'axe de tir du F-M.

Fusil. Réglage de la lunette. Il a perdu sa cible, son champ de vision tremble trop.

– Tiens. Bois un coup et après arrache-lui la gueule.

Il ne se rappelle pas avoir avalé quelque chose de meilleur que cette eau tiède et pisseuse. Il parvient à dire merci et se remet en position de tir, se déplace un peu de côté, trouve un meilleur appui.

Le type est toujours là-bas, à l'ombre du fourré, immobile devant son fusil-mitrailleur. Il le voit mieux. Visage incliné, les yeux peut-être baissés comme s'il priait. Il s'étonne de la force de cette image. Ce profil encadré d'un fouillis émeraude et noir scintillant dans le soleil. Profondeur et contraste.

Daniel le centre dans l'œilleton, remonte un peu pour compenser la chute de trajectoire, bloque sa respiration. Pendant dix ou quinze secondes, il ne ressent plus rien que le chatouillis d'une goutte de sueur qui coule de sa tempe vers sa joue. Et dans la lunette il voit l'homme prostré et de son autre œil le bosquet vert sombre où il se tient luisant sous le soleil de plomb.

Assourdi par la détonation de départ. Son épaule amortit bien le choc. Dans la lunette, il ne voit plus rien, retrouve la bouche du F-M, cherche la silhouette du servant.

Castel scrute le buisson avec ses jumelles.

– J'ai vu bouger. Tu l'as eu.

Il prend le talkie et parle au lieutenant.

– On l'a eu. Magnez-vous avant qu'ils en remettent un autre. Je vais au résultat.

Daniel ne quitte pas des yeux les fourrés. Il ne parvient pas à détacher son regard de l'endroit où il a vu ce visage immobile. Il se dit qu'il était peut-être déjà mort et il attend pourtant de le voir réapparaître. Le sergent le prend par la manche.

– Allez, on bouge. Tu restes sous moi à trois mètres. Toi, il dit à Normand, tu ramènes Pauly à l'abri.

– Vous attendez pas les autres ?

– Quels autres ? Ils arrivent, les autres. T'inquiète. On a l'ordre de ratisser. Des hélicos vont venir.

Ils courent en zigzag dans un maquis de buissons bas qui accrochent au passage la toile de leurs pantalons, centaines de doigts osseux qui essaieraient de les retenir. Le soleil est contre eux, appuyant sur leur poitrine une main brûlante. Leur léchant la gueule comme un incendie. Plus bas, la section s'est déployée en trois groupes et monte vers eux. Daniel s'étourdit au cliquetis de son brellage qui rythme sa course. Il n'éprouve rien, ni fatigue ni peur. Il vient de tuer sans doute un homme et il court vers son cadavre sans penser à rien. Surtout pas à la mort.

– Regarde là-haut ! crie le sergent. Regarde ces salopes comment ils se barrent !

Daniel aperçoit des arbustes agités en tous sens près de la ligne de crête. Castel vide un chargeur vers ce remuement en injuriant les fuyards. Il s'agenouille pour réapprovisionner son P-M.

– Viens par là, il dit. Qu'on voie ton carton.

Ils entrent dans le bosquet et braquent en tous sens leurs armes sur la pénombre chaude qui règne là et Daniel aperçoit le corps du type couché sur le flanc.

Le haut de sa veste est trempé de sang. Daniel s'approche lentement pour voir où il l'a touché. Il n'a plus de joue ni de mâchoire. Il y a quelque chose de sanglant, tordu, qui pend de son visage.

– Gaffe, lui chuchote Castel. Ils l'ont peut-être piégé.

Daniel se tourne vers lui, incrédule.

– Avec une grenade planquée dessous. Dégoupillée, juste la cuillère en appui. Tu bouges le corps et ça te saute à la gueule. J'y vais. Suis-moi.

Castel enjambe le type et s'accroupit et passe lentement sa main sous les jambes, sous le buste. Au moment où il se redresse pour dire quelque chose, l'autre émet un râle et bouge ses jambes. Castel bondit en arrière et se rattrape à une branche en jurant.

– Putain, il est pas mort !

Daniel se met à trembler. Il pointe son fusil sur la tête du blessé mais il lui semble que ses bras ne sont capables d'aucun autre mouvement que ce tremblement qui le secoue des épaules jusqu'aux mains.

Le sergent attrape l'homme par les pans de sa chemise et le redresse et l'appuie contre le tronc d'un arbre. L'homme entrouvre les yeux, bouge un peu la tête. Le bas de son visage arraché dégouttant de sang. Il geint, il essaie de parler.

Daniel s'approche.

– Il va s'en sortir ?

Castel lève les yeux vers lui, le considère avec étonnement puis hausse les épaules.

– Non. Impossible. T'as vu dans quel état il est ? Ça lui a embarqué la moitié de la gueule.

– Ça se répare, non ?

– C'est ça. J'appelle le chirurgien et on lui retient une chambre sympa dans un hosto, avec une infirmière pour le branler. Me fais pas chier. Il va crever, c'est tout. On a un gus clamsé là-bas, qu'est-ce qu'il te faut, putain ? Si ça se trouve c'est lui qui l'a tué, alors ? Tu vas pas décorer cette charogne, non ? C'est la guerre, mon con, je sais pas si t'as bien pigé ça. On n'a pas fait tout ça pour qu'il s'en tire. Il sait même pas qu'il est déjà mort et il essaie de parler. Peut-être parce qu'il peut plus fermer sa gueule.

Castel rit en silence de ce qu'il vient de dire. Puis ils restent sans rien dire et regardent l'homme qui respire faiblement, la tête penchée sur le côté, les yeux mi-clos. On entend le piétinement de la patrouille monter et la voix du lieutenant qui demande : «Alors ? Où on en est ?»

Le sergent arme son P-M et tire trois balles sur l'homme au sol qui tressaute sous les impacts et bascule sur le côté. Daniel aimerait crier dans ce fracas puis dans le silence déchirant qui le suit, mais sa gorge reste nouée, rugueuse comme une corde.

– T'as d'autres idées à la con ? T'as commencé le travail, je le termine. Me dis pas que tu lui as tiré dessus tout à l'heure juste pour lui faire peur, d'accord ? Me dis pas que tu t'entraînes tous les jours au tir pour impressionner les gonzesses à la foire quand tu seras rentré dans ton bled. Personne t'a obligé. Quand le lieut' t'a refilé le Garand, t'étais bien content et t'en as pris soin comme de ta paire de couilles. Alors ? Si t'as des états d'âme, viens pas me faire chier avec. Reçu ?

Un caporal arrive, entouré d'une dizaine d'hommes essoufflés, pendant que les autres continuent de gravir la pente. Il regarde négligemment le cadavre puis se penche au-dessus du F-M pour l'examiner.

– C'est du matériel russkoff, dit le sergent. Du costaud. Cette saloperie ça s'enraye jamais et c'est précis. Les Viets nous clouaient facile avec ça. Mais eux, ils savaient se battre, pas comme ces bâtards de fellouzes.

Les mecs poussent le cadavre du bout du pied ou du

canon de leur arme comme une bande de singes qui ne comprennent rien à la mort. Certains l'insultent à voix basse puis s'attardent là sans bouger, profitant peut-être de l'ombre.

– C'est Delbos qui l'a eu, dit le sergent. Il paie sa tournée quand on sera rentrés.

Les autres viennent le congratuler. Lui tapent dans le dos, le félicitent d'avoir vengé Declerck.

– Finalement, à la guerre, on est tous pareils, tu vois… Hier soir vous avez failli vous foutre sur la gueule et aujourd'hui tu flingues le fils de chienne qui l'a tué.

Le type qui lui dit ça au ras de la gueule, les yeux dans les yeux, s'appelle Dumas, ou Duprat, Daniel ne sait plus. Il pue la sueur et le chicot, il a tour à tour les yeux battus ou écarquillés et Daniel trouve que ça lui fait le masque tordu et changeant d'un fou dangereux, alors il se dégage de son étreinte et promet à tous un coup à boire et l'idée même qu'un liquide frais puisse emplir sa bouche et couler dans sa gorge tient soudain du rêve éveillé et lui trouble l'esprit au point qu'il doit pour s'en défaire s'éloigner dans le soleil, essuyer sa figure de toute la sueur et la poussière qui s'y colle, regarder le sommet de la colline où crapahutent les bonshommes et au-dessus le ciel tellement bleu qu'il semble dur comme le fond d'un plat sorti du four.

Il rejoint les autres qui cheminent sur la ligne de crête et il cherche des yeux Giovanni sans l'apercevoir. Un des Parigots, Gérard, lui dit que le lieutenant l'a laissé auprès du corps de Declerck avec un autre, et pour garder les sacs aussi, parce qu'ils font une reconnaissance rapide avant de rentrer. Mission d'embuscade annulée. Hélicos annulés, donc pas de ratissage, il paraît qu'une grosse opération sera montée dans quelques jours.

– Et toi, là-bas, paraît que t'as eu le tireur ?

– Oui, je l'ai eu. Je l'ai pas tué, mais je l'ai eu.

L'autre ne comprend pas.

– Il était encore vivant quand on est arrivés. Amoché, apparemment, mais vivant. C'est Castel qui l'a fini.

– Il a fait ça ?

– J'avais commencé. Il a fini.

– Putain, tout de même…

Daniel s'arrête pour allumer une cigarette et se laisse distancer par la colonne et marche en essayant de remettre son esprit en état de fonctionner. Les yeux baissés, il ne voit rien de la vallée de terre rouge qui s'étend sous lui à l'est, hérissée d'affleurements rocheux comme la gueule d'un monstre pavée de dents. Il essaie de se rappeler le visage de l'homme qu'il a abattu mais le souvenir se dissipe aussitôt que l'image se forme dans son esprit et ne lui reste que la vision du cadavre renversé et des hommes le bousculant du pied.

Pendant deux heures ils patrouillent sur l'autre versant de la colline et ne trouvent rien, scrutant l'horizon depuis de vains monticules, fouillant des buissons d'où fuit parfois une vipère qu'ils écrasent à coups de crosse et ne décèlent aucune trace, et quand parfois le lieutenant leur crie de se taire le silence abat sur eux son voile étouffant et ils se trouvent seuls, leurs armes au bout de leurs bras ballants dans ce pays vide d'où même le vent du sud semble s'être enfui.

Dans les camions, sur le chemin du retour, ils ne disent rien, harassés, abrutis de chaleur, suffoqués par les gaz d'échappement du véhicule qui cahote devant eux, chiant sa fumée noire en diarrhée continue et soulevant des tonnes de poussière dont ils se protègent en s'enveloppant la figure dans leurs grands foulards, et ça leur donne parfois des allures de Touaregs ou de moudjahidin comme si cette guerre les forçait à ressembler à leur ennemi.

La nuit tombe presque aussitôt qu'ils entrent dans l'enceinte du poste et sautent lourdement des camions puis se traînent vers les cantonnements en secouant la poussière dont ils sont couverts avec des exclamations excédées.

Daniel cherche Giovanni partout et le trouve finalement dans le gourbi qui tient lieu d'infirmerie en train d'aider à laver le cadavre torse nu de Declerck, imposant, allongé sur une table à tréteaux, et il lui semble que le mort à cet instant occupe tout l'espace et empêche qu'on bouge aisément autour de lui. Une jeep devra l'évacuer dès demain matin en ville, il faudra une escorte, half-track et tout le bordel, parce que les trente kilomètres de route sont un vrai casse-gueule. L'infirmier lui parle sans lever le nez de ce qu'il est en train de faire, passant doucement un linge autour des bords déchiquetés de la plaie qu'a ouverte la balle en ressortant.

– Avant qu'il se mette à puer, explique l'infirmier. Avec cette chaleur.

Daniel cherche le regard de Giovanni mais le copain garde résolument les yeux fixés sur ce qu'il fait, tenant une cuvette d'eau brunâtre souillée de terre, où flottent des caillots de sang. Alors il regarde Giovanni prendre soin du mort, celui-là même qu'il voulait massacrer hier, lui ôter sa chemise sale, nettoyer délicatement la peau blême et marbrée avec un gant de toilette, lisser en arrière ses cheveux gris de poussière. Il regarde cet homme mort que sa haine ignorante semblait tenir debout, cet abruti dont la famille en pleurant pourra dire qu'il a été tué dans le dos par ces chiens d'Arabes alors qu'il ne faisait de mal à personne. La vue de ce corps livide et musculeux se superpose bizarrement avec l'image du tireur

270

maigre à la peau de cuivre qu'il a abattu cet après-midi et il a l'impression d'avoir marché sur une de ces mines dont on leur a parlé, qui ne saute que lorsqu'on retire le pied pour faire le pas suivant. Et il se dit que la seule manière d'en réchapper est de bondir en avant le plus loin possible. Finir en morceaux pour ne pas mourir sur place.

16

Mazeau n'a pas reparu au service pendant une
semaine. On dit qu'il a morflé lors d'une arrestation,
qu'il a dû faire un détour par l'hôpital Saint-André
pour qu'on vérifie qu'à part les deux côtes cassées et
la mâchoire démise il n'avait rien. Ses hommes ne
savent pas qui lui a fait ça. Il la jouait en solo. Un
indic, il paraît, qu'il a essayé de serrer avec son équipe
un soir, qu'il a retrouvé le lendemain en tête à tête. Un
grand type vigoureux qui a mis trois inspecteurs au
tapis sous les murs de la prison. Un colosse, disent
certains. Voyez un peu : il a bousculé les flicards
comme des quilles dans un bowling. Peur de rien ni de
personne. Et pas question de le stopper à coups de
flingue, il fallait qu'il parle. On avait bien quelques
idées sur l'identité du fugitif, on connaît quelques
méchants maousses qui traînent de-ci, de-là, mais
après vérifications, les branquignols avaient tous des
alibis en acier.

Darlac voulait savoir quelle piste ce tocard avait
flairée. Il a fureté, il a payé des apéros aux barbeaux
des Mœurs qui vérifiaient toutes les cinq minutes leur
nœud de cravate dans les miroirs des troquets ou qui
reluquaient quelle heure il était à leur tocante plaquée
or et se contentaient de lui sourire d'un air
matois comme pour dire : «Qu'est-ce que tu cherches,
mon con ? On sait rien, nous autres. La petite qu'a

272

grillé, on la connaissait pas, et Crabos on le laissait tranquille, il faisait chier personne. » Il a caressé dans le dos des inspecteurs débutants autour d'un café pour qu'ils causent un peu, il leur tendait le sucrier, leur ouvrait son paquet d'américaines, mais ces abrutis ne savaient rien non plus, *nada*, que dalle, ils le regardaient avec étonnement et méfiance, leurs yeux brillant à la flamme du briquet qu'allumait le commissaire, et le pire c'est que c'était vrai, ils ignoraient tout et ne comprenaient rien, couillons comme des mômes de maternelle, cons comme des flics honnêtes.

Il a traîné dans les services, écouté patiemment ce qu'on lui chantait ; il a entendu les fausses notes, laissé fredonner les vieux refrains. Il a l'oreille musicale. Il aurait presque applaudi cette chorale assermentée de chanteurs à la croix de bois, croix de fer, si je mens…

Le commissaire divisionnaire Laborde l'a accroché dans un couloir pour lui demander ce qu'il avait après Mazeau, en quoi son enquête pouvait bien l'intéresser.

Darlac a hésité. Il a regardé les cheveux gominés, la cravate anglaise, le costume impeccable avec sa pochette de soie noire, les yeux bleus derrière les élégantes lunettes rondes à montures dorées, il a toisé cette physionomie de politicard cérébral, cherchant l'honnête homme qu'on disait, ne trouvant que le flic combinard et retors, et il a décidé de jouer gros. Laborde serait sa meilleure couverture en cas de mauvais temps.

— Je cherche ce type avant qu'il ne lui tombe dessus. C'est un mec dangereux, on sera pas de trop pour le protéger.

Laborde a cillé derrière ses carreaux d'intellectuel.

— Le protéger ? Vous en protecteur de Mazeau c'est la corde qui soutient le pendu ! Vous me prenez pour une truffe ou quoi ? Menacé ? Et par qui ? Il ne m'a rien dit de tel.

– J'ai été tuyauté. Ce type qu'il recherche c'est un dingue avec qui il a été en affaires. Il raconte partout qu'il veut lui faire la peau.

– On peut savoir qui vous a rencardé ?

– Le Veau. Mazeau lui a dit qu'il voulait trouver ce gus avant qu'il le trouve. Et je vais l'y aider.

– Le Veau ? Lucien Lavaud ?

Laborde a éclaté de rire, là, au milieu du couloir. Puis l'hilarité l'a secoué, l'obligeant à s'appuyer au mur, à ôter ses lunettes pour s'essuyer les yeux du revers de la main.

– Putain, Darlac, pas lui ! pas à moi ! Le Veau, c'est un voleur de carrioles, un empaumeur de petites vieilles ! Il essuie des verres au fond d'un café, comme dans la chanson, avec sa grosse ! Comment vous pouvez croire un clown pareil ? Et vous en chaperon de Mazeau ? Racontez-moi plutôt *Cendrillon,* au moins ça m'aidera à m'endormir !

Darlac avait bien une belle histoire à lui raconter, celle d'un chevalier accusé de félonie qui décapite une saloperie de duc et vient chier sur sa tombe, mais il a préféré faire le gros dos et battre en retraite. D'une certaine façon, il avait mouillé, rien qu'en lui parlant, M. le contrôleur général dans le projet qu'il avait en tête, alors Belle au bois dormant ou Chaperon rouge, c'étaient des nuits blanches qui se préparaient pour lui. On allait lâcher les loups, il entendrait leurs dents claquer au ras de son cul.

– Pensez ce que vous voulez, il a dit. Vous verrez qui a raison dans cette affaire.

Il a entendu Laborde couiner avec ironie puis s'est éloigné en haussant les épaules sous le regard curieux des gardiens qui venaient d'assister à leur échange sans rien y comprendre. Il a pressé sous son bras le pistolet qu'il porte souvent sans son étui d'épaule. Un tressaillement lui a secoué l'échine. C'était comme du plaisir.

Mazeau habite presque à la campagne, à Mérignac, une maison environnée de prés où vont des vaches et des chevaux, clos par des haies vives et des bosquets de chênes, à moins d'un kilomètre de la place de l'église, sur la route de l'aérodrome et de la base américaine. C'est une maison de pierre de plain-pied datant du début du siècle, peut-être l'ancienne demeure d'un avocat ou d'un toubib. De grands arbres tout autour. Quelques chants d'oiseaux. Un chemin de terre bordé de fruitiers mène à la maison. Un peu de printemps se pointe en vert tendre au bout des bourgeons. Mazeau vit là avec sa femme, une ancienne greffière du tribunal qui a cessé de travailler pour élever leurs trois enfants. On est mardi, les enfants sont à l'école. Darlac a vu partir tout à l'heure les deux plus jeunes. L'aîné va au lycée à Bordeaux. Il ne rentrera que ce soir, tard.
Il vaut mieux que les enfants ne soient pas présents.
Il est neuf heures et demie. Darlac laisse sa voiture devant le portail et s'avance sur le chemin creusé parfois d'ornières remplies d'eau. La terre colle à ses semelles avec des bruits de bouche mouillée. Quand une porte-fenêtre s'ouvre sur la terrasse et qu'apparaît Mazeau revêtu d'une robe de chambre bordeaux, la tête bandée comme celle d'une momie qui marche, Darlac s'arrête net et soudain ne sait plus quoi faire de ses mains : les enfoncer dans les poches de son manteau pour montrer sa résolution, ou les laisser baller et signifier ainsi des intentions pacifiques. Finalement, il garde ses mains dehors, il esquisse un geste de salut. Il fait encore quelques pas puis s'arrête de nouveau.
De Mazeau il ne voit que les yeux noirs braqués sur lui, qui ne cillent pas. Pour le reste, avec les mètres de

bandages qu'il a sur la gueule, ce pourrait être n'importe qui.

— Qu'est-ce que tu viens foutre ici ? Il paraît que tu me cherches ?

Il a articulé ça comme il a pu à cause de sa mâchoire bloquée, avec une diction de crétin congénital.

— T'es pas difficile à trouver. Il faut qu'on parle tranquillement.

Mazeau ne bouge pas, ne dit rien, bouche entrouverte. Puis il soupire bruyamment.

— Entre, puisque t'es là.

Vaste salon, fauteuils et canapé couverts de velours bleu nuit. Table basse en marqueterie. Tapis persans, probablement, posés sur un parquet de chêne sombre, ciré, craquant avec discrétion à chaque pas qu'on fait dessus. Cheminée géante dans laquelle on pourrait faire rôtir un mouton et y asseoir le berger et son chien. Odeur d'encaustique et de cendres froides.

Darlac reste quelques secondes immobile à contempler cet intérieur cossu et à essayer d'y trouver la place du pauvre type au souffle court qui est en train de refermer la porte-fenêtre.

— T'es pas mal installé, dis donc.

— Je vais demander à Mariette d'apporter du café.

Mazeau ouvre une porte vitrée, demande du café, explique qu'il a de la visite. Une voix aiguë, surprise, lui répond avec entrain.

Darlac se sent oppressé par la quiétude des lieux. Par ce silence, que trouble à peine le balancement d'une pendule mais qu'il ne voit pas. Mais il est heureux d'apporter trouble et dérangement dans ce calme cossu.

— Assois-toi, dit Mazeau. J'ai rendez-vous à l'hosto, alors j'ai pas beaucoup de temps. Bon. Qu'est-ce que tu veux ?

Darlac s'installe face aux fenêtres, par lesquelles il aperçoit un bouquet de jonquilles se balancer dans le vent. Il observe la hure cabossée de Mazeau en contre-jour, ne voit que son regard briller sous une arcade sourcilière enflée, bleuâtre, parmi les bandages et les pansements.

— Le mec que tu connais. Celui dont t'as parlé au Veau. Celui que t'as essayé de serrer l'autre soir et qui t'a mis la gueule en vrac l'autre matin quand t'as voulu jouer tout seul.

— Tu plaisantes ?

— Moi ? Jamais. Tu peux pas savoir à quel point je suis sérieux. Ce type a égorgé Penot. Il s'en est pris à ma fille. Il a fait cramer le bar de Couchot, un cousin à moi, avec cette gamine qui se trouvait là. Trois morts, comme tu sais. Il en a après moi, il t'a cassé la gueule, il t'a pris ton arme, ça fait beaucoup. Tu le connais, je le veux. J'en ai parlé hier avec Laborde. Je joue franco. On peut marcher ensemble dans cette affaire, comme au bon vieux temps.

— Laborde m'a appelé. Il se doutait que tu vien-drais, mais pas si tôt. Et le bon vieux temps, comme tu dis, je croyais que tu voulais l'oublier un peu.

— On n'a pas la journée pour vider nos poubelles. Et t'es pas en état de fouiller dans la tienne, regarde-toi : tu vas tomber dedans et je serai obligé de refermer le couvercle.

La porte s'ouvre sur un plateau porté par une femme brune, plutôt grande et jolie. Darlac trouve qu'elle a un faux air de Martine Carol. Elle dit bonjour les yeux baissés puis dépose devant son mari une cafe-tière d'argent et deux tasses de porcelaine. Silhouette fine, jolies jambes. Elle remplit les tasses, demande à Darlac s'il est un collègue d'Eugène.

— Oui, répond Darlac. Je suis venu lui demander quelques tuyaux importants sur une affaire, voilà pour-quoi je viens vous déranger si tôt.

– Vous auriez dû téléphoner, vous seriez venu déjeuner avec nous !

Mazeau bouge malaisément dans son fauteuil. Il s'est redressé, raidi, mais bien vite la douleur l'oblige à se détendre, une main massant doucement ses côtes à travers la laine de son peignoir.

– Non. Je vous aurais dérangée encore plus, non. C'est très gentil de votre part. Je suis venu en vitesse parce que certaines choses doivent se dire discrètement, d'homme à homme.

Darlac sourit en prenant sa tasse par l'anse, entre pousse et index, le petit doigt en l'air. La femme a de belles dents, un regard très doux. Confusément, il hait davantage Mazeau. Cette maison, cette femme. Tout ce charme et cette harmonie.

Puis son cœur s'emballe. Il est le seul à avoir vu arriver les deux hommes qui courent dehors sur le chemin détrempé. Il boit une gorgée brûlante pendant que Mazeau remue son sucre. Nul autre bruit que le tintement clair de la cuillère contre la porcelaine. La sonnette de l'entrée le fait sursauter. Le café s'agite dans sa tasse, qu'il vide en s'ébouillantant l'œsophage. Les époux Mazeau échangent un regard, s'étonnent. Madame va ouvrir. Les deux hommes la regardent sortir du salon, l'écoutent marcher dans le couloir, se lèvent d'un même bond en l'entendant hurler. Elle entre à reculons dans la pièce, heurtant du dos la porte dont les vitres tremblent. Un homme cagoulé tient le menton de la femme levé avec le double canon de son fusil de chasse et continue d'avancer en la poussant devant lui jusqu'à la cheminée. Elle geint, elle halète, il n'y a plus dans ses yeux écarquillés que de la terreur. L'homme souffle. Lourd, son dos massif courbé sur son arme. Jeff. Ils étaient convenus que ce serait quelqu'un d'autre. Un certain Gunther, un ancien légionnaire, dur et fiable, des glaçons dans les veines.

Jeff a le doigt sur la détente. Darlac lui a toujours dit de se caler sur le pontet. Mais ce taré n'écoute rien et n'en fait qu'à sa tête de con. Il a toujours aimé caresser sous son doigt la mort imminente, éprouver la résistance des ressorts de gâchette.

Un autre homme entre juste derrière. Cagoulé aussi. Revolver à la main. Gros calibre. 11,43. Darlac distingue la tête arrondie des balles dans les chambres braquées sur eux. Chien relevé.

– Vous énervez pas, il dit. Qu'est-ce que vous voulez ?

Le regard de Francis passe sur lui pour ensuite se perdre vers le fond de la pièce.

Mazeau fait un pas en avant pour se rapprocher de sa femme. Le type vient vers lui et brandit son arme à une trentaine de centimètres de sa tête.

– Bouge encore un poil et t'es mort, enfoiré.

– Laissez-la partir, elle n'a rien à voir dans tout ça.

– Tout ça quoi ? Tu sais pourquoi on est là ?

– Non. Mais pour rien qui concerne ma femme. Laissez-la tranquille.

Francis fait un signe de tête en direction de Jeff.

– Fous-toi à poil, dit le gros à la femme. Magne.

Mazeau se met à gueuler. Il aura leur peau, il les retrouvera. Tous les flics du pays se mettront à leur cul. Il demande encore qu'on laisse sa femme tranquille. Il pousse un gémissement de douleur et se tient la mâchoire et se plie en deux sur ses côtes douloureuses. Il leur demande ce qu'ils veulent.

– La même chose que toi, mon con. Le type qu'a fait cramer Couchot. Y avait une petite qu'était à nous et qu'est morte, il faut qu'il raque pour ça.

Mazeau se tourne vers Darlac. Il secoue la tête. Son bandage s'est desserré et commence à glisser et découvre son front bosselé et noir.

– Qu'est-ce que c'est ce merdier ? Ils t'ont suivi ?

Darlac tord sa gueule en signe d'ignorance.

– Je suis inspecteur de police et voici le commissaire Darlac, dit Mazeau. Vous faites une très grosse erreur en vous attaquant à nous ! Mais je vous en prie, laissez ma femme en dehors de tout ça !

– C'est toi, qui fais une erreur en ne répondant pas. Tu nous dis ce qu'on veut savoir et on calte sans toucher à ta bonne femme.

Mazeau interroge Darlac du regard. Le commissaire hoche la tête, bat des paupières pour l'encourager à parler.

Mariette Mazeau se remet à crier parce que Jeff l'a saisie par le col de sa robe et tire dessus et arrache des boutons-pressions de sorte qu'on aperçoit déjà une épaule nue et la bretelle d'un soutien-gorge. Tout en la rudoyant, il tient toujours son fusil braqué sur elle, le doigt posé sur la queue de détente.

– Calmez-vous ! gueule Darlac. Elle va le faire tout de suite. Putain, Mazeau, dis-leur, qu'on en finisse !

La détonation les fait tous se courber, la tête dans les épaules. Des éclats de pierre volent à travers la pièce et retombent en crépitant sur le plancher. De la poussière de plâtre sature l'air et l'on ne distingue plus pendant quelques secondes que des silhouettes figées. La femme s'est effondrée au sol et hurle en se tenant le bras d'où le sang s'écoule à flots pour former une longue flaque sur le sol. On ne voit plus rien à partir du coude, seulement des lambeaux d'étoffe et de chair.

Jeff a reculé d'un pas sans lâcher son fusil, comme pour mieux voir, et il répète « Merde, merde, qu'est-ce que c'est ce bordel ? » et il regarde la femme qui s'affaisse peu à peu puis bascule sur le côté et geint et prononce des mots indistincts, étranglés par la douleur ou l'état de choc.

Francis a d'abord baissé son arme puis quand Mazeau esquisse le geste de se précipiter vers sa femme, il lui colle le canon du revolver sur la tempe, l'air hagard, d'une main tremblante, et il jette sans cesse des regards à la femme étendue au sol. Il ne voit pas Darlac sortir son pistolet et tirer tout de suite, d'un air négligent, une balle dans le cœur de Jeff. Le gros recule sous l'impact et s'adosse au mur et reste deux ou trois secondes debout, son fusil à la main, roulant un regard stupéfait, puis s'effondre, entraînant dans sa chute un guéridon.

Mazeau touche son entrejambe, retire sa main et la regarde et la sent. Il se tord et danse d'un pied sur l'autre. L'odeur de merde les prend aussitôt aux narines et l'inspecteur tombe à genoux puis à plat ventre. Darlac s'approche de la femme, inanimée, trempée de sang. Respiration faible. Presque pas de pouls. Le moignon déchiqueté continue de saigner alors il retire sa cravate et garrote le bout de membre sous l'épaule puis essuie ses mains pleines de sang à la robe de la femme. Il se redresse, étourdi. Il aperçoit le téléphone à l'autre bout de la pièce et fait quelques pas hésitants, la tête pleine de coton et de vertige, comme s'il était ivre.

– J'appelle les pompiers. Occupe-toi de lui.

– Quoi ? Qu'est-ce que tu dis ? gémit Mazeau.

Darlac s'aperçoit qu'il est à moitié sourd, comme ils doivent l'être tous, après avoir encaissé les deux détonations en espace clos. Francis reste immobile. Il a rabattu le chien de son revolver et tient l'arme bras ballant, les yeux baissés vers Mazeau qui bouge mollement dans sa merde en geignant. Darlac répète son ordre en joignant le geste à la parole. Francis soupire puis frappe Mazeau à l'arrière du crâne d'un coup de crosse et l'autre retombe lourdement sur le tapis puis ne bouge plus.

Darlac explique au type du standard qu'un accident grave est arrivé, bras coupé, hémorragie massive, pouls faible. Garrot posé. Il lui dit de se magner, il gueule dans le combiné et l'autre lui demande de se calmer, l'assure qu'il envoie un véhicule immédiatement.

Darlac se retourne vers le carnage. Coup de poignard au cœur quand il aperçoit la masse du gros Jeff affalée au pied du mur sous la traînée sanglante qui luit encore à la lumière dorée des lampes.

– Va chercher ta voiture, dit-il à Francis, toujours figé. Bouge, merde. T'en as vu d'autres, non ? Alors ?

Francis regarde lui aussi le cadavre maousse.

– Putain, pourquoi tu l'as…

– Parce qu'il était dangereux. Incontrôlable. Il nous aurait attiré des ennuis.

– T'avais pas le droit. Tout ça parce qu'il en avait après cette pute ?

– Ta gueule, Francis. Va chercher la bagnole. Il faut qu'on dégage d'ici avant que les pompiers et les gendarmes arrivent.

Francis se décide à ranger son arme et sort et claque derrière lui la porte.

Darlac s'approche de la femme couchée sur le flanc, écarte des cheveux défaits, collés sur son visage, pour mieux la regarder.

– Ça va aller, dit-il à voix basse. Une ambulance arrive.

Il prend un coussin sur le canapé et le glisse sous sa tête. Elle gémit, elle ouvre grands, au ras du sol, des yeux paniqués qui essaient de voir quelque chose, de se repérer peut-être, puis elle les referme avec un souffle plaintif. Le bruit du moteur oblige Darlac à se relever et il s'efforce de secouer l'engourdissement général qui l'a pris. Francis entre et se tient immobile, hochant mécaniquement la tête.

– On prend le gros, dit Darlac. On le laisse pas derrière nous.

– Fallait pas le flinguer, alors. Pourquoi t'as fait ça ?

Darlac soupire puis prend le corps sous les aisselles et parvient à peine à soulever le buste.

– Qu'est-ce que tu branles ?

Francis attrape les pieds. Ils traînent le cadavre en se cognant dans les meubles, en tirant avec eux les tapis qui ondulent et se gonflent de plis dans lesquels ils se prennent les pieds. La tête du mort roule contre l'avant-bras de Darlac et ses yeux mi-clos lui donnent l'allure, ainsi transporté, d'un gros roi fainéant en train de somnoler. Sur le seuil, ils le posent quelques secondes pour reprendre leur souffle et calmer les battements fous de leur cœur puis ils reprennent leur progression vers la voiture avec des geignements d'effort.

Il leur faut de longues minutes pour parvenir à hisser le macchabée dans le coffre. Au loin, un avertisseur deux tons s'approche puis s'éloigne alors ils reviennent au trot dans la maison et saisissent Mazeau chacun par un bras et l'emmènent dehors et le balancent sur le siège arrière.

– Démarre, je reviens, dit Darlac.

Il rentre dans la maison et va essuyer avec son mouchoir le combiné du téléphone et la tasse dans laquelle il a bu puis décide finalement de la balancer contre le mur où elle éclate. Il jette un coup d'œil à la femme. Il lui semble qu'elle ne saigne plus alors il s'approche pour savoir si par hasard… Non, elle respire encore, faiblement, le visage blême, la peau luisant de sueur.

De retour à la voiture, il décide qu'ils iront dans cette cabane à Biscarosse où ils se sont déjà occupés du Veau. Francis passe devant. Darlac, en s'éloignant de la maison, guette dans le rétroviseur l'apparition de l'ambulance. Il repense à Martine Carol et à cette femme presque morte devant la cheminée. Il ne sait pas pourquoi, mais cette vision le poursuit encore alors qu'ils roulent sur une route droite, sinistre, bordée de pins verdâtres sous le ciel gris.

C'est une cabane de gemmeurs au bout d'un chemin de sable tassé par la pluie et le passage des tracteurs. Odeur de résine et de champignons. Le vent d'ouest souffle sa rumeur humide dans la tête des pins au bout des troncs qui se courbent et se balancent lentement. Darlac et Francis regardent à peine cette mélancolie verticale, leurs yeux inexpressifs parmi la laine grise de leurs cagoules, puis ils sortent Mazeau de la voiture et doivent le porter à l'intérieur de la bicoque parce qu'il n'est plus qu'un corps inerte, geignant et puant. Ils l'installent sur une chaise mais il s'écroule et tombe et reste au sol à pleurer doucement.

— Dis-moi seulement qui a foutu le feu chez Couchot, dit Francis. On te laissera en vie. Tu pourras aller soigner ta femme. Pense à elle.

Le flic se redresse sur les coudes, essaie de croiser les regards des deux hommes debout au-dessus de lui. Ses yeux sont pleins de larmes, son nez brisé déborde de morve.

— Pourquoi vous voulez savoir ça ? À quoi tu joues Darlac ? T'es avec eux, hein, salope !

— Non, c'est eux qui sont avec moi. Réponds à la question.

Francis sort son revolver et l'appuie sur le genou droit de Mazeau.

— Réponds, ou je t'éclate le genou. Après, ce sera l'autre. Tu pourras plus monter un escalier, avec ton fauteuil roulant.

Il arme le chien du revolver. Mazeau tousse, s'étrangle.

— Vous allez me flinguer, de toute façon.

— Mais non. Tu parles et après tu fermes ta gueule et tout ira bien.

— Et ma femme ? Elle…

Francis appuie sur la détente. Hurlement de Mazeau qui tient son genou à deux mains et se roule par terre.

Darlac secoue la tête pour soulager ses tympans douloureux. Il soupire. Il regarde par la porte ouverte les pins rangés autour d'eux, droits et sombres, et se figure fugacement une foule de sentinelles mortes. Il n'entend plus le vent dans la cime des arbres. Seulement la voix plaintive de Mazeau, en train de dire quelque chose qui le frappe en pleine tête comme une barre de fer.

– Il s'appelle Jean Delbos.

Darlac s'approche et s'accroupit. Il se tient derrière le flic couché sur le côté.

– Delbos ?

– Oui. Il veut te faire la peau, à toi et à tous ceux qui te sont proches. Penot c'était lui, déjà.

– Ce minable… Je le croyais mort en déportation. Apparemment, il est revenu.

Darlac se redresse, titube un peu, la vue troublée par un vertige. Il fait signe à Francis que c'est terminé puis sort sur le seuil de la cabane.

– Qu'est-ce qu'on en fait ? vient lui demander Francis. Je le finis ?

Darlac croise son regard arrondi. Il sent son odeur de sueur mêlée à celle de la poudre.

– Au point où on en est… ajoute l'autre.

Mazeau pleure, recroquevillé par terre. Francis appuie le canon de son arme sous l'omoplate gauche et tire. Le corps du flic semble se déplier sous l'impact, puis se relâche. Ils le regardent un moment en silence dans l'odeur de poudre et de terre mouillée.

– On va pas le laisser là, dit Darlac à voix basse. Faut s'occuper aussi du gros. Je veux pas qu'on les retrouve.

Francis soupire. Il secoue la tête.

– Merde, tu te rends compte ?

285

– Bien sûr que je me rends compte. Jeff, je t'avais dit de pas l'amener. Pas pour ce genre de boulot. Il avait pas les nerfs. Il fallait seulement leur faire peur, et voilà que ça tourne au massacre. Alors on nettoie, et on se couvre.

– D'accord… De toute façon, on peut plus reculer. Je connais un trou, pas loin. Une sorte de fossé. Je balancerai de la chaux, j'ai tout ce qu'il faut dans la cabane.

Darlac s'appuie contre la cloison, se donne deux ou trois claques qui lui rougissent les joues. Il essaie de sourire à Francis mais n'y parvient pas. Sa figure se tord et l'on pourrait croire que soudain une douleur fulgurante lui fouaille les intérieurs.

– Qui c'est ce Delbos ?

– Un paquet de souvenirs. Et des tonnes d'emmerdes à venir si on le retrouve pas fissa.

Ils repartent, se suivant à cinquante à l'heure sur la route déserte. À deux kilomètres, ils trouvent un chemin à peu près carrossable où les voitures cahotent dans les ornières. Le trou dont parlait Francis est un effondrement sous un pin déraciné. Trois mètres au moins de profondeur. Ils débarrassent les cadavres de leurs papiers, de leurs bagues et leurs montres et les traînent puis les font basculer l'un sur l'autre.

– Je reviendrai demain avec la chaux, dit Francis.

Il se frotte les mains, secoue le bas de son pantalon plein de sable puis glisse bagues, montres et papiers dans sa poche.

Darlac regarde le trou sans rien dire, les deux corps effondrés, vautrés l'un sur l'autre avec cette indécence qu'ont les morts quand on les jette ainsi.

Il rentre à Bordeaux par la nationale 10. Deux fois, il manque s'endormir, arraché à sa torpeur par les vibrations et le tangage de la voiture en train de mordre les bas-côtés, et il s'arrête dans un routier au parking déjà plein de camions et il entre en homme ivre dans une salle dont le vacarme des conversations, des éclats de rire, l'écrase aussitôt et le fait hésiter sur le seuil. Il s'approche du comptoir et s'y accroche et voit alors ses mains pleines de sang, les manchettes de sa chemise maculées de taches brunâtres, et il les fourre prestement dans ses poches de pantalon au moment où un gros homme chauve s'approche et lui demande si c'est pour manger. Comme il n'a pas faim, comme il n'y songeait même pas, il dit oui parce qu'il ne sait pas quoi répondre d'autre, alors le type lui indique une table où attendent deux couverts, là-bas, dans un coin près de la fenêtre. L'homme lui précise que le plat du jour consiste en un lentilles saucisses et Darlac répond que oui, ce sera très bien, et demande où sont les lavabos.

Sous un vasistas ouvert qui laisse entrer un air humide, il lave avec le bloc de savon de Marseille ses mains sanglantes et cure sous ses ongles le sang coagulé en une pâte marron qui s'y est incrustée et retrousse ses manches de chemise pour cacher sa faute sous son veston. Il s'asperge la figure d'eau froide et boit de grandes gorgées sous le robinet puis s'essuie avec un torchon crasseux et mouillé. Dans la glace il rencontre un visage hâve aux yeux cernés et il se pince les joues pour tâcher d'y faire revenir un peu de rougeur mais ne restent que les traces roses que ses doigts ont laissées et qui s'estompent déjà.

Une fois assis, il se sert un verre de rouge et l'avale à grands traits. La rinçure de tonneau déclenche dans son estomac un remuement acide qui le fait grimacer. On lui apporte une terrine de pâté de campagne, une assiette de lentilles où reposent deux énormes saucisses, une corbeille de pain. Il regarde tout ça et se demande ce qu'il fait là parmi tous ces gueulards qui reprendront tout à l'heure la route après s'être envoyé un kil de rouge et fonceront avec leur 20 tonnes vers Bordeaux ou l'Espagne. Il ne sait pas ce qu'il doit faire, fourchette et couteau à la main qu'il ne se rappelle pas avoir saisis, il ne sait pas non plus quoi penser, peu sûr d'être en mesure de penser à quoi que ce soit. Comme il sent sur sa gauche deux mecs en train de le dévisager, il décide de piocher dans la terrine et commence à manger et se met à saliver et sent brusquement son estomac se creuser.

Finalement, il mange. Il nettoie son assiette. Il trouve la pomme cuite au four délicieuse, avec son sucre qui a caramélisé sur le dessus. Le restaurant s'est vidé peu à peu et ne restent plus là qu'une dizaine de types qui parlent moins fort et rient et trinquent en s'envoyant le dernier pour la route. Il les observe à la dérobée, il détaille leurs gestes maladroits, leurs trognes rouges, leurs fronts luisants. Il retrouve ses yeux de flic en épiant ces hommes qui ne le voient même pas et se met à nouveau à éprouver le mépris qui le hausse toujours au-dessus du troupeau bovin qu'il surveille, et soudain il se sent mieux et son esprit recommence à jauger et juger et planifier les jours qui viennent.

Dehors, ragaillardi, il aime la fraîcheur de l'air et le gris profond des nuages qui montent de l'ouest poussés par un vent hargneux. Alors, il ne pense plus qu'à Jean Delbos, salope de Jean revenu à Bordeaux pour avoir sa peau, et il redémarre presque heureux de connaître enfin sa cible, ou sa proie, il hésite sur les mots alors qu'il s'engage sur la route derrière un camion bringuebalant, cible ou proie, sans doute les deux, ce sera plus facile.

Comme il approche de Bordeaux, il songe à cette femme belle comme Martine Carol qu'ils ont abandonnée devant la cheminée le bras arraché et il essaie de se rappeler le contact doux de ses cheveux quand il a soulevé sa nuque tout à l'heure pour caler un coussin sous sa tête et une envie de baisers vient titiller ses lèvres.

17

Quand André lui a payé en liquide trois mois de loyer d'avance, le propriétaire, qui s'appelle Ferrand, a acquiescé d'un signe de tête et s'est contenté de glisser les billets dans une poche de son pantalon pour sortir de l'autre les clés du logement. « Vous êtes chez vous, il a dit. N'hésitez pas à m'appeler si besoin. » Il vit pratiquement en face, à vingt mètres à peine, seul avec sa fille idiote, Arlette, qu'on entend le matin, quand les fenêtres sont ouvertes, rire et pleurer et gémir. Hurler, aussi, parfois, comme prise de terreur ou torturée. Les pigeons, tous les oiseaux qui traînent sur les toits s'envolent. Dans ces cas-là, la femme de ménage ferme prestement la fenêtre et le hurlement s'étouffe mais court en sourdine dans la rue, fantôme dissous dans l'air.

Une chambre de trois mètres sur quatre, une sorte de séjour à peine plus grand. Mais propres. Murs, plafonds, plancher. Tout a été refait, repeint, poncé, encaustiqué. Dans une souillarde, un coin cuisine a été bricolé : réchaud à gaz, placard, évier en pierre. Seul luxe, un petit chauffe-eau. Dès que le proprio a eu refermé la porte, André s'est lavé à l'eau chaude, tout frissonnant quand même dans son recoin, sous ce vasistas bloqué à la vitre crasseuse où ne passe qu'une lueur moribonde même en plein midi.

C'est rue Surson, à cent mètres du quai de Bacalan.

Vers le fleuve, les grilles du port, le béton brun des hangars bouchent la perspective. Les chais des grands négociants en vins occupent des pâtés de maisons entiers. Des hectares d'entrepôts et de chaînes d'embouteillage. Des camions font la navette jusqu'aux quais, d'où la camelote part inonder des gosiers fortunés dans le monde entier.

Souvent, le matin, tout le quartier sent la vinasse. C'est le cas aujourd'hui. André sort sous un ciel clair dans un vacarme de moineaux qui tombe des toits et roule dans les gouttières. Un peu de printemps qui s'affole déjà. Il sent sous ses doigts la crosse du pistolet. Il ne sort plus jamais sans le prendre. Il y a huit cartouches dans le chargeur. De quoi prendre un peu d'avance pour fuir et croire qu'il est encore possible de s'en sortir.

Il marche vite dans l'air frais, longe une palissade qui voudrait cacher les ruines de deux ou trois maisons tombées lors du bombardement du 17 mai 43. Le quartier est plein de ces effondrements et de ces béances qui éclairent soudain une rue étroite comme si un urbaniste sauvage avait voulu créer un square, mais ce qu'on voit après toutes ces années c'est la plomberie qui s'accroche aux empreintes de lavabos, ce sont des cloisons aux peintures déteintes, aux carrelages blêmes, toute une intimité d'intérieurs exhibée aux quatre vents, un habit d'Arlequin sinistre en guise d'ornement. Un écorché de la ville, sa peau retournée, laissée pendante dans l'impossibilité d'une cicatrice. Il se hâte, mains dans les poches de son caban, puis entre dans un troquet sur le cours du Médoc où il est déjà venu deux fois, depuis qu'il habite dans le coin. Il y a là quatre ou cinq ouvriers accoudés au comptoir, leur petit sac à l'épaule, en train de boire des cafés et de bavarder avec le patron. Ils répondent machinalement au bonjour d'André puis ne tiennent plus que des propos sporadiques, peut-être mal réveillés, ou déjà fatigués. Il prend le journal et le feuillette comme il fait souvent, et il lui semble que tout s'éteint et se tait autour de lui quand il aperçoit la photo et lit le titre de l'article :

L'INCENDIAIRE DE LA PLACE NANSOUTY
SANS DOUTE IDENTIFIÉ

Nos lecteurs se souviennent de l'incendie criminel d'un bar-cave situé place Nansouty, dans la nuit du 24 au 25 février dernier, dans lequel trois personnes ont trouvé la mort. La police bordelaise, après une enquête minutieuse, a réussi à identifier un suspect, activement recherché : il se fait appeler André Vaillant, mais il est né à Bordeaux, le 16 novembre 1916, sous le nom de Jean Delbos. Il exerçait jusqu'à ces dernières semaines, avant de disparaître, le métier de comptable chez un grossiste en tissus de la rue Bouquière. Supposé disparu en déportation, le suspect serait revenu à Bordeaux il y a quelques mois. On s'interroge sur les mobiles de ses actes. Toute personne susceptible de fournir des renseignements sur cet individu (notre photo) est invitée à se mettre en relation avec les services de la Sûreté bordelaise.

André examine ce visage flou aux sourcils froncés par le soleil, souriant, et il se reconnaît aussitôt sans pouvoir se rappeler précisément où et quand cette photo a été prise mais il sait que c'était dans une autre vie, au sein d'un monde disparu. Même si les arbres qu'on aperçoit derrière lui ont sans doute grandi, et que la même petite brise se lève au début du jusant sur le bassin d'Arcachon. Il sait qu'il retrouverait, s'il y retournait, cette lumière diaphane le matin au-dessus de l'horizon comme si le jour sourdait de la vase luisant à marée basse ou de la nappe immobile de la pleine mer.

Il aimerait voir l'image s'animer, et passer Olga qui sourirait à l'objectif ou lui adresserait une grimace, elle porterait peut-être cette robe mauve à pois jaune d'or qui allait si bien à sa peau brunie par le soleil qu'elle prenait en allant marcher seule sur la plage ou en s'allongeant pour lire un roman sentimental. Il apercevrait alors d'autres silhouettes, reconnaîtrait sans doute des visages de ce temps-là quand ils venaient passer le dimanche, à partir du mois de mai, dans cette bicoque, près du port d'Andernos, qu'Abel avait achetée à vil prix à un cave qui était en dette avec lui et qui, des mois plus tard, fut retrouvé pendu à un arbre dans la forêt : ruiné, lessivé, abandonné par son épouse et ses filles et les femmes qu'il avait entretenues pendant des années.

Quand ils pouvaient, ils arrivaient le samedi en fin d'après-midi par le car et Abel venait les chercher en voiture, souriant derrière ses lunettes de soleil et sa grosse moustache. Ils allaient acheter des huîtres, des dorades énormes qu'ils faisaient griller ou des crabes quand ils avaient décidé de faire une soupe de poisson. Olga tenait à apporter du vin blanc et Abel lui disait rituellement que c'était pas la peine, qu'il en avait des caisses en stock, et trois ou quatre d'avance dans la glacière.

Abel c'était un flambeur, un joueur, un voleur, un charmeur, un escroc. Beau mec, comme disent les femmes et les flics. On lui aurait donné sa chemise et il vous l'aurait revendue avec les manches courtes en vous persuadant qu'il faisait trop chaud et vous l'auriez remercié, payant rubis sur l'ongle. Il était capable de pressentir un pigeon rien qu'à son regard, avant même qu'il eût prononcé un mot. Dans la rue, il pouvait repérer une proie à sa démarche, à ses mains dans ses poches, à sa manière de traverser la chaussée. Ensuite, quand il avait jeté ses filets dessus, il travaillait sa prise en douceur, par le raisonnement, la persuasion, l'analyse. Capable de tirer profits et bénéfices de toutes les cupidités naïves, ces puits sans fond de la bêtise humaine, toujours salope du moment que ça ne se voit pas ou qu'on s'y sent autorisé par la loi ou les chefs petits ou grands. Il connaissait tous les recoins où se cachent les lâchetés ordinaires, les bassesses inavouées, les secrets enfouis. Il faisait des trous à des bas de laine qui sentaient pas toujours la rose. Ouvrait parfois des placards où séchait un cadavre dépossédé de son magot par des héritiers pressés ou un notaire plus pourri que les autres. Il trouvait les trésors cachés sur des îles perdues au milieu d'océans paisibles de mensonges ou d'ignominies minuscules peuplés de requins.

Un bienfaiteur, Abel : banquier anarchiste, sorte d'inquisiteur laïque du petit-bourgeois, il passait à la question ses clients, comme il disait, avant de les faire passer à la caisse. Et puis quel plaisir il prenait à cette mission de salubrité. Il racontait à l'heure de l'apéro des arnaques qui n'auraient pas abusé un gosse en culottes courtes mais qui piégeaient des pères de famille prêts à déposséder ancêtres et progéniture pour ramasser vite fait un peu de fric en douce. Comment des gros malins, pour faire faire la culbute à leur pognon, se ramassaient la gueule par terre en y laissant leurs dents longues.

Il avait fait deux fois du trou, la première fois en 34, mais il en était sorti plus résolu encore à essorer les économies de la canaille tranquille qui pionce près de ses sous, le fusil sous le lit. Il avait appris en taule à jouer au poker, avait même failli se faire démonter le portrait parce qu'il laminait un caïd qui se croyait imbattable, et ça lui avait semblé une façon honnête de gagner de l'argent, histoire de compléter un peu son bizness habituel. C'est comme ça qu'André l'avait rencontré, autour d'une table, une nuit durant à s'épier, les brêmes en main, les yeux mi-clos par la fumée de leurs cigarettes, sans perdant ni vainqueur. Au matin, avec dans la bouche le même goût de cuivre et sous la casquette une migraine lancinante qui les avait fait s'éloigner à pas lents, ils étaient allés prendre un petit déjeuner aux Capucins parmi les costauds et les gueulards, bouchers et camionneurs qui carburaient aux rillettes et au rouge.

Olga avait commencé par détester ce type qui lui volait son mari la nuit, jalouse presque, mais il lui apportait des fleurs et des gâteaux, parlait bien, pas seulement charmeur, tout bêtement gentil. Et ça n'était pas toutes les nuits. André savait trouver les occasions par ailleurs. Elle s'était laissé apprivoiser et puis elle savait qu'avec lui André restait sage et rentrait tôt le matin mais au moins rentrait à la maison, puant le tabac, avec une baguette et des croissants chauds. Abel était là quand Daniel était né, il avait tenu le petit dans ses mains le premier parce qu'André, versant en tremblant des larmes de joie, n'avait même plus la force de s'essuyer la figure.

Elle venait toujours contente à ces dimanches au bord du Bassin d'Arcachon et elle se laissait soulever par les bras musculeux de l'escroc jovial qui la couvrait de baisers sans aucune malice, même si un jour il avait dit à André, qui partait parfois, après des noubas carabinées dans des arrière-salles, au bras de poules éméchées, qu'il devait faire attention à mieux traiter une perle rare comme Olga parce qu'elle finirait bien par se consoler avec un type qui saurait la respecter. Ça l'avait troublé quelques jours, André, attentif soudain, prévenant et sincère, puis démons et sirènes l'avaient appelé de leurs voix trompeuses et il avait oublié la mise en garde de son copain.

Elle aimait aller marcher seule au bord de l'eau ou dans la forêt, tôt le matin, ne rentrant que vers onze heures pour préparer le repas en attendant que les hommes reviennent de la pêche. Elles s'affairaient, elle et Jacqueline, dite Violette, une ancienne putain marseillaise bavarde, volcanique, belle et grossière comme une pierre brute jetant des éclats inattendus et troubles, enfuie après deux jours d'abattage sur des bateaux à quai, une punition de son mac. Violette était arrivée pleine de sang et de foutre, chancelante, chez une vague cousine, elle-même en main, qui l'avait présentée à Abel. Ça s'était fait comme ça tout seul entre eux. Il l'avait emmenée chez lui, lui avait donné une chambre, avait fait venir un toubib rayé des cadres, un avorteur mutique et doux, qui l'avait soignée puis débarrassée du glaire dégueulasse qui grandissait en elle, résidu d'un des quarante ou cinquante types qui s'étaient couchés sur elle dans une carrée puant la rouille et la sueur.

Souvent des visiteurs surprises se pointaient en voiture, des joueurs de cartes, des demi-sels qui jouaient aux durs, une fille à leur bras, une bouteille de mousseux à la main, des gus qu'Abel ou André avaient croisés la nuit ou dans des coins à l'écart pour y traiter d'affaires louches. Toute une faune tonitruante ou farouche, des gonzes ombrageux en chapeau mou ou des comiques en canotier qui en racontaient de bien bonnes, des barbeaux en goguette qui venaient prendre le café avec leur préférée du moment pour la sortir un peu, la pauvre.

Quand il y avait trop de monde, quand le cirque manquait de sièges pour faire s'asseoir les fauves, félins retors ou chats de gouttière craintifs, Olga partait se promener et s'asseyait au soleil sur la plage, jupes relevées pour faire brunir ses jambes, et le dimanche soir André détaillait avec gourmandise les nuances de sa peau bronzée et elle le laissait trouver ce que le soleil n'avait pu atteindre parce qu'il savait toujours y faire surgir la chaleur de l'été.

Darlac était venu, plusieurs fois. Il croisait du gibier, mais arrivait sans fusil ni chien et les rassurait tous en leur affirmant qu'il ne courait pas le lapin de garenne. Il connaissait tout le monde et chacun savait à quoi s'en tenir sur ce jeune inspecteur spécialiste en gros coups, toujours là, le jour avec ses collègues, la nuit en solo autour des tables de jeu ou dans les rades à boire des coups avec les putains ou leurs macs, à zyeuter les as de la cambriole ou les braqueurs qu'on lui montrait. Il voyait tout mais savait fermer les yeux et l'on disait qu'il en croquait parce qu'il avait de gros besoins, n'hésitant pas à flamber lourd, menant grand train avec des filles que sa belle gueule et sa carte de flic lui faisaient tomber dans les bras, content comme un loup dans une bergerie. Il jouait les uns contre les autres, renversait des alliances, manipulait les guignols, tirait les ficelles, serrait des nœuds coulants, possédait toujours plusieurs coups d'avance. Cette maîtrise du marigot lui permettait de sortir de grosses affaires qui le plaçaient en tête du tableau d'avancement, inspecteur principal, commissaire... L'avenir lui souriait, et les divisionnaires lui tapaient sur l'épaule.

André et Darlac s'étaient plu. Allez savoir. Peut-être grâce à Olga qui, sans rien chercher, attirait les regards appuyés et la sollicitude attendrie du flic. Et surtout parce que Darlac avait su se rendre utile, puis indispensable quand André avait eu quelques démêlés avec une équipe de braqueurs de la côte basque ou quand des collègues qui ne mangeaient pas de ce pain-là avaient cherché à le coincer pour abus de confiance et proxénétisme passif. Darlac lui avait sauvé la mise mais le tenait par le fond du futal.

Il est sorti du bar groggy, désorienté sur le trottoir, puis il s'est mis à marcher vite, le regard perdu, tourné vers le sol. Il n'a croisé que des pieds et des jambes, des silhouettes informes. Comme ivre, saisi par le vertige des souvenirs.

Il arrive sur la place Gambetta pleine de bruit et il lui faut quelques secondes, immobile au milieu de la foule pressée, pour dissiper le brouillard du passé où flottent encore les visages d'Olga et Abel, aveuglants de sourires. Sa gueule à lui, floue, fantomatique, s'affiche dans le journal et il aimerait devenir invisible, fantôme pour de bon, au lieu d'errer en chair et en os parmi tous ces regards dangereux.

Il prend un bus où il se fait ballotter pendant un quart d'heure accroché à une poignée puis descend devant la gare. Il se hâte vers la rue Furtado et passe devant le garage sur le trottoir opposé puis s'arrête et reste un moment devant la vitrine d'une boulangerie, surveillant de droite et de gauche toute présence suspecte. Il y a ce jeune type qui fume une cigarette dehors, adossé au panneau de l'enseigne. L'apprenti. André scrute l'intérieur des voitures, essaie malgré le reflet des vitres de distinguer des silhouettes tassées sur leur siège.

Parce qu'il est sûr que Darlac a déjà retrouvé sa trace maintenant qu'il l'a identifié. Il sait tout à cette heure de ce qu'il doit savoir à son sujet : ceux qu'avec Olga ils connaissaient avant la guerre, aussi bien ceux de la nuit que du plein jour, les amis qu'elle avait connus quand elle travaillait à l'usine, des femmes surtout. Ces gens qu'André avait rencontrés parfois, mal à l'aise au milieu de leurs discussions, leurs histoires de syndicat et de guerre civile en Espagne, leurs indignations contre les fascistes et les patrons qu'il faudrait coller au mur. Il sentait leur méfiance, peut-être leur mépris à son égard, comme ces superstitieux qui redoutent les oiseaux de nuit.

Il sait que Darlac ne reculera devant rien pour qu'ils parlent même s'ils ne disent rien, il les harcèlera, les terrorisera, enverra ses hommes de main. Le cœur d'André s'emballe à cette pensée. Et puis il y a Daniel. Darlac ne l'a vu que trois ou quatre fois, le gamin marchait à peine, il lui a un jour apporté un cheval de bois rouge et jaune que le gosse s'était mis à tirer derrière lui en riant dans le petit bruit aigrelet que faisait la clochette pendue à l'encolure. Encore un prétexte pour s'attirer de la part d'Olga un sourire, un peu d'attention.

Darlac. Le complice. Le compagnon de bamboche. À cette époque-là, avec Abel, ils n'avaient connu du bout de la nuit que le jour qui se lève.

André se décide à traverser la rue. Il serre dans sa main le pistolet au fond de sa poche. Il abattra le premier flic qui lui barrera le chemin.

L'apprenti écrase du pied sa cigarette et le salue. Il lui apprend que le patron est là-bas, au fond. André s'approche, aperçoit l'homme penché au-dessus d'un moteur, en marche qu'il fait hurler en manipulant le carburateur. Boucan. Bouffées de fumée suffocante. Puis le moteur prend son régime de ralenti et se met à ronronner.

André a manqué de souffle. Il met ça sur le compte des gaz d'échappement qui saturent l'air.

Mesplet se retourne et le dévisage sans manifester aucune surprise. Il allume une cigarette puis la garde serrée entre ses lèvres, les yeux mi-clos à cause de la fumée.

— Je t'avais dit de pas remettre les pieds ici.

— Je viens chercher ma moto.

— Après plus de trois mois ? On a failli la foutre en l'air. Mais comme on avait presque tout refait dessus, ça nous a fait deuil. J'allais la vendre, finalement. Ça va te coûter la peau du cul, je te préviens.

– J'ai de quoi payer.

Mesplet s'esclaffe.

– Ah oui, c'est vrai. T'as toujours de quoi payer, toi. Tu sors des billets de tes poches et tout va bien, tout s'arrange.

André cherche quoi répondre, cherche de l'air, aussi. S'oblige à respirer.

– Je suis fatigué. Donne-moi cette moto et je m'en vais.

Il a parlé dans un souffle. Mesplet, qui allait répliquer quelque chose, se ravise puis secoue la tête. Il le regarde intensément comme s'il épiait sur son visage creusé de rides les signes d'un mensonge.

– Suis-moi.

La moto est sur sa béquille. Elle jette quelques éclats vifs dans le coin sombre où elle attend, entre deux tas de vieux pneus.

– Le jeune s'est amusé à la bichonner. C'est lui qui l'a remise en état. Je lui ai montré un peu.

– Combien je te dois ?

– Trente mille.

André tire les billets de son portefeuille et les compte.

Mesplet les fourre dans la poche de poitrine de sa combinaison.

La moto est lourde. André a du mal à la manœuvrer au milieu des voitures rangées les unes contre les autres. En passant près de Norbert, il lui tend un billet de mille. « Pour la moto », il lui dit. Le garçon déchiffre le billet comme si c'était un télégramme et regarde l'homme qui s'éloigne courbé sur sa machine et il plie le billet avec soin, le serre dans sa poche et tapote par-dessus comme pour qu'il y reste bien au chaud puis va tenir la moto pendant qu'André enfile son casque de cuir.

– Et Daniel ? demande-t-il.

– Il est en Algérie, Daniel.

Pendant qu'il roule précautionneusement dans la ville, maladroit et méfiant, il pense à Daniel soldat dans ce merdier algérien, et il lui semble qu'il va tomber parfois de sa machine tant tout son corps se met à trembler.

Il gare sa moto à une cinquantaine de mètres de chez Darlac et fait semblant de bricoler dans le moteur en surveillant la maison. Il est presque onze heures et il sait que la femme de Darlac, Annette, sortira dans cinq à dix minutes, un grand sac à provisions à la main, comme elle le fait tous les mardis et les jeudis puis montera dans sa 4 CV. Impossible jusqu'à présent de la suivre. Il s'est souvenu de cette moto, une épave achetée à Raymond, le commis, un simple prétexte au départ pour aller au garage. Il veut seulement savoir où va cette femme, si régulièrement, à heure fixe.

Depuis trois semaines, il passe ses matinées dans un bistrot qui fait le coin de la rue. Il s'installe derrière la vitre avec son cahier et un roman policier et il lit ou écrit ou fait semblant de lire ou d'écrire, griffonnant des suites de mots incohérentes sans perdre de vue la porte de la maison du flic. Dès le troisième jour, le patron lui a demandé s'il était écrivain ou quoi et André a répondu qu'en fait il rédigeait ses mémoires, la guerre et le reste, et qu'il avait besoin de voir du monde pour que sa vie lui revienne. Le type a jeté un coup d'œil étonné aux quatre ou cinq gus qui traînaient là, des habitués pour la plupart, avachis sur leur chaise ou appuyés au comptoir, tenant des propos sporadiques et indigents après les bavardages d'usage qui avaient accompagné leur arrivée. Ils étaient à présent seuls devant leur verre de rouge ou de blanc ou bien de rhum, commandant le suivant d'un geste de la main sûr, presque autoritaire, jouissant peut-être du respect qui leur était dû, mirage imbibé, fugace dignité bredouillante. Il avait expliqué ensuite à voix basse, comme pour les excuser, que c'étaient tous des pauvres diables tombés dans la mouise, pas bien gênants, parfois un peu simples ou un peu fous, tristes comme des chiens perdus. «Vous savez ce que c'est», avait-il ajouté sans malice, et André l'avait regardé dans les yeux, y avait trouvé une lueur d'humanité qui lui avait bien plu et lui avait répondu «Oui, je sais un peu» et l'homme avait souri et avait hoché la tête en soupirant.

Depuis ce jour, quand il entre, le patron le salue d'un plissement des yeux et lui apporte son café et lui serre la main, et ils échangent des comment ça va sincères et ils écoutent ce que l'autre répond. Curieux îlot que ce troquet triste et sombre où se tient cet homme comme un naufragé prêt à tendre la main à ceux que l'océan rejette. André écrit sur lui dans son cahier. Il écrit qu'il y a encore des hommes sur cette terre, qu'il vient d'en rencontrer un autre.

Il est accroupi auprès de sa moto et il n'a aucune idée de ce qu'il va faire. Il suit, il surveille, il s'approche. Il les regarde vivre. La fille, qui fausse compagnie à peu près quand elle veut au crétin chargé de la protéger et file au trot vers le Parc bordelais pour y rejoindre un jeune type qu'elle embrasse à pleine bouche pendue à son cou, collée contre lui pendant qu'il perd ses mains sous son chandail. Le prétendu grand flic croit contrôler la ville mais quand il n'est pas là ses souris dansent.

André a l'impression de le tenir ainsi dans ses filets et d'en resserrer peu à peu l'emprise. Il lui semble que Darlac sent sur lui ce regard, devinant ces filatures sans pouvoir les déjouer et qu'il écarte peut-être, parfois, le contact impalpable de cette toile d'araignée sur lui d'un revers de main.

Il sait surtout qu'il se berce de cette illusion. *L'œil était dans la tombe et regardait Caïn.* Il se rappelle ce vers, appris sans doute à l'école. Mais il sait qu'il n'est pas l'œil de Dieu. Un type lui avait dit avant de mourir, accroché à lui, grelottant, que Dieu, auquel il ne pouvait s'empêcher de croire, était un chaos aveugle et sourd.

Annette Darlac sort et claque la porte derrière elle et s'éloigne d'un pas vif, grande, droite, un peu raide, vêtue d'un long manteau noir, quelques mèches blondes s'échappant de son foulard mauve. Elle ne porte que son sac à main et son bras libre balance en frappant les pans de son manteau. La voiture est garée à une trentaine de mètres. André attend qu'elle démarre pour enfourcher la moto. Elle tourne sur le boulevard, calme à cette heure, et il laisse s'intercaler deux autos pour qu'elle ne le repère pas. Elle est femme de commissaire. C'est Darlac qui a expliqué un jour à André, il y a longtemps, comment on filoche quelqu'un. Toutes ces ruses et ces embrouilles de flics, ces méthodes tordues. Il se sent invisible derrière ses lunettes, sous son casque. Il sent sous lui les vibrations de la machine qui tourne comme une horloge suisse.

Elle vire à gauche et prend la route du Médoc. La ville s'effiloche et se perd peu à peu dans des prés, s'oublie au milieu de bosquets, disparaît derrière des haies vives. La route franchit des prairies inondées, perchée sur un talus. On se croirait nulle part. Il se laisse distancer parce qu'il n'y a plus grand monde qui roule par ici. Blanquefort est un gros village entre paluds et bois. Il traverse le bourg désert. Une route perdue, une maison basse aux volets blancs. Il aperçoit Annette Darlac descendre de voiture puis pousser le portail. Ses cheveux blonds flottent dans le vent, son foulard retombé en fichu sur ses épaules.

André passe devant la maison, s'arrête un peu plus loin à l'entrée d'un chemin dans les bois d'où il peut surveiller les allées et venues. Il remonte le col de son caban parce qu'un peu de vent furète entre les arbres. Le ciel est hésitant. Le bois sent encore l'hiver, le champignon. Odeur de pluie et d'humus. La maison, là-bas, est petite au pied des grands chênes qui l'entourent. Il crève d'envie d'aller voir. D'entrer, de surprendre la femme. De voir se tourner vers lui son visage apeuré. Et quoi ? Le commissaire est cornard ? Il s'imagine soudain forçant à coups d'épaule la porte d'un vaudeville minable, alors il ne sait plus. Il doit attendre, encore. Il attend depuis si longtemps qu'un jour ou une semaine supplémentaires ne sont rien et qu'il saura un jour quoi faire du temps qui lui a été octroyé en plus. Peut-être que l'attente même devient une façon de vivre. Croire savoir ce qu'on attend pour oublier ce par quoi on est attendu.

Ça dure presque deux heures. Il a le temps de fumer cinq cigarettes, de pisser, de faire quelques pas jusqu'à une clairière où chahutent deux écureuils. Trois voitures passent, des oiseaux s'égosillent parfois, qu'il essaie de distinguer entre les branches pomponnées de vert printanier. Le soleil vient se poser à ses pieds alors il s'adosse à un tronc et profite de cette douceur les yeux fermés. Deux heures. Mais il ne sait plus, depuis des années, comment passe le temps. Ou s'il passe encore. Si quelque chose, tout autour de lui, ne se serait pas arrêté. Comme s'il ne restait au cadran d'une montre qu'une trotteuse solitaire revenant sans cesse à son point de départ. Les jours succédant aux nuits. La nuit toujours aveugle, le jour parfois si gris.

La femme monte en voiture et manœuvre pour faire demi-tour et repartir. André sent son cœur s'emballer et pousse la moto jusque devant la maison, l'appuie contre le muret de clôture. Il ouvre le portail de fer rouillé, il marche sur une allée de terre battue entre deux rangées de rosiers taillés court. Une porte bleue, flanquée de deux fenêtres aux voilages blancs. Il soulève le heurtoir, se demande s'il ne vaut pas mieux entrer sans s'annoncer, pour surprendre et saisir. Il prend la poignée de la porte dans sa main, frappe finalement avec le heurtoir dont le fracas le fait tressaillir.

Un pas léger s'approche. Le pistolet dans sa poche, sous sa main, ne le rassure pas. Il fixe le battant et se demande quel regard va venir se planter dans le sien ou le fuir. Une vieille femme petite, aux cheveux blancs tenus par une sorte de coiffe grise, aux yeux d'un bleu clair et dur, tient la porte entrouverte et le dévisage et jette derrière lui des coups d'œil méfiants. Elle se tient droite, le menton levé.

– Qu'est-ce que vous voulez ?

Voix grave, enrouée. André reconnaît cet accent allemand. La vieille est vêtue de noir. Jupe longue, chandail. Le col blanc d'un chemisier montre sa dentelle autour de son cou.

– Laissez-moi entrer.

La vieille a le geste de refermer la porte mais André la bloque puis la repousse. La femme a reculé et se tient au milieu d'un vestibule tapissé de bleu dont le sol carrelé luit doucement dans une lumière froide. Il referme la porte derrière lui. Il ne sait pas quoi dire. Il ne comprend pas ce que la femme de Darlac vient foutre ici, chez cette vieille Boche.

– Vous êtes allemande ?

La femme secoue la tête.

– Non. Alsacienne.

Ils disent tous ça. Ils sont des centaines à se planquer un peu partout qui se disent alsaciens.

– Pourquoi elle est venue, cette femme ?

La vieille agite ses mains devant sa figure. Elle ne comprend pas. Elle fait mine de ne pas comprendre.

Dans le camp, on pouvait être abattu sur place si on ne comprenait pas l'allemand.

Le pistolet dans sa poche. Il passe le doigt sur le pontet, referme sa main sur la crosse.

– Comment vous vous appelez ?

Il gueule, il est sur le point de lui coller le pistolet sous le menton, mais quelque part dans la maison un meuble racle le plancher, peut-être une chaise ou un fauteuil, alors André prend l'arme et pousse la femme devant lui dans un couloir qui mène à une pièce dont la porte ouverte jette un flot de lumière dorée. La femme prononce quelque chose en allemand et André lui dit de se taire et pousse le canon de l'arme dans ses reins pour qu'elle avance plus vite. Il a envie de lui hurler dans sa langue les ordres auxquels ils obéissaient en tressaillant, la tête rentrée dans les épaules parce que chaque aboiement pouvait être suivi d'une détonation qu'ils n'auraient pas le temps d'entendre. Plus un bruit ne provient de cette pièce pleine de soleil. Il attrape la femme par le cou et se colle contre elle, le pistolet contre sa tempe, et entre dans la pièce, une vaste chambre où il voit aussitôt, bloc obscur dans la lumière, un homme installé dans un fauteuil roulant.

Il tourne vers André sa gueule emportée, son épaule sans bras, le moignon d'une jambe. Tout le côté droit de son corps a été détruit. Dans l'orbite reconstituée, un œil bleu figé ne cherche même pas à ressembler à autre chose qu'à une bille grotesque qu'on redoute de voir rouler par terre. Sa joue n'est qu'un repli de chairs bourrelées, un trou qu'on aurait comblé à la viande en tirant fort et en cousant avec de la ficelle à rôti. La tempe est un tympan de peau bleue tendu sur l'artère qu'on voit pulser contre ce petit tambour. Quelques mèches de cheveux ont repoussé dans le cratère d'une trépanation.

Et c'est vivant. André le réalise soudain et tressaille et sent se nouer sa gorge et se bloquer sa poitrine qui ose à peine respirer.

Il y a une autre partie de cet homme qui vit. Une main posée sur le bras du fauteuil, un pied chaussé d'une pantoufle, la moitié d'un corps vigoureux, élancé, élégant dans cette veste d'intérieur grenat. Il y a ce demi-visage, fin, long, et cet œil gris-vert et cette bouche bien dessinée mais étirée par l'arrachement.

André a vu des corps ouverts, déchirés, éclatés, démembrés. Des morceaux d'hommes, des têtes ouvertes et répandues dans la boue. Il a vu des vivants déjà morts, des morts qui semblaient seulement chercher à reprendre leur souffle et qui vous regardaient, l'air implorant. Il a sans doute vu des corps humains dans tous les états possibles quand il était au fond de la guerre. Dans l'immonde arrière-cour aux mains des équarisseurs, au bord des fosses, devant des stères de carcasses humaines, enchevêtrements de grimaces, monceaux de cauchemars. Dans la fumée rabattue sur les baraquements. Il était en ces temps-là replié en lui-même dans un abri inexpugnable, un cachot souterrain dont il redoutait toujours de perdre la clé, de sorte que son cœur ne tremblait plus devant l'épouvante peut-être parce qu'il n'avait plus beaucoup la force de battre. Dans cet instant, devant cet homme vivant auquel manque une moitié, il sent chaque centimètre de sa peau frémir d'un frisson douloureux. Il y a cet œil qui le regarde et cette paupière qui bat.

– Qu'est-ce que vous voulez ? Qui vous êtes ?

Léger accent allemand. Diction nette. André s'étonne que les mots sortent intacts de cette bouche massacrée. Il ne sait pas quoi dire. S'aperçoit qu'il tient toujours son pistolet. L'homme montre l'arme d'un mouvement de menton.

– Vous allez me tuer ? Ne le faites pas devant ma mère, alors.

La vieille femme s'est assise sur le lit, les mains jointes entre ses cuisses, et elle regarde la gueule cassée de son fils et son regard couvre cette face dévastée comme si elle pouvait, par sa seule volonté, la voiler d'un masque de tulle ou même la remodeler pour lui donner forme humaine.

André cherche ses mots. Quoi dire. Il pourrait partir aussi bien. Laisser cet homme et sa mère à leur calvaire.

– Qu'est-ce qu'elle est venue faire, tout à l'heure ?

Il sait déjà la réponse. Il se rappelle ce que Mazeau lui a raconté à propos d'Annette Darlac et des Boches. Il se rappelle que la jeune Darlac n'est pas la fille du flic. L'homme baisse la tête. Il est maintenant de profil et montre à André un beau visage songeur.

– C'est mon secret. Je suis son secret.

La vieille dit quelque chose en allemand à quoi il répond d'un geste agacé de la main.

– Et maintenant partez d'ici. Je ne sais pas pourquoi vous êtes là et je m'en moque. Ou bien tuez-moi, si ça peut vous soulager de je ne sais quoi. De toutes les façons, je suis déjà mort.

– Seulement à moitié.

L'homme se redresse et regarde André au moment où il retrousse sa manche et montre les chiffres tatoués sur son avant-bras. La femme se lève et recule vers la tête du lit, les yeux écarquillés, la bouche ouverte.

– Moi aussi, je suis mort, dit André.

L'homme hoche la tête. Puis sa demi-gueule sourit.

– Alors, aucun n'en sortira vivant, n'est-ce pas ?

– Vous êtes le père d'Élise Darlac. Annette a couché avec vous pendant l'occupation. Darlac a reconnu la gosse à la fin de la guerre.

– Vous en savez des choses. À quoi ça vous avance ?

L'homme se raidit brusquement. Il se tord et grimace

307

en geignant. La mère fait un pas vers lui puis se ravise. Il souffle fort, plusieurs fois, comme pour expulser la douleur de son corps.

– Les membres amputés aussi ont leurs fantômes douloureux. Vous le saviez, ça? Je ressens encore les engelures de Stalingrad. J'ai laissé de la charogne là-bas et j'ai mal comme si ça avait repoussé.

Un sourire s'étire sur le côté droit de sa figure pendant que le reste n'est qu'une bouillie figée. Après, il ferme les yeux et s'apaise et la mère se rassoit sur le lit. Dehors, la lumière a décliné et l'ombre commence à sortir en rampant de sous les meubles et assombrit le plafond. Le silence est tellement profond, soudain, qu'André entend le sang bourdonner et battre à ses oreilles. On dirait qu'autour d'eux le monde est mort ou qu'ils sont pris dans une poche de temps et d'espace arrachée à l'univers.

André sort de la pièce pour s'extirper de ce tourbillon où il se sent aspiré. Il fait quelques pas dans le couloir puis se retourne, et il lui semble qu'il n'y a plus rien dans la chambre : cet officier nazi, sa vieille mère n'ont existé que dans un rêve qu'il vient de faire. Mais un grincement du parquet, une toux sèche, témoignent qu'il y a bien là quelque chose.

Une fois dans le jardin, il se demande s'ils le regardent s'éloigner à travers les rideaux. Il lui semble qu'il a visité des fantômes et, s'il n'avait saisi et serré contre lui le corps inconsistant de la vieille, si elle n'avait résisté alors qu'il la poussait en avant, il s'attendrait à les voir le raccompagner en traversant les murs et c'est pour ça qu'il ne se retourne pas et qu'il se presse de quitter cet endroit, étourdi et vacillant.

18

Martine Carol est morte. Darlac a sous les yeux une photo de Mariette Mazeau, un de ces portraits lisses et doux qu'on fait dans quelques studios de la rue Sainte-Catherine ou sur le cours de l'Intendance et qui améliorent bien les choses. Éclairage tamisé, flou et lueurs vaporeuses. Mais ce visage-là, Darlac sait bien qu'il n'avait besoin d'aucun artifice, il l'a su tout de suite il y a dix jours quand la femme est apparue portant tasses et cafetière sur un plateau argenté, abolissant par sa seule présence le mauvais goût parvenu de la pièce. Il a pensé aussitôt à l'actrice qui serait venue onduler entre les mâchoires du piège, comme dans un film. Alors il se répète ça comme un titre de journal, une annonce à la radio : Martine Carol est morte.

Et je t'ai vue mourir. Je crois que j'ai su dès que tu es entrée que tout ça allait finir mal. J'ai vu partir la décharge qui t'a arraché le bras. Et la terreur dans tes yeux alors que tu te vidais de ton sang, l'épaule en lambeaux. J'ai senti au creux de ma main ta nuque tiède et fine. J'ai abattu comme un chien le tas de merde qui t'avait fait ça.

Il revit chaque seconde de cette matinée. Il revoit Jeff effondré au pied du mur, son regard aussi vide et rond mort que vivant. Il jouit de cette image. Soulagement et plaisir.

Pour toi j'ai tué.

À son chevet, derrière le paravent dans cette grande salle de l'hôpital Saint-André, il a attendu durant des soirées qu'elle rouvre les yeux, il passait sur son front brûlant un mouchoir imbibé d'eau de Cologne, il lui parlait tout bas, allons, restez avec nous, ne vous inquiétez pas... Mais la femme ne bougeait pas, son visage livide sur l'oreiller comme une figure de cire. Seule sa poitrine se soulevait d'une respiration trop rapide, parfois convulsée par des sortes de sanglots. Les toubibs pensaient qu'elle s'en sortirait. Elle avait perdu beaucoup de sang mais on a l'avait transfusée à temps. Le cœur les inquiétait, moins vaillant que ce à quoi ils s'attendaient chez une femme de trente-cinq ans.

Hier, elle a ouvert les yeux, a regardé Darlac avec frayeur, les a refermés pour en laisser filtrer quelques larmes, murmurant des paroles indistinctes. Cette nuit, son cœur s'est arrêté.

Il contemple cette photo posée sur son bureau encombré de rapports, de notes, d'autres photos. Il n'entend rien du bruit de la matinée, portes qui claquent, éclats de rire et coups de gueule, cliquetis obsédant des machines à écrire. Tous ces connards de flics qui cavalent et aboient. Cette photo lui fait du bien. Il se plaît à croire qu'il y avait encore dans le chaos de ce monde une personne digne d'affection et de tendresse. Ce visage comme celui d'une sainte sacrifiée capable, si on l'avait laissé vivre, de racheter bien des fautes des hommes.

Il s'entend raisonner, le commissaire Darlac. Il sait bien ce que vaut son mysticisme à deux sous et son adoration de collégien puceau. Il a passé l'âge de se palucher sur des photos de vedettes ou de putains dénudées qu'on se refilait sous le manteau en se cachant des pions et des curés. Et puis dans sa vie il en a trop vu. Trop fait. Il est à l'abri du moindre vertige. Son cœur ne battra pas un coup de trop. Mais il se laisse aller simplement à la beauté de ce visage, au souvenir de cette silhouette, à toute cette personne apparue juste avant le massacre.

Tout à l'heure, quand le téléphone a sonné et que l'infirmière lui a annoncé la mort de cette femme, il s'est assis lourdement et il a sorti sa photo du dossier consacré à la disparition de l'inspecteur Mazeau et il s'est contenté de l'examiner, plein de tristesse. Il y a si longtemps qu'il n'avait pas été triste qu'il ne sait même plus à quand ça remonte. Il s'est abandonné à ce délicieux accès de faiblesse. Peut-être pour oublier un peu qu'il est arrivé tôt ce matin pour pouvoir travailler au calme et mettre fin à cette nuit sans sommeil auprès de sa femme tout aussi réveillée que lui, recroquevillée en chien de fusil, les mains crispées sur le drap remonté jusqu'au cou. Il a bien essayé de la toucher pour essayer de s'épuiser un peu, espérant que ça l'aiderait à s'endormir, mais ses jambes étaient tellement froides, ses pieds si glacés qu'il lui a semblé peloter le corps déjà raide d'une morte. Il est resté des heures dans le noir auprès de ce corps inerte dont il entendait à peine la respiration. Vers cinq heures, il s'est levé, jeté hors du lit par la migraine et la nausée.

Alors le bureau. Ses odeurs de tabac froid, de sueur et de poussière. Il a évité les collègues qui avaient fait la nuit pour n'avoir pas à entendre l'habituelle litanie des bagarres sur les quais entre marins ivres, des putes ramassées pour tapage, des voleurs à la roulotte pris la main dans le vide-poche, les clodos tailladés au couteau, tous les paumés et les bancroches que les fourgons de police-secours ramenaient, cette routine de la nuit où l'on ramasse l'écume de cette eau noire comme on enlève un fauxcol sur un bock de bière, juste pour que ça ne déborde pas trop. Tout ce merdier tapé en trois exemplaires.

Fautes de frappe, carbones baveux, procédures mal engagées. Relents de tabac froid, de corps négligés, de vomissures.

Il range la photo dans un tiroir puis se lève et marche vers la fenêtre. Ciel bleu transparent. Le soleil s'apprête à sauter par-dessus les toits. Cigarette. La première. La tête lui tourne un peu mais le goût du tabac, l'odeur de la fumée qui stagne autour de lui dissipent la rêverie qui l'a bercé quelques instants.

Martine Carol est morte mais les époux Mazeau, eux, ont été attaqués par un ancien déporté, revenu à Bordeaux pour se venger : Jean Delbos. Démasqué par l'inspecteur Mazeau, il l'avait violemment agressé avant de lui voler son arme de service. L'inspecteur Mazeau a disparu, probablement enlevé à son domicile, au cours d'une attaque qui a coûté la vie à sa femme. Darlac repense aux détails et détours de ce montage : ça tient debout. Les cons de journalistes ont tout gobé. Il se fait l'effet d'un chat qui a sauté du dixième étage et qui atterrit en douceur sur le dos d'un chien ahuri. Rescapé et tout-puissant. Même le commissaire divisionnaire Laborde s'est laissé convaincre : il a décidé de mettre le paquet sur cette enquête. Un tueur de flics, on laisse pas courir, a-t-il dit.

Depuis hier, une demi-douzaine d'inspecteurs renouent les fils, remontent le temps. La guerre et l'occupation vont brouiller les pistes. Tant mieux. Darlac voudrait éviter qu'on croise trop la sienne. Il est d'anciens sentiers connus de lui seul. Il sort d'une chemise la photo d'un jeune homme qu'il s'est procurée au service des cartes d'identité de la préfecture : il s'agit de Daniel Delbos, fils de Jean et Olga Delbos, né le 18 mars 1939, adopté officiellement par Maurice et Roselyne Jouvet le 10 novembre 1946. Parents décédés en déportation. Actuellement en Algérie, 85e régiment d'infanterie.

Il se rappelle avoir tenu ce petit bâtard dans ses bras, deux ou trois fois. Lui avoir apporté des bonbons. Offert un joujou, peut-être. Il faut dire qu'Olga était si jolie et si seule, certaines nuits… Mais un peu juive, un peu rouge… Secrétaire dans une usine où elle fricotait avec les communistes. Bordenave, un inspecteur des Renseignements généraux, avait prévenu Darlac, fin 40 : il devait faire attention avec Delbos et sa femme. Ça n'était plus des gens fréquentables. Lui, Jean, à la rigueur, c'était un guignol, un petit flambeur, on l'attrapait par où on voulait et on le tenait bien. Mais elle, il fallait s'en méfier : ses parents étaient juifs hongrois, ils vivaient à Paris avec leurs vieux. Elle, en plus, elle était communiste ou c'est tout comme. C'était la guerre, il avait dû le remarquer. Et on était occupés. Il pigeait bien ce que ça voulait dire ? Youpins et cocos, ça allait valser, pour sûr. Il convenait de se tenir à l'écart de ce bal maudit, et il valait mieux que ce soit lui, Bordenave, qui lui dise ça plutôt que la racaille en train de prendre le commandement, et il ne parlait pas seulement des schleus. « Reste du bon côté du manche et il ne t'arrivera rien », il avait ajouté.

Darlac se l'était tenu pour dit. De toute façon, Olga le méprisait trop pour lui être d'une utilité quelconque : elle n'aurait rien dit, rien révélé, même par inadvertance, tant elle le considérait comme un ennemi mortel de son couple et un danger pour sa vie et celle de son fils. Et puis la politique il s'en foutait. Pétain était une vieille ganache, les Juifs une sale race, les cocos des crétins dangereux, les Boches des vainqueurs incontestables avec lesquels il fallait compter désormais. Point à la ligne. On devait s'arranger avec ça et ne pas se prendre les doigts dans les portes. Lui, ce qu'il comprenait petit à petit, c'est qu'il y avait des places à gagner et de l'argent à se faire. S'il s'y prenait bien, ça pouvait tomber parfois sans qu'il demande rien. À l'occase, au hasard, à la chance qu'il fallait seulement saisir comme la queue du pantin dans un manège. Être là au bon moment, au bon endroit. Facile, quand on est flic. Alors non seulement il avait tenu le manche, mais il avait levé la cognée, frappé où il fallait, bûcheron malin qui ne répugnait pas à se cracher dans les mains. Il avait vite trouvé ses repères dans la forêt de ses ennemis. À la guerre comme à la guerre. Tous contre lui. Chacun pour soi.

Et la guerre, il a l'impression qu'elle a recommencé.

En ce moment il roule vers le nord sur les quais, cahotant sur les pavés au cul de camions paresseux dont les moteurs gueulent d'impuissance pour monter en régime et franchir cinquante mètres avant d'être arrêtés par la cohue du trafic. Il regarde à peine au-delà des grilles la zone portuaire où s'affairent hommes et engins. Tout ce travail syndiqué le dégoûte, ces feignasses à gros bras, ce grouillement coco l'écœurent. Et puis les ports ça l'angoisse. Ces zones troubles où les villes se noient, où le brouillard s'attarde, ces lieux d'échanges et de transit, ces arrivées d'on ne sait qui, ces départs Dieu sait pour où. Les ports sont des lieux de désordre et d'intranquillité, avec leurs lois non écrites établies par toute une truanderie insaisissable. Une fois, il a dû venir enquêter ici, et planquer, trois nuits de suite. Il a eu l'impression d'être en territoire ennemi, ressentant l'hostilité de chaque objet, redoutant la menace de la moindre ombre, haïssant la nuit elle-même, plus profonde, et son silence, toujours déchiré par un éclat de rire ou un grincement de fer. Un silence instable comme cette eau et ses reflets mouvants. Même les bateaux l'inquiétaient, trempés lourdement dans cette noirceur profonde avec leurs hublots éclairés derrière lesquels il soupçonnait des trognes cosmopolites concentrées sur un complot, un trafic ou un macchabée à escamoter.

Il laisse derrière lui cet espace incertain en franchissant le pont tournant dans un roulement sourd. Francis l'attend dans sa voiture au coin de la rue de New York en face du poste de police, en train de fumer, accoudé à la portière. Il s'extirpe avec effort de l'habitacle et salue Darlac d'une signe de tête puis ils marchent vivement vers le 35 sans rien se dire.

– Roselyne Jouvet ?

La femme qui leur a ouvert pose sur eux son regard noir et d'abord surpris. Puis les traits de son visage se tendent quand elle semble avoir compris, avant même qu'ils lui montrent leurs cartes de flics.

Elle garde un instant la porte entrouverte, qu'elle bloque sans doute du pied.

– Qu'est-ce que vous voulez ?

En rangeant son porte-cartes, Darlac écarte un pan de son veston pour qu'elle voie bien le colt .45 dans son étui d'épaule. Il croise son regard qui vient d'apercevoir l'arme.

– Vous parler. Votre mari n'est pas là ?

– Il travaille.

– Et votre fille ? Irène, c'est ça ?

La femme tressaille visiblement. Elle dévisage les deux hommes. S'attarde sur Francis, qui fourgonne dans sa poche d'imper. Bruit de clés.

Darlac met un pied sur la marche.

– On peut entrer ? À moins que…

Elle ouvre grande la porte et les précède dans un couloir étroit et les mène dans la cuisine. Une lessiveuse est en train de bouillir sur la cuisinière. L'odeur de savon est âcre et piquante. Francis éternue. La femme s'appuie à l'évier et les observe debout tous les

315

deux de l'autre côté de la table, avec leur chapeau sur la tête, leurs regards furetant sous cette ombre rabattue. La pièce est pleine de leur seule présence, on y étouffe.

Darlac sait déjà que ce sera difficile. Il la sent crispée, hostile, méfiante. Elle en a vu d'autres, sans doute. Il sait que le mari a failli tomber en 43. Il sait que Poinsot avait prévu de s'occuper d'elle mais qu'il n'avait pas eu le temps. Il faudra qu'il vérifie, à l'occasion. Elle a probablement connu des descentes d'inspecteurs nerveux, pistolet au poing, qui prenaient les enfants sur leurs genoux et leur caressaient la tempe du canon de leur arme pendant qu'un autre effectuait une fouille à corps.

— Vous connaissiez Olga et Jean Delbos ?

— Ils sont morts. Fichez-leur la paix.

— Vous n'avez pas répondu à ma question.

Darlac adresse un signe de tête à Francis, qui va dans le couloir et ouvre des portes et des armoires et des meubles.

— Répondez et on s'en va.

— Bien sûr que je les ai connus. Vous le savez, alors pourquoi vous demandez ? On a recueilli leur fils, Daniel. Et on l'a adopté. Et alors ?

— Vous lisez le journal ?

— Pas tous les jours.

On entend Francis jeter par terre un tiroir. Faire grincer des cintres sur leur tringle.

— Figurez-vous que Jean Delbos n'est pas mort. Figurez-vous qu'il est revenu et que nous le recherchons.

Roselyne porte une main à sa bouche puis ferme les yeux quelques secondes. Quand elle les rouvre, ils sont pleins de larmes qui ne se décident pas à couler.

— J'étais amie surtout avec Olga. Elle était comme ma sœur. Tout ça ne vous regarde pas.

316

– Oh que si…

Darlac tire une chaise à lui et s'assoit en soupirant. Il ôte son chapeau et lève les yeux vers la femme qui n'a pas bougé et semble figée, respirant par la bouche, sa poitrine soulevée par un souffle court qu'elle s'efforce de maîtriser. Dans le fond de la maison, on entend Francis qui sifflote en vidant placards et armoires.

– Jean Delbos est accusé de six meurtres. Dont celui d'un policier et de sa femme. Ça fait de lui l'un des criminels les plus recherchés du pays. Vous commencez à comprendre ?

Roselyne ne réagit pas. Elle essuie les paumes de ses mains à son tablier, à plat, comme si elle lissait le tissu.

– Tôt ou tard, il va venir chez vous pour vous voir, pour voir son fils. Ça ne rate jamais, avec ce genre de type. Quand ils se sentent traqués, même quand ils sont malins, il ne leur reste plus que les vieux repaires, comme les animaux, où ils retrouvent leur propre trace. Ce jour-là, quand il viendra, je veux que vous me préveniez. Vous trouvez un téléphone et vous nous appelez. Vous vous débrouillez pour lui fixer un nouveau rendez-vous. Vous l'invitez comme au bon vieux temps. Et on sera là.

Roselyne se redresse et attrape deux torchons puis prend la lessiveuse par les anses et la tire sur la plaque d'acier hors du feu. Grincement atroce du métal. Francis entre dans la cuisine et s'appuie au chambranle de la porte et la regarde faire.

– Et vous pensez sérieusement qu'on va faire ce que vous dites ? Vous croyez qu'il va tomber dans votre piège ?

– Sérieusement, oui. J'ai jamais été aussi sérieux.

– Sortez d'ici. Je n'ai rien à voir dans tout ça. C'est du passé. Faites votre métier et foutez-moi la paix.

Elle s'adosse au buffet, bras croisés sur la poitrine.

Darlac se lève et vient se planter devant elle.

– T'as entendu ça ? il dit à Francis sans quitter Roselyne des yeux. Elle élève le fils d'un assassin et elle prétend que c'est du passé ! Je crois qu'elle se rend pas bien compte du merdier dans lequel elle se trouve. Alors voilà : votre fils adoptif – comment il s'appelle, déjà ? – ah oui : Daniel, il est en Algérie en ce moment. C'est bien, ça. Il fait son devoir pour la patrie, rien à dire. Sauf qu'il est élevé par des communistes et qu'il l'est sans doute lui-même et que des types dans son genre ça trahit tout le temps pendant les guerres. Il doit pas valoir beaucoup plus cher que son père. Je vous signale qu'il existe des bataillons disciplinaires dans l'armée, où il pourrait se retrouver dès la semaine prochaine si vous ne faites pas d'efforts. Et ces unités, elles sont au combat, au contact, en première ligne : vous comprenez ? Un coup de fil et hop, la sécurité militaire, l'état-major s'occupent de lui. L'armée est pleine de ressources pour faire chier les bidasses. C'est comme vous voulez : si vous ne m'aidez pas, je peux vous pourrir la vie. Et votre… fils adoptif va morfler et on vous le rendra entre quatre planches parce que bon soldat comme il doit être, on l'aura laissé passer devant. Vous comprenez, à présent ?

Les larmes coulent maintenant sur le visage de Roselyne. Elle leur dit de sortir mais ils ne bougent pas, les mains dans les poches, ils la regardent essuyer ses joues avec son grand mouchoir puis cacher sa figure dedans et étouffer ses sanglots. Puis ils partent sans un mot et ferment derrière eux la porte doucement. Une fois sur le trottoir, Darlac hausse les épaules et dit que ça ne servira sans doute à rien mais que ça remet ces gens à leur place, ça les tient en respect. Il ajoute qu'il aime bien faire ça. Les clouer vivants et les voir se débattre. « Stratégie de la terreur », il dit d'un air fiérot.

Francis hoche la tête mais ne répond pas. Depuis la mort de Jeff, il ne parle plus beaucoup. Darlac ne sait pas bien s'il peut encore compter sur lui pour couvrir ses arrières. Il ne sait pas du tout si lui-même aura intérêt encore longtemps à surveiller les flancs de ce marle fidèle comme un chien mais qui traîne à présent près de lui les oreilles basses. Il réfléchit en stratège. Il sait qu'il vaut mieux affronter dix adversaires coalisés que s'appuyer sur un allié peu sûr. Du moins sait-on d'où vient la défaite.

Ils se donnent rendez-vous pour le lendemain. Darlac croise le regard de Francis, clair, bleu, droit. Mais presque dur et glacé, alors que l'azur du ciel, la douceur d'avril ruissellent sur eux. Francis monte en voiture après avoir jeté un coup d'œil vague sur le trottoir d'en face, vide, au pavage affaissé vers le caniveau.

Quand il rentre chez lui, Darlac entend la radio chanter à tue-tête. Il ne cherche même pas à reconnaître qui gueule ainsi chez lui. Il va éteindre le poste sans prendre le temps d'ôter son chapeau. Madame apparaît à la porte de la cuisine. Manches de chandail retroussées, tablier bleu, elle essuie ses yeux rouges et larmoyants du dos de la main, qui tient un couteau. Relents d'ail et d'oignon.

– T'as besoin de faire gueuler comme ça ? T'es sourdingue, ou quoi ?

Elle lui tourne le dos et aussitôt on l'entend chantonner quelque chose et ouvrir un placard. Il se déshabille avec cette colère sourde et amère qui le tient dès qu'il arrive ici. Il range son pistolet dans un tiroir du buffet dont il a la clé. Depuis quelque temps, il n'enlève plus le chargeur. Il laisse toujours une balle engagée dans la chambre. Il se fout des consignes de sécurité. La seule qu'il connaisse c'est d'être en mesure d'ouvrir le feu le premier, ou en tout cas tant qu'on est en mesure de riposter efficacement et d'abattre l'adversaire. Qu'on survive ou pas. Mais il est persuadé qu'on a plus de chances de s'en sortir, même salement touché, en tuant l'autre. Il est sûr que la mort choisit toujours le moins résolu à lui échapper parce qu'il ne la connaît pas, parce qu'il n'a jamais vu encore cet obscurcissement, la lumière soudain grise d'une éclipse, la froidure instantanée qui court dans l'air et qui annonce qu'elle va frapper.

Il ouvre l'espèce de secrétaire ancien aux portes et tiroirs marquetés d'ivoire et d'ébène qui fait fonction de bar, récupéré il y a longtemps au fond d'un garde-meuble où s'entassaient des merveilles, et il hésite devant les bouteilles : Cinzano ou cognac ? Cognac. Il a besoin de le sentir passer. Il le verse dans un verre ballon et s'en envoie aussitôt une gorgée dont la brûlure lui arrache une grimace et l'oblige à souffler, les larmes aux yeux. C'est la preuve qu'il lui fallait ça : cette onde ravageuse de l'alcool dans tout le corps. Il s'éloigne vers le coin salon puis flaire le breuvage, comme il sait que ça se pratique. Il a vu des directeurs descendus de Paris, un ministre, même, une fois, le faire, d'un air expert et entendu, roulant cet or liquide sur les parois du verre. Il ne sent rien d'autre que cette vapeur d'alcool. Le reste ne l'intéresse pas. Les officiers boches avaient les mêmes manies dans les salons de la préfecture mais certains gobaient ça comme du schnaps quand d'autres s'extasiaient auprès des membres du cabinet. Il boit encore et c'est maintenant une chaleur qui monte en lui comme une force. Le voilà sûr de lui à nouveau, plein de hargne, le souffle court comme un chien furieux.

Il entend craquer le parquet à l'étage alors il finit son verre et souffle encore et secoue la tête parce qu'un vertige le prend soudain et il gravit l'escalier en se tenant à la rampe le temps que son malaise reflue. Arrivé devant la porte d'Élise, il colle son oreille au battant mais n'entend rien alors il frappe, deux coups secs, et entre brusquement. La jeune fille, penchée sous la lampe au-dessus de ses cahiers, un bouquin ouvert devant elle, lève lentement la tête vers lui et lui adresse un sourire fatigué, battant des paupières, les yeux brillants. Ses jambes sont étendues sous le bureau et ses pieds déchaussés bougent dans les collants bleu marine et Darlac ne sait pas si c'est l'éclairage et les ombres qu'il creuse sur ce visage, dans ces yeux, mais il s'aperçoit qu'il a en face de lui une femme, souriant dans son chemisier blanc au col ouvert, ses cheveux blonds roulant sur une joue. Il s'approche et son cœur bat plus vite, c'est normal, l'alcool, la fatigue, et tout près de la jeune fille ce qu'il ressent soudain le gêne mais il se penche pour l'embrasser comme il le fait toujours et elle tend vers lui ses lèvres qu'il sent bientôt se poser sur sa joue.

L'envie est si forte de plonger sa main dans l'échancrure du chemisier et de sentir au creux de sa paume la rondeur d'un sein qu'il s'écarte brusquement, la gorge nouée, sous le regard stupéfait de la jeune fille qui lui demande si tout va bien, oui, répond-il à bout de souffle, oui, il va bien, un vertige, ça va passer, et comme elle se lève et s'approche de lui et passe ses doigts dans son cou brûlant mouillé de sueur, il lui prend le poignet et le serre jusqu'à lui arracher un geignement de douleur, non, je te dis, ça va, laisse-moi, alors Élise recule en se tenant le bras, tu m'as fait mal, qu'est-ce que… ?

Il sort presque plié en deux sur la dureté douloureuse de sa queue, animal en rut cavalant maintenant jusqu'à la salle de bains où il se libère de cette tension dès le premier contact avec ses doigts, geignant, sa gueule grimaçant dans le miroir, grognant des obscénités à la jeune fille qu'il imagine collée contre lui.

Une fois apaisé, il regarde dans la glace son visage luisant de sueur, blafard, aux rides plus profondes tirant ses traits vers le bas en une expression d'écœurement et de mépris. Il secoue la tête pour tâcher de sortir de ce mauvais rêve et ne parvient qu'à libérer la boule d'acier d'une migraine qui cherche à lui défoncer le crâne et l'oblige à fermer les yeux, appuyé au lavabo, une nausée au fond de la gorge, au-dessus de son foutre collé à la faïence.

Alors il rince tout cela à grande eau, sa figure, ses yeux aux paupières lourdes, le crachat laiteux dont il s'est purgé, puis il sort de la salle de bains groggy et redescend au rez-de-chaussée et aperçoit dans la cuisine sa femme de dos, immobile, bras ballants devant la gazinière, les coutures noires de ses bas, filant droit sous sa jupe vers ce cul de rêve où il ira s'enrager tout à l'heure et il ne comprend pas ce qu'elle fait, sans bouger, la tête haute, son couteau à la main.

19

Daniel replie la lettre d'Irène et la range au fond de sa poche de pantalon, le cœur gros parce que derrière les mots il entendait sa voix, ses inflexions et même son rire, et que pendant cinq minutes il n'a plus été là dans ce merdier, arraché à la guerre, emporté tout près d'elle. Elle lui dit qu'elle a reçu d'Alain une carte postée de Copenhague, où il neigeait. Il va bien, il est heureux, il apprend à parler anglais. Il lui passe le bonjour, avec son amitié. Elle parle aussi des autres copains, de la fac et des profs soporifiques, des amphis et de leur silence pesant, de la poésie, qu'elle découvre avec passion, *pas ces récitations qu'on apprenait à l'école mais la poésie, la vraie, je sais bien que tu t'en fous mais là où tu es en ce moment je trouve que ce serait un bon moyen d'échapper à ce que tu dois vivre et dont tu ne dis pas grand-chose…*

Il ne voit pas bien ce que la poésie pourrait adoucir ici : apaiser la chaleur, faire tomber la pluie, ressusciter les morts ? Quels mots pour dire quoi ? Paix entre les hommes de bonne volonté ? Le genre de conneries que bêlent les curés dans leurs églises le dimanche ? Quel écrivain de merde sera capable de dire des choses assez fortes pour enrayer la machine infernale qu'il sent ronronner autour de lui, pour l'instant au ralenti ? Les mots ne pèsent rien devant le fer et le feu. Maurice lui a parlé de Jaurès, il n'y a pas longtemps : même lui n'a rien pu faire, en 14, avec tous ses beaux et grands discours. On parle jamais plus fort qu'un coup de canon. Alors les poètes, avec leurs manières. Il aimerait comprendre ce que dit Irène avec sa poésie. Il aimerait être d'accord avec elle, parler comme elle. Peut-être un jour. Il ferme les yeux. Le voilà dans une rêverie. Il entend sa voix lui dire des vers, murmurante, sa bouche à son oreille. Pendant quelques secondes il n'est plus en Algérie. Le cantonnement, sa poussière, les cris des gars en train de jouer, le soleil de plomb, la fatigue, l'ennui, même la guerre et ses armes s'évanouissent. C'est peut-être ça la poésie d'Irène ? La possibilité de sortir du temps et de n'en plus sentir le poids ?

Il faudrait en parler avec Giovanni. Lui aussi il croit aux mots pour rien. Ça lui plairait ce qu'elle dit. Ce serait un bon prétexte pour lui reparler, un moyen de l'aborder, histoire de causer d'autre chose que de la bauge dans laquelle ils piétinent. Depuis l'embuscade et la mort de Declerck et du fellagha, le copain l'évite, le salue à peine, esquive les discussions. Daniel aimerait parler avec lui de ce qui s'est passé parce que ça l'aiderait à y voir clair dans le brouillard où il est, étouffant, dense et lourd, à essayer de comprendre ce qu'il a éprouvé quand il tenait le type au centre de sa lunette de visée, il voudrait arriver à mettre quelques mots sur cet instant parfait qu'il a vécu, cette lumineuse netteté, tâcher de dire ce qu'il a ressenti de la puissance du tir, comme un coup de poing électrisant suivi d'une espèce de K-O.

Raconter aussi le rêve qui revient désormais chaque nuit : après le tir, il se précipite vers sa cible mais ses jambes de coton incapables de le porter se dérobent sous lui, et quand soudain il se retrouve devant le buisson il n'y a plus d'homme mort ni de F-M ni même la moindre trace de sang, alors il se sent soulagé et se réveille et, pendant un instant, libéré de ce poids, il se persuade qu'il n'a tué personne et tout redevient comme avant, tranquille et propre, jusqu'au moment où la réalité vient reposer son cul sale sur lui et l'enfonce dans la toile de son lit de camp. Il tressaille et revoit le visage anguleux, la peau cuivrée, le profil immobile de l'homme à l'affût puis les chairs déchiquetées de la blessure, les débris d'os et de dents, le corps qui tressaute sous les impacts des coups de grâce tirés par le sergent. Il revoit les autres retourner le cadavre du bout de leurs rangers, premier contact avec l'ennemi, preuve qu'il existe autrement que par les récits des anciens ou des officiers. Le sommeil alors est suspendu au-dessus de lui, dans le noir, comme un nuage qui ne se décide pas à crever sur une terre sèche.

À la fac, on a créé un comité pour la paix en Algérie et des tas d'étudiants y viennent, parfois pour y dire des conneries, qu'on les laisse se démerder ces bougnoules, au lieu d'aller faire tuer des Français là-bas, tu vois le genre... Il y a aussi des discussions sur l'indépendance : il y en a qui disent qu'il faut négocier avec le FLN pour garder l'Algérie mais dans de meilleures conditions, avec une égalité des droits, mes copains et moi, tu sais, Philippe et Régine, on est pour l'indépendance tout de suite et voilà, le colonialisme a fait trop de mal, en Algérie comme partout. On s'engueule des fois, on ne se parle plus pendant trois jours et puis on fait la paix, c'est le cas de le dire, mais je crois qu'ils finiront par être d'accord avec nous parce qu'il n'y a pas d'autre solution.

Il aimerait bien aller parler avec eux, ces étudiants peinards, mais il ne sait pas ce qu'il leur dirait : la chaleur, la soif, les ampoules aux pieds, la peur, la poussière, la crasse, les insomnies, la bêtise, l'alcool, la solitude et les larmes et les sourires quand le courrier arrive, selon ce que racontent les lettres... La guerre ?

Depuis deux mois qu'il est ici, il n'a rien vu de ce qu'il imaginait, mais imagine-t-on la guerre ? Il n'a jamais entendu tonner le canon, il n'a pas encore vu d'avions de chasse passer en hurlant au-dessus des collines. C'est à peine s'ils ont aperçu la semaine dernière six hélicos bananes[1] survoler une crête vers l'est pour disparaître presque aussitôt. Pas de combats. Des corps puants un jour dans une ferme en ruine, et l'embuscade la semaine dernière. Ce grand con de Declerck la face dans le sable, et la gueule éclatée de ce fell renversé près de son fusil-mitrailleur.

Sinon, des jours et des jours à s'occuper. Le temps planifié par les chefs en petites cases qu'il faut à tout prix remplir. Préparer à bouffer. Nettoyer ou déboucher les chiottes. Vider les poubelles, foutre le feu aux ordures en les arrosant de gasoil. Sortir en patrouille. S'entraîner un peu au tir. Entretenir les armes. Faire la vidange du camion, du half-track. Changer un pneu à la jeep. Partir en mission d'eau. Écrire à la famille. Jouer aux cartes. Lire le courrier. Se soûler la gueule.

Depuis deux ou trois jours maman a l'air préoccupée, je ne sais pas par quoi. Quand je lui demande ce qu'elle a elle me dit que c'est rien, qu'elle se fait du souci pour toi. Moi, je vois bien qu'il y a autre chose. Hier soir, quand je suis arrivée, ils parlaient avec papa et ils se sont tus brusquement, ils avaient l'air gênés, tout d'un coup. Vous vous racontez des secrets ? je leur ai demandé, et papa a rigolé : Oui, de grands secrets trop grands pour une gamine, il a répondu et maman a ri aussi mais je les connais trop pour ne pas deviner que quelque chose les tracasse. Surtout, ne leur dis rien

---

1. Hélicoptère américain H 21, « Work Horse », à double rotor, très utilisé pendant la guerre d'Algérie (et plus tard au Vietnam) pour le transport de troupes et les évacuations sanitaires. Sa forme caractéristique, coudée, lui a valu son surnom de « Banane volante ».

de tout ça quand tu leur écriras, ils vont m'engueuler
parce que je t'inquiète. Je te dis ça parce qu'il faut bien
que je le dise à quelqu'un, et il n'y a que toi.

Il n'y a que toi. Elle a souligné cette phrase. Qu'est-
ce qu'elle a voulu dire ? Elle confie tous ses états
d'âme et de cœur à Sara, qui est comme sa sœur. Et
puis il y a cette amie connue au lycée, Régine, à qui
elle raconte tout. Des amies à la vie, à la mort. Quand
ils étaient gosses, ils se parlaient sans fin, elle et lui, ils
avaient dans un coin d'un cagibi, au fond de la cour,
leur cabane à secrets où Daniel des fois pleurait contre
elle parce qu'il n'arrivait plus à se rappeler les visages
de ses parents et elle le berçait, à peine plus grande,
comprenant sans savoir.

Il n'y a que toi. Il se redit ces mots, assis sur une
caisse dans l'ombre étroite d'un baraquement en
regardant les autres jouer au ballon dans la poussière.

Irène.

Les gars sautent en criant de part et d'autre de la
corde tendue entre deux piquets puis s'engueulent
soudain pour savoir si la balle a franchi ou pas les
limites du terrain figurées par des pierres et dans ces
moments-là ils s'immobilisent, haletants et gris de
poussière, la figure rayée par des coulures de sueur,
pendant que la trace litigieuse est examinée par les
plus acharnés qui arpentent la ligne invisible comme
des géomètres en râlant et jurant tout ce qu'ils savent
et en riant et en se promettant, pour la prochaine, de
désigner un arbitre.

Parfois, la sentinelle depuis son mirador intervient
en prétendant que d'ici il voit mieux, c'est comme au
tennis, qu'il dit, et les joueurs unanimes s'esclaffent et
l'envoient chier en lui conseillant d'ouvrir l'œil sur les
pentes du vallon qu'on surveille quand on est là-haut à
cuire sous le toit de tôle ondulée, appuyé aux sacs de

sable en compagnie de la mitrailleuse et de trois gourdes d'eau tiède.

Il arrive que le sergent Castel s'invite dans la partie. Il entre alors sur le terrain, indifférent à l'équipe qui se trouve là, et il vire un mec en lui disant « c'est bon, casse-toi, je te remplace », et il se met à jouer sans un mot, sans un soupir, sans trahir le moindre effort, sa gueule en lame de couteau absolument impassible. Évidemment, dès qu'il est là, les gus gueulent moins. On râle à voix basse, on essaie surtout de s'appliquer parce que le sergent on croirait qu'il est champion du monde de volley : il n'en rate pas une, il plante des coups vicieux selon des angles impossibles, il expédie des services irrécupérables. Les hommes lorgnent en douce sa musculature mince et longue, serrée autour de lui comme un nœud de serpents, et la grande cicatrice qui lui barre le torse et remonte jusqu'à la base du cou. Un éclat d'obus de mortier en Indo, un coup de bol : juste à côté de lui, un autre hachoir d'un kilo lancé à trois cents à l'heure par le hasard de la guerre avait emporté la moitié de la tête d'un caporal, fendue net, façon coupe anatomique. Il a raconté ça l'autre soir au foyer, bien schlass, seulement vêtu d'un short, d'un gilet de peau et d'un ceinturon où était accroché un poignard dans son étui. Quelques gus ont eu du mal à croire que de telles blessures pussent exister, troufions d'occasion, puceaux de l'horreur. Le sergent les a regardés avec gravité, ses paupières lourdes d'alcool battant sur ses yeux clairs, puis il a eu un sourire triste avant de vider sans souffler une canette et de rentrer coucher sa viande soûle dans son antre. Il a tracé vers la sortie d'un pas mécanique en envoyant valser à coups de pied les chaises et les tables qui se trouvaient sur son chemin, et pendant la minute qui a suivi sa sortie personne n'a rien dit jusqu'au moment où un type de Dunkerque, qu'on appelle Jeanjean, a dit :

« Moi, une fois à l'usine, j'ai vu un mec coupé en deux par une feuille d'acier. »

Les conversations avaient recommencé de rouler, puisque des horreurs on n'en voyait pas qu'à la guerre, quelques-unes le savaient bien, même qu'on appelle ça des accidents du travail où les mecs sont écrasés, étouffés, hachés, ouverts en deux, laissant devant la machine un doigt, un bras, une guibole, et c'est le même sang qui coule mais c'est comme si ça ne comptait pas, mourir pour un patron c'est moins important que mourir pour la patrie, moins chic. Et jusqu'à l'extinction des feux ils avaient parlé de chair et d'os et de sang et de la souffrance des hommes et ils avaient bu, tous, ceux qui racontaient avec de grands gestes et ceux qui écoutaient en hochant la tête ou en roulant de grands yeux. Daniel avait traîné d'un groupe à l'autre, étourdi, écœuré, jusqu'au moment où il était tombé sur Giovanni qui lui avait payé une bière, la première qu'ils partageaient depuis l'accrochage. Mais ils ne s'étaient presque rien dit, trop ivres, trop désemparés, sans force pour dissiper le silence entre eux dense comme le cadavre du fell que Daniel avait abattu. « J'y comprends plus rien », avait seulement dit Daniel. Giovanni avait opiné d'un signe de tête et trinqué théâtralement avant se sécher sa bouteille. « Moi non plus », il avait ajouté avant de lui tourner le dos et de partir pioncer.

Les journées passent ainsi. On s'occupe. De temps en temps, les sous-offs emmènent une vingtaine d'hommes crapahuter autour du camp et faire quelques exercices de tir, simuler des situations de combat. Les mecs s'appliquent, font comme on leur dit de faire, visent comme il faut. Rampent, courent, grimpent, sautent. Gauches, bancals, lourds. Castel leur dit souvent qu'ils sont morts mais ils s'en foutent, allongés dans la caillasse à reprendre leur souffle. Des fois, ils s'excusent.

« Pardon, sergent, je l'avais pas vu… J'ai pas fait gaffe.

– C'est ça, il leur dit. Tu t'excuseras auprès du fell qui t'en aura logé une dans la gueule. Je crois qu'ils commencent à moins apprécier la politesse française, mais tu peux toujours essayer, pauvre con. »

Quelques-uns ressemblent parfois à des guerriers et ont droit de la part du sergent à une tape sur l'épaule pendant la marche de retour alors que les autres ruissellent sous leur casque et soufflent et boitent, la chemise collée à la peau par la sueur, et maudissent les pierres dans lesquelles butent leurs pieds de plomb et cherchent au fond de la seule gourde qu'ils ont eu le droit d'emporter une ultime goutte d'eau depuis longtemps évaporée.

Daniel ne peut pas s'empêcher d'aimer ça. Il n'a pas peur. Il cherche toujours le bon geste, le mouvement adéquat, la course la plus rapide. Il écrase dans ses poings les trépidations du P-M et il serre les dents pour que la rafale reste groupée et n'arrose pas au hasard les cailloux ou les buissons comme ces chiasses pétaradantes et drues qui laissent les autres à bout de souffle, chargeur vide, presque soulagés. La fatigue attend qu'il soit rentré au cantonnement pour lui tomber dessus. Pendant les exercices, il se sent poussé, soulevé, et il sait bien qu'il n'a jamais connu cette légèreté.

Castel de temps en temps lui tape sur l'épaule sans rien lui dire, ou le regarde en hochant la tête. Jamais un mot d'encouragement. Jamais il ne le donne en exemple aux autres. Seulement cette connivence silencieuse entre eux. Ah si. Un jour, il lui a dit, de retour au poste : « C'est bien, mais le jour venu, faudra tenir la ligne. T'as rien vu encore. »

Mais aujourd'hui le sergent reste invisible, reclus dans sa piaule, comme ça lui arrive souvent quand il n'y a rien à faire. On dit qu'il peut rester des heures assis par terre en tailleur, les mains sur les genoux, les yeux fermés, ses armes autour de lui. Des mecs qui n'obtiennent pas de réponse aux coups tapés à sa porte entrent parfois et le trouvent ainsi et referment en s'excusant, puis vont rendre compte au lieutenant qui conseille alors de lui foutre la paix.

Ce soir, autour du drapeau qui pend dans l'air immobile, on les rassemble tous et on leur annonce les missions du lendemain. Le sergent reste derrière, figé, les pouces bloqués dans le ceinturon, impassible derrière ses lunettes noires, tête nue. Il faut aller chercher de l'eau parce que le niveau du forage est encore descendu. On récupérera un camion-citerne en ville, pour assurer, rapport à la chaleur qui vient, à l'été qui ne tardera plus. Il demande aux caporaux de choisir les hommes qui seront du convoi. Une jeep, un half-track avec sept hommes. Le lieutenant annonce qu'il sera de la sortie parce qu'il doit voir le colonel. Le sergent reste ici pour garder la boutique. Rompez.

Daniel est désigné. Et Giovanni. Un tour en ville. Ils rêvent déjà d'une anisette et d'une poignée d'olives. Des gars râlent, ils ont les foies, parlent d'embuscade, de mines. D'autres se portent volontaires, ils veulent voir des filles passer dans la rue, ils iraient bien baiser au bordel, ils ont l'adresse et les tarifs, pas cher le coup tiré dans une mouquère. Mais Carlin, le caporal, demeure inflexible. Rassemblement demain à cinq heures.

Ils vont bouffer des patates bouillies et des sardines à l'huile, deux ou trois sauciflards, quelques boîtes de pâté arrivés dans des colis sont engloutis et les hommes disent encore et toujours, la bouche pleine de charcutaille, combien le pays leur manque, putain, un coup de rouge, une potée comme fait la grand-mère, une douzaine d'huîtres avec un verre de blanc... Les gus font tourner les extras en soupirant et se racontent des bombances et des recettes transmises dans le secret, salivent d'abondance, soupirent en repoussant leur assiette.

Daniel n'arrive pas à dormir et tourne et vire sur son grabat dans la chaleur qui ne tombe pas. Irène. Partout son visage, son sourire, ses bouderies. Son corps. Il la croise quand elle sort de la petite salle de bains, se précipitant dans le couloir sa chemise de nuit débraillée ou sa combinaison remontée sur ses cuisses. Longtemps il ne l'a pas regardée mais à présent il ne voit plus qu'elle.

Irène.

20

Voilà presque vingt ans qu'il n'a pas revu Abel. Abel Mayou, escroc notoire, deux fois condamné, dont la dernière fin 40 pour avoir extorqué des fonds à la belle-mère d'un adjoint au maire de Bordeaux. Cinq ans. Il a passé l'occupation au fort du Hâ, partageant sa cellule avec des Juifs ou des résistants. On a bien essayé de s'en servir comme mouton, histoire de faire causer tous ces fumiers, rien à faire. Même contre une libération anticipée, même contre de l'argent. Il n'a rien voulu savoir. Alors il a tiré ses cinq piges et il est sorti fin 43, moins fier, des kilos et des cheveux en moins, peut-être tubard, sans un flèche en poche, raboté comme une vieille planche. Il paraît qu'il jouait plus les beaux mecs quand sa pute, la Violette, est venue le ramasser devant la taule.

Darlac l'avait vu partir au trou avec soulagement. Vu la période qui commençait, toutes les perspectives qu'il entrevoyait pour prospérer dans ce merdier, il préférait le savoir loin des affaires, coupé de ses relations. Nul doute qu'Abel aurait foutu son nez partout où ça sentait un peu fort, et qu'il aurait pris un malin plaisir, et il est vrai qu'il était malin, à contrecarrer quelques projets lucratifs. Jamais il n'aurait travaillé avec les Boches. Trop rebelle, trop insoumis. Il détestait trop les riches, le pouvoir. Cet empaumeur de première disait avoir une morale et n'hésitait pas à la professer, lors de ces dimanches au bord de l'eau, en se riant des caves rupins qu'il avait repassés. Pas Robin des bois non plus ; il gardait tout pour lui : vins fins, voitures, femmes, cette maison au bord du Bassin, les pieds dans l'eau comme qui dirait... Les demi-sels qu'il invitait sous les pins se gobergeaient à sa table, avalaient de grands vins comme le jus de barrique qu'ils picolaient chaque jour dans leur boui-boui habituel, se tartinaient le foie gras comme des rillettes puis défaisaient leur gilet après bouffer pour s'assoupir le ventre épanoui, renversés contre le dossier de leur chaise ou couchés tranquilles dans l'herbe, le chapeau sur les yeux.

Abel était trop finaud pour les contrarier en les forçant au respect gastronomique ou en essayant de leur affiner la gueule. Ils auraient mal pris la moindre leçon de goût ou de bon goût, surtout devant leurs femmes qu'ils amenaient souvent pour leur faire prendre l'air, comme ils disaient. Ces rustauds, ces traîne-lattes étaient ses yeux et ses oreilles dans toute la ville et ses banlieues. Il les laissait profiter de sa table en échange d'informations de première bourre ou de ragots utiles. Une fois alcoolisés au médoc ou au pomerol, ils causaient comme des livres, ces illettrés. Et Abel les dorlotait, leur laissait faire leur rot, flattait leurs flatulences, attentif à toutes les confidences, médisances et calomnies, apposant lui-même, impérieux et rigolard, son sceau du secret.

Darlac était venu quelquefois, invité par Abel qu'il avait croisé dans le bureau d'un commissaire puis revu parce que chacun, en quelques mots, avait compris quel profit il pourrait tirer de l'autre. Les voyous causaient un peu moins mais la présence d'un flic corrompu les rassurait, c'était bon d'avoir ce genre de relations dans les activités risquées qui étaient les leurs. C'est là qu'il avait connu Jean Delbos. C'est ainsi qu'ils étaient devenus amis.

Amis. Le mot lui est venu à l'esprit et il le repousse et tâche de s'en défendre mais il est bien obligé de se rappeler que pendant au moins quatre ans ils se sont vus beaucoup, partageant soirées, filles, pertes et gains aux cartes, petits matins blafards et gueules de bois. Et parfois quelques confidences au cours desquelles Delbos racontait sa vie, sa femme Olga, les parents de sa femme, des Juifs hongrois arrivés en France en 21, les copains de sa femme, des communistes qui rêvaient de s'engager dans les Brigades internationales en Espagne, des gens avec qui il se sentait mal à l'aise, lui le modeste comptable volage à l'étroit dans son carcan quotidien, l'oiseau de nuit qui ne concevait pas de vivre sans la lumière de cette femme.

Plus personne dans les services n'a entendu parler d'Abel Mayou depuis qu'il est sorti de prison, peine effectuée, rangé des voitures. Aucun truand dans la ville n'a semblé savoir de qui il leur parlait, les vieux de la vieille se souvenant bien sûr de cet arnaqueur comme d'une figure du passé, peut-être mort ou parti ailleurs se faire pendre.

Darlac s'ébroue de toutes ces pensées encombrantes qu'il se refuse à comprendre plus avant. Il descend de voiture et une rafale de pluie le cueille sur le trottoir pendant qu'il marche jusqu'à la maison et il rentre la tête dans les épaules et fait le gros dos en attendant qu'on lui ouvre.

Il a du mal à reconnaître l'homme qui se tient sur le seuil et dont le regard furète derrière lui pour deviner d'autres flics planqués. Maigre, chauve, le regard charbonneux, les joues creuses. Malade. Darlac n'aime pas les malades. Il se méfie de leur faiblesse ou de leur entêtement, quand ils commencent à pleurnicher sur leur sort ou à philosopher en s'accrochant à d'inébranlables principes qui leur tiennent lieu de dignité de la dernière chance.

– Tiens. Monsieur le commissaire Darlac. T'es venu seul, sans la cavalerie ? Tu prends des risques.

– Laisse-moi entrer. Tu vois bien qu'il flotte.

Abel s'efface pour le laisser entrer dans le couloir. Il le conduit dans un salon sombre qu'éclaire mal une porte-fenêtre ruisselante de pluie.

– Comment tu vas ? demande Darlac.

– Comme tu vois. T'es venu pour me parler de ma santé ?

– Je cherche Jean. Jean Delbos.

– Jean est mort. Et Olga aussi. Rideau.

– Mais non. Tu sais bien que non. Olga, oui, elle est morte en déportation. Mais lui, il est revenu. Il se fait appeler André Vaillant.

– Vaillant ? Ça lui ressemble pas trop.

– Il a tué six personnes. Tu lis pas le journal ?

– Pas tous les jours. Et puis je m'en fous. Pour moi, même de retour, il est mort. Même s'il se pointait à ma porte, il resterait un putain de fantôme et les fantômes ils n'entrent pas ici.

Darlac tire une chaise de sous la table et s'assoit. Il déboutonne son imperméable et son veston et l'on aperçoit la crosse de son arme dans son étui. Il voit qu'Abel l'a aperçue. Il voit le sourire d'Abel, son battement de paupières méprisant.

– T'as pas toujours dit ça de lui. En tout cas pas tant que t'avais envie de te taper sa femme.

Abel s'assoit à son tour en s'appuyant à la table.

– Je devrais te casser ta gueule de con. T'écorcher vif pour ce que tu viens de dire. Mais je suis fatigué. Et puis j'attaque pas les mecs armés parce qu'ils savent pas se défendre comme des hommes.

Il tousse, reprend son souffle, sort de sa poche un mouchoir dans lequel il crache. Darlac, voyant son visage cramoisi par l'effort, se demande pour combien de temps il en a encore. Il repense à Crabos, ce crevard, et se demande ce qu'il devient là-bas, en Espagne. Si le cancer a fini par avoir sa peau, par surprise, comme un taureau vicieux dans une corrida.

Abel lui indique la direction de la porte d'un geste tremblant, son mouchoir roulé en boule dans sa main.

— Sors d'ici. Tu pues. Tu me donnes envie de vomir. Ce sont les autres qui meurent et c'est toi qui sens la charogne.

Darlac ne bouge pas. Il encaisse en hochant la tête, les yeux baissés, attendant que ça lui passe. Abel tousse encore un peu, se pose une main sur la poitrine comme si cela pouvait l'aider à mieux respirer. À ce moment, il entend la porte s'ouvrir, quelqu'un souffler, un parapluie se fermer. Une voix de femme. Douce et voilée

— C'est moi ! Ça va ?

Presque aussitôt une tête apparaît dans l'encadrement de la porte. La femme porte un foulard rouge qu'elle dénoue en dévisageant Darlac. Elle est grande, mince, presque maigre. Darlac cherche les rondeurs de ses seins, n'aperçoit pas grand-chose sous l'espèce de chandail qu'elle porte. Cheveux courts. Beau visage long. Des yeux noirs, immenses. Peu ou pas de maquillage. Une espèce de madone plantée sur un paquet d'os. Darlac n'aime pas quand c'est dur sous les doigts. Il aime sentir la molle douceur des chairs. Il soutient le regard indifférent qu'elle a posé sur lui comme s'il n'était qu'un démarcheur quelconque, vendeur d'aspirateurs ou de frigos.

— C'est le commissaire Darlac, dit Abel. J'ai dû te parler de lui.

La femme continue de regarder Darlac en passant une main dans ses cheveux, puis disparaît.

– Ah oui. Je me souviens. Darlac. Il a pas toujours été commissaire, c'est ça ?

On l'entend ôter ses chaussures, accrocher son imperméable au perroquet installé dans le couloir. Quand elle entre, traînant des pieds dans ses savates, un sac à provisions à la main, elle va d'abord vers Abel et lui caresse le visage puis salue Darlac d'un signe de tête avant d'aller dans la cuisine.

– Qui c'est celle-là ? Ta bonniche ?

– Je lui sers un café salé ou il s'en va tout de suite ? dit la femme depuis la cuisine.

– C'est Violette. La femme avec qui je vis. Maintenant, tire-toi.

– Violette qui ? Elle a un nom, ou tu l'as recueillie un soir qu'il neigeait ?

Violette sort de la cuisine, fouillant dans son sac à main, puis lui jette à la gueule sa carte d'identité.

– Marini, Violette, Giulietta. Née à Nice le 3 novembre 1916. D'Angelo et Anna Marini.

Darlac laisse le document sur ses genoux puis se lève et ne fait rien pour empêcher la carte de tomber par terre.

– Une pute ritale. Te manquait plus que ça. J'espère qu'elle te pose bien tes ventouses et qu'elle sait faire cuire les nouilles, parce que pour le reste, j'ai l'impression que t'as plus la ressource. Dis bien à Delbos…

Abel se lève et fait un pas vers lui et le saisit par le revers de son imperméable.

– Je t'ai dit que Delbos, vivant ou mort, désormais c'est pareil. Il arrivait pas à la cheville d'Olga, c'était un de ces pauvres types que les flics comme toi aiment avoir dans leur manche. Je sais pas ce que vous foutiez ensemble et je veux pas le savoir. S'il a tué des gens, alors attrape-le et viens plus nous emmerder. Vu ?

Il lâche Darlac, essoufflé, puis tousse, puis se rassoit.

Le commissaire reste immobile face à eux, les dévisageant tour à tour, grimaçant un sourire au visage tendu, hostile de la femme. Puis il leur tourne le dos et s'en va sans un mot. Une fois dehors, sous un ciel bas qui crachote encore un peu de pluie, il songe à tout ce qui se défait avec le temps, à la dérive qui éloigne les êtres les uns des autres, comme des radeaux dévastés, des esquifs qui auraient essuyé les pires tempêtes, sans gouvernail et bouffés de voies d'eau. Et lui, Albert Darlac, il navigue dans cette mer intérieure en se faisant l'effet d'être une sorte de gros carnassier, requin ou orque, il ne sait pas bien la différence et il s'en fout, capable de plonger dans des gouffres insondables ou de nager entre deux eaux, même troubles, pour les surprendre.

Une fois au volant, il allume une cigarette et baisse la vitre pour sentir l'air mouillé sur sa figure et laisser s'échapper ces pensées stupides, ne pas penser, merde, ne pas faiblir, avancer, agir, les baiser tous.

21

Le convoi est parti juste avant l'aube. En bas du half-track, Daniel a levé les yeux vers la vapeur d'étoiles qui flottait au-dessus d'eux et Baltard, un Normand, installé derrière la mitrailleuse de .12,7 dont il branlait déjà les poignées, lui a demandé en rigolant combien il y en avait.

– Si t'arrives à bien les compter, je te paie une pute c't'aprèm !

Bernier, le caporal, a gloussé en montant dans le véhicule et Giovanni a secoué la tête, les yeux baissés vers ses chaussures.

La piste est correcte la plupart du temps et les hommes n'ont eu qu'à se protéger de la poussière. Le jour s'est levé avec la brusquerie limpide dont il est capable ici. Le paysage est apparu avec une netteté presque douloureuse, hérissé d'arêtes rocheuses à vif, d'éboulis rougeoyants, de précipices encore pleins d'une nuit transparente et bleue. Les hommes étaient tassés sur eux-mêmes, ensommeillés, abrutis par le grincement des chenilles, leurs figures enfoncées dans l'ombre de leurs casques. Le mitrailleur s'est peut-être endormi à un moment : Daniel a vu sa carcasse maigrichonne cahoter dans sa tourelle au rythme des ornières encaissées par les roues. Il y a un passage où la vallée devient plus creuse, plus étroite, serrée entre deux versants raides plantés de buissons malingres, où la route ralentit dans des virages sans visibilité. Les chauffeurs ont alors laissé cinquante mètres entre les véhicules parce que s'il doit se produire une embuscade c'est ici que ça se passera, et les hommes ont pris leurs armes et scruté les pentes caillouteuses, épié les formes inquiétantes que l'ombre traçait autour des rochers. Les mitrailleurs ont fait claquer les culasses et ont tourné leurs canons vers les éboulis où ne courait que le vent froid qui se lève avec le soleil. Au bout d'une demi-heure, les soldats ont repris leur posture de tortues assoupies, les canons se sont abaissés et la colonne a recommencé à gronder en soulevant des tonnes de poussière ocre, dans une diarrhée suffocante de gaz d'échappement épais et noirs.

Sur la route, ils n'ont pas rencontré âme qui vive à part un barrage de gendarmerie où un bus était fouillé. Ses voyageurs, enfants, femmes et vieillards, tous arabes, étaient parqués en contrebas de la route, mains sur la tête, la mitrailleuse du blindé léger des pandores pointée sur eux. Valises, ballots, paniers, tout était jeté par terre et ouvert et retourné. Vêtements, ustensiles, tout traînait et se mêlait dans la poussière. Daniel s'est retourné pour mieux voir ces gens qu'on humiliait et il a été surpris, une fois encore, que pas un ne bouge ou ne proteste et il lui semblait distinguer, dans la distance qui grandissait, la quarantaine de regards noirs qui suivaient sans ciller chaque geste des gendarmes, brillant d'un mélange de peur et de haine.

Il a donné un coup de coude à Giovanni. Il lui parle à l'oreille dans le vacarme de l'engin qui ferraille sur le macadam défoncé.

– T'as vu ?
– Quoi ?
– La fouille. Ces gens.

341

– C'est la guerre, camarade. T'avais remarqué, non ? Ça fait même des morts.

– Putain, ça va…

– Non, ça va pas. Moi, je vais me casser.

– Comment ça ?

– Je te montrerai tout à l'heure, en ville.

Dans les rues asphaltées, l'air retrouve sa clarté et ils regardent avec étonnement les arbres bordant les avenues, les passants sur les trottoirs, les façades blanches des immeubles. Ils retirent leurs casques et posent leurs armes à leurs pieds et lèvent les yeux vers l'évidence tranquille dressée autour d'eux. Ils font bonjour à des gamins loqueteux qui agitent la main et crient des choses en arabe.

– Ils nous traitent de fils de putes, fait Giovanni.

– Pourquoi tu dis ça ? dit Bernier. Tu connais l'arabe, peut-être ?

– Parce que c'est vrai. Et c'est ce que je ferais si j'étais à leur place.

– Fais attention à ce que tu déconnes, Zacco. Ici, t'es pas dans un meeting coco.

– Oui ? Et tu vas faire quoi, avec tes petits galons ? Me foutre au trou ? Tant mieux, je verrai plus cette merde.

– Ferme donc ta grande gueule. Pour les mecs comme toi, y a mieux que le trou. Ça serait trop facile d'aller se branler à l'ombre pendant que les autres se font couper les couilles. Y a des bataillons où t'iras à la chasse aux fells tous les jours et où tu leur chaufferas les roustons à la gégène pour qu'ils chantent la *Marseillaise*, ces enculés. Et tu devras obéir aux ordres si tu veux pas être constamment en première ligne, en tête de patrouille, à te prendre la première balle crouille qui passera dans l'air. Le trou ? C'est encore trop beau pour toi ! T'es comme ces ratons dans leurs souterrains, tu vaux pas mieux !

342

Le caporal hurle et lui crache tout ça dans la gueule. Il s'est levé et tend vers Giovanni le canon de son P-M comme un doigt menaçant. Daniel écarte l'arme et lui dit de se calmer, de se rasseoir mais l'autre se retourne vers lui et l'accroche par le col de son treillis.

– Qu'est-ce que t'as, toi ? T'as peur que je lui fasse du mal à ta copine ?

– On est arrivés, les filles ! gueule Baltard, le mitrailleur. Le colonel va pouvoir vous aider à laver votre linge sale.

Le caporal se rassoit et crache par terre et jure entre ses dents. Puis il ne dit plus rien parce que le convoi entre dans le camp où est installé le QG du régiment, une ancienne caserne d'infanterie coloniale dont on n'a gardé que la façade et une aile pour agrandir et ceinturer l'ensemble de clôtures barbelées, y monter des baraquements, des tentes, des hangars, y garer camions et blindés, y entasser des hommes, y tracer des voies et des ronds-points avec des pierres peintes en blanc, y planter des panneaux indicateurs couverts de sigles et de nombres.

Daniel est déjà venu ici, au début, et il est toujours étonné du calme qui règne dans ce quadrillage d'allées et ces alignements de préfabriqués blanchâtres ou kaki devant quoi des troufions en gilet de peau glandent mains dans les poches et clope au bec pendant que d'autres montent dans des camions avec armes et barda sur le dos. À un carrefour marqué de caillasses, un guignol casqué se met à gueuler et gesticule pour régler la circulation. Le camion-citerne d'un côté, l'escorte par là-bas, et nous faites pas chier. Depuis les cabines des véhicules, les gus lui font des doigts d'honneur, lui conseillent de mieux surveiller sa putain de sœur. Ils garent les blindés et la jeep du lieutenant à côté d'un char curieusement rangé de cul devant un bâtiment de deux étages rutilant de peinture

343

fraîche, blanc aux volets verts. Dans le silence des moteurs arrêtés, ils entendent cliqueter des machines à écrire et ils restent un moment, leurs armes à la main, à écouter cette paisible rumeur mécanique et Baltard, avec sur la gueule ses grosses lunettes de protection qui lui font une tête d'insecte, évoque les doigts fins des dactylos en train de taper, se demande s'ils ne pourraient pas aller leur dire un petit bonjour pour voir ce qu'elles savent faire d'autre avec leurs mains. Ils rigolent doucement en regardant par les fenêtres ouvertes des ventilateurs qui brassent l'air chaud, mais aucun joli visage ne vient s'y montrer, aucune silhouette. On n'entend que les machines crépiter d'incessantes rafales aigrelettes, comme s'il se livrait là-haut un combat nain de tireurs invisibles.

Une jeep arrive à fond de train et freine pile en arrachant le gravier, et un adjudant, sans en descendre, le calot en arrière, leur gueule d'aller déposer leurs armes chez le sergent de semaine, là-bas, de l'autre côté de la cour, après quoi ils auront trois heures en ville avant de rentrer dans leur bled. En apercevant le lieutenant, il se raidit sur son siège dans un salut instantané puis redémarre en trombe, avalé par la poussière qui se soulève soudain.

À la sortie, un des plantons se dresse derrière ses sacs de sable et leur recommande les bonnes adresses : un café où l'on boit pour pas cher en terrasse, un bordel bien tenu où les filles sont propres et jeunes et font tout ce qu'on veut. Il leur souhaite bonne bourre en s'empoignant l'entrejambe et se rassoit sur un petit pliant de toile devant son fusil-mitrailleur. Ils sont là, sept ou huit, à hésiter sur le trottoir, cherchant déjà des sous au fond de leurs poches, mais le soleil vertical les écrase et menace de les liquéfier sur place alors ils commencent à marcher vers une avenue toute droite bordée de platanes, gorgée d'ombre, et ils traversent une place aveuglante de blancheur, un monument aux morts planté comme une épave vert-de-gris en son centre, en piétinant le feu transparent qui tremble au ras du sol.

Ils se sont dispersés sous les arbres, intimidés soudain par les filles qu'ils croisaient et qui les ignoraient en secouant parfois leurs beaux cheveux comme pour se défaire du regard insistant des hommes. Daniel et Giovanni ont traîné un peu dans les rues, s'arrêtant devant les boutiques, reluquant les vitrines. Ils se sont acheté une livre de fraises qu'ils bouffent comme des bonbons en piochant dans la poche. Puis ils s'attablent à la terrasse ombragée d'un boui-boui, *Chez Perez*, *casse-croûte à toute heure*, où des vieux, dans un coin, jouent aux dominos devant leur anisette. Le patron vient aussitôt et comme il les voit dans leurs treillis élimés et leurs rangers couvertes de poussière, il leur demande si ça n'est pas trop dur, là-bas, dans le djebel, et il leur serre la main et les remercie de ce qu'ils font pour ce pays magnifique qu'est l'Algérie, la plus belle province de France, un trésor qu'on ne laissera pas les Arabes nous prendre. Il dit les Arabes, ou les Musulmans, jamais ratons ou crouilles ou bougnoules. Il dit que sans la France ils vivraient tous encore dans des cabanes en torchis avec leurs chèvres parce que c'est leur nature, cette nonchalance. C'est pas qu'ils sont méchants, bien sûr il y a en ce moment ces bandes de brigands, oui, il emploie ce mot, ces sauvages du FLN qui les enrôlent de force et qu'il faudra exterminer, mais surtout quelles feignasses, si on leur dit pas de travailler et comment le faire, ils foutent rien, et encore il faut gueuler pour qu'ils entendent. D'ailleurs, il n'y a qu'à voir comment ils se battent, en traître et à la cossarde, assis ou couchés derrière des fourrés, et vous pouvez dire ce que vous voudrez, le climat explique pas tout. Moi je vous le dis, c'est comme un môme qui

345

fait des conneries, une bonne branlée à rester sur le carreau, autant de fois qu'il faudra, et ça leur passera, et tout ira mieux.

Il leur déballe tout ça sur le ton de la confidence, sans jamais élever la voix, tranquille et sûr de ses constats et de ses solutions, et les deux copains le laissent dire en approuvant de temps en temps d'un hochement de tête, suivant du coin de l'œil les femmes qui passent devant eux.

— C'est pas tout ça, qu'est-ce qu'ils prennent les soldats ? Mes brochettes spéciales ?

Ils ne disent pas non. Et deux anisettes et une carafe d'eau pleine de glaçons. Le type repart plein d'entrain dans les profondeurs obscures du troquet.

— Et c'est pour ça qu'on est ici, fait Giovanni. Pour ces salopes de petits Blancs. Faudrait lui faire sauter son rade, à ce con.

Daniel ne répond pas. Il se laisse étourdir par les bruits de la rue. Les éclats de voix, le grondement des moteurs, les klaxons. Tout ce vacarme d'une ville. Il ne savait pas que ça lui manquerait un jour. Il s'aperçoit que la vie est là, tapageuse et confuse. Des femmes passent, alertes, en faisant claquer leurs talons sur le trottoir. Leurs robes légères dansent autour de leurs jambes au rythme balancé de leurs bras nus. Peaux bronzées. Talons hauts. Il lui semble qu'il n'en a jamais vu autant. Il le dit à Giovanni et l'autre éclate de rire.

— C'est parce que tu regardes pas. Des femmes il y en a plein, partout, tout le temps. Y a pas que ton Irène !

— Pourquoi tu dis ça ?

Giovanni se marre puis le regarde en plissant les yeux.

— Parce que moi, je sais ce que tu ne sais pas encore, apparemment !

Le patron leur apporte deux assiettes où luisent trois brochettes environnées de tomates grillées. Il pose devant eux une carafe d'eau ruisselante de froid et deux verres d'anisette.

– L'apéro, c'est pour moi, il dit. Offert par la maison.

Ils se jettent sur le pastis et le sirotent les yeux fermés avec des soupirs d'aise. Oh putain, ils murmurent. Que c'est bon. Ils boivent et mangent sans plus rien dire avec des bruits de bouche et ils se lèchent les doigts et se remplissent d'eau glacée puis se laissent aller contre le dossier de leur chaise une main sur l'estomac, souriant de leur bonheur muet.

Giovanni se redresse, regarde sa montre.

– Viens, on se bouge. Faut que je te présente quelqu'un. Un type bien.

Il est déjà debout et Daniel se lève aussi et ils sortent de leurs grandes poches de quoi payer. Comme ils s'éloignent, le patron leur souhaite bonne chance et leur crie qu'il est à fond avec eux, avec l'armée. Ils s'éloignent à grands pas, Daniel derrière Giovanni qui cavale en expliquant qu'il ne leur reste plus qu'une heure et demie avant le retour à la caserne.

Soudain, en tournant une rue, ils entrent dans une autre ville. Rues désertes, façades délavées, pavage disjoint, chiens faméliques flairant les caniveaux secs. On entend pleurer un nouveau-né derrière des volets clos. Quelqu'un tape sur de la ferraille et Daniel aperçoit au fond d'une ruelle un type en train de redresser le pare-chocs d'une 202 à coups de masse. «C'est bientôt», dit Giovanni. Ils entrent peu à peu dans l'ombre de rues étroites, parmi les odeurs fortes des boutiques aux rideaux de fer baissés. Le silence est écrasant, autant que la chaleur. Des voix fantomatiques résonnent dans l'obscurité des persiennes entrouvertes. Daniel tend l'oreille, scrute l'ombre, aperçoit des morceaux de misère. Giovanni se retourne vers lui :

– Tu connaissais pas, hein ? Bienvenue en Algérie. Rassure-toi, ça m'a fait le même effet. Quand tu viens de la ville européenne, t'as un choc et tu piges pourquoi ils veulent nous foutre dehors. C'est comme quand un mec s'assoit sur ta poitrine. D'abord t'étouffes, tu crois que tu vas crever, puis tu essaies de le virer par tous les moyens.

– Où on va ?

– Chez un copain. Enfin… Un type dont on m'a donné l'adresse et qui peut m'aider à me tirer d'ici. Je l'ai rencontré le mois dernier, quand on est venus avec le lieutenant, tu sais, la fois où on a eu quartier libre presque toute la journée ?

– T'es sérieux ? Tu veux vraiment déserter ?

– Moi, je me bats pas contre ces gens. On ferait pareil à leur place. On a fait pareil, pendant la Résistance. T'es bien placé pour savoir pourquoi, non ?

Toujours cette morsure au cœur. Daniel cherche quoi répondre.

– Ils vont te condamner à mort.

– C'est déjà fait. On est tous condamnés. Sauf qu'on sait pas si on sera exécutés ou quand on le sera. C'est du casse-pipe, du décarre guignols. C'est toi, moi, le copain. N'importe lequel avec son air con et son uniforme sur le dos. Ça tape au hasard, tu sais ni pour quoi, ni pour qui. Ah si, pour ces connards de colons et tous ces petits Blancs qui se croient chez eux quand ils pioncent dans le lit des autres. Et puis pour me condamner, faudrait qu'ils m'attrapent. Je crois qu'ils ont autre chose à foutre.

Une charrette vient vers eux en grinçant, un homme cassé en deux entre les brancards, tout un foutoir posé sur le plateau : des chaises, des cageots pleins de légumes, des ballots de tissu, un chat allongé de tout son long indifférent aux secousses, immobile, peut-être mort. La rue est tellement étroite qu'ils doivent s'effacer dans l'embrasure d'une porte pour laisser passer le chargement brinquebalant. L'homme qui pousse est un vieux minuscule, tout sec, ses bras noueux et ses poings tordus de bosses arrimés au bois comme des branches. Il ne lève pas les yeux vers eux. Il crache juste devant ses pieds en passant devant eux. Daniel le regarde s'éloigner, boitant d'une jambe plus courte que l'autre, plus cahotant que son équipage.

Giovanni tire Daniel par la manche. Il court presque. «On y est bientôt.» Ils tournent à droite devant l'atelier d'un menuisier. Odeur de bois. Quelques planches sont appuyées contre le mur, des copeaux blonds traînent par terre. Une porte verte, une maison étroite de deux étages. On dirait une petite tour coincée là. Aux trois coups frappés à la porte, une femme vient ouvrir presque aussitôt. Son visage rond est tatoué de pointillés bleus, ses yeux brillants dans la pénombre sont noircis par le khôl. Elle porte sur la tête un foulard chamarré. En apercevant les deux uni-formes, elle a eu un mouvement de recul et a repoussé un peu le battant de la porte.

– C'est pour quoi?

– Je suis Giovanni. Je viens voir Robert. Je suis venu il y a deux semaines. Giovanni le soldat, de la part de Delsart.

La porte se referme. Giovanni adresse à Daniel un sourire rassurant puis regarde la façade verticale pour se donner une contenance. Toujours le silence. Un oiseau chante quelque part, lance ses trilles fous dans l'air lourd.

– Entrez, s'il vous plaît, dit la femme en rouvrant.

Ses paupières battent vivement sur son regard doré.

Comme ils pénètrent dans un couloir sombre, elle jette un coup d'œil au bout de la rue. Devant eux la silhouette d'un petit homme râblé apparaît dans l'encadrement clair d'une porte.

– Qui c'est ? il demande sans bouger.

Giovanni pose une main sur l'épaule de Daniel.

– Un copain. Un ami, je veux dire. Vous pouvez avoir confiance.

L'homme reste immobile. Ils se regardent dans ce couloir d'ombre à ombre. La femme se tient derrière les soldats, les mains cachées dans les plis de sa robe.

– C'est bon, Chadia. Tu peux venir. Ça va aller.

La femme se faufile entre Daniel et la cloison. Elle donne à l'homme quelque chose qu'on ne distingue pas, puis qu'on devine quand il tient l'objet au bout de son bras, contre sa cuisse. Un revolver.

– Avancez, dit l'homme. On va s'installer ici.

Ils le suivent dans un patio envahi de verdure et de fleurs, couvert d'azulejos. Ils sont là comme au fond d'un puits où souffle un peu de fraîcheur et où murmure une eau invisible.

– Il faut qu'on soit rentrés dans une heure, dit Giovanni.

L'homme glisse le revolver au fond de sa poche et s'assoit dans un fauteuil en osier et les invite à s'installer sur de gros poufs de cuir ouvragé.

– C'est pas contre vous, dit l'homme à Daniel. Mais il y a des consignes de sécurité à respecter, et j'ai pas envie que cette maison se fasse trop remarquer par les allées et venues de troufions. C'est chez mon père, ici. L'adresse n'est pas connue. Enfin… pas encore. Chez moi, ce serait impossible, ils sont déjà venus trois fois. Bon maintenant que c'est fait… Je m'appelle Robert Autin. Mon nom n'est pas un secret. Je suis professeur de mathématiques au lycée, tout le monde me connaît dans cette ville. Mais vous n'êtes jamais venu ici, vous ne savez pas qui je suis. Compris ? Vous n'en parlez jamais. À personne. Vous

350

pouvez comprendre ça ? Comprendre que c'est une autre face de la guerre qui se joue ici, et en d'autres lieux, à l'écart des opérations militaires ?

Voix grave, cassante. Robert ne quitte pas Daniel des yeux, sans ciller, le regard écarquillé et fixe, et Daniel ne bouge plus et le regarde aussi, et son cœur rue dans sa poitrine et lui coupe le souffle et il hoche la tête en murmurant : « Oui, oui monsieur. » Robert allume une cigarette américaine, leur tend le paquet. Ils fument un moment en silence puis Robert se lève.

— Je vais chercher à boire. Alors, t'as pris ta décision ?

— Oui, dit Giovanni. Dès que possible.

— Les déserteurs, ils aiment pas trop ça.

Il disparaît derrière une porte sculptée de bois sombre. De nouveau le silence.

— Qui aime pas trop ça ? demande Daniel.

— Le Parti. Ils disent qu'il faut rester dans les unités et faire un travail de sape et de prise de conscience auprès des appelés parce que ce sont des ouvriers, des paysans, et qu'il faut être là où est le peuple. Et puis déserter, c'est toujours assimilé à de la lâcheté, c'est soi-disant mal vu. Mais moi, je m'en fous. Je me sens lâche, de tout façon, ici. J'ai peur des fells, des autres troufions, et même de moi. Je sais plus où j'en suis. On peut être amené à faire n'importe quoi. C'est ce qu'ils veulent. Rappelle-toi ce qu'ils disaient pendant les classes : « Quand vous aurez vu vos copains égorgés, les couilles dans la bouche, vous saurez pourquoi vous combattez en Algérie. » Tu te souviens de leurs discours, de leur propagande ? Des photos qu'on nous montrait des embuscades, les cadavres, tu te souviens des commentaires des mecs ? Moi, j'en ai assez vu, assez entendu. Je préfère me planquer dans un trou à rats jusqu'à la fin de la guerre plutôt que de participer à cette merde. J'ai rien à foutre ici. Et je comprends pas que…

Robert revient, portant un plateau : trois petits verres décorés, une théière, une carafe d'eau.

Ils se jettent sur l'eau, s'en remplissent. Une chaleur sournoise leur tombe sur les épaules du carré de ciel laiteux tendu au-dessus d'eux. Daniel sent dans son dos sa chemise collée par la sueur.

— Alors, comment il va Delsart ? demande Robert. Toujours sur le carreau ?

— Oui, il peut plus descendre à cause de sa patte folle.

Giovanni se tourne vers Daniel.

— Delsart, tu sais, c'est mon oncle, le frère de ma mère, qui a pris une balle dans la jambe en 47 pendant la grève des mineurs. C'est lui qui dirige la section du Parti.

— Je l'ai connu quand j'étais instituteur près de Lens, précise Robert Autin. Toi aussi t'es au Parti ?

— Moi, non. Ma sœur est aux Jeunesses communistes. Et aux étudiants, je crois. Et mes parents ils y sont mais ils y vont pas trop.

Giovanni et Autin ne disent rien et le regardent avec le même sourire où il croit lire une bienveillance feinte ou peut-être de la pitié.

— Mais bon, il ajoute. Je suis d'accord avec.

Autin hoche la tête puis sert le thé avec un geste souple, le bec verseur flottant au-dessus des verres qui se remplissent avec un bruit de gorge.

— Delsart, il va bien, dit Giovanni brusquement. Il m'a écrit la semaine dernière. Il peut pas tout dire, on sait jamais. Ils continuent la bagarre contre la guerre, là-bas. L'autre jour, Aragon est venu à Lille, il est allé lui faire signer des livres pour moi. Tu te rends compte ? Il a pas voulu me dire ce qu'il avait écrit. Il lui a expliqué que j'étais ici, en Algérie. *Tout chan-*

*geait de pôle et d'épaule / La pièce était-elle ou non
drôle / Moi si j'y tenais mal mon rôle / C'était de n'y
comprendre rien.*

– Qu'est-ce que tu racontes ?

– C'est d'Aragon, justement. Dans *Le Roman ina-
chevé*. Ça dit à peu près ce que je ressens.

Autin semble assimiler les vers du poème, son verre
brûlant à la main, qu'il repose brusquement.

– Bon… C'est bien beau mais c'est pas encore
demain que tu pourras lire sa dédicace. Ça peut être
long, tout dépend de la filière. L'idéal, ce serait que tu
rentres pas de ta première perm. Au moins, tu n'aurais
pas à traverser toute l'Algérie en risquant de te faire
poisser. Je vais voir ce qu'on peut faire côté faux
papiers, mais c'est pas gagné. Tout le monde se méfie
de tout le monde, et les types de l'ALN se fient à peine
les uns aux autres. On essaiera de te fabriquer une
fausse perm. Le temps qu'ils vérifient, s'ils veulent
vérifier, tu seras à Paris. C'est pas trop prévu pour ça.
Mais bon. Tu téléphones ici. Si c'est pas moi qui
réponds, Chadia te dira pour le rendez-vous, le
contact, tout. Il faudra appliquer les consignes. Pas
plus de dix minutes sur le lieu de rencard. Tu reviens
le lendemain, même heure. Dans ce cas, pour la nuit,
tu vas à l'Hôtel de Constantine, rue de la Victoire. Tu
demandes Achille, de ma part. Et tu traînes pas dans
les rues après huit heures du soir. Compris ?

Au-dessus d'eux, soudain, les cris des martinets
égratignent le silence. Daniel lève les yeux, le cœur
gros, la bouche sèche. Il les voit tracer leur géométrie
folle sur ce morceau de ciel. Giovanni regarde l'heure
puis se lève.

– Faut qu'on y aille.

Autin les reconduit jusqu'à la porte, jette un coup
d'œil dans la rue puis les pousse dehors. Il leur souhaite bon courage puis le verrou claque aussitôt. Ils

courent presque dans les rues qui se remplissent peu à peu d'enfants et de femmes. Des vieux fument assis devant leur porte et des effluves sucrés de tabac accompagnent parfois les deux hommes le temps de quelques pas. Daniel sent des dizaines de regards les suivre et des rires discrets et des mots qu'il ne comprend pas. L'Algérie. Ils la traversent au pas de course, la tête basse. Il est quatre heures passées, départ prévu à la demie. Dans la ville européenne, ils se fondent parmi la foule déambulant devant les boutiques qui lèvent leurs rideaux, passent devant les terrasses des cafés pleines de monde, bruissantes de conversations.

Ils retrouvent les autres regroupés à l'ombre, près des véhicules. Les chauffeurs, qui n'ont pas eu de quartier libre, sont plus loin et discutent avec un mécano aux mains crasseuses, son treillis taché de cambouis, sa tenue camouflage à lui. Baltard et Bernier, le caporal, plaisantent encore sur leur virée au bordel. Ils disent qu'il a fallu les jeter de la piaule parce qu'ils en voulaient encore et encore, l'engin toujours d'attaque. Ils auraient pistonné toutes les fatmas du boxon, ils étaient prêts à claquer toute leur solde pour voir si leur chibre allait s'user à les essayer toutes. Ils joignent le geste à la parole et on croirait qu'ils confondent leur mandrin avec une mitrailleuse. «Vous auriez dû venir, ils disent à Daniel, au lieu de partir comme deux pédés.» Daniel laisse dire. D'autres font la gueule en les écoutant : ils se sont perdus dans la ville arabe et n'ont jamais trouvé le bobinard qu'on leur avait recommandé.

— Putain, dit Meyran, un vieux de la vieille, à six mois de la quille. Du coup, on s'est posés à une terrasse et on s'est biturés, pour se rafraîchir les glaouis ! Maintenant, j'ai un casque lourd sur la tronche et ça flingue de l'intérieur ! Et Peyrou, avec toutes les bières qu'il s'est envoyées, il pisse partout comme un clébard, tous les cinquante mètres. Pour le retour, faudra qu'il la laisse pendre dehors, en cas de besoin ! Il va faire déborder un oued, ce con-là ! Et si ça se trouve, ce claque, il existe même pas ! C'est un béret vert, un Polack, qui m'a donné l'adresse quand j'étais au Ghrib, de retour d'opé, en janvier. Sûr qu'il m'a pris pour un con.

– Comment c'est possible un truc pareil ? fait le caporal.

Rigolade générale. Meyran s'adosse à la jeep et se prend la racine du nez entre les doigts.

– Oh putain, il dit. Moi, je pionce au fond du camion, faudra pas me faire chier !

Ses deux copains approuvent en bougeant la tête lentement comme s'ils avaient du plomb liquide plein le crâne. Comme le lieutenant traverse la cour, ils se redressent tous un peu, rectifient leur débraillé, s'ébrouent en se pinçant les joues.

Ils montent dans les véhicules plus lourdement que ce matin et ils prennent leurs brellages, leurs armes sur quoi ils s'appuient pour s'asseoir et se courbent et s'affaissent, abrutis, somnolant déjà, et Daniel et Giovanni eux aussi font le dos rond sous le ciel qui jaunit, pleins du cri des martinets lancés dans l'air chaud.

22

J'ai vu s'approcher Bordeaux à travers les poutrelles de fer du pont ferroviaire et mon cœur s'est emballé. Sombre et couchée au bord de la Garonne sous sa croûte rosâtre de toits. Un sanglot amer s'est coincé dans ma gorge quand j'ai aperçu l'alignement impeccable des façades noires, la trouée de la place de la Bourse, les tranchées sombres des rues qui s'enfonçaient dans la ville. Le fleuve toujours boueux, figé par la marée haute sous le ciel gris, ressemblait à une monstrueuse route de terre. Et le port. Les bateaux rangés le long des quais, contre les hangars, hérissés de mâts, au pied des grues inclinées ou droites et pointues tels des couteaux brandis. J'ai regardé tout ça la figure collée à la vitre comme un gosse curieux et avide de deviner ce qu'il va découvrir.

Une femme assise en face de moi me regardait d'un air étonné et quand mes yeux ont croisé les siens, elle m'a adressé un sourire furtif, peut-être amusée par mon expression stupéfaite ou hébétée, ma pâleur de revenant, sans doute, car il me semblait que tout mon sang s'était retiré de moi et me laissait vide et frigorifié soudain sur cette banquette de skaï.

J'ai senti la force du freinage me pousser dans le dos et un hurlement d'acier a fait se retourner des gens qui attendaient sur le quai. Un gamin s'est bouché les oreilles du plat de la main et sa mère s'est penchée vers lui en riant. Les gens étaient debout et récupéraient leurs affaires dans les porte-bagages, se gênaient parfois, s'adressaient des excuses murmurées. J'ai aidé la femme qui m'avait souri à descendre son énorme valise et je me suis demandé comment une personne aussi frêle pouvait trimbaler un tel poids. Dès que je l'ai eu posé au sol, elle a soulevé son bagage sans effort apparent et elle a soufflé un merci avant de sortir du compartiment. J'ai attendu d'être seul pour attraper le gros sac de marin qu'un copain m'avait donné à Paris. J'y avais entassé tout ce que je possédais : quelques fringues, trois livres, mes cahiers et un nécessaire de toilette tout neuf que j'avais acheté juste avant de partir. J'avais laissé la clé de mon appartement de la rue Beccaria à un voisin, Gaston, un vieux type mélancolique et doux qui vivait avec deux chats et quelques souvenirs, et un mois de loyer en liquide sur la table de la cuisine. Il m'avait promis qu'il s'occuperait de tout. Je lui avais donné mon poste de radio ainsi que la centaine de romans policiers qui s'alignaient sur des étagères branlantes dans l'entrée. Il m'avait dit qu'il les lirait en pensant à moi parce qu'il trouvait que j'avais la tête de ces types qu'on voit parfois dans ces histoires de truands et de flics.

Il m'a serré dans ses bras maigres et je suis parti. Je suis allé à pied jusqu'à la gare pour voir et sentir Paris autour de moi encore une fois, sans doute la dernière, et je me suis arrêté sur le pont d'Austerlitz malgré le vent du nord qui courait sur la Seine et me sifflait aux oreilles. J'ai contemplé les deux rives, l'île Saint-Louis et les deux bras du fleuve, et je me suis orienté pour situer sur le plan que j'avais en tête les endroits où vivaient les copains, les lieux où j'avais été heureux, presque malgré moi, quand il avait fallu revivre. J'ai laissé les visages défiler. Les sourires. Les voix se mêlaient. Hélène, Suzanne. Une femme s'approchait à *l'autre bout du pont, grande et mince, et le vent faisait voler autour d'elle sa robe et son imperméable mal fermé.*

Je me suis enfui vers la gare avant qu'elle se mette à danser.

« Moi ? Je danse. »

Dès que le train a démarré, j'ai fermé les yeux. Je ne voulais pas voir cette ville disparaître dans mon dos, inexorablement, aspirée en arrière par la vitesse. J'ai écouté le martèlement des roues contre les rails accélérer peu à peu. Je me suis laissé remuer par les secousses brusques au passage des aiguillages et j'imaginais le paysage de voies, la grisaille du ballast et du fer, les draisines arrêtées contre les heurtoirs, des wagons de marchandises abandonnés sous la rouille au bout d'une voie de garage.

Une fois, au début où on se connaissait, Suzanne m'avait donné rendez-vous sur un pont au-dessus des voies de la gare du Nord, sans m'expliquer pourquoi. Comme c'était tout près d'un bal où on devait aller, je n'avais pas posé de questions. Elle était arrivée avec un bouquet de fleurs à la main et on avait regardé les trains passer et moi je faisais l'andouille en meuglant alors elle avait posé sa main sur mon bras pour me faire taire et m'avait raconté que son père cheminot l'emmenait parfois sur sa machine, avant la guerre, quand il manœuvrait ici même. Il avait été arrêté en 43. Mort pendant l'interrogatoire de la Gestapo. Puis elle s'est tue, on est restés un long moment épaule contre épaule sans rien dire, à regarder ces faisceaux de rails qui luisaient sous le soleil, toute cette caillasse où rien ne poussait, grise ou rougeâtre, et je trouvais ça d'une tristesse terrible. « Toi, t'as pu digérer tout ça et en rire, moi pas », elle a dit doucement. Puis elle a jeté son bouquet sur le plateau vide d'un wagon qui passait lentement et on est partis main dans la main rejoindre les copains.

« Nous, on est partis de la gare de l'Est, ai-je dit au bout d'un moment. Et j'ai rien digéré. »

J'ai hâté le pas et je l'ai laissée derrière moi. J'ai marché pendant deux heures dans Paris, je pleurais. Je ne sais pas comment je me suis retrouvé sur le pont au Change, en sueur, claquant des dents. On n'a plus jamais reparlé de ça, elle et moi.

Quand j'ai regardé de nouveau par la fenêtre, j'ai vu tout un peuple de pavillons et de bicoques, des jardins aux clôtures affaissées, avec leurs cabanons qui donnaient de la bande, des masures qui relâchaient par les cheminées de guingois des filets de fumée noire, et plus loin la ligne brisée des toits d'usines. On était en avril et partout des arbustes, des haies vives maquillaient de vert tendre cette misère grise.

Paris ne voulait plus me lâcher et s'accrochait à mes jambes et me tirait par les bras. Des voix familières, camarades, se pressaient dans mon esprit et me murmuraient : « Nous sommes là encore et nous vivrons longtemps, ne nous laisse pas, tu vas nous oublier ! » Mais je n'oubliais rien ni personne et c'était bien ma torture, peut-être ma punition. Ma vie était derrière moi, surpeuplée d'ombres que j'avais abandonnées, fuyant toujours, dans l'esquive, l'indécision et la lâcheté. Pour la première fois j'allais en conscience vers quelque chose, j'avais fait un choix, j'avais un projet que je mènerais jusqu'au bout, un objectif que je détruirais quand je l'aurais atteint. Alors peut-être les ombres tourmentées qui me poursuivaient se dissiperaient, satisfaites ou apaisées. Ou bien devrais-je disparaître pour les rejoindre, mais je ne croyais ni au paradis ni à aucune rédemption. À rien qui aurait pu me consoler.

J'ai essayé de dormir, de lire. J'ai regardé le plus souvent les paysages qui défilaient, sans relief ni couleur sous le ciel pluvieux. Les villes m'effrayaient, impénétrables et laides. Hostiles. Monstres avachis digérant leur ration de chair humaine. Je me demandais si Bordeaux m'inspirerait la même peur, si mes souvenirs suffiraient à me guider dans son labyrinthe.

J'ai hissé mon sac à l'épaule et il m'a semblé plus lourd. Des locos soufflaient sous les hautes charpentes d'acier, des autorails s'arrêtaient avec des cris de fer. J'ai marché vers la sortie dans la petite troupe silencieuse des voyageurs qui se hâtaient et j'ai traversé la cohue des retrouvailles en louvoyant entre les embrassades et les poignées de mains. Dehors, je me suis arrêté sous la verrière pour regarder et sentir. Le ciel charriait des averses anthracite et montrait parfois son bleu profond. Vent d'ouest. Rafales humides et tièdes. J'ai rentré la tête dans les épaules et j'ai marché sans plus rien regarder.

Je n'ai pas dormi cette nuit-là. J'avais trouvé un hôtel près de la place de la Victoire, assez bien tenu. La chambre au rez-de-chaussée était minuscule et sa fenêtre donnait sur une cour étroite plongée dans un crépuscule permanent. Je me suis couché presque aussitôt, tout habillé. Je suis resté dans le noir à écouter les canalisations gronder, les portes s'ouvrir ou se fermer avec des grincements sournois, comme si des gens allaient et venaient en douce. Il n'était pas tard, j'aurais pu aller me promener un peu, remonter la rue Sainte-Catherine, me faufiler sur les trottoirs au milieu de la foule qui devait déambuler devant les vitrines des magasins, j'aurais pu prendre un verre place de la Comédie, traîner mes guêtres jusqu'aux quais, mais j'ai ressenti une angoisse de fugitif et je n'ai même pas osé sortir casser la croûte dans le café d'à côté. Il me semblait que tout le monde me reconnaîtrait, que tous les regards se tourneraient vers moi comme vers un intrus, un réprouvé. Comme dans ces histoires où un fils maudit, un mari indigne, que chacun croyait mort, revient au village bien des années plus tard et sent sur lui tous les yeux de ceux qui l'ont connu, plantés comme des épingles.

Mais qui me connaissait encore ? Qui se souviendrait de moi ? Et puis on était si nombreux à être partis là-bas pour y mourir que personne ne se soucierait de ce retour tardif. Trop de fantômes hantaient les mémoires : qui voudrait croire à un revenant ?

J'échafaudais des stratégies. J'imaginais toutes les souffrances que je pourrais infliger à Albert Darlac. J'aurais pu l'enlever, sans savoir encore comment, et l'emmener dans un endroit loin de tout et le torturer longuement puis le laisser mourir de faim et de soif, attaché à un arbre, ou cloué sur une table. Croiser son regard fou de terreur avant de l'abandonner. J'aurais pu l'abattre simplement en pleine rue ou dans sa voiture. Lui arracher la tête d'une décharge de chevrotine après l'avoir abordé en lui disant « Bonjour, tu te souviens de moi ? Et Olga, tu te rappelles ? » J'ai laissé déferler des images d'horreur. Sang, viande et cervelle. Cris et supplications.

Mais d'autres images se confondaient avec celles que j'inventais. J'avais vu tout ce qu'on peut faire à un être humain. J'avais vu les bourreaux à l'œuvre. Cette haine tranquille, naturelle comme leur souffle.

Moi, je n'étais pas tranquille et le souffle me manquait parfois.

Vers six heures du matin, je suis sorti. J'aurais aimé me sentir dépaysé, surpris. Mais c'étaient les mêmes trottoirs encombrés de poubelles, les mêmes pavés noirâtres, luisant à peine à la lueur chiche de l'éclairage public. Cette ville a toujours été si triste. Mes pas m'ont mené vers le marché des Capucins qui à cette heure grouillait, gueulait, grondait. Rien n'avait changé. Les mêmes odeurs, les mêmes voix. Je me suis faufilé dans un café où j'allais souvent avant la guerre avec Abel manger un morceau avant de rentrer, et j'ai commandé un petit déjeuner au patron, toujours le même, grand et large mais plus gros, plus vieux, mais vif et souple comme un boxeur, l'œil aux aguets, surveillant le serveur, guettant les nouvelles têtes parmi la bousculade des habitués. En m'apportant le plateau, il m'a adressé un sourire auquel j'ai répondu d'un signe de tête en souriant moi-même et j'ai cru sur le moment qu'il m'avait reconnu mais non, il m'a demandé de le payer sur-le-champ et il a attendu que je m'exécute en blaguant avec un type à l'autre bout de la salle puis m'a tourné le dos sans un mot de plus.

Quand je suis sorti, le jour pointait déjà. J'ai marché dans les rues comme un étranger dans une ville que je connaissais par cœur et qui se dressait, muette, dans une indifférence grise. De partout surgissaient des visions, des souvenirs, des voix. J'ai pensé que je deviendrais fou peu à peu et que je finirais par ne plus parler qu'avec les morts ou les ombres qui m'accompagnaient mais j'ai continué d'arpenter les rues et les cours, de croiser des regards qui ne me voyaient pas, d'apercevoir des silhouettes que je croyais familières. Les lieux où j'avais vécu, les endroits que j'avais hantés des nuits durant, où j'avais perdu tout ce temps, tout était là, presque identique, et ma mémoire n'était plus qu'un bourdonnement permanent au point que la migraine m'a jeté par hasard dans un café où j'ai failli m'effondrer sur une banquette en commandant une eau minérale.

Il était presque midi. Un long frisson m'a parcouru tout le corps. J'avais l'impression de me noyer en moi-même. J'ai fait ce qu'on fait habituellement quand on se noie : je me suis débattu pour essayer de prendre un peu d'air.

Il y avait un annuaire posé à côté du téléphone, sur le comptoir. Je l'ai ouvert et j'ai trouvé au milieu d'une page le numéro d'Abel comme un naufragé trouve une bouée en plein océan. Je n'avais jamais eu le courage de l'appeler depuis Paris. J'avais toujours eu peur d'entendre sa voix ou pire, de ne trouver à l'autre bout de la ligne qu'un silence accablant de reproches et de rancœur.

« Jean », a-t-il seulement dit après que je me suis présenté. Sa voix était essoufflée, lointaine parmi les grésillements électriques. « Bien sûr, viens. »

Il habitait dans une maison basse du quartier Saint-Augustin, une échoppe, comme on dit ici. J'ai entendu un pas traînant venir vers la porte puis un petit homme blafard et maigre, les yeux enfoncés dans les orbites, de rares cheveux gris coiffés en arrière, m'a dévisagé. Il tenait entrouvert le battant de sa main décharnée. J'ai dû prendre un air stupide, ou effrayé devant ce corps vacillant, ce regard déjà absent, parce qu'il m'a dit : « On a du mal à se reconnaître, pas vrai ? Mais je sais d'où tu reviens et tu sais déjà où je vais. »

Il m'a fait entrer dans le couloir en me disant « Au fond, à droite. » J'entendais ses pantoufles de feutre glisser à chacun de ses pas sur le carrelage. Je suis entré dans un salon qui donnait sur un jardin de curé où le soleil venait allumer quelques couleurs de printemps. Il m'a demandé si je voulais boire quelque chose et sans attendre ma réponse il a disparu dans ce qui devait être la cuisine et il en est revenu portant une bouteille de blanc et deux verres.

– Sauternes, 1933. Je l'ai entamée hier soir.

Il a servi le vin et m'a enfin regardé. Il souriait et moi je cherchais à retrouver le visage dont je me souvenais *dans ses traits tendus, sur le point de se déchirer sur les os saillants.*

— À quoi on trinque ?

— À ta santé, j'ai hasardé.

Il a haussé les épaules.

— Putain, je vais le trouver amer... À ton retour, puisque te voilà.

— Qu'est-ce qui t'arrive ?

— Cancer, il a fait en tapotant sa cage thoracique. J'me barre de la caisse. Mais t'occupe...

On a bu en silence. On se regardait par-dessus nos verres. Abel a fait claquer sa langue.

— Pas mal, non ?

J'ai hoché la tête. Son vin, je m'en foutais. On entendait des oiseaux piailler par la porte-fenêtre entrouverte. Je regardais Abel dévoré vivant par la maladie et je ne parvenais toujours pas à me rappeler son visage plein et ses yeux vifs, ni la vivacité de ses gestes. Puis il s'est penché vers moi et m'a regardé droit dans les yeux et la dureté de son regard m'a fait mal.

— Et Olga ?

J'ai cru que mon cœur allait exploser. J'ai aspiré un peu d'air pour souffler « Non ».

Il s'est laissé aller au fond de son fauteuil et a tourné la tête vers la lumière qui inondait le jardin. Il a essuyé ses yeux du revers de sa main. Il m'a dit qu'il aurait préféré que je ne revienne pas. Surtout pour apprendre ça.

— Tu pensais que j'étais mort... Qu'on était morts tous les deux, non ?

Il a reposé son verre, s'est resservi.

— C'est pas la même chose. Des fois, on préfère pas savoir. Mais puisque tu es là...

Alors je lui ai raconté. Olga était tombée malade à Drancy. Une méchante toux qui lui arrachait la gorge.

La fièvre qui ne la lâchait pas. Puis le train pendant trois jours. On se tenait l'un contre l'autre, on se parlait comme jamais on ne s'était parlé. J'avais l'impression de rattraper toutes ces années où je m'étais dérobé, où j'avais fui. Où je l'avais trompée. Elle disait qu'on s'en sortirait, maintenant qu'on avait pu se dire tout ça. Qu'on retrouverait Daniel grandi, que la vie recommencerait. On restait enlacés. Elle se laissait aller contre moi, épuisée. Je sentais la chaleur malade de son corps sur moi, les frissons qui la secouaient, cette fièvre qui la faisait trembler. Et toujours nos mots sans sommeil, sa bouche dans mon cou, mes lèvres dans ses cheveux. La petite place que je suis parvenu à lui faire pour qu'elle puisse s'asseoir et dormir un peu. Et l'arrivée au camp, la sélection par les SS. Son regard fatigué qui m'a cherché longtemps sans me trouver.

Je me suis tu, hors de souffle. Des oiseaux chantaient dans le jardin. Cette vie insouciante m'a surpris. J'avais l'impression de recouvrer l'ouïe, ou de sortir d'une cage de verre. Abel fixait sur moi ses yeux noirs qui brillaient au fond de sa figure. Il a toussé, a craché dans un mouchoir. Des larmes coulaient sur ses joues pendant qu'il reprenait sa respiration. Il m'a demandé pourquoi j'avais attendu tout ce temps pour rentrer. Il m'a dit « Et Daniel ? » Il me posait les questions qui me lacéraient l'esprit depuis toutes ces années, et dont je n'avais pas les réponses. On appelle peut-être ça le moment de vérité.

— Comment j'aurais pu ? Je n'ai rien fait pour eux. Même pas capable de les protéger. Darlac avait promis qu'il me préviendrait, il savait qu'une nouvelle rafle aurait lieu. Et je l'ai cru. Et j'ai continué de jouer aux cartes et à courir après les femmes comme si de rien n'était. Olga et mon fils dormaient tout habillés de peur d'être arrêtés en pleine nuit et moi je

me mettais en colère quand je voyais ça en rentrant. Tu te rends compte ?

— Et comme ça, tu crois que le temps efface les fautes ? Tu reviens ici pour quoi au juste ?

— Je savais que tu me dirais ça.

J'allais continuer mais il a levé la main pour me faire taire.

— Ce que j'avais à te dire, je te l'ai dit à l'époque. Pour Olga, pour le gosse. Tu sais très bien ce que je pensais de toi : t'étais juste un cavaleur, un flambeur. Un petit mec inconséquent. Je te l'ai dit, non ? T'aimais pas ça, en général. Monsieur se fâchait tout rouge. Ou bien tu jurais sur tes grands dieux que tu t'achèterais une conduite. Et t'étais tellement dans ton rôle de coq dans ta basse-cour, tellement fier de ta soi-disant amitié avec Darlac. Moi, je le recevais à Andernos, juste pour le tenir à distance de mes affaires : il savait ce que je faisais, je savais qui il était : une ordure de flic prêt à tout. Mais j'étais du petit gibier pour lui, même s'il m'a eu plus tard. Et toi, tu as cru te placer sous sa protection. Et t'as mordu à ses boniments de flic parce qu'il effaçait tes dettes de jeu en faisant plonger ceux à qui tu devais du fric ? De ça aussi, je t'ai prévenu, pas vrai ? Quand le vent a tourné, quand il s'est rangé du côté du manche, je t'ai dit de faire attention, non ? Pour Olga et le gosse... Je valais pas cher moi non plus, mais je savais voir la beauté des gens... pas seulement leur belle gueule : ce qu'ils avaient de précieux en eux. D'inestimable. Je plumais les connards et les salauds, je savais les reconnaître au premier coup d'œil, rappelle-toi. Mais les belles personnes aussi, je les remarquais vite. Et Olga, c'est sûrement une des plus belles personnes que j'aie connues. Et je t'en ai voulu de la traiter comme tu la traitais, avec tes putes, ces gonzesses à

deux balles que tu baisais en loucedé. J'aurais dû te casser la gueule.

Il s'est arrêté, haletant presque. Quelques couleurs étaient revenues à ses joues grises. Ses mains tremblaient de colère.

Je me suis levé, K-O. Je n'avais rien à répondre à tout ça.

— Et tu reviens pour me dire qu'Olga est morte… C'est les vivants qu'il faut embrasser. Tu vis avec tes morts, avec tous ceux que t'as vus en Pologne… Mais ça sert à rien… Les morts ils reviennent jamais. Les fantômes c'est bon pour les bouquins ou les films.

— Je vis avec qui je peux. J'étais pas venu pour me plaindre ou pour entendre ta leçon de morale. Tu sais pas ce que je ressens, ni ce que j'ai vécu là-bas. Tu peux pas le savoir. Moi, je suis revenu pour Darlac. Depuis des mois je ne pense plus qu'à ça.

Il a ri comme on s'étouffe, puis a réprimé une quinte de toux.

— Tu veux quoi ? Te le faire ? Lui loger une balle dans la tête ? Ça changera quoi ? Y a des dizaines de flics à Bordeaux qui sont passés à travers les mailles. Poinsot et une partie de son équipe d'enculés ont été attrapés, mais les autres ? Sans parler des préfets, de leurs sous-fifres, tous ces fils de putes et les salauds ordinaires qui ont servi les Boches ? Darlac, à présent, il est commissaire. Il tient la moitié de la ville. Intouchable, il est. Si tu joues les justiciers, il va te falloir de l'armement et des munitions.

— Je suis pas un justicier. Je me fous de la justice. Je veux Darlac.

— Et ton fils ? Tu sais que tu as un fils ?

Je ne savais pas si j'étais encore son père. Je ne me sentais même pas le droit de lui parler. Pour lui, j'étais mort, c'était sûrement mieux comme ça.

— J'oserai même pas m'approcher de lui.

Abel s'est levé lui aussi, péniblement. Il a vacillé sur ses jambes et il m'a fait face et a rivé ses yeux dans les miens. Il m'a dit que ça ne servait à rien de discuter de tout ça. Il m'a dit qu'il avait fait ce qu'il avait à faire : il avait aidé Maurice à récupérer le petit sur le toit, dès que les voisins avaient pu le prévenir. Il conduisait la voiture, il avait apporté une arme au cas où. Ensuite, ils l'avaient emmené chez Maurice et Roselyne. On s'était vus quatre ou cinq fois. J'étais loin de ces gens, de leur façon de vivre. Olga et Roselyne travaillaient ensemble à l'usine, elles étaient amies, elles avaient les mêmes idées. Eux non plus ne m'aimaient pas. Je crois qu'ils faisaient un effort pour Olga, qui espérait sans doute que je changerais, que je deviendrais comme eux. Abel m'a donné leur adresse, à Bacalan, là-bas, après les bassins à flot, puis il a marché vers la porte. Quand il a ouvert, il m'a tendu la main. Je l'ai prise dans la mienne pour la serrer. Elle était brûlante et sèche. Je me suis aperçu que son front luisait de transpiration. J'ai descendu les deux marches jusqu'au trottoir. Je me suis retourné vers lui. Il s'appuyait au chambranle de la porte et laissait se perdre son regard au bout de la rue.

– *Pour Darlac, il a dit. Je connais un flic qui bosse avec lui depuis longtemps. Tu te souviens peut-être de lui. T'as dû le croiser de temps en temps à l'époque, il traînait toujours derrière Darlac avec des airs de conspirateur. C'est un salaud tranquille, plutôt moins pourri que les autres parce qu'il a su tomber du bon côté pendant l'occupation. Il a des comptes à régler avec Darlac. Inspecteur Mazeau. Demande à lui parler de ma part. Il est en dette avec moi. Je sais pas ce qu'il pourra faire, mais au moins il te rencardera. À toi de bien emballer ton affaire. Et maintenant, oublie-moi.*

Mazeau. J'ai eu du mal à me rappeler sa gueule. Et puis c'est revenu. Un grand mec châtain, aux yeux pâles, à l'air craintif, fuyant. Il redressait la tête dès qu'il était avec son chef, Darlac.

Le temps que je remercie Abel, il avait déjà refermé la porte. Je suis resté là-devant sans savoir quoi faire, l'esprit vide, écrasé par la lumière qui éclatait dans la rue. Jamais sans doute je ne m'étais senti si seul. Même mes fantômes, comme disait Abel, m'avaient quitté. Je savais qu'ils n'étaient pas loin, à m'observer, mais je ne sentais pas leur présence murmurante se presser autour de moi. Alors, je me suis mis en marche, poussé en avant par une sorte de vertige qui menaçait à chaque instant de me jeter à terre.

23

Un ennui n'arrive jamais seul. Le commissaire Darlac réfléchit à ce dicton de la sagesse populaire, sagesse dont habituellement il n'a que foutre, mais toute la nuit, éveillé auprès de madame qui ronfle doucement, il s'est laissé absorber dans des abîmes de méditation sur le bien-fondé des lieux communs. Ce sont ses moments philosophiques à lui. Il se surprend dans ces cas à considérer le poids et le sens des mots, à envisager des abstractions, et ça lui donne la sensation de s'élever au-dessus des contingences. Ça lui colle aussi une migraine sournoise qui lui plombe le crâne et éclate parfois en éclairs douloureux et l'oblige à fermer les yeux, à serrer les poings avec l'envie de tuer quelqu'un.

Jean Delbos de retour en vengeur insaisissable. Revenu d'entre les morts. Le fantôme qu'il lui semblait chercher il y a quelques semaines est bien réel. Darlac sait que tôt ou tard, s'il n'agit pas, le spectre apparaîtra une nuit au pied de son lit, flingue en pogne, ou un bidon d'essence dans une main, une allumette dans l'autre. Le commissaire sait bien pourquoi, évidemment. Mais si tous les gens qu'il a trahis venaient réclamer justice, il y aurait une file d'attente jusque sur le trottoir. Et si en plus les morts s'y mettent, il va falloir trouver le moyen de les tuer une deuxième fois.

En plus, depuis huit jours, Francis ne répond plus.

Injoignable au téléphone. Pas chez lui non plus. Invisible dans les endroits où il a l'habitude de traîner avec ses poules. Les fourgues avec qui il est en affaire, les filles qui triment pour lui sur les quais ou dans le centre-ville ne savent pas. Les guignols qui relèvent les compteurs non plus. Darlac en a bien secoué un, René Tauzin, dit le Borgne, qui semblait cacher quelque chose, mais rien à faire. Il l'a menacé de lui crever l'œil qui lui reste, de le faire tomber pour proxénétisme et trafic de came, parce que ce minable donne dans la poudre et les herbes exotiques qu'il refile aux filles et à une poignée de rupins qui ont pris le vice dans les colonies, macache.

L'un qui revient, l'autre qui disparaît. Darlac ne sait pas s'il faut chercher un lien dans ce chassé-croisé. Il sait seulement qu'on règle les problèmes les uns après les autres. Ou qu'on les élimine.

Pour l'instant, assommé par les coups réguliers de toutes les artères douloureuses de son cerveau, il est appuyé contre l'aile d'une traction avant et il regarde en souriant le dénommé Mesplet, le patron de ce garage puant l'huile et l'essence, encombré d'un chaos de voitures parmi un capharnaüm de pièces de rechange et de pneus posés sur des étagères bancales près de s'effondrer sur un visiteur imprudent. Il déteste ce désordre noir et poisseux presque autant que l'homme impassible qui lui fait face, bras croisés, adossé à la portière d'une Juvaquatre, et qui lui ment depuis dix minutes.

– Vous maintenez que Delbos n'est pas venu ici, n'a pas cherché à reprendre contact avec son fils ?

– Puisque je vous le dis.

– Vous l'avez fréquenté jusqu'en 43, vous faites travailler son fils, et vous voulez que je gobe ça ?

– Gobez ce que vous voulez, je m'en tape. Nous, avec Maurice et Roselyne, on était surtout amis avec

Olga, à cause du syndicat et tout ça. On travaillait dans la même boîte. L'usine, ça crée des liens, vous savez. Enfin, non, vous pouvez pas savoir… Mais Jean, il était pas de notre monde. C'était un type formidable comme ça pour passer un moment, mais il prenait rien au sérieux, à part ses petites affaires. Même sa femme et son gamin, plus tard, il les a jamais pris au sérieux. Nous, on l'aimait bien, mais comme ça, en passant. On comprenait pas ce qu'Olga lui trouvait. Ah ça, il était beau gosse, y a pas… Élégant et tout… Toujours gai, de bonne humeur. Paraît qu'il était tellement gentil avec elle… C'est ce qu'elle disait tout le temps. On savait bien qu'il la trompait en long et en large. Elle, elle s'en doutait. Je crois même qu'elle le savait mais qu'elle supportait ça. Nous, on comprenait pas. On se disait que si Olga l'aimait à ce point c'est qu'il était pas foncièrement mauvais, mais ça suffisait pas pour en faire un copain. Tout ça pour vous dire que c'est pas ici qu'il va venir chercher de l'appui.

— Vous savez que si j'arrive à prouver que vous protégez un criminel, je vous envoie en cabane pour dix ans ? Vous le savez ça ?

Mesplet hausse les épaules. Il attrape un long tournevis et se penche sur le moteur de la Juva. On l'entend jurer entre ses dents, souffler sous l'effort.

Darlac se tourne vers Norbert en train de remonter le pare-chocs d'une Dauphine.

— Et votre apprenti ? Il n'a rien à me dire ?

Le garçon ne bronche pas, accroupi à l'avant de la voiture, mais on voit bien qu'il a suspendu son geste et qu'il attend, et qu'il n'ose pas se retourner. Le patron se redresse, rouge, essoufflé.

— Foutez le camp d'ici. On n'a rien à vous dire. Tout ça c'est du passé. Jean Delbos tout le monde le croyait mort en déportation, et c'était peut-être mieux comme ça. Cherchez-le ailleurs qu'ici.

Darlac l'ignore et s'approche de Norbert. Il prend un marteau posé sur le capot et tape un grand coup sur la tôle et le gamin, comme renversé par ce fracas, tombe sur le cul et lâche son pare-chocs et lève la tête, l'air effaré, vers le flic. Darlac frappe encore, deux fois. La coque d'acier s'enfonce sous ses coups, la carrosserie tout entière vibre, et il tient le marteau levé prêt à massacrer quelque chose ou quelqu'un. Claude fait un pas en avant puis s'arrête, il serre son tournevis dans son poing et sa poitrine se soulève pour aller chercher le souffle qui lui manque sans doute mais il ne bouge pas.

— Alors, petit ? T'as rien à me dire ? Tu veux que je continue sur ta gueule ?

Le garçon cherche à voir le patron, finit par se mettre debout. Regard craintif, fuyant.

— Nom, prénom, adresse ?

Le flic note sur son carnet.

— Bien sûr, toi non plus, t'as rien vu, tu sais rien ?

— Non, je… Moi, le patron il me dit rien. C'est lui qui reçoit les clients, moi j'en sais rien.

Darlac ricane. Il émet une sorte de couinement qui plisse son visage. Il balance le marteau à travers le garage puis marche vers la porte grande ouverte sur la rue puis se retourne :

— Bon ! J'aime qu'on me prenne pour un con. Ça me met en colère, et moi, la colère ça m'affûte, ça m'électrise, vous voyez ? Je suis comme ça. Au fond, j'aime qu'on me résiste, au début. Hein ? Comme les résistants, tu vois, Claude. Tu connais ça, toi, la résistance. Mais ça résiste à quoi, au juste ? Comme un capot de bagnole ! Au deuxième coup de marteau, ça commence à plier ! Au cinquième, on défonce tout, on passe à travers, et c'est même plus la peine de réparer ! Vous aurez de mes nouvelles, mes cons. Vous allez morfler, vous et tous ceux qui couvrent ce minable. À la revoyure, et faites bien attention à vous !

Sa voix a résonné sous la charpente de fer et les deux mécanos l'ont regardé immobiles s'éloigner vers sa voiture garée à la diable sur le trottoir.

Une fois au volant, Darlac geint ou râle ou rit, il ne sait pas lui-même ce qui sort de lui : grincements, grondements d'une rage pure d'animal sur le point de lui faire éclater la tête comme si on la lui plongeait dans une bassine d'eau chaude. Alors il baisse les vitres en branlant violemment les manivelles et il attend au bout de la rue derrière un camion de messageries puis quand ça démarre il tourne vers la gare et fonce au milieu des pékins chargés de bagages qui gueulent parce qu'il leur roule au ras des valises et il les envoie se faire dorer, il leur crie de fermer leurs gueules, connards, sales putes, pédés. Il laisse derrière lui un sillage de cris indignés et d'injures et il aperçoit avant de tourner sur le cours de la Marne un flicard éberlué, les yeux ronds sous la visière du képi, qui se demande, tout de même, la main sur son sifflet, puis qui décide finalement de regarder ailleurs, rien à foutre, y a pas mort d'homme.

Darlac ne rentre pas chez lui, pas envie de croiser le regard bleu-noir de madame. Il prétexte au téléphone du travail, elle dit d'accord, ce qui signifie qu'elle s'en fout, qu'elle pourrait tout aussi bien l'envoyer se faire crever au couteau de cuisine par un forcené pataugeant dans le sang de toute sa famille. Il raccroche en l'injuriant entre ses dents et ça ne le soulage même pas, plus rien ne le console de la muraille de verre qui désormais les sépare, tu m'as trahi et on en mourra tous les deux mais toi la première.

Il traîne dans quelques rades, croise trois ou quatre hures connues, dont un interdit de séjour dans le département, finit par casser une croûte tiède et molle, arrosée d'une rinçure de tonneau, au comptoir d'un troquet près de l'église Saint-Pierre et demande au taulier s'il ne se foutrait pas un peu du client. Il décline ses nom et qualité au type qui commence à le prendre de haut, lui rappelle qu'en 55 on a bouclé six mois son étable à cause des serveuses montantes, six ou sept en tout, et de deux barbeaux qui relevaient les compteurs, un le matin, l'autre le soir. Bien sûr, c'est de l'histoire ancienne, se défend le patron. Il becte plus de ce pain-là, il a compris sa douleur, à l'époque. Même qu'il a failli y laisser sa chemise et son slip, oui. Darlac sait qu'en sous-main Crabos avait repris l'affaire, entre deux cancers, et y faisait écouler un peu de came, histoire d'amortir plus vite sa mise. Le commissaire lui dit que s'il ressent dans la nuit le moindre pet de travers, il fait descendre les mecs de l'Hygiène et que des saletés ces branques en trouvent toujours quand ils veulent, de quoi justifier la désinfection de la cambuse au lance-flammes de la cave jusqu'au toit. L'autre plaide une erreur en cuisine, pire, une négligence, le cuistot va m'entendre, vous allez voir ça, et insiste pour lui offrir un café. Darlac le laisse aux commandes du percolateur et sort dans la nuit humide.

L'idée lui trotte dans la tête depuis un moment, il va aller voir ce qu'il peut en faire. Il repense à cet apprenti, ce branleur de vilebrequins avec son air faux derche ou pétochard, il ne sait pas trop. Sans doute les deux. Le genre de type dont on trouve vite le point douloureux qui le fera tourner de l'œil et vendre sa propre mère. Il en a croisé quelques-uns, dans le temps, qu'il repérait à coup sûr, qui portaient en eux ce nerf dénudé facile à triturer, cette plaie à vif sur laquelle un peu de sel suffisait à briser toutes les volontés et trahir tous les principes. Il tourne sur les quais vers le sud, vers la gare puis Bègles et ses morues séchées[1]. Il roule dans une nuit de faubourg, indécise, parsemée d'îlots de lumière assaillis par des profondeurs obscures et il se retrouve assez vite égaré dans des rues désertes où glisse parfois l'ombre d'un chat.

Il trouve enfin la rue sur le plan qu'il avait, à la lueur de sa lampe de poche. Une impasse au fond de cette rue, un bout de labyrinthe que découvrirait un minotaure excédé. Une maison basse aux volets clos, obscure comme un antre.

Darlac s'apprête à soulever le marteau au-dessus du heurtoir quand il entend derrière la porte hurler une femme, remuer des meubles cognant contre les murs, puis vociférer un bonhomme. Il écoute un peu ce boucan, il essaie d'imaginer la scène, pas difficile : volée de coups, bousculade, injures. La femme est peut-être à terre, vu les cris suraigus qu'elle pousse, se protégeant, qui sait, de coups de pieds. Il cogne si fort à la porte que surgit là-dedans un silence de tombe. Plus rien ne bouge. Darlac entend seulement au-dessus le vent faire cliqueter un fil électrique ou peut-être une gouttière branlante. Il tape encore. Quatre coups. « Qui c'est qui vient encore nous emmerder ? » Voix de l'homme gueulant derrière la porte.

Darlac brandit sa carte au moment où le type ouvre la porte.

— Police.

Il monte les deux marches du seuil, repousse la porte que tenait encore l'homme et pénètre dans le couloir sans plus se soucier de lui.

— Oh, oh ! fait le type. Où vous allez comme ça ?

— Je viens voir votre fils. Norbert. Il est là ?

---

1. Bègles, banlieue sud de Bordeaux, a longtemps accueilli d'importantes sècheries de morues, en lien avec la pêche des terre-neuvas. Sècheries aujourd'hui fermées.

– Et vous êtes qui ?

– Commissaire Darlac. Vous voulez revoir ma carte ?

Darlac continue d'avancer, mais l'homme l'attrape par l'épaule et l'oblige à se retourner. Il est large, un peu plus grand que lui, et il sent le vin, son visage cireux luit de sueur et d'alcool transpirés.

– T'entres pas comme ça chez moi, salope de flic ! Maintenant, tu te barres d'ici !

Une femme hirsute, aux yeux gonflés d'avoir pleuré, vient s'appuyer au chambranle d'une porte. Elle n'est vêtue que d'une combinaison dont une bretelle est arrachée, ce qui l'oblige à remonter constamment le décolleté pour cacher sa poitrine. Elle tamponne sa bouche et son nez avec un mouchoir plein de sang en regardant les deux hommes. Ses bras sont couverts de bleus.

Darlac sent la main du type se crisper sur l'épaule de son veston.

– Lâchez-moi, et je vous explique.

– Rien à foutre. Sors d'ici.

L'homme le lâche tout de même et Darlac en profite pour sortir son pistolet et l'autre recule d'un pas.

– Oh là, il dit. J'ai rien fait, moi.

Darlac s'approche de lui et le frappe du canon de son arme sur l'arête du nez puis abat sur son crâne son poing serré sur la crosse. L'homme tombe à genoux et Darlac le frappe encore puis lui fait éclater l'oreille en se servant du pistolet comme d'un marteau. L'homme geint, pleure, du sang plein la figure, qui coule un peu sous lui.

– Voilà, dit Darlac penché sur lui. Maintenant, tu fermes ta gueule de con, tu me laisses faire mon métier. Moi, je suis pas ta putain de femme que tu cognes dès que t'as bu comme sur un chien. Moi, je vais t'éclater la tronche et te faire couler la cervelle par les trous de nez. Tu comprends ça, connard ?

Darlac se redresse et se tourne vers la femme :

— Il est là votre fils ?

Elle n'a pas le temps de répondre. Norbert apparaît derrière elle, un châle à la main dont il lui couvre les épaules, puis il la pousse doucement dans la cuisine. Il regarde avec indifférence son père qui gémit faiblement par terre puis il hoche la tête en prenant dans sa poche une cigarette qu'il allume et commence à fumer sans quitter des yeux l'homme au sol. Darlac saisit aussitôt la haine de marbre dont ce gamin est fait.

— Tu sais pourquoi je suis ici ?

— Pour votre mec, là… celui que vous cherchez.

— Exact. Tu sais qui c'est ?

— Maintenant, oui. Vous l'avez dit tout à l'heure. C'est le père de Daniel.

— Voilà. Son père, qui est rentré de déportation en 45 et qui, au lieu de revenir ici retrouver son fils, est resté faire la fête à Paris. On le recherche pour plusieurs meurtres. Tu trouves ça normal, toi, un père qui agit de la sorte ?

Norbert baisse à nouveau les yeux vers le sien, de père.

— Non, dit-il. Daniel il en parle des fois mais il dit qu'il s'en souvient pas bien, qu'il le reconnaîtrait même pas.

— Évidemment. D'après ce que je sais, ce type, Jean Delbos, c'était un flambeur, un cavaleur. Et sa femme et son fils il s'en foutait un peu. Alors Daniel, comment tu veux qu'il garde un souvenir de lui ?

Norbert approuve en hochant la tête.

— Pourquoi vous êtes venu ?

Darlac l'entraîne à l'écart. Ils entrent dans une petite salle de séjour aux chaises renversées et Darlac les redresse et les range sous la table.

— Si ce mec, là, Jean Delbos, le père de ton copain,

revient voir ton patron, pour une raison quelconque, tu me préviens. Tiens. Sur ce bout de papier il y a mon numéro au bureau. Mes hommes sauront où me joindre si jamais je ne suis pas là. Si tu m'aides, moi aussi je t'aiderai.

– Vous m'aiderez ? À quoi ?

– Ton père. Ton connard de père. Je lui monte un dossier et t'en seras débarrassé pour longtemps. Et ta mère aura plus peur, ni toi. Tu comprends ? Ce que j'ai vu ce soir ça m'écœure. Mais ce sera donnant-donnant. Dès demain, je le fais convoquer. Il faudra que ta mère vienne porter plainte. On va lui foutre les foies, il fera moins le fier. Qu'est-ce que t'en penses ?

– J'en pense que ça me va.

Darlac lui tend la main mais Norbert semble hésiter.

– Y a un homme qui est venu apporter une moto à réparer. Une Norton. Je sais pas si c'est lui. Mais le patron il s'est engueulé avec lui et il l'a foutu dehors, les deux fois. En tout cas, Daniel l'a pas reconnu, alors c'est peut-être pas lui, vous savez. Je vous dis ça…

Darlac retient sa joie. C'est si facile.

– T'inquiète pas, mon gars. C'est sans doute pas lui. Mais ouvre bien l'œil, et je tiendrai mes promesses.

Il tend sa main de nouveau, avec toute la franchise qu'il peut, et il serre celle du garçon, molle et froide et il l'écrase, un peu, juste pour qu'il sache qui commande et que ça peut faire mal.

24

Même route de retour. La chaleur est toujours là, mêlée à la poussière, même dans l'ombre des vallons que le soleil a quittés. Ils roulent moins vite à cause des deux camions-citernes pleins à ras bord d'une eau qui doit déjà être chaude et infusée de terre et de rouille. Baltard est affalé sur sa mitrailleuse, assoupi peut-être, indifférent au roulement strident des chenilles. La chaussée est encore asphaltée mais des ornières parfois secouent les hommes qui regardent autour d'eux et ne voient à travers la poussière que les pentes desséchées des collines entre lesquelles la route commence à serpenter.

Daniel lutte contre le sommeil, l'esprit engourdi par des pensées confuses, toute une rêverie dans laquelle il imagine sa première permission, son arrivée à Bordeaux, les embrassades et les étreintes, le corps d'Irène contre lui. Il en vient par moments à regretter de n'être pas allé avec les autres voir les putains arabes, pour calmer cette impatience douloureuse, purger ce qu'il sent de brutal en lui et préserver cette envie pure qu'il a d'elle. Mais il sent bien, il sait bien que rien n'est tout à fait pur, qu'il y a dans tout ça des échanges de fluides, d'odeurs, de gémissements, que tout ça ne se fait pas les yeux dans les yeux en se touchant du bout des doigts. Il le sait bien et en ignore tout, réduit comme tous les puceaux dans son genre et de son âge à écouter les récits des autres et à regarder les photos explicites dans les magazines comme ceux qui circulaient dans la chambrée pendant les classes, à se palucher en essayant de s'imaginer ce que ça fait quand on y est vraiment et qu'elle gigote et qu'elle gémit. Puceau. On croirait qu'il n'y en a aucun dans la section et on peut se demander, à entendre ce que certains racontent, s'ils l'ont jamais été. Les mecs ne parlent pratiquement que de ça, le soir, avachis autour des tables du foyer, et chacun y va de son histoire vécue, de sa gaudriole héroïque, de sa baise du siècle, de son pilonnage intensif. On lèche, on lutine, on pistonne, on ramone, on défonce. Daniel les écoute et il lui semble entendre des conducteurs d'engins sur les chantiers. C'est du gros œuvre, du terrassement. Et les frangines sont pas vraiment à la fête : on passe de l'équitation hussarde à la gynécologie active, sans oublier les postures de contorsionnistes à l'arrière d'une bagnole ou dans un coin de vestiaire, à l'usine. Ventres anonymes, chattes sans tête, cons, fentes, trous, béances, gouffres… Il y a même des trucs spéciaux, mais là le type en train de parler s'interrompt net en prétendant que ça, tout de même il peut pas en parler comme ça, et les autres de le pousser à plus de détails, allez, merde, t'en as trop dit ou pas assez, mais non, le mec bat des paupières et fait son timide soudain, non, les gars, je préfère garder ça pour moi.

Chochotte, putain. T'es le genre à te finir à la pogne.

Daniel rigole, rêvasse, bande, en les écoutant tous. Se demande parfois comment c'est possible. Vraies ou inventées, leurs histoires font du bien à tout le monde. C'est la vie, qui se dit là. La paix de tous les jours. Un bal de quartier, une salle des fêtes au village. Une fille, un paso-doble ou deux, on sort griller une cigarette dans la nuit d'été, on passe une main sous un corsage…

Leurs yeux brillent et pas seulement d'envies salaces. Il y a des silences essoufflés après une épopée lubrique, des sourires rêveurs qui trahissent des tendresses qu'entre hommes on raconte pas. Des yeux allumés par la douceur lointaine de la vie civile, tellement plus belle vue d'ici, dans ce cantonnement de merde où ils passent leurs vingt ans la peur au bide en espérant n'être pas le prochain à prendre une balle, à sauter sur une mine et y laisser ses jambes, à se faire saigner et couper les glaouis par des fellouzes… Toutes les emmerdes quotidiennes et la routine et la morosité des semaines en attendant samedi ou le jour de paye ne sont rien, vues d'ici. Ils s'accrochent aux hanches des filles qu'ils ont ou non culbutées comme aux bouées quand on dérive au milieu de tous les périls d'un océan dingo.

Dans le fracas des chenilles, le grondement des moteurs, c'est à peine s'ils entendent l'explosion là-bas devant mais ils voient tout de suite au-dessus d'eux un paquet de fumée noire qui monte dans l'air chaud comme un gros ballon avant de se dissoudre.

Daniel est balancé en avant par le coup de frein avec les autres et ils se trouvent empêtrés deux ou trois secondes, le temps de comprendre. Quelqu'un gueule « Mine ! mine ! » et Daniel s'étonne d'entendre aussi clairement cette voix et réalise que les moteurs sont arrêtés. Les portières des cabines claquent, les mecs courent en criant : « Vite, putain, vite ! » Il prend son fusil et saute du half-track et les autres le suivent à l'abri du véhicule et là encore ils ne comprennent pas tout de suite ce que veulent dire ces coups tapés sur la tôle comme avec un marteau puis quand ils se rendent compte qu'on leur tire dessus en voyant les impacts étinceler sur la route en arrachant des éclats de bitume, ils se cassent en deux pour avancer derrière le camion-citerne et c'est alors qu'ils entendent les coups de départs, là-haut dans la pente sur leur gauche, sur le versant ombreux parsemé de bosquets et de gros rochers.

— Où ils sont ces enculés ? crie Baltard, derrière la mitrailleuse du half-track.

— Là-bas, dit le caporal, avec un geste vague. Ils ont un F-M. J'espère juste qu'ils ont pas apporté de mortier.

Baltard arme puis tire des rafales courtes à l'aveuglette en hurlant des injures à l'ennemi et l'on voit les balles frapper le flanc de la colline et soulever de fugaces champignons de poussière. Les hommes rentrent la tête dans les épaules. Daniel ressent chaque coup tiré comme une artère insoupçonnée qui battrait soudain jusqu'à se rompre.

— Là ! Sous les arbres ! On voit les départs ! Plus bas !

Les balles de la mitrailleuse arrachent le haut du bosquet, se perdent dans le sol.

— Munitions ! munitions !

— Va lui ouvrir la caisse, dit le cabot à Giovanni. Tu sais où elle est ?

Giovanni fonce. Daniel le suit et prend appui sur le capot du blindé et tire deux cartouches vers un rocher derrière lequel il a vu bouger. Il entend Giovanni rafaler avec son P-M avant de grimper sur la plate-forme. Peyrou et Meyran sont à plat ventre sous le camion et tirent des coups de fusil sans trop savoir. La mitrailleuse tape puis s'arrête puis tire encore. Giovanni râle après la caisse où sont rangées les bandes de cartouches. Entre chaque salve, on entend les fells crier derrière depuis leurs affûts.

— Le lieut' est touché ! vite ! Quelqu'un pour le dégager !

Daniel tire deux coups au jugé, court, se couche derrière le talus labouré par les impacts, tire encore. La jeep est à trente mètres, affaissée sur l'avant droit en travers de la route. Il entend derrière lui taper la mitrailleuse et les coups plus secs, presque dérisoires, des MAS 49. Quand il y arrive, il trouve Ferrier, le chauffeur, couvert de suie et de sang, agenouillé auprès du lieutenant, à l'abri de la jeep. Il ne comprend pas tout de suite ce qui s'est passé. Puis il voit la jambe droite du pantalon déchirée, sanglante, détrempée, et le visage du lieut' livide qui le regarde les yeux ronds, pleins de larmes, la bouche figée dans une grimace épouvantée. Daniel ne voit plus le pied du lieutenant. Le pantalon n'est qu'un haillon imbibé d'écarlate et sans doute pendant quelques secondes il oublie de respirer parce qu'il n'arrive plus à saisir la réalité de la scène. Il est sur le point de demander ce qu'est devenu le reste de la jambe mais une volée de balles tambourine en roulant sur la tôle de la jeep et gueule en ricochant sur l'asphalte alors il se jette au sol et voit Charlin, qui était chargé du F-M monté sur le véhicule, allongé par terre sur le flanc, son regard tranquille posé sur lui, sa tête de traviole dans son casque, avec au milieu du front une entaille profonde et bleue, étroite et nette comme un coup de ciseau à bois.

– La radio ?
– Je sais pas, halète Ferrier. Derrière. Putain, il va claquer !

Daniel saute à l'arrière de la jeep de guingois, le capot soulevé et tordu, des lames de tôle à vif dressées comme une brassée de rasoirs. Le pare-brise éclaté et son cadre tordu. Il se faufile sous le F-M qui pivote quand il heurte la crosse de la tête et il se tasse derrière les sièges et il s'écrase tout à fait, la gueule contre le sol de fer, quand un paquet compact de balles passe au-dessus de lui en bourdonnant. Les gars ripostent en tiraillant vers les éclats des départs qu'ils aperçoivent là-bas, à une centaine de mètres. Il saisit la courroie de la radio, l'entoure autour de son poignet et se dégage mais le poste est plus lourd qu'il le croyait et son poids mort le tire en arrière et l'empêche d'enjamber le plateau de la jeep pour se mettre à l'abri. Il jette son fusil par terre, arrache l'appareil des deux mains avec un gémissement d'effort et il sent à son épaule la brûlure d'abord puis la douleur qui se vrille dans sa viande.

Il se laisse tomber à plat ventre par terre et le poste écrase son épaule blessée et il reste quelques secondes sans bouger, la bouche ouverte sur la poussière qui lui plâtre la langue, cherchant son souffle, espérant qu'un peu de force va lui revenir. Quand il relève la tête, il n'entend plus, à travers les stridences les grondements qui lui la012bourent le cerveau, que la .12,7 du half-track en train de tirer. Tout le reste s'est tu, même la pétarade des fusils et des P-M. Quand il jette par-dessus la roue de secours un coup d'œil à la colline d'où venait l'attaque, il lui semble que rien d'autre n'a jamais parcouru cette caillasse que le silence du vent. Le caporal se redresse et gueule «halte au feu!» et Baltard se retourne, les deux mains encore sur les poignées, l'air hagard, et les regarde tous avec stupeur en train de se redresser prudemment, comme s'il était étonné de les trouver vivants.

– Ils ont décroché, ces fils de putes, dit le caporal en scrutant le flanc de la colline. Peyrou, Meyran et Péret, allez au résultat, voir s'il en reste un qui serait amoché, qu'on puisse lui chauffer les couilles. Baltard, tu les couvres, et déconne pas.

Il court vers la jeep et demande à Daniel si ça va, oui, bon, ça saigne, c'est dans le muscle, une coupure, un coup de schlass. Il s'approche du lieutenant que Ferrier tient toujours contre lui serré comme on tient un enfant malade ou une femme. Autour de cette pietà dépenaillée et sanglante adossée à la roue, épars, un

P-M, deux chargeurs, des douilles et du sang, répandu en corolle dans une ornière creusée juste devant les deux hommes.

Ferrier ne réagit pas quand le caporal s'approche puis s'accroupit. Il regarde la jambe coupée, le tissu du pantalon qui a pris avec le sang une teinte d'ecchymose ou de diarrhée noirâtre.

— Il faut pas rester là. Aide-moi à le porter.

Le caporal saisit un bras du lieutenant et le tire vers lui et Ferrier laisse retomber ses mains sur ses cuisses et regarde le cadavre se détacher de lui puis basculer si soudainement que Bernier titube sous son poids et gueule « Putain tu m'aides, merde, on va l'allonger quelque part ! », alors le soldat se lève et prend le corps par la jambe qui reste en détournant le regard, en soufflant fort avec une espèce de plainte et les voilà tous les deux en train de se débattre lourdement pour attraper correctement le mort sans l'abîmer davantage.

Daniel tourne auprès d'eux, inutile, une main pressant le haut de son bras pour empêcher que le sang pisse, et il les suit jusqu'au camion-citerne où ils traînent le lieutenant plus qu'ils ne le portent et le couchent en douceur puis restent quelques secondes debout à contempler le visage au teint terreux, ses yeux mal fermés.

— Bon, la radio, fait soudain le caporal. Elle marche ?

Il s'éloigne au trot vers la jeep et balance son casque à l'arrière dès qu'il arrive. Il soulève le poste et l'installe sur le siège du chauffeur. Les hommes le regardent bidouiller les boutons puis il se met à parler dans le combiné.

— Qu'est-ce qu'on entend ? demande Ferrier.

Daniel hausse les épaules.

— Qu'est-ce que tu veux entendre ?

Ce qu'on entend c'est de l'eau qui coule et gicle sur le sol de la citerne percée en plusieurs endroits par les balles. Ils vont s'y rincer les mains et la figure et se remplissent la bouche et crachent, et finissent par boire et se foutent la tête dessous en s'ébrouant comme des clébards.

Les trois hommes envoyés dans la pente reviennent en courant presque, hors de souffle, et ils disent en montrant confusément le flanc de la colline qu'il y a là-haut un macchabée quasi coupé en deux, c'est tellement dégueulasse que Peyrou a gerbé toutes ses bières et qu'ils ont failli tous faire pareil. Ils se consolent en estimant que ça venge le lieutenant, deux fells pour le prix d'un, on devrait revenir en ville et le balader dans les rues attaché à la calandre du half-track pour montrer que la chasse a été bonne. Ils se forcent à ricaner et leurs visages blêmes se tordent et ils remontent leurs ceinturons, ils brandissent leurs armes, hâbleurs, puis ils font comme les autres avec l'eau, ils s'en mettent partout et bientôt leurs vestes de treillis leur collent à la peau et ils se dépoitraillent avant d'aller voir, soudain silencieux, le corps du lieutenant.

Au moment où le caporal s'en retourne vers la jeep pour appeler de l'aide par radio, on entend Baltard, toujours derrière sa mitrailleuse, qui se met à gueuler «Vite les gars, vite!» Daniel se précipite. Giovanni.

Il grimpe malgré sa blessure à l'arrière du half-track et trouve le copain couché en chien de fusil, les mains pressées sur le ventre, du sang sous lui.

– Ho, camarade! Comment tu vas?

Il s'efforce de sourire, il lui pose la main sur l'épaule. Giovanni tourne vers lui son visage calme, ruisselant de sueur et de larmes.

– J'ai mal, il dit à voix basse. Les fumiers.

Daniel essaie de capter son regard qui flotte entre deux battements de paupières, il serre son épaule plus fort et le remue doucement comme s'il essayait de le réveiller.

– On va te sortir de là. Tu vas voir. Le caporal appelle des secours. Faut attendre un peu.

Peyrou apporte une gourde. Daniel fait couler un peu d'eau sur la tête de Giovanni qui ouvre la bouche et chope un peu d'eau avec sa langue.

– Blessure au ventre, faut pas qu'il boive, fait Meyran.

Ils s'y mettent à deux pour soulever Giovanni, lui ôter sa chemise, rouler des chiffons sous sa tête pour qu'il puisse se reposer mieux. Il a deux trous au-dessus du nombril, d'où coule lentement un sang noirâtre. Parfois, il geint et on voit sous sa peau trembler des ondes de douleur. Péret pose une boîte marquée d'une croix rouge.

– Je sais pas ce qu'il y a dedans, il dit. J'ai trouvé ça sous le siège, dans le camion.

Meyran déballe des bandes, des rouleaux de sparadrap, un garrot. Il ouvre un paquet de compresses et en imbibe plusieurs d'alcool.

– Attention, ça va brûler, accroche-toi.

Il appuie la compresse sur la blessure et Giovanni pousse un cri et rue et ses rangers tapent sourdement contre la tôle. Avec Daniel, ils bricolent un pansement pour couvrir la blessure. Ils sont à genoux dans le sang qui commence à se figer, pâteux, brunâtre. Comme ils ont gardé leurs casques, la sueur inonde leurs visages penchés sur le copain et leur coule au menton comme si on leur avait retourné un bol plein de flotte sur la gueule.

Puis Daniel nettoie la plaie qu'il a à l'épaule, une coupure profonde qui pisse le sang, et Meyran l'aide à panser la plaie en serrant fort pour stopper le saignement.

– T'as mal ?

Il secoue la tête et jette un coup d'œil à Giovanni dans les vapes.

– Vous l'avez trouvé où le fell ?

– Je viens avec toi, dit Péret en portant son P-M à l'épaule. Là-haut, sous l'arbre. Je t'avertis, c'est pas beau à voir.

Ils gravissent la pente sur une centaine de mètres. De petits lézards fuient devant eux en faisant bruisser l'herbe sèche. Daniel se retourne vers le convoi immobilisé qui ressemble d'ici à une file de jouets délaissés par un gamin négligent. Les hommes autour des véhicules qui vont et viennent, figurines d'un jeu interrompu.

– Tiens, le v'là, ce fils de pute.

Daniel ne voit d'abord que les pieds dans des bottes en caoutchouc, une jambe de pantalon retroussée sur la peau noircie de poils, puis le corps apparaît, barré par le travers, au-dessus du bassin, d'une bouillie rougeâtre où affleurent des masses marbrées de gris. Il s'approche pour mieux voir et tâche de comprendre cette charpie qui repose au creux d'un impossible cratère ouvert dans l'abdomen. Il sent ses cheveux se hérisser sur sa tête alors il enlève son casque et passe sa main sur son crâne et c'est une petite douleur électrique qui s'allume sous ses doigts et se met à lui courir par tout le corps.

– Il s'est mangé une rafale de .12,7, dit Péret. Putain de chiasse, que ça lui donne.

Daniel s'accroupit et entreprend de fouiller le mort. Il enfonce ses mains dans les poches du pantalon humides de sang, il trouve un paquet de tabac et le balance au loin.

– Qu'est-ce que tu cherches ? Tu sens pas comme il pue la merde ? Allez, on reste pas à côté de cette saloperie.

Rien dans les autres poches. Daniel se remet debout et cherche sur les traits du visage aux yeux mi-clos, aux lèvres retroussées, les expressions d'un peu de vie, l'empreinte d'un sourire ou l'éclat d'un regard et il se demande quel âge pouvait avoir ce type : dix-huit, vingt ans ? Mais la mort lui a collé son masque tordu et blafard, il n'est plus rien qu'un assemblage de viande et de boyaux promis à la charogne, frère ou cousin proche des quelques cadavres qu'il a déjà vus depuis qu'il est en Algérie, carcasses pétrifiées et grimaçantes. Les morts à la guerre se ressemblent tous. Pas comme dans les films où les mecs ont soudain l'air bien reposé, avec juste un peu de sang sur leur chemise ou à la commissure des lèvres quand ça a été vraiment dur ou cruel, au point qu'on est presque soulagé pour eux, d'ailleurs il y a toujours un abruti pour tenir ce genre de propos ou se lancer dans des représailles immédiates dans la jungle contre des Japs insaisissables ou des Boches solidement retranchés derrière du béton ou des blindés. Voilà longtemps qu'il n'a plus observé le monde dans son cadre pliable. Il a surtout regardé au travers de la lunette de visée du fusil bouger des feuillages jetant des reflets irisés, des cibles, des boîtes de conserve, le visage du fell derrière son F-M, concentré sur sa ligne de mire pendant les dernières secondes qui lui restaient à vivre.

Comme il ne bouge pas, Péret s'impatiente. Il shoote dans des cailloux en soulevant de la poussière.

– Bon, merde, on y va. Tu lui fais des prières ou quoi ?

Daniel aimerait éprouver quelque chose. Haine ou dégoût. Horreur ou mépris pour ce fellagha éventré qui voulait il y a dix minutes encore leur trouer la peau. Là en bas, il y a un lieutenant mort que ses deux gamins ne reverront plus. Et Charlin un éclat d'acier dans la tête, un taiseux c'était, calme et farouche, seul à la ferme avec ses parents. Et il y a Giovanni avec deux balles dans le ventre qui s'arracherait les tripes s'il pouvait pour en finir avec la douleur qui le tue à petit feu. Il regarde ce corps dévasté et n'y voit nul être humain. Seulement une carcasse qui n'est même plus un ennemi, qui n'est plus rien. Comme un chien crevé au bord d'une route.

Ils redescendent et rejoignent les autres en train de patauger dans l'eau qui continue de fuir de la citerne. Daniel monte dans le half-track et s'agenouille auprès de Giovanni qui semble dormir, bouche ouverte, haletant. Sa figure est luisante de sueur. Le pansement est gorgé de sang et tout autour de la blessure la peau est marbrée de bleuités malsaines. Il lui murmure que ça va aller. L'hélico sera là bientôt.

Le caporal est là, avachi sur le banc de fer. Il garde les yeux fermés, la tête rejetée en arrière.

– Alors ?

– Alors quoi ?

– Le macchab. Moche ?

Daniel hausse les épaules.

– Un de moins.

On entend les autres bavarder plus loin. Une portière claque. Le caporal sort un paquet de Gitanes et le tend à Daniel. Ils fument pendant un moment sans rien dire.

– Je peux rester, si tu veux, dit Daniel.

– Non, ça va. Je dois être là.

Daniel attrape un chiffon dégueulasse et le détrempe d'eau en versant la gourde dessus. Mais c'est tiède, ça pue l'huile de moteur.

– Ça me fait chier, après ce que je lui ai dit tout à l'heure. Je peux pas le laisser, tout de même !

C'est Meyran qui l'entend le premier et se met à gueuler « Voilà l'hélico ! » et les hommes qui étaient tous assis dans les véhicules, abrutis par le silence sifflant à leurs tympans sourdingues, sautent par terre et scrutent l'horizon. Dès qu'ils voient la Banane amorcer son virage au-dessus de la crête, ils se mettent à agiter les bras en gueulant jusqu'à ce que leurs voix soient écrasées par le vacarme des rotors et que la poussière soulevée les oblige à fermer la bouche et plisser les paupières et à se baisser, par réflexe, comme si les hélices allaient leur emporter la tête.

Daniel se lève et fait signe lui aussi, puis il se penche vers Giovanni pour lui dire « T'entends ? Direct à l'hosto puis retour maison ! Ils vont te sortir ce que t'as dans le bide, c'est comme une appendicite ! »

Le copain sourit tristement et serre sa main dans la sienne. Il essaie de dire quelque chose mais les mots sont coincés dans sa bouche par une grimace de douleur. Il serre plus fort les doigts de Daniel puis parvient à balbutier : « J'ai presque deux trous rouges au côté droit ! » puis ferme les yeux. Daniel ne comprend pas. « Qu'est-ce que tu dis ? »

Des hommes sortent de l'hélico en portant des civières et des mallettes de soins. Daniel les appelle. « Vite ! », il crie.

Giovanni essaie de se coucher sur le flanc pour se replier sur la douleur et il geint, et Daniel saute du half-track pour aller chercher à coups de lattes les brancardiers qui courent, pourtant, et qui crient dans le boucan et la poussière « C'est bon, merde, on arrive, tout va bien ! »

25

Trois coups frappés à la porte. Secs, rapides, impératifs. André pense à la police. Les flics tapent ainsi, avec cette impatience, et André les imagine sur le palier, l'arme au poing, tendant l'oreille pour entendre venir. Il va à la fenêtre et ne voit rien dans la rue : ni fourgon, ni voiture suspecte, personne en faction. À tout hasard il demande qui est là et il entend la voix du proprio : « Ce n'est que moi ! M. Ferrand. »

L'homme entre dès qu'il ouvre, sans le saluer, évitant son regard. Il lui tend le journal.

– On parle de vous, je crois.

Il tapote du bout de l'index un entrefilet en première page.

Le criminel à moto

André Vaillant, de son vrai nom Jean Delbos, suspecté de cinq meurtres commis à Bordeaux et dans le département, dont celui de l'inspecteur Henri Mazeau et de son épouse, circulerait aux commandes d'une moto, probablement de marque Norton. La police, qui recherche activement cet individu armé et dangereux, a rendu publique hier cette information, qui peut mettre les enquêteurs sur la piste du suspect. Jean Delbos est âgé d'une quarantaine d'années, il est de corpulence mince et mesure 1,80 m. Toute personne

susceptible d'apporter aux policiers des renseigne-
ments utiles peut appeler le commissariat central ou
composer le 17 (Police-secours).

André lève les yeux vers Ferrand, qui l'observe, les mains dans les poches. Il plie le journal et le lui redonne.

– Et alors?

– Alors j'ai préféré vous prévenir.

L'homme lui tourne le dos, fait quelques pas dans la pièce. Il jette son journal sur la table, près d'un cahier ouvert aux pages noircies d'une écriture menue et penchée.

– Vous écrivez quoi?

– Rien… Un roman policier.

L'homme s'esclaffe sans bruit.

– Vous en avez de bonnes… Je peux lire? J'adore ça, ces histoires de série noire. Surtout racontées par un assassin.

André vient refermer le cahier et le range dans le tiroir de la table.

– Pourquoi vous avez tué ces gens?

– Pas le flic ni sa femme. Les autres, c'est…

André se tait. Il regarde ce type qui ne bouge pas, le visage impassible, en train d'hésiter sur ce qu'il compte faire, bizarrement attiré, peut-être, par le tueur dont le journal parle en première page. Il pourrait prendre le pistolet, sous son oreiller, et le neutraliser pour avoir le temps de s'enfuir. Il pourrait se jeter sur lui et l'estourbir. Mais cet homme est là, qui ne fait rien, qui attend d'un air presque gêné, peut-être triste.

– C'est trop long à expliquer, pour les autres.

– Vous revenez de déportation, hein, c'est ça? Ils en parlaient une fois dans le journal. Vous étiez où?

– En Pologne. À Auschwitz.

– C'étaient les Juifs, là-bas, hein? En Pologne ils

394

envoyaient les Juifs. Moi, mon fils, ils l'ont envoyé à Mauthausen. Il était résistant, mon fils. À dix-huit ans.

– Il est…

– Non, s'empresse de dire Ferrand, comme s'il voulait empêcher le mot d'être prononcé. Il a failli. Il est rentré il pesait tout juste quarante kilos, pour 1,70 mètre, et encore il s'était un peu remplumé. Malade. On ne savait pas bien ce qu'il avait. Même le docteur avait peur de venir. Avec sa mère, on a attendu qu'il ne meure pas. Il n'y avait pas grand-chose d'autre à faire. Maintenant, il est ajusteur frai-seur chez Moto-Bloch. Et vous ?

– Quoi moi ?

– Vous avez perdu quelqu'un ?

– Ma femme et mon fils.

L'homme le regarde, secoue la tête, soupire. Il s'ap-prête à dire quelque chose mais André parle le pre-mier.

– Il n'y a rien à dire. Je vais partir.

– Je ne vous dénoncerai pas. Je ne fais pas ça. Pour ces gens que vous avez tués vous devez avoir vos rai-sons. Vous n'êtes pas un de ces assassins qui tuent les gens par plaisir ou pour les voler. Pas comme tous ces nazis et ces miliciens. Vous n'êtes pas comme eux. Je le sais parce que je n'ai pas peur de vous. Je peux vous regarder dans les yeux, là, comme ça, tranquillement. Et puis je peux vous dire une chose : mon fils et ses copains ont été dénoncés, fin 43. On a le nom et l'adresse du type, et c'est pas l'envie qui m'a manqué de…

Il se tait et marche vers la fenêtre. Il y a du soleil dans la rue soudain, sur les façades de l'autre côté et il regarde cette lumière d'un air étonné.

– S'il n'y avait pas eu Arlette… je suis seul à m'en occuper depuis le décès de mon épouse.

Il se tourne vers André puis parle d'une voix plus assurée.

– Vous pouvez rester, vous savez. Je vous ai dit que j'irais pas chez les flics.

André scrute son regard brillant, déchiffre les rides de son visage pour y lire les marques du mensonge, pour débusquer sous le sourire la grimace du chien. Impossible de savoir. Il est assailli de signaux contraires.

– Je vais vous occasionner des ennuis, si je reste. Il vaut mieux que je parte. Merci pour tout. Pour votre silence.

– Vous ne faites plus confiance à personne, c'est ça ?

– Je ne sais pas. Ce n'est pas contre vous…

Ferrand soupire, reprend son journal puis va vers la porte.

– Je vous laisse faire vos bagages. Laissez la clé sur la table, je viendrai la chercher tout à l'heure.

Il referme doucement derrière lui et André écoute son pas s'éloigner dans l'escalier. De nouveau, le silence l'écrase. Il y a les bruits du dehors, le trafic lointain des camions sur le quai, le roucoulement d'un pigeon, mais ici, dans cette pièce, le silence se creuse et l'engloutit. Comme un trou d'obus. Ou un fossé. Il repense au fossé où il est mort. Au cadavre sur lui, pesant et glacé.

Son grand sac sur le dos, il va abandonner la moto sur le quai, près d'un rade qui ouvre en fin d'après-midi et ferme tard dans la nuit, fréquenté par des marins et des femmes qu'il aperçoit juchées sur de hauts tabourets, tournant parfois leurs yeux trop maquillés vers les passants avec une expression de tristesse ou de mépris. Il espère que la moto sera volée en quelques heures et que ça compliquera un peu le travail de la police.

Il marche longtemps sur les quais dans cette lumière oblique du printemps qui lui écrase les paupières puis il prend un bus puis il marche encore, en pensant à Darlac qui le cherche et qui éventrera la ville pour le trouver, en se demandant s'il a encore la force ou la volonté de détruire cet homme, ne sachant plus si le mélange de haine et de chagrin qui lui a servi jusqu'à présent de carburant n'est pas en train de s'épaissir en une glu qui le paralyse.

Il doit taper deux fois à la porte avant qu'elle s'ouvre. Le visage d'une femme apparaît dans l'entrebâillement. Cheveux courts, poivre et sel. Yeux noirs, immenses, étirés par le trait de crayon gras. André souffle un bonjour auquel elle ne répond pas, l'observant avec étonnement ou curiosité.

— Abel est là ?

— Jean ?

Le visage de la femme s'anime un peu d'un triste sourire.

— Abel m'a dit que tu étais revenu. Je suis contente de te voir.

Violette. Abel l'avait recueillie et protégée quand elle était arrivée de Marseille en très moche état, début 37. André ne sait pas quoi dire. Il essaie de lui rendre son sourire, il aimerait trouver les mots, et rien ne lui vient.

— Entre. Reste pas là.

Dans la pénombre du couloir, elle lui sourit encore.

— Comment tu vas ?

Elle chuchote. Le silence absorbe sa voix aussitôt.

— Disons que ça va. Je t'avais pas reconnue.

— J'ai tellement vieilli ?

— Non… Le cheveux courts, peut-être. Mais c'est bien toi.

— Tu me rassures.

Elle avise le gros sac de marin qu'il porte toujours à l'épaule.

— Pose ça, tu vas pas repartir tout de suite.

Après qu'il a appuyé le sac contre le mur, ils restent là face à face, embarrassés, silencieux, durant quelques secondes.

— Abel ne va pas fort, tu sais. Le docteur lui donne deux mois tout au plus. Il se repose, là. Il fait la sieste tous les après-midi. Viens. On va boire un café.

Violette entre dans une cuisine sombre et verse du café dans une casserole qu'elle met à chauffer.

— Qu'est-ce qui t'arrive ? Tu sais qu'il ne veut plus te voir.

Il s'assoit lourdement sur une chaise qui grince sous lui.

— J'ai des ennuis. Nulle part où aller. Il faut que je lui parle.

Violette ne dit rien, pose les tasses sur la table, la boîte de sucre, puis allume une cigarette. Elle ne le regarde pas, surveillant le café sur le feu.

— Qu'est-ce que tu veux ?

La voix les fait sursauter tous les deux. André se retourne vers Abel appuyé au chambranle de la porte, essoufflé, presque chancelant. Ses yeux noirs brillent au fond des orbites creusées par la maladie ; la peau du visage, tendue sur sa tête de mort, est grise et luisante.

Violette avance une chaise et il se pose dessus en s'appuyant à la table. Il ferme les yeux un long moment, cherchant son souffle. Visage de cire.

— C'est toi, dans le journal, pas vrai ? Darlac te fait porter le chapeau pour toutes ses saloperies, c'est ça ? Et maintenant tu comptes faire quoi ? Te planquer ici ? Tu t'es foutu dans la mouise et tu veux que tout le monde en profite ?

— Quelques jours, le temps de…

— Le temps de quoi ?

Abel adresse un signe de la main à Violette. Elle se lève, attrape un verre, lui sert du café. Il boit à petites gorgées, tousse un peu, grimace puis souffle sur la tasse. Il hausse les épaules et pose ses yeux sur André.

– Du temps j'en ai plus. J'en ai bientôt terminé avec tout ça. Et puis tu sais ce que je pense de toi, de ce que tu as fait. Mais je vais pas crever en laissant un type en cavale à la rue surtout quand Darlac lui donne la chasse. Y a une chambre à l'étage. Tu t'installes. Tu me dois rien. Du fric, j'en aurai encore quand je serai mort. Tu peux même prendre la bagnole.

– Je te remercie, Abel. Je…

– Laisse tomber les politesses. Je sais même pas pourquoi je fais ça. Peut-être pour m'accrocher encore un peu. Parce que j'ai plus que le passé. Et puis je crois que ça fait plaisir à Violette.

La femme fait sourire son visage fatigué. Elle pose sa main sur l'avant-bras d'André. Le silence les tient tous les trois réunis, cadencé par le souffle brisé d'Abel. André sursaute quand sa chaise racle le carrelage et qu'il se lève, restant immobile un instant, appuyé à la table, clignant des yeux, secouant la tête, comme s'il était pris d'un vertige. Il se tourne lentement vers la porte puis appareille d'un pas hésitant, ne lâchant son appui qu'au moment où il peut attraper l'encadrement de la porte. On entend traîner ses pieds dans le couloir puis grincer faiblement le cuir d'un fauteuil. Comme André lui jette un coup d'œil inquiet, Violette le rassure d'une moue et d'un battement de cils.

– Il va lire un peu, puis s'endormir.

– Et toi ?

– Quoi moi ?

– Qu'est-ce que tu fais ?

– Je suis avec lui. C'est ma vie. J'ai toujours été avec lui. Ce que j'ai vécu avant ne compte pas. Ce n'était pas vivre.

– On peut faire ça ? Enfin, je veux dire… Couper dans sa vie et jeter les mauvais moments ? Oublier complètement ?

La femme pique un sucre dans la boîte et le trempe dans le fond de sa tasse puis le mange doucement.

– Je crois qu'on n'oublie rien. On finit par ne plus y penser… Enfin… Disons que ça ne pèse plus dans le sac qu'on trimballe. Je sais pas comment dire ça. Je crois qu'il faut mettre autre chose dans le sac. Ou plutôt comme du sel. Il faut tremper le sac dans de l'eau douce pour que le sel qui te brûle soit dissous.

Elle se tait, le regarde intensément. André ne peut pas supporter la force de ce regard et il détourne les yeux. Il essaie de réfléchir à ce qu'elle dit et se demande quel fleuve pourra absorber le sel qui creuse ses plaies.

– C'est comme si j'étais morte et que j'étais revenue à la vie. Je me souviens du soir où je suis revenue à moi. Je ne savais pas où j'étais. Il y avait Abel qui dormait sur une chaise et j'ai eu peur parce que je croyais que c'était eux qui… Puis j'ai reconnu ce type qui m'avait accueillie et ça m'est revenu : le toubib, la douleur dans mon ventre… Abel s'est réveillé et il m'a dit « Comment ça va ? T'as faim ? » J'ai répondu « Oui, un peu. » « Bouge pas, je reviens », il a dit, comme si j'avais pu me carapater par la fenêtre ou me mettre à faire le ménage. Il s'est levé et je l'ai entendu bricoler quelque part dans la cuisine. Il est revenu un moment après avec un plateau, deux assiettes de nouilles trop cuites et du rôti froid. Et il m'a tartiné des rillettes sur du pain. J'en ai pleuré tellement c'était bon. Voilà. Tout a recommencé ce jour-là. On n'a jamais plus reparlé de tout ça.

Elle sourit en hochant la tête. Ses yeux brillent. Elle se lève soudain en frottant la paume de ses mains à son tablier.

– Je vais te montrer ta chambre et te donner des draps.

Dans le salon, Abel dort, bouche ouverte, un roman policier sur les genoux. Sa poitrine se soulève doucement, apaisée. André ne peut s'empêcher de voir un homme déjà mort malgré les quelques couleurs qui sont revenues à son visage reposé.

La chambre sent la lavande et l'encaustique. Elle donne sur le jardinet pomponné de vert tendre où commence à bleuir le soir. Avec Violette ils font le lit et André inspire à plein nez l'odeur des draps propres comme il le fait toujours depuis le premier vrai lit, à Paris, à son retour. S'endormir dans cette senteur est l'un des meilleurs moments de la journée. Il le dit à Violette. Elle a ressenti un peu la même chose après qu'Abel a sorti les draps où elle avait transpiré, saigné et dormi comme une morte pour en mettre des propres. Ce sont des petites choses, on n'y fait jamais attention dans la vie de tous les jours. Des petits bonheurs.

Pendant le dîner, Abel demande à André : « Comment c'était, là-bas ? » Violette lui fait les gros yeux, soupire, se lève et emporte le pain et le plat de légumes pour montrer son désaccord, puis revient se rasseoir en posant un paquet de cigarettes sur la table et s'accoude pour écouter André.

Alors, André raconte. Droit, bien appuyé au dossier de sa chaise. Pendant plus de deux heures il dit ce qu'il n'a jamais dit à personne. Ce qu'on ne lui a jamais demandé et qu'il garde pour ses cahiers. La matière de ses cauchemars et de sa mémoire. Puis Paris, les camarades, la vie nécessaire, une habitude à reprendre. La fatigue de vivre, aussi, parfois, souvent. Hélène, qui dansait dans les ruines. Il parle d'Olga dont il n'a pas été digne. Olga malade dans ses bras puis mourant dans la terreur de la chambre à gaz.

Il se tait. Attend que cessent les cris, repousse les

images qui lui viennent. Violette a porté une main à sa bouche.

Olga, il aurait dû l'aimer mieux. Peut-être qu'il ne l'a pas aimée. Il vit avec la brûlure de cet amour inaccompli. Il emploie ces mots : amour, aimer, des mots qu'on n'utilise d'habitude qu'avec des précautions, presque des excuses, comme si l'on disait des bêtises.

Il parle de Daniel qu'il n'a d'abord pas reconnu le jour où il est allé au garage apporter cette moto à réparer. Il se rappelle la main du petit garçon dans la sienne quand ils se promenaient dans les rues tous les trois. Il ouvre sa main et la montre à Violette et Abel comme si une trace de l'enfant avait pu y rester marquée.

Violette et Abel l'écoutent sans un mot. Elle se lève une fois pour aller faire du café mais revient s'asseoir pendant que la cafetière roucoule à côté. Abel ne bouge pas, ne cille pas. Il hoche parfois la tête ou la secoue doucement, comme ça, pour dire son effroi ou sa consternation, et la fatigue n'ose pas, sans doute, le détourner du récit d'André.

— Il est bien tard, non ? dit André à un moment. Je parle, je parle…

— Non, ça va, dit Abel. Il n'est pas si tard.

André se verse un grand verre d'eau. Il ne se souvient pas d'avoir jamais tant parlé.

Abel se lève. Il tend son bras vers lui.

— Tu m'aides ?

André le soutient. Ils passent dans le couloir. La chambre est au fond. Abel ne pèse rien. Si près de lui, André entend sa respiration sifflante, rapide. Il l'aide à s'asseoir dans un fauteuil d'osier.

— Ça va ?

Abel fait signe que oui, cherchant son souffle bouche ouverte.

– Je t'ai mal jugé, dit-il. Je t'ai mal parlé, aussi. Tout a tellement changé. Et toi et moi…

– T'inquiète pas de ça. Faut que tu te reposes. On en reparlera plus tard, si tu veux.

Abel hoche la tête puis ferme les yeux. Il se laisse aller contre le dossier du fauteuil qui se plaint faiblement. André va souhaiter une bonne nuit à Violette. Il la trouve assise à la table devant un verre de café froid. Elle lève vers lui des yeux rougis et lui sourit et lui adresse un petit salut de la main.

– Ça ira ? il demande.

– Non, mais on fera aller quand même. À demain.

26

Madame est allongée sur le canapé. Pieds nus, pantalon fuseau pied-de-poule, chemisier bouton d'or. Elle lit un magazine et n'en lève pas les yeux quand Darlac entre dans le salon sans un mot et marche vers le buffet où il range son pistolet, comme chaque soir. Il zyeute sa femme qui vient d'étendre le bras pour prendre une cigarette et l'allumer, va se défaire de son veston dans le couloir puis revient et dénoue son nœud de cravate et déboutonne son gilet. Comme il ne sent dans l'air aucun effluve de cuisson, il va jeter un coup d'œil dans la cuisine où tout est à sa place et brille, et il soupire d'aise à cet ordre rassurant.

– On ne mange pas, ce soir ?

– C'est déjà prêt. Ça a cuit tout hier. Salmis de palombes.

La voix s'est élevée de derrière le magazine et les yeux de chat de Sophia Loren.

– Et Élise ?

– Chez une amie. Elles révisent leur composition d'histoire.

– Quelle amie ?

Madame soupire.

– Hélène. De Taillac. Le juge, tu sais ?

– Elle rentre à quelle heure ?

Il s'assied dans un fauteuil en face d'elle, toujours

plongée dans sa lecture, toujours allongée, immobile au point qu'il distingue à peine sa poitrine se soulever.

— Depuis quand tu me fais suivre ?

Elle jette la revue sur la table basse, écrase sa ciga- rette. Elle le regarde. Yeux verts, ou dorés. Lèvres entrouvertes. Par le col du chemisier, il aperçoit l'at- tache fine d'une clavicule, la bretelle du soutien-gorge. Aucun maquillage. Darlac se rappelle à ce moment combien cette femme est belle. Il essaie de se rappeler depuis quand il la hait à ce point.

— Qu'est-ce que tu racontes ?

— J'ai été suivie, mardi dernier. Un type à moto.

Elle ne le quitte pas des yeux. Elle se redresse puis s'assied, les bras croisés.

Darlac sent que quelque chose est en train de se nouer. L'air autour de lui semble soudain plus épais et il doit fournir un effort pour respirer et surtout ne pas se ruer sur elle pour la faire parler.

— Je ne te fais pas suivre.

— Tu fais bien suivre Élise, depuis que ce type l'a attaquée.

— C'est différent. Toi, je n'ai jamais donné l'ordre de te suivre ou de te protéger.

Tout d'un coup, il pense à une surveillance que Laborde aurait pu mettre en place pour le doubler mais il repousse cette éventualité. Une filoche à moto, il n'y croit pas. Surtout dans cette affaire.

— On peut savoir pourquoi je n'ai pas droit à un peu de protection ? Après tout, ce type il pourrait s'en prendre à moi, non ?

— Il t'a suivie jusqu'où ?

— Au cimetière Nord. Je suis allée fleurir la tombe de maman.

— Comment il était ?

— Il portait un casque, des lunettes de moto, une veste grise. Ça te va comme signalement ? Dis, t'arrêtes

405

de me prendre pour une gourde ? Qui c'est ce flic qu'on repère du premier coup d'œil ?

– Ce n'est pas un flic.

Elle se lève d'un bond et s'apprête à quitter la pièce.

– Me fais pas chier avec tes grands airs. Assieds-toi. Je vais tout t'expliquer.

Il a parlé sans élever la voix, sans bouger. Sans colère. Madame se tourne vers lui d'un air étonné. Elle s'assied, allume une autre cigarette, souffle la fumée nerveusement. Ses yeux sont maintenant gris et ses paupières battent follement.

– Comment va Willy ?

Le regard d'Annette Darlac s'envole. Fuit dans la pièce comme un piaf affolé. Cherche où se poser, revient trembler dans les yeux de son mari. Elle ne trouve aucun mot à prononcer. Sinon «pitié». Mais elle n'a même pas le courage de lui dire : «Pitié.»

– Pourquoi tu…

Elle se laisse aller contre le dossier et porte sa main à sa bouche.

– Pourquoi quoi ? Qu'est-ce que tu crois ? Je sais tout, depuis longtemps. Depuis qu'il est revenu en 51 avec sa mère et que tu lui as trouvé cette maison à Blanquefort. Je me demandais pourquoi tu tenais tant à passer le permis, puis à avoir ta propre voiture… Alors j'ai cherché et j'ai trouvé. Le capitaine Wilhelm Müller a laissé la moitié de sa gueule et de sa carcasse à Stalingrad. En 49, il a hérité de son père, a liquidé tous ses biens puis est venu ici pour vieillir non loin de sa fille. Comme il ne veut pas qu'elle le voie dans l'état où il est, je sais même que deux ou trois fois par an, tu le prends avec toi en voiture et tu te gares sur le trajet qu'elle emprunte en revenant du lycée pour la lui montrer. Voilà ce que je sais. Voilà pourquoi je suis sûr que le type qui t'a suivie n'est pas quelqu'un de chez nous. Parce que je ne voulais pas que tous les flics de la ville sachent que ma femme, cette pute à Boches, me la jouait à l'envers avec un monstre de foire. Tu comprends maintenant ?

– Et tu n'as rien dit pendant tout ce temps ?

Les yeux pleins de larmes, la voix étranglée.

– Je voulais voir comment tu t'en sortirais. Prise au piège. Coincée. Comme un rat dans une cage. Je t'observe tout le temps, tu sais ça ? Dans ton rôle d'épouse idéale, de cordon-bleu, de femme d'intérieur irréprochable, de mère attentive. Je ne sais pas comment tu fais pour tenir. Tu dois penser me résister, peut-être… Mais tu dois morfler, aussi, et ça me suffit. Je sais que tu payes pour ce que t'as fait, que t'en chies bien plus que par ce que je pourrais te faire. Ça m'a amusé de te voir jouer cette comédie en t'imaginant que j'y croyais.

Il lui parle sur le ton de la confidence, enfoncé dans son fauteuil, sans la quitter des yeux, souriant presque. Et elle, elle tourne la tête de droite et de gauche, lentement, comme si elle assistait à l'effondrement ralenti d'un immeuble ou à la chute interminable d'une silhouette jetée d'un avion.

– Et maintenant ?

Les larmes font briller ses yeux mais ne coulent toujours pas.

– Je vais attraper le fumier qui a attaqué Élise, qui a brûlé vifs Odette et Émile, sans parler de la gamine qu'ils hébergeaient. C'est lui qui t'a suivie. C'est lui qui a tué un inspecteur, Mazeau, ainsi que sa femme. Il s'appelle Jean Delbos. Demain, on te montrera des motos pour que tu essaies d'identifier la sienne. Dès qu'on l'aura logé, on l'arrêtera. Je l'arrêterai.

– Je ne parlais pas de ça.

– Et de quoi tu veux qu'on parle ? Dis-moi…

La serrure claque, la porte s'ouvre. Élise. Elle va dire bientôt « Bonsoir ! c'est moi ! » en jetant son cartable par terre. Darlac épie les bruits habituels de son

407

arrivée et son cœur bat un peu plus fort comme à chaque fois. Il sait alors que s'ouvre une parenthèse dans le morne merdier quotidien, durant quelques minutes, le temps que la jeune fille se range dans l'ordre routinier de la maison, le temps que sa putain de mère la reprenne dans ses filets et piétine cette flambée. Il a dans ce moment l'impression d'être capable d'amour et de tendresse et pourquoi pas de compassion. Il lui semble, à Albert Darlac, qu'une fenêtre s'ouvre par où pourrait entrer un avatar heureux et bienfaisant qui viendrait le posséder. Il a ses moments de grâce, le commissaire, pendant lesquels il se sent capable de s'élever, léger, rayonnant.

La voix de la jeune fille prononce la phrase rituelle et il se lève pour aller l'embrasser et tenir quelques secondes son corps contre lui, voler ce plaisir-là, ce secret qui le fait frémir.

Elle se laisse aller à l'étreinte puis le repousse doucement sans répondre aux questions qu'il lui pose sur sa séance de révisions et va embrasser sa mère. Elles ont toutes deux des mots tendres l'une pour l'autre, du sourire dans la voix. Des petits rires complices.

Darlac les observe, écœuré de jalousie. Le charme est rompu. Il sent ce goût âcre, familier, cette morve amère lui tapisser à nouveau le fond de la gorge et quand elles le regardent toutes les deux, le couvrant du même sourire étrange, il est frappé par leur ressemblance, par ce même masque ironique et beau tourné vers lui, visage dédoublé qui le trouble parce qu'il ne sait plus ce qu'il veut aimer ou haïr. Alors il prend son veston et sort et se tient un instant sur le trottoir, devant la porte, à reprendre son souffle comme s'il était resté en apnée au milieu des sirènes.

Plus tard, après avoir bouffé dans un boui-boui cradingue et bruyant place Saint-Michel, plein d'Espagnols bavards et de claque-dents avachis parmi les miettes de pain devant leur bouteille de rouge, il traîne dans les rades du centre-ville où Francis a ses habitudes mais les barmen ne l'ont pas vu depuis trois jours et certains patrons semblent à peine se rappeler son existence. Comme tous ne savent forcément pas qui le demande, ils préfèrent ne rien dire, vu qu'on ne parle pas de Francis Gelos dans son dos, parce que chacun sait que le brave mec toujours prêt à rendre service peut se transformer en salaud immonde, en cauchemar vivant. Quant à ceux qui reconnaissent ce bon commissaire Darlac, ils lui offrent un petit remontant et tordent la gueule, embarrassés : « Ben non, justement, je me disais il est pas venu depuis un moment, tiens. » Ils veulent ne blesser personne, restent polis et joviaux, péteux et faux derches. En causant de la pluie et du beau temps, Darlac se laisse frôler par des créatures, sent dans son dos se presser leurs seins quand elles faufilent leur cul parmi l'affluence devant le comptoir pour venir passer commande. Parfois, le loufiat lui adresse un clin d'œil : « Une nouvelle, monsieur le commissaire. Pas mal, non ? C'est Untel qui l'a en main. » Alors le flic se retourne sur la femme qui s'éloigne, reluque le châssis, attend qu'elle s'assoie pour voir à quoi elle ressemble, soupire. Non, décidément, non. Aucune. Pute ou pas, d'ailleurs, même s'il ne voit pas bien la différence que ça fait. Depuis des années, aucune n'a pu l'émerveiller comme l'avait fait Annette en 44, la première fois qu'il l'a vue. Il enrage à l'idée de cette irremplaçable illumination. Un astre, mort désormais, avait éteint tous les autres de son éclat. Darlac sait l'univers plongé dans le vide et le noir. Il assèche son verre et sort sans un mot.

— Un qu'on voit plus du tout, c'est le gros Jeff. Qu'est-ce qu'il devient ?

C'est Pascal Faget, le gérant d'un club privé des Grands-Hommes, le Tropical, qui lui pose la question.

Pédé jusqu'aux cheveux, qu'il se teint en châtain, va savoir pourquoi. Youyou pour les intimes. Pourquoi pas en rousse ou en blonde. Darlac le dévisage par-dessus la coupe de champagne, à quarante centimètres de sa figure pommadée, lissée et hâlée par Max Factor, et il renifle son parfum lourdingue, le même dont il doit s'inonder le fion après qu'on le lui a rectifié, histoire de masquer. Il a envie de lui démolir le portrait, mais ce type est un véritable bottin mondain, il connaît tout Bordeaux et toutes les histoires de fesses, des plus anodines aux plus sordides, dans lesquelles pataugent bourgeois et patrons, pinardiers de haut vol, politiciens, putes, travelos, flics, aussi, tant qu'on y est. Partouzes, ballets roses ou bleus, séances martinet et collier de chien, voyeurs, baiseurs compulsifs, rupins priapiques, nymphomanes des Chartrons, fétichistes, sodomites honteux ou assumés, suceurs, pompeurs, lécheurs, bouffeurs de petites culottes, Youyou a tout en magasin et il est intarissable. Darlac sait bien qu'il ne dit pas tout, mais ce qu'il raconte permet d'avoir une bonne centaine d'honnêtes et respectables citoyens à l'œil et à la pogne, sait-on jamais.

— Et tu sais ce qu'on raconte ?

Youyou tend vers lui sa bouche épaisse.

— Qu'on l'aurait descendu parce qu'il déconnait trop.

Darlac repose son verre. Avale péniblement son champagne. Affecte un air d'indifférence amusée qui lui creuse la figure de rides dissymétriques.

— Comment ça, il déconnait trop ? Qui dit ça ?

— Oh, un peu tout le monde… Un bruit qui court. Enfin, tu sais bien que… Il s'envoie des mecs de temps en temps. Et il y va pas en douceur.

Bien sûr que Darlac sait. Ça et le reste… Jeff n'était pas bégueule… Seulement guidé par ses pulsions et ses instincts. Milicien pendant l'occupation, homme

410

de main occasionnel après, voleur, violeur, trafiquant. Chien de chasse, de garde et d'attaque. Qu'il fallait toujours tenir au pied, laisse courte. Mais fidèle. Il en va ainsi avec les clébards recueillis. Ils ont la reconnaissance du ventre, ils savent qu'on leur a évité le chenil ou la piqûre. À la Libération, des types le cherchaient, calibre en main, pour lui présenter l'addition des arrestations, interrogatoires, pillages auxquels il s'était livré. Tout était permis pour des hommes de son espèce, et il s'est permis beaucoup. Même ce qu'on ne saura jamais. Ces résistants disparus qui en prenant un train, qui à vélo sur une route de campagne, ou tel pékin à la sortie d'un bal clandestin interrompu par la milice à coups de crosses… Jamais retrouvés… Corps et âmes perdus. Darlac a couvert sa fuite vers le Maroc à bord d'un cargo mixte où Jeff a joué les garçons de cabine le temps du voyage. Il fallait qu'il se fasse oublier, en comptant un peu sur une amnésie soudaine de ceux qui voulaient sa peau, en attendant aussi que des velléités d'épuration se calment, le temps que les salauds se rendent de nouveau utiles. Il est resté presque trois ans. Premier boulot : commis dans une quincaillerie tenue par un Juif. Ça ne s'invente pas. Ensuite, gérant d'un bar à Tanger. Un bonheur dont il parlait souvent, avec tendresse et regrets, mais qu'il avait dû fuir, encore, parce que le père d'un gamin de onze ans remuait toute la ville pour lui couper les choses et le lui faire bouffer. Ces Arabes sont d'une susceptibilité… Et si prudes !

— Et donc, un type qu'il aurait bousculé un peu l'aurait planté ?

— C'est ce que j'entends dire… Mais dis donc, toi, tu le connais bien, non ? Tu sais rien ?

— Il a dû se mettre au vert. Ça lui arrive, des fois. Je suis pas inquiet, on va revoir sa gueule bientôt.

Youyou lève sa coupe de champ' et invite Darlac à trinquer.

– Moi il me manque pas, personnellement. Et puis je me laisserais jamais faire ! Pas mon genre !

Il éclate d'un rire gras tout en buvant, et du vin lui coule sur le menton. Il se ressert du champagne qui mousse trop et déborde de la coupe. Il tend la bouteille vers Darlac qui refuse et lui tourne le dos en le saluant d'un geste de la main désinvolte.

Il marche un peu groggy, incapable de penser à quoi que ce soit, puis en débouchant sur les allées de Tourny il s'arrête pour contempler la perspective en direction du Grand Théâtre qu'il trouve arrogante, ennuyeuse, bien à l'image de cette ville veule et triste. Il se remet en marche, d'un bon pas, et remonte le cours de l'Intendance pour aller récupérer sa voiture avec en tête la vision des corps de Mazeau et Jeff, emmêlés dans leur trou de sable tels qu'il les a vus jetés là par Francis, mais découverts par un chien de chasse ou un gemmeur et bientôt déposés, hideux, à moitié bouffés par la chaux vive, sur la table du légiste. Ou déterrés par les gendarmes sur renseigne-ment. Si cette fiotte de Faget commence à déblatérer, c'est que d'autres savent aussi, ou croient savoir, ou se doutent. Ça veut dire que les macchabées ne vont pas tarder à sortir et qu'ils n'ont pas été fabriqués pour ça.

Arrivé chez lui, dans l'obscurité tiède du hall d'en-trée, dans cette odeur familière de parquet ciré et de pierre, il reste un moment immobile, le souffle court, puis il tourne le verrou en appuyant de tout son poids contre la porte comme s'il se mettait à l'abri du cau-chemar qui commence à le poursuivre. Francis. Retrouver cet enfant de putain pour qu'il se taise.

27

Le sergent Castel marche en tête de la colonne de trente gus qui gravissent le chemin jusqu'au village. Meyran est derrière lui, qui trimballe la radio. Daniel vient ensuite, son Garand armé dans les mains. Il entend le piétinement muet des hommes, leur souffle court, le cliquetis intermittent des dragonnes et des harnachements. Le reste de la section monte par l'autre côté, commandé par le nouveau lieutenant qu'ils ont envoyé le lendemain de la mort de Vrignon. Caunègre, il s'appelle. Il était près de Constantine, à l'état-major d'un bataillon. La colline se découpe sur le ciel clair du levant. Bosquets, toits avachis, bicoques de guingois. Les maisons se blottissent dans l'ombre bleue. Deux ou trois coqs s'égosillent, tout à la joie, peut-être, de ce matin nouveau. Une odeur de fumée, de feu de cheminée descend vers les hommes et le vent frais souffle sur eux et Daniel regarde le ciel transparent, jaune paille, bleuissant lentement.

D'un champ en contrebas surgissent deux chiens furieux qui courent droit sur le sergent et Meyran avec des aboiements étranglés, des grondements furieux. Le sergent abat le premier d'une balle en pleine gueule, on voit l'animal bondir en arrière et retomber sur le flanc, secoué de convulsions, mais le second rebrousse chemin et repart au trot, la queue entre les pattes, alors Daniel l'ajuste dans sa lunette et lui éclate l'arrière-train d'une balle puis l'achève en suivant dès qu'il relève la tête, hurlant, effondré par terre. Les copains sifflent d'admiration entre leurs dents, quelques compliments fusent à mi-voix. Quand ils arrivent à côté des cadavres de clébards, Daniel et le sergent les traînent et les balancent sur le côté dans l'herbe et les hommes regardent les deux bêtes crevées, leurs blessures, en prenant soin de ne pas marcher dans le sang que boit déjà la poussière.

Des cris, des appels leur parviennent du village réveillé par les coups de feu, alors le sergent ordonne de cavaler pour atteindre les premières maisons. Ils se répandent dans les ruelles en hurlant et ils enfoncent les portes et pénètrent dans des salles obscures où ils ne voient rien sinon la tache claire d'un vêtement ou le rougeoiement dansant d'un feu et se mettent à gueuler comme des aveugles effrayés et renversent tout à coups de pied ou fracassent les chaises et les bancs contre les murs et brisent des jarres et des pichets et piétinent de la vaisselle au milieu de cris de femmes et d'enfants. Daniel a raté la marche qui sépare la rue du sol de terre battue et atterrit sur un genou au milieu d'une pièce dont les ténèbres ne sont trouées que par l'éclat d'un plateau de cuivre accroché au mur de pierres. Meyran et Baltard crient qu'on n'y voit rien, putain, y a pas de fenêtre dans ce trou à rats ? Un volet claque et l'on aperçoit mieux le mobilier misérable, l'évier de pierre, le foyer plein de cendres et l'on voit, surtout, cette femme et ses quatre enfants serrés autour d'elle, deux grandes filles de douze ou treize ans et deux garçons plus jeunes qui se cachent dans ses jupes. L'un marche à peine, seulement vêtu d'un gilet de peau crasseux, les fesses à l'air, et il brame à s'en ouvrir la gorge, alors Meyran l'arrache et le soulève par son gilet et le porte à travers la pièce comme un colis et le jette dehors. La mère s'est accrochée à ses épaules et il s'en débarrasse d'un coup de crosse en pleine face et la femme tombe à quatre pattes en gémissant, la figure en sang, et marche vers son enfant qui bouge confusément ses bras et ses jambes, étendu sur le ventre, comme s'il essayait de nager dans la caillasse de la rue. L'autre garçon et une des filles se précipitent et ils se mettent tous à pleurer et glapir autour du tout-petit et à se toucher et s'étreindre les uns les autres. Daniel est sur le seuil, il entend une rafale de P-M plus loin, des cris humains, des bêlements de chèvres, des chiens qui jappent, et il ne sait plus quoi faire, il a envie de décrocher une des grenades qui pend à son brellage et la balancer dans ce gourbi pour que tout saute et que tout cesse et que ne subsistent sur les ruines fumantes que le silence et le calme.

Il ne bouge pas, la crosse de son fusil calée sous son aisselle, et il voit Soler balancer des coups de pied à la mère et à ses enfants en leur criant de se lever, « Salope, debout ! », pendant que dans la masure Baltard attrape l'autre gamine par les cheveux et la renverse sur une paillasse et se couche sur elle en poussant des cris aigus, des sortes de ricanements tout en bataillant avec la boucle de son ceinturon. La fille se débat et tape de ses poings contre les flancs de l'homme qui l'écrase de son poids.

— Merde, arrête ! il crie à Baltard, on n'est pas des animaux !

— Elles, si ! C'est comme ça qu'elles aiment se faire troncher quand leurs hommes sont au maquis à flinguer les copains ! Me casse pas les couilles, c'est pas le moment !

— Qu'est-ce qui se passe ? demande Meyran.

— Y a Baltard qui fait le con. Dis-lui, toi !

Meyran entre dans la maison et part d'un grand éclat de rire. Il demande à Baltard s'il veut un coup de main et comme l'autre lui répond que ça se partage, il commence lui aussi à défaire son ceinturon et il se jette sur la gamine pour lui tenir les bras au-dessus de la tête.

– Fais le pet, y en a pour cinq minutes !

Daniel leur crie d'arrêter ça et de se calmer mais ils l'envoient se faire foutre et il ne distingue plus, dans la pénombre de la bicoque, qu'une masse bossue et gémissante couronnée par la masse noire des cheveux de la gosse. Il détourne le regard, écœuré, et voit la femme et ses enfants toujours affairés autour du gosse. Il décide de marcher vers eux et leur ordonne de se mettre debout mais comme ils semblent ne même pas l'entendre parmi leurs geignements, il tire un coup de feu en l'air alors ils se redressent l'un après l'autre en gémissant et la mère prend dans ses bras son petit garçon dont elle appuie la tête enflée et bleue contre son cou et laisse pendre le long d'elle les membres inertes tout en lui proférant à voix basse des tendresses et des supplications entrecoupées de sanglots.

Il les pousse devant lui du bout de son canon et quand il entend dans la maison crier la fille, il doit les mettre en joue pour les empêcher de revenir vers elle et il se met à gueuler lui aussi, à hurler des injures, saloperies, fils de pute, avancez ou je vous fais exploser la gueule, il s'oublie dans ses aboiements, il ne sait pas s'il doit pleurer, de rage ou de chagrin, ou s'il doit tirer dans le dos de cette femme juste pour éprouver le grand frisson de la voir cassée en deux projetée en avant par l'impact. Il marche derrière ces pauvres diables claudicants comme au bord d'un gouffre, pris d'un vertige, et il lui semble que le pas prochain le jettera dans le vide.

Il débouche au bas d'un long escalier cahotant où s'embusquait encore la fraîcheur de la nuit sur une place bruyante, pleine d'une rumeur de voix dominée par les ordres des soldats et les pleurs et les cris et le brouhaha des conversations inquiètes de la foule des habitants rassemblés là, parqués contre un mur sous la surveillance d'une mitrailleuse. Il pousse ses prisonniers vers les autres villageois mais la femme s'approche du lieutenant Caunègre et lui montre son enfant en répétant : « Il est malade, il est malade, par terre il est malade ! »

Le lieutenant Caunègre se tourne vers Daniel :

– Qu'est-ce qu'il a son chiard ?

– Rien, il s'est cogné en tombant. Depuis, elle gueule comme ça.

– Allez, avec les autres ! dit Caunègre à la femme. On le soignera après, ton gosse !

Mais la femme ne bouge pas, elle lui tend maintenant à bout de bras l'enfant dont les jambes pédalent vaguement en l'air.

– Il est malade ! Monsieur il est malade !

– Avec les autres je t'ai dit, putain elle est sourde ou quoi ?

Comme la femme continue de crier, d'agiter son fils sous son nez, Caunègre recule d'un pas.

– Tu veux que je le soigne, c'est ça ?

Le lieutenant défait lentement l'étui de son pistolet, fait coulisser la culasse et colle le bout du canon sur le front du petit en armant le chien. Daniel a cessé de respirer. Il serre la crosse de son fusil, il fixe le colt qui ne bouge pas au bout du bras tendu de l'officier et il s'aperçoit que le silence s'est fait sur la place et que tous les regards convergent vers le point de contact entre le canon de l'arme et le front de l'enfant.

– J'ai dit trois pas en arrière et avec les autres, dit Caunègre d'une voix sourde.

Ses yeux ne cillent pas, l'arme reste vissée sur la tête du gosse. La femme continue de tenir son enfant face au soldat mais elle ne crie plus, bouche ouverte, soudain rendue muette par la terreur, voix brisée. Daniel scrute le doigt du lieutenant sur la queue de détente et il lui semble que la pression s'accroît, il a l'impression que le chien se tend imperceptiblement vers le percuteur. Il appuie plus fermement la crosse du fusil sous son aisselle, le remonte presque à l'épaule, prêt à faire feu, le lieutenant à moins de deux mètres de lui dans sa ligne de tir.

Trois hélicos Sikorski passent au-dessus du village et filent vers l'est. Renforts de paras pour aller nettoyer le djebel ratissé depuis hier par la Légion. La femme lève les yeux vers les appareils puis recule en serrant contre elle son enfant puis rejoint en titubant, courbée, les autres villageois puis s'assoit par terre et berce le petit. On amène encore des femmes craintives, des vieillards vacillants. Ils sont peut-être une centaine, à présent. Le garçon le plus âgé peut avoir douze ou treize ans. Bossu, malingre.

Le lieutenant rengaine son pistolet. Il s'avance devant les villageois, les mains sur les hanches, et les sous-offs donnent des consignes aux hommes, par cris et par gestes et les hommes braquent tous leurs armes sur la foule.

– Trois soldats ont été tués lâchement il y a quatre jours. Vous le savez tous, ça s'est passé à dix kilomètres d'ici.

Un caporal pousse devant lui un vieux et lui demande de traduire. Les gens écoutent, impassibles. Des enfants pleurent, parlotent.

– Nous savons qu'une bande armée passe régulièrement ici pour se ravitailler. Nous savons que les hommes de ce village sont tous partis au maquis. Nous savons que vous aidez les rebelles et nous vous rendons responsables de la mort de nos camarades.

D'un signe de tête, il ordonne au vieux de traduire. Des femmes parlent entre elles, protestent.

418

– Qu'est-ce qu'elles disent ?

– Que c'est pas vrai ce que tu dis. Que les bandits ils viennent plus depuis longtemps et que leurs hommes ils ont été obligés.

Les femmes crient plus fort. Elles agitent le poing ou s'approchent d'un air implorant, les mains tendues. Les enfants piaillent. Le lieutenant fait un signe au servant de la mitrailleuse. On entend la culasse claquer. La rafale saisit tout le monde. Quelques hommes rentrent la tête dans les épaules. Au-dessus de la petite foule, le crépi et les briques de terre sèche volent en éclats qui voltigent sur les gamins et les femmes jetés au sol et les couvrent d'une poussière grise.

Caunègre attend que la poussière soit retombée et que les gens se redressent.

– Vous avez compris ? Vous fermez vos gueules ou moi je vous la fais fermer pour de bon !

Le vieux se met à traduire. Il parle aussi fort que le lieutenant, avec des inflexions de colère dans la voix.

Le lieutenant va ajouter quelque chose, mais une jeep et deux GMC déboulent sur la place. Des soldats sautent à terre, ils sont une vingtaine, et un capitaine descend de la jeep et s'avance vers Caunègre et le salue. Des légionnaires.

– Alors ? Où vous en êtes ?

– On n'a rien trouvé. Alors on leur explique ce qu'on fait et ce qu'on va faire.

– Vous leur expliquez ?

Le capitaine rit en silence. Il siffle en direction de ses hommes restés près des camions et leur fait signe de s'approcher.

– Regardez ce qu'on a trouvé.

Un GMC manœuvre en marche arrière et vient s'arrêter près des villageois. Trois soldats abaissent le hayon et poussent deux hommes aux mains liées dans le dos. Ils tombent à genoux, un soldat les empêche de se relever. Ils gardent la tête baissée, haletants, le visage tuméfié, les lèvres fendues. Du sang sur leur chemise, leur pantalon. Des plaies sur le crâne.

– Ils ont parlé comme des concierges, dit le capitaine. Ils ont femme et enfants ici. Vous allez voir.

Il fait face à la foule et désigne les deux hommes.

– Alors ? Où elles sont les fatmas de ces deux héros ? Elles peuvent venir les embrasser avant qu'on les emmène.

Le vieux traduit encore, ses yeux écarquillés posés sur les deux hommes.

Plusieurs femmes ont les yeux pleins de larmes. D'autres prennent leur tête entre leurs mains. Les gosses dévisagent les deux fellaghas en clignant des yeux, mais personne ne bouge.

Daniel est toujours près du lieutenant Caunègre et il regarde les prisonniers, leurs poignets cisaillés par du fil électrique, leurs pieds nus et sanglants, les haillons qui les couvrent. Ils se balancent malaisément, à genoux sur des cailloux. Ce sont les premiers qu'il voit vivants. Il se rappelle le visage du tireur au F-M qu'il a abattu le mois dernier, presque abstrait, si lointain, dans la lunette de visée, alors qu'ensuite son corps blessé, mourant, n'était plus que celui d'un homme à terre, cherchant à vivre encore quelques minutes. Voilà donc l'adversaire. Voilà ceux qui ont tué le lieutenant Vrignon et Charlin. Et Giovanni. Ceux-là qui se cachent et te tirent dessus comme à la foire. Casse-pipe. Il ne sait pas. Il a du mal à imaginer l'un de ces deux hommes ajuster un type et lui expédier deux balles dans le corps. Il ne voit là que deux miséreux couverts de sang et d'ecchymoses, agenouillés, peut-être devant leur femme et leur gosse.

Le capitaine se remet à parler, les pouces calés dans son ceinturon.

– Non, personne ne les connaît ? Sûr ?

Les gens massés devant le mur martelé d'impacts le regardent avec frayeur. Daniel épie les visages, cherche des yeux la femme et les enfants qu'il a amenés jusqu'ici. Il pense soudain à la fille, à Baltard et Meyran. Il se retourne vers les gars, cherche à les apercevoir. Baltard discute avec le servant de la mitrailleuse. Il fume une cigarette. Il rit.

Le coup de pistolet, tiré dans la nuque à bout touchant, projette un des fells au sol, lourdement, comme un sac qu'on laisse tomber. Le sang, aussitôt, court et louvoie entre les cailloux, épais, luisant. Une femme se jette sur le cadavre et hurle et insulte ou maudit le lieutenant dans sa langue. Le capitaine tient toujours son pistolet et se penche vers la femme :

– Pourquoi tu l'as pas dit, hein ? Pourquoi ? Tu crois qu'on a du temps à perdre, nous ? Tu crois qu'on est là pour rigoler ? Parce qu'il rigolait, ton mari quand il tirait sur nos hommes, hein ? Raconte-moi ce que tu veux, je m'en fous. L'enfer, c'est toi qui y es, pauvre femme !

Il se redresse et brandit son arme en direction des autres habitants qui se sont serrés les uns contre les autres en un groupe compact aux cent regards dilatés par la terreur.

– Voilà ce qui arrive quand on n'obéit pas, quand on ment. Quand on tue des militaires français qui sont là pour vous protéger des bandits et des égorgeurs. Les hommes de ce village ont tué trois soldats, on va faire sauter douze maisons, comme ça vous comprendrez. Vous pourrez demander à vos hommes de les reconstruire au lieu de traîner avec les rebelles !

Le vieux secoue la tête et parle. Puis il s'assoit et se met à pleurer. La femme s'est couchée sur le cadavre et sanglote en silence.

– À vous, dit le capitaine à Caunègre. Nous, on n'a pas fini là-haut.

Il montre d'un geste vague de la main les montagnes à l'est puis siffle dans ses doigts à l'attention de ses hommes. Ils chargent le prisonnier à l'arrière du camion et s'installent dans les véhicules. Le convoi démarre et disparaît dans la poussière avant de tourner le coin de la rue principale.

Caunègre rassemble les sergents et les caporaux pendant que les hommes resserrent les rangs autour des villageois. Il faut des volontaires pour faire sauter les baraques. Vingt mecs s'avancent, se bousculent pour en être. Daniel aussi. Il est désigné avec onze autres. Un groupe de protection quadrillera le village au cas où. Grenades. Puis le feu. Démerdez-vous pour que ça flambe. Pas de lance-flammes, tant pis, on se débrouillera. Le sergent Castel rappelle les consignes de sécurité. Démonstration. Planquez vos miches en attendant que ça pète.

Ils s'équipent, prennent des grenades en nombre. Ils plaisantent, évoquent un feu d'artifice. Certains soupèsent l'objet dense et quadrillé en mimant une jonglerie. D'autres vérifient la goupille, passent leur doigt dans l'anneau. Ils partent par groupes de deux ou trois. Daniel se débarrasse du caporal en lui expliquant qu'il a quelque chose à vérifier dans une maison qu'ils ont visitée tout à l'heure. L'autre s'en fout. Comme tu voudras. Fais gaffe quand même. Il tourne et retourne dans le labyrinthe de ruelles avant de retrouver la maison où la gosse a été violée. Il plonge dans le noir et le silence qui l'étreignent aussitôt et reste un moment au milieu de la pièce en attendant que ses yeux s'habituent à l'obscurité. Puis il s'avance prudemment vers l'endroit où les deux autres ont culbuté la fille et il jette un coup d'œil par-dessus la table renversée.

Elle est là, les yeux ouverts, les bras en croix. Ses cheveux noirs autour de sa tête en corolle. Un sein apparaît par la déchirure du corsage. Sa jupe a été rabattue sur ses jambes. Ses lèvres sont fendues, enflées. Un peu de sang a caillé au coin de sa bouche. Daniel s'approche, couvert de sueur, le souffle coupé, puis s'accroupit auprès d'elle. Elle ne respire plus. Il n'ose pas la toucher d'abord, puis place ses doigts à son cou pour être sûr que plus rien ne pulse. Il passe le revers de sa main sur son front puis ferme les yeux et sent sur sa peau la douceur des cils. La nausée l'oblige à se lever et il court dehors laisser son estomac se soulever et cracher un peu de bile. Le soleil a bondi dans la rue et y jette une lumière atroce.

Il fait quelques pas en titubant, cherche son souffle et le trouve, essuie les larmes que la nausée a forcées à couler. Seul au monde, chargé de le détruire. La chaleur tombe sur lui et il s'ébroue comme un animal pour en alléger le poids. Il balance une grenade par la porte de la maison voisine. Il l'entend rouler au sol, se plaque au mur, le sent vibrer dans son dos au moment de la déflagration qui fait voler dehors des chiffons, des bouts de bois, une casserole. La poussière épaisse retombe vite et il distingue dans la pénombre le foyer d'une cheminée. Il envoie la deuxième charge comme si c'était une boule de pétanque, d'un coup de poignet, pour bien viser, et elle rebondit contre des ustensiles entassés là et se loge au milieu. Le conduit de la cheminée éclate et fait s'effondrer le toit. Il s'éloigne en courant et entend le feu gronder dans le chaume écroulé et dès qu'il trouve un coin d'ombre où s'adosser, il boit à sa gourde de longues gorgées d'eau tiède et soudain il se sent mieux, il ne tremble plus, il peut enfin respirer tranquillement dans cette odeur d'incendie qui roule dans les rues étroites en paquets de fumée noire.

Des coups de feu. Le hurlement de chiens abattus.

Plus loin, il entend des types gueuler. Il se retourne. C'est au bout de la rue, devant une bicoque plus branlante encore que les autres, une sorte de remise qui donne de la bande, sur le point de s'effondrer sur elle-même, et vibre encore des coups de pied qu'ils ont donné dans la porte pour la défoncer.

– Là, putain ! Y en a encore !

Daniel se précipite, arme son fusil. C'est Olivier et Gérard, les deux Parigots. Il leur demande ce qu'ils ont vu mais ils ne l'entendent pas et ils dégoupillent chacun une grenade et la balancent d'un même geste dans la baraque avant de se mettre à l'abri, accroupis, derrière une murette de pierres sèches.

On entend des cris, tout un remue-ménage, puis l'explosion qui souffle un mur et le projette au milieu de la rue en blocs déchiquetés. Le toit s'incline et les poutres grincent, sur le point se s'affaisser, et l'on dirait que le nuage de poussière et de fumée, épais et dense, presque pâteux, soutient la charpente encore quelques secondes.

Les deux bidasses regardent ça en braquant leurs pistolets-mitrailleurs, d'un air étonné, avec la curiosité de sales gosses qui ont jeté un chat dans un puits et attendent de le voir remonter. Ils reculent en trébuchant dans les gravats quand une silhouette jaillit de la purée noire en geignant puis s'abat à plat ventre à leurs pieds.

Une femme. Ses cheveux finissent de se consumer. Sur la peau noircie de son crâne crèvent des boursouflures sanglantes. Elle essaie de ramper et les deux soldats reculent comme si elle allait leur transmettre une maladie de misère, peste ou lèpre, et ils continuent de pointer leurs armes sur ce corps fumant couvert de charpie calcinée.

Daniel les met en joue et leur dit de reculer et de poser leurs armes et les autres le regardent sans comprendre et ne bougent pas, mais leurs yeux à tous les trois se tournent vers l'intérieur du gourbi dévasté où l'on aperçoit à travers la poussière qui retombe une autre femme affaissée contre le mur du fond. Daniel n'arrive pas à voir son visage, il croit d'abord que ses cheveux sont tombés par-dessus et pendent sur son menton alors il s'approche et ne voit toujours pas le visage, seulement quelque chose qui ressemble à une boule de papier journal froissée pleine de sang et d'autres choses humides. La poitrine de la femme se soulève d'une respiration convulsive. Elle se masse les bras machinalement comme si elle avait froid. Elle ne crie pas. On entend seulement son souffle râlant, asthmatique.

Couchée sur ses jambes, une petite fille peut-être morte.

Daniel affermit sa prise sur son fusil et tient les deux connards effarés dans sa ligne de mire, silhouettes floues dans la lunette de visée. Il faudrait leur dire quelque chose, au moins les injurier, les humilier, mais aucun mot ne lui vient, il sait seulement qu'il a cinq cartouches dans le magasin de son flingue alors il va leur en faire manger deux chacun, d'abord dans le buffet, pour qu'ils morflent, pour qu'ils puissent voir encore ce qu'ils ont fait et soient capables d'entendre ce qu'il va essayer de leur dire, s'il trouve quoi raconter avant d'appuyer sur la détente.

– Fais pas ça. Baisse ce fusil.

La voix du sergent Castel derrière lui, et entre ses omoplates quelque chose de dur qui le pousse doucement.

– Baisse ce fusil. M'oblige pas…

Daniel baisse son arme puis la jette par terre. Il attend, bras ballants. Le soleil lui tape dessus, il sent sa brûlure à travers sa veste de combat, son chapeau.

Castel s'approche des deux Parisiens et leur balance un coup de crosse dans l'estomac à chacun.

– Salopes. Cassez-vous.

Il leur dit ça sans élever la voix. Puis il s'agenouille auprès de la femme étendue au milieu de la rue. Ils s'en vont, soufflant et râlant, pliés en deux. Olivier s'arrête et dégueule. Son copain le tire par le col et ils s'éloignent d'un pas vacillant.

Le sergent examine la femme.

– Aide-moi.

Avec Daniel, ils la couchent sur le flanc. L'un des bras, bloqué sous elle, est arraché au niveau du coude. Le sang sature le sol aride. Daniel sent la sueur rouler sur sa figure, dégoutter de son nez, de son menton. Il a du mal à inspirer l'air chaud qui monte des cailloux et des pierres.

– Qu'est-ce qu'on fait ?

– Rien. Elle est presque morte avec tout ce sang qu'elle a perdu.

– Et les autres ?

Il suit Castel qui entre précautionneusement dans la baraque en ruine. Le sergent reste devant la femme au visage détruit sans bouger, sans rien dire. Daniel voit ses épaules se soulever, son treillis trempé de sueur. Ses yeux s'emplissent de larmes. Il aimerait à cet instant implorer quelqu'un ou quelque chose : un magicien, un dieu. Mais il n'y a rien que l'odeur de la poudre brûlée et le râle de la femme.

– La gamine est morte. La femme…

– On peut pas les soigner ?

– Qui ? Elle ? T'as vu sa gueule ? Tu veux lui sauver la vie, ou te donner bonne conscience ? Et si elle survit, tu viendras lui expliquer que la France dans sa grande bonté lui a permis de vivre dans cet état ? Tu voulais te servir de ton fusil, alors vas-y : te gêne pas.

426

Elle ira peut-être dans leur paradis, puisqu'ils y croient, eux aussi.

Il jette un coup d'œil à la toiture effondrée.

– Allez, viens, avant qu'on prenne les poutres sur la gueule.

Il sort, ramasse le fusil de Daniel, le lui tend puis remonte la rue à pas lents. Daniel se retourne vers la femme sans visage. Il s'arrête, fait monter une cartouche, épaule son fusil. La face dévastée tremble derrière les mires de visée. Sa poitrine se soulève toujours. Il voit une médaille d'or briller à chaque inspiration. Un collier de perles. Trente mètres. Le buste de la femme, surmonté par la face massacrée, emplit tout le champ de la lunette.

– Laisse tomber, dit Castel qui s'est arrêté plus loin. C'est pas pour toi. Allez, viens.

Daniel appuie sur la détente. Il regarde la femme s'affaisser, basculer sur le côté. Le sergent s'est retourné et l'attend. Daniel le rattrape au trot. Castel secoue la tête.

– À quoi ça t'avance ?

Daniel ne répond pas. Il ne sait pas. Les larmes qui lui sont montées aux yeux tout à l'heure débordent. Ils arrivent sur la place où les hommes sont en train de se rassembler. Les caporaux font l'appel, tout le monde est là. Ils quittent le village dans l'odeur âcre du feu. Des poules s'égosillent, prises peut-être dans un enclos en flammes. Des chiens aboient ou hurlent. Comme ils s'éloignent, certains se retournent vers les colonnes de fumée qui montent droit dans le ciel tranquille. Daniel essaie de situer la maison de la jeune fille violée, puis celle où gisent les corps de la fillette et de la femme sans visage. À dix mètres devant lui, il aperçoit les deux Parigots qui marchent tête basse. Il aimerait savoir à quoi ils pensent en cet instant. Peut-être tout simplement à leur petite amie, ou à leurs

427

parents. Aux copains de boulot. À la vie civile, si tranquille et si douce. Ou bien essaient-ils de ne penser à rien. Il est lié à eux. Par la haine et le mépris qu'il leur voue, par le sang versé. Il n'aperçoit pas Meyran et Baltard. Il n'essaie même pas de se retourner pour les trouver. Il les a laissés faire. Il n'a rien empêché, alors à quoi bon ?

Quand ils arrivent aux camions, les hommes se laissent tomber sur les bancs et boivent en soupirant. On n'entend que le cliquetis des bouchons des gourdes qu'ils dévissent. Après, c'est la route, sa poussière, ses cahots qui vous brisent le dos, la chaleur, le silence des types abrutis ou sidérés. La guerre quotidienne, abêtissante et muette.

Daniel essaie de réfléchir. En fait, il passe en revue les prénoms et les visages des êtres qui lui sont chers, il se remémore les voix, les lieux où il vit et travaille. Il pense au froid dans le garage, aux doigts engourdis, aux gestes maladroits. Il s'accroche à ces bouées mentales pour éviter de sombrer. Le visage d'Irène, le rire d'Irène. Des cavaliers gravissant un chemin abrupt vus dans un film. Leurs silhouettes de dos, secouées par le pas hésitant des chevaux. Pendant quelques instants, il n'est plus là, et il se sent exister de nouveau.

28

« C'est entre Trensacq et Sabres, dans les Landes.
Je ne me rappelle plus sur quelle départementale, mais
il n'y a qu'une route, forcément droite dans ces coins-
là, vous apercevrez les fourgons de la gendarmerie.
Faites vite, je vous attendrai là-bas. »

Le commissaire divisionnaire Laborde a raccroché
sans rien ajouter et Darlac a gardé le combiné à
l'oreille en regardant à ses pieds les arabesques qui
ornent le tapis du salon comme s'il était en train de
déchiffrer l'entrelacs grinçant, presque douloureux, de
ses pensées. Il a enfin reposé l'appareil sur sa fourche
puis il a fait quelques pas vers le canapé dont il a
caressé le dossier de cuir et il a jeté un coup d'œil circulaire sur l'agencement si familier de la pièce, les
meubles massifs, les lampes anciennes, les tableaux
accrochés aux murs, toutes ces choses qu'il ne prend
jamais le temps de considérer avec un peu d'attention.
Et cette banalité bourgeoise au milieu de quoi il s'en-
nuie et enrage si souvent lui est apparue soudain d'un
inestimable prix et une terreur l'a saisi à l'idée que tout
cela pourrait disparaître sous un effondrement général
ou dans une crevasse sans fond qui s'ouvrirait là, d'un
coup brutal et sans prémices, entre le divan et la paire
de fauteuils. Un instant, il a redouté que le séisme en
train de le secouer jusqu'à la moelle puisse se propager
à toute la maison et engloutir le petit univers dont il se

croyait le centre, tout ce qu'au cours de sa garce de vie il avait accumulé, bâti, acquis de haute lutte.

Il est revenu de sa sidération effrayée en entendant l'escalier craquer sous les pas d'Élise qui est venue lui poser sur la joue un baiser rapide et faire courir sur lui la caresse impalpable de son parfum. Il l'a regardée s'éloigner avec au cœur, comme toujours, ce pincement léger puis il a attrapé son chapeau, est sorti sous la pluie sans prendre le temps de se couvrir, courant vers sa voiture, et a tout jeté sur le siège passager avant de se laisser tomber derrière le volant.

Il s'est extirpé de la circulation lente, engluée, semblait-il, par la pluie, et a roulé le plus vite qu'il a pu, parfois collé au cul de camions puants qui noyaient tout derrière eux dans un nuage de vapeur sale qui voilait le pare-brise et l'empêchait de voir ce qui venait en face, l'obligeant parfois à des dépassements hasardeux dans un air saturé d'eau où distances et dimensions s'abolissaient.

Bien sûr, il insultait machines et chauffeurs, songeait que l'usage d'une arme puissante l'aurait débarrassé de ces monstres encombrants et nuisibles. Parfois, il hurlait dans l'habitacle sombre étouffant tout écho de la rage qui le submergeait autant que la pluie et il progressait dans un espace aveugle et sourd vers les lieux indiqués si soigneusement par Laborde.

De toute façon, il aurait pu y retourner en suivant les chemins gris tracés dans sa mémoire.

Parce qu'il ne pouvait pas croire qu'un gemmeur avait trouvé dans ce trou, sous ce pin renversé par la tempête, les corps de l'inspecteur Mazeau et de Jeff. Parce qu'il lui était impossible de croire que le gemmeur en question avait téléphoné anonymement à la gendarmerie pour signaler sa découverte. Il ne pouvait pas imaginer, non plus, qu'on ait pu les identifier si

430

vite puisque, avec Francis, ils avaient délesté les cadavres de leurs papiers.

Le commissaire Albert Darlac ne croit pas au hasard, encore moins aux coïncidences troublantes.

Francis, enfant de putain, tu m'as trahi.

Il se rend compte qu'il est arrivé quand se dissipe soudain le brouillard amer que sa haine a généré autour de lui.

Ici, il ne pleut plus. Un peu de ciel bleu, le soleil de juin qui revient par le sud. Il aperçoit les fourgons de gendarmerie au loin et se force à respirer fort, à pleins poumons, pour calmer les battements de son cœur, et il serre ses mains sur le volant pour en réprimer le tremblement. Il y a cinq ou six autres voitures stationnées là comme si un ministre était en vadrouille. Il se gare sur un accotement pentu dans l'herbe haute. Il marche vite sur la chaussée bombée vers un pandore en train de s'en griller une adossé à une 403 break. Il se présente, l'autre se redresse et écrase sa cigarette puis lui adresse un vague salut militaire et lui dit de le suivre. « C'est pas très loin, précise-t-il. Là-bas au bout du pare-feu. »

Darlac se mord la langue pour ne pas répondre qu'il sait. Toujours ce réflexe de renvoyer les subalternes à leur ignorance ou leur médiocrité.

Le commissaire Laborde le voit arriver mais affecte de continuer sa discussion avec un officier de gendarmerie et deux autres types en civil. Un peu plus loin, on voit un planton en faction devant le trou. Dans les fourrés, d'autres képis battent les bois comme des chercheurs de champignons.

Laborde s'avance enfin. Poignées de mains. Présentations. Desclaux, le commissaire de Dax, un binoclard sec et grand au visage osseux, qui lui rappelle Crabos. Le capitaine de gendarmerie Guillou, haut et large, et un jeune type à l'air effaré, M. le sous-préfet

Gérard. Darlac oublie aussitôt les noms de ces comparses. Il lorgne vers le trou, distingue une pelle appuyée contre une touffe de genêts, et des objets posés sur une couverture kaki.

– Venez voir.

Laborde le prend par le bras et l'entraîne vers les corps. Il n'ose pas se dégager puis l'autre le lâche pour aller jusqu'au bord de la fosse. Les corps sont momifiés, confondus sous une poussière grisâtre. Darlac les reconnaît à leurs vêtements. Leurs têtes de mort sont semblables. Il essaie de se rappeler le visage large et rond de Jeff mais n'y parvient pas. À quoi bon, à présent.

– On ne les a pas bougés. Mais sur l'un on voit un impact sur le veston. Voyez, là, la déchirure.

Darlac se penche vers le cadavre de Jeff. Oui. Une balle en plein cœur, ça rentre par là, en effet. Il se rappelle.

– On a retrouvé ça, aussi. Jeté à côté.

Laborde lui montre le contenu d'un portefeuille répandu sur la couverture kaki.

– Ce sont les papiers de l'inspecteur Mazeau. Il y a même sa carte de police. L'autre, on sait pas. Vous n'auriez pas une petite idée ? Ce type grand, qui a dû être corpulent ?

Darlac sent son cœur s'emballer. Il secoue la tête, se tourne vers les corps, prend un air absorbé de flic consciencieux.

– Pourquoi vous me demandez ça ?

Il a parlé sans regarder Laborde, lui tournant presque le dos, pour dissimuler la pâleur qu'il sent sur sa figure.

– Parce que vous connaissez du monde, tiens. Parce qu'un bon flic comme vous connaît des gens dont on ne soupçonnerait pas l'existence. Ça me fait penser à Joseph Laclau. Vous savez, le gros Jeff ? Vous le connaissiez bien, non ?

– C'est quelqu'un qui a rendu des services. En particulier contre l'équipe du Crabos qui s'est retiré des affaires et n'emmerde plus personne. Mais je l'ai perdu de vue depuis un moment. On m'a dit qu'il avait quitté Bordeaux à cause d'une affaire de mœurs.

– Il a joué un peu trop avec sa bite, c'est ça ?

– C'est ce qui se dit. J'ai pas eu le temps de vérifier. On le tenait un peu par là. Je savais ses habitudes… Le problème c'est que si je l'avais fait plonger, il entraînait du beau linge avec lui.

Laborde hoche la tête. Il prend un air songeur et pose une main sur l'épaule de Darlac.

– C'est la grande servitude de notre métier : ces compromis honteux qu'on doit passer avec les ordures de ce genre. Comme si on soignait le mal par le mal, en quelque sorte… Mais, que je sache, il n'y a pas de bonne police sans mauvaises fréquentations, n'est-ce pas ?

Il prend dans sa poche un paquet de Gitanes et en offre une à Darlac, qui refuse d'un geste de la main.

– Moi, je ne sais pas si c'est vraiment Jeff qui est là, mais je connais celui qui a fait ça. C'est pas mal, non ? Et il a fait partie, si on veut, de mes mauvaises fréquentations, dans le temps.

– Ce type rescapé des camps de concentration ? Comment vous l'appelez déjà ?

– Jean Delbos.

Le capitaine de gendarmerie s'approche.

– On va évacuer les corps. Nous, on a fini, ici.

Laborde tourne le dos à Darlac pour se mettre à parler avec l'officier. Ils échangent leurs notes, parlent de procédure, de procureur.

Darlac en profite pour s'éloigner. Des gendarmes et des pompiers s'approchent en portant deux civières où sont pliés des draps de grosse toile. Le jeune sous-préfet observe ces allées et venues d'un air hébété, les bras ballants. Le commissaire dacquois allume une cigarette et souffle bruyamment la fumée au passage de Darlac.

– Ça arrive des fois, par ici.

Darlac se tourne vers lui. L'autre flic le dévisage derrière ses lunettes. Figure et regard aiguisés.

– Quoi ?

– Des morts dans les bois. Des fois, des pendus. Dans les granges, l'hiver. C'est pas toujours des suicides.

Darlac hausse les épaules.

– Oui, je suppose.

– Un jour, on en retrouvera un en haut d'un pin.

– Un quoi ?

– Dame, un pendu !

Darlac lève les yeux vers le sommet d'un pin, vingt mètres plus haut. Le Dacquois sourit.

– Ça vous amuse pas ? C'est comme ça qu'on teste les nouveaux, par ici. Flics ou gendarmes. On leur raconte une affaire avec un pendu pigé à vingt-cinq mètres de hauteur. Et on voit comment ils réagissent. Y en a qui voient pas le problème. Ceux-là, ils sont bons pour taper les procédures et faire du rangement.

Darlac ne comprend pas pourquoi cet abruti lui raconte ça et hausse les épaules puis s'éloigne.

– En attendant, entend-il dans son dos, vous avez regardé en l'air.

Darlac se retourne.

– Vous êtes tous comme ça dans le coin, ou je suis mal tombé ?

Le commissaire landais sourit, l'air finaud, la cigarette au coin de la bouche. Darlac a déjà vu un mec de ce genre un jour aux assises. Il avait tué ses parents et sa sœur à coups de serpette, dans le Médoc, avant de s'enfuir dans les marécages avec son chien et son fusil de chasse, et il souriait ainsi dans le box, l'air mariole. Semblait ne même pas comprendre où il se trouvait ni ce qu'on lui voulait.

– J'y crois pas, moi, à ce gemmeur qui trouve des macchabs au fond d'un trou. Les gendarmes non plus, d'ailleurs.

Darlac fait un pas vers lui. Tiens. Il n'est peut-être pas aussi maboul qu'il en a l'air.

– Et pourquoi ça ?

– Parce que cette parcelle n'est pas exploitée. Les pandores ont vérifié. Y a pas un pot de résine sur vingt hectares. Alors le gemmeur, qu'est-ce qu'il viendrait foutre ici ?

– D'après vous ?

– Eh bien c'est un braconnier, pardi ! Gemmeur mon cul ! Le salaud vient tirer du chevreuil, oui ! Voilà toute l'affaire ! Les gendarmes vont pouvoir s'amuser un peu avec le beau temps qui revient !

Darlac essaie de déterminer si ce type est tout à fait dément ou s'il se paie sa gueule. Il dévisage la face rigolarde, les yeux vigilants derrière les lunettes, et ne parvient pas à se faire une idée. Le commissaire Laborde lui fait signe d'approcher, tout en marchant vers lui, sans le perdre des yeux.

– Grande réunion dans mon bureau demain matin à la première heure. Je vais mettre du monde sur ce Delbos, il faut l'arrêter au plus tôt, on n'a plus le temps, on a assez tergiversé. Je voulais que vous voyiez ça.

Il a parlé d'une voix essoufflée. Marcher trente mètres dans le sable semble lui avoir affolé le palpitant. Darlac attend un peu qu'il ait récupéré.

– C'est tout ?

– Oui, souffle l'autre.

Darlac lui tourne le dos puis s'éloigne.

Il sait que Laborde le suit des yeux. Il ne l'a fait venir ici que pour épier ses réactions. Pour l'agacer de quelques banderilles, toréador lourdingue mais retors qui planque derrière son chiffon rouge une collection d'épées à lui planter profond dans le dos dès que l'occasion s'en présentera.

Le soleil se déverse à présent sur la forêt et réveille quelques cigales. Juin. Darlac se fout de l'été qui vient et de toutes les saisons mortes mais il est surpris qu'on soit déjà si tard dans l'année. Et la chaleur qui pèse sur lui maintenant, alors qu'il se tord les pieds sur le sol mou et fuyant en remplissant ses chaussures de sable, l'accable seulement un peu plus et lui jette à la figure une lumière blanche et brûlante.

Dans son bureau, le téléphone sonne quand il arrive et il se jette dessus pour entendre la voix de Molinier, qui fait partie de l'équipe chargée de surveiller madame.

— Alors ?

— Alors comme vous avez dit : elle est allée à Blanquefort. C'est une vieille qui est venue lui ouvrir. Sa tante, vous nous avez dit. Sinon, elle est rentrée juste après. Y a pas cinq minutes, votre fille vient d'arriver. On est devant chez vous, là. Rien à signaler, sinon. Pas de filoche, pas de moto, rien. Comme hier. Tout est calme.

— Vous pouvez rentrer. À la maison, elles ne risquent rien.

Il est sur le point de raccrocher quand il entend Molinier le rappeler.

— Ah oui, ça nous avance pas beaucoup, mais à midi on a cassé une croûte dans le petit bistrot qui est au coin de votre rue. En causant comme ça avec le patron, il nous a parlé d'un mec à moto qui venait deux fois par semaine, depuis deux mois environ. Un grand, plutôt mince, pas bavard. Qui se mettait toujours près de la fenêtre et figurez-vous qu'on voit très bien votre maison, depuis cet endroit. Il a un peu discuté avec lui, il l'aime bien. Le type avait toujours sur lui un cahier et un stylo et il écrivait des trucs dans son cahier. Il est pas venu depuis huit jours.

Darlac s'oblige à respirer calmement. Ce con de flic allait oublier de lui en parler. Il est sur la piste d'un assassin, il découvre l'un de ses points d'affût, et il néglige d'en parler. Jean Delbos était là, à moins de cinquante mètres, des heures durant, à les regarder aller et venir. Il essaie d'avaler un peu de salive. Bouche sèche.

– Qu'est-ce qu'il a dit d'autre ?

Le commissaire fulmine. Il va convoquer ce flic dans son bureau et lui faire manger une chaise.

– Rien. Il pensait que c'était un écrivain. L'autre lui a raconté, d'ailleurs, qu'il écrivait une histoire, genre roman policier.

– Rentrez chez vous. Ça ira pour aujourd'hui.

Il raccroche. Il va se planter devant une fenêtre, comme il fait toujours. Il lève les yeux vers le ciel où les derniers nuages s'effilochent, dissipés par la lumière, et tremble de rage à l'idée que Delbos peut encore profiter d'un tel spectacle, quelque part dans cette putain de ville, à l'abri, en train de réfléchir au prochain coup qu'il va jouer.

Il passe le reste de l'après-midi à vérifier des procédures, téléphone deux fois au parquet, secoue un inspecteur négligent, fume, se rend par trois fois au lavabo pour laver ses mains moites.

Alors qu'il se rassoit en essuyant ses doigts humides à son gilet, le téléphone le fait sursauter. Il arrache le combiné de son socle.

Francis. Enfant de putain. À quoi tu joues alors que tu as déjà perdu ? Il cherche du souffle, concentre son attention sur le dossier où dorment deux femmes retrouvées mortes chez elles. Mère et fille. Meurtre et suicide.

– Où t'étais passé ? Je commençais à me demander...

– J'étais à Lille. À l'enterrement de ma putain de mère.

Darlac hausse les sourcils, tord sa gueule en un rictus malveillant.

– Je savais même pas que t'avais une mère.

– Faut bien pourtant.

Darlac écoute Francis respirer fort à l'autre bout de la ligne.

– Je te raconterai ma vie, si tu veux. Tu vas aimer. De toute façon, il faut qu'on parle.

– Sûr... J'ai une nouvelle à t'annoncer.

– Ah bon ? Qu'est-ce que c'est ?

Le regard de Darlac se trouble. Des larmes coulent sur ses joues. La haine déborde comme du chagrin.

– Je te dirai. Tu vas aimer. On se retrouve où ?

– Chez moi.

– Vers quelle heure ?

– Quand tu veux. Je suis là. Je bouge pas.

Bientôt dix-huit heures. Il feuillette deux dossiers, vol avec effraction, grivèlerie, qui pourront attendre demain. Il sort son pistolet de l'étui d'épaule, fait jouer la culasse, extrait le magasin, le réinsère. Clic, clac. Ça ne sert à rien, ça use un peu sa nervosité, ça le rassure, peut-être. Il range l'arme sous son bras et aime sentir son poids rassurant tirer doucement sur le harnais. Dans un tiroir, il prend un 7,65 récupéré il y a des lustres sur un demi-sel. Mêmes vérifications. Il le glisse dans sa poche et sort du bureau.

Dans le couloir, il tombe sur Carrère qui lui demande s'il a vu les corps, s'il s'agit bien de Mazeau. Darlac prend un air de circonstance. Oui, c'était dur de voir un collègue dans cet état.

– Faut retourner cette putain de ville comme un vieux matelas plein de punaises et trouver ce mec, comment tu l'appelles ? Qu'est-ce qu'il dit le grand chef ?

– Réunion d'état-major demain matin dans son bureau.

– Ah, enfin, parce que…

Darlac regarde sa montre, bien qu'il sache l'heure qu'il est.

– Il faut que j'y aille. J'ai un rendez-vous.

Il s'échappe, sentant dans son dos le regard désappointé de Carrère, et il descend les escaliers soulagé, d'un pas presque léger, pour aller récupérer sa voiture.

Francis habite un appartement immense au premier étage d'un immeuble décrépi donnant sur la place des Chartrons. Il vient lui ouvrir en bras de chemise et en pantoufles et lui serre la main hâtivement avant de le précéder jusqu'au salon encombré de meubles anciens, de lampes, de bibelots, de tableaux aux teintes sombres accrochés aux murs, parfois de travers, qui font ressembler la pièce à l'antre d'un antiquaire. Cadeaux, le plus souvent, d'officiers de la Gestapo en cheville avec Cloos, le responsable du service de réquisition des biens juifs, en échange de menus services rendus dans la traque des réseaux de résistance. Prélèvements, aussi, effectués dans les appartements vides dont Darlac récupérait les clés.

Darlac lui répète souvent qu'il est imprudent de garder ce capharnaüm qui pourrait devenir compromettant si jamais la justice se souciait d'enquêter sur ce que quelques-uns qualifient de spoliation, mais Francis le rassure en lui disant que la justice aurait du mal à enquêter sur ce qu'elle a rendu possible : à Bordeaux comme ailleurs chacun se tait, feint d'oublier les morts et d'ignorer les survivants. Il ajoute, en s'asseyant dans un fauteuil aux pieds torsadés, tendu de velours rouge : « C'était la guerre. Elle est finie, putain. »

Darlac aimerait en être convaincu. Il s'installe en face de lui, sur un canapé deux places qui geint sous lui et craque un peu. Francis se penche au-dessus d'une table basse en marqueterie et prend une bouteille de vin et en verse dans deux verres de dégustation. Il tourne l'étiquette vers Darlac :

– Deuxième grand cru classé de Pauillac. 1937.

Darlac renifle, ferme les yeux, se concentre. Traque les arômes. Un jour, un maître de chai lui a expliqué qu'on trouvait dans un vin les senteurs qu'on voulait y trouver. Qu'il y en avait toute une gamme dans laquelle on pouvait piocher et procéder ainsi par élimination. Un peu comme un flicard qui ne trouve rien de solide et finit par fabriquer des preuves. Depuis, Darlac se méfie du baratin des amateurs de vins. Il boit un gorgeon, qu'il fait rouler dans sa bouche, pendant que Francis plante sommairement son pif dans son verre puis boit un ample gorgeon comme on se désaltère.

– Il est bon, pas vrai ? J'en ai touché deux caisses de six. Un cadeau. Alors ? C'est quoi cette nouvelle que tu voulais m'apprendre.

Darlac signifie d'un geste de la main que ce sera pour plus tard. L'instant est grave. Il garde encore un peu le nez plongé dans le verre, fait semblant de humer, les yeux fermés, boit encore. C'est vrai qu'il est bon. Il repose son verre et s'adosse et observe Francis qui feint de se concentrer sur le vin. Il veut le laisser venir, l'entendre lui parler de ces dix jours au cours desquels il a disparu de la circulation.

Darlac continue à singer le rituel de la dégustation en attendant la suite. Francis se ressert, boit sans soif comme si c'était de la grenadine. Du silence entre eux, que rien ne trouble, pas même la rumeur du dehors.

Darlac se lève, fait quelques pas, se plante devant une gravure représentant le port de Bordeaux au XVIIIe siècle. Il s'absorbe dans les détails, cherche à reconnaître la ville dans ce chaos de navires et d'embarcations de toutes sortes et de marchandises entassées sur la grève qui descend en pente jusqu'au fleuve.

– Alors ? il dit finalement. Tu voulais me voir ?

Raclement de gorge. Tintement mat du verre reposé sur le plateau de la table.

– Ouais… Ma mère est morte, comme je t'ai dit. Putain d'elle. Un oncle m'a appelé pour me dire qu'elle voulait me voir avant de clamser, alors j'y suis allé. Roubaix, c'est pas la porte à côté.

Darlac se retourne pour voir ses yeux mentir. C'est ça. Joue-moi du violon. J'en ai entendu d'autres, et mieux accordés. Le mensonge, l'entourloupe, ça tremble dans les yeux, ça voile leur éclat, je m'y connais.

Le regard de Francis brille et son souffle est plus court, sa voix moins sûre. Darlac ne sait plus.

– T'en avais jamais parlé. Je croyais que t'étais orphelin depuis longtemps.

– *Primo*, c'est pas avec toi qu'on a forcément envie de parler de sa mère. *Secundo*, je suis pas orphelin mais c'est tout comme : je suis de l'Assistance. Elle voulait plus s'occuper de moi, toujours à se faire troncher, alors on m'a foutu dans un pensionnat puis chez des vieux, mais comme le mec me tabassait, on m'a envoyé voir ailleurs, et ainsi de suite. Puis la maison de redressement. Voilà. Tu sais tout de ma belle vie de chien. De toute façon tu savais déjà tout ça, t'avais enquêté sur mon compte, non ?

– Je suis pas remonté si loin. Je savais seulement tes antécédents judiciaires. Le reste, je m'en foutais. Je suis pas comme ces cons d'avocats qui vont fouiller dans le caca des couches pour y trouver des excuses à un coupable. L'enfance, ça compte pas. On est trop mou, trop con quand on est gosse. Après, on change, en bien ou en mal, et c'est marre.

– Mais bon… Je voulais savoir ce que ça me ferait, après toutes ces années… presqu'une vie.

Darlac soupire. Il s'en fout, de cette pute et des états d'âme de son fils de. Il a du mal à reconnaître Francis dans ces épanchements de gonzesse, Francis que rien ne trouble ni ne retient, aussi sentimental qu'un chien de guerre, Francis qu'il a vu tuer deux hommes à mains nues. Francis qui la lui joue à l'envers et qui va crever, quoi qu'il dise.

– Et alors ?

– Et alors rien… Ça m'a foutu le bourdon de retourner là-bas. Mais la vieille je l'ai même pas reconnue. Elle non plus. Elle a ouvert les yeux, on aurait dit qu'elle avait peur. Je suis allé faire un tour dans les endroits où j'avais traîné étant gamin, ces rues de maisons en brique, toute cette merde. Faut jamais faire ça.

Darlac revient s'asseoir. Il boit encore un peu de vin, s'aperçoit qu'il a faim et que le pinard l'écœure un peu. Il observe Francis en train de s'effilocher à vue d'œil et il commence à deviner comment tout ça va finir.

– C'est tout ce que t'avais à me dire ? Tu voulais qu'on parle. Je suis venu. Tu vas pas te mettre à me raconter ton premier vol de vélo, non ?

– Je quitte Bordeaux.

Il a dit ça dans un souffle. Il croise enfin le regard de Darlac. Un gouffre de silence s'ouvre entre eux.

– Pour aller où ?

– Paris. J'ai un vieux pote là-bas qui a placé pour moi du blé dans une affaire. Un troquet pour rupins avec quelques filles pour les fins de soirée, derrière les Champs-Élysées.

442

Grimace admirative de Darlac.

— Et ici, ton bizness ?

— J'ai vendu mes parts du bistrot. Je vais vendre l'appart. J'ai des preneurs pour les meubles et toute la merde qu'il y a ici. Y a des mecs qui viennent demain pour conclure. J'emmène deux filles avec moi. Les autres se démerderont toujours. Dans quinze jours, j'aurai mis les bouts.

Darlac ne sait pas comment il fait pour ne pas lui jeter la table basse à la gueule. Il feint de lire l'étiquette de la bouteille de vin. Il inspire un grand coup pour tâcher de parler calmement.

— Pourquoi tu m'as pas prévenu ? On a fait un sacré bout de chemin ensemble, non ?

— Oui, mais le chemin on est au bout. Et puis tu vas pas me faire du sentiment… pas toi…

Darlac sent la pièce tourner lentement autour de lui.

— C'est à cause de Jeff, pas vrai ? T'as pas aimé que je le flingue.

Francis secoue la tête. Il a retrouvé son assurance et son regard luit à nouveau de cet éclat trouble qu'il a toujours sous les paupières lourdes.

— Jeff était un abruti congénital. Il était parfois incontrôlable, comme tu l'as dit. Sauf qu'on savait l'employer et qu'on n'avait pas à se plaindre de lui. Mais le tuer comme tu l'as fait, comme ça, froidement… Je te croyais pas capable de ça, et pourtant t'es une belle ordure, tout comme moi et la flopée d'ordures qu'on trouve ici chez les flics et les voyous, sans parler des braves gens soi-disant respectables. Pas un pour racheter l'autre, y a pas de doute… On a choisi de quel côté il fallait être pour pas être emmerdés. Mais je me suis dit que si tu pouvais faire ça tu pouvais aussi bien me flinguer moi aussi à partir du moment où je gênerais tes plans. Alors je préfère

partir. Je débarrasse le plancher. Pas envie de continuer. J'oserais même pas te tourner le dos.

Darlac se ressert du vin sans rien dire. Envisage les
options. Cherche des paroles blessantes et décide que
les mots ne servent à rien.

– Jamais je ferais ça. Comment je pourrais ? Comment tu peux même imaginer ça ? Tu me prends pour
un tueur dingue ? Pour une salope qui tire dans le dos ?
Tu m'as déjà vu faire ça ? Merde, si je te connaissais
pas si bien, je le prendrais mal ! Sauf que là, ça me fait
de la peine… Enfin… Comme tu dis, je vais pas commencer à faire du sentiment, je laisse ça aux pédés et
aux femmes. Je sais pas vraiment à quoi ressemble un
ami, mais il doit avoir ta gueule. Tu vois, tout de suite
les grands mots, faut que je me reprenne, mais tu n'es
pas n'importe qui. Je vais pas non plus chialer sur les
souvenirs qu'on a en commun, tout ce qu'on a partagé… Bon… Au moins, quand j'irai à Paris, j'aurai
un point de chute.

– Le bar te sera ouvert. Et pas que le bar. Tu verras
les filles qu'on va trouver. Pour me faire pardonner, si
tu veux.

Francis adresse un sourire entendu à Darlac qui lui
répond d'un clin d'œil et lève son verre à de futures
saillies.

– Dis, Francis, t'as rien à grignoter avec ton pinard ?
On va tout de même arroser ça dignement, même si ça
me plaît pas de te voir partir.

Francis se lève en agitant les mains d'un air confus
puis il disparaît vers la cuisine. Pendant qu'on l'entend
s'affairer, Darlac attrape sur un fauteuil un gros
coussin qu'il pose près de lui et dont il caresse la soie
bleu nuit. Puis il prend le 7,65, fait monter une cartouche dans la chambre. Il tousse pour couvrir le claquement de la culasse. Il regarde autour de lui, laisse
errer son regard sur cette caverne d'Ali Baba, cet

entassement connard de vieilleries précieuses que Francis a tenu à accumuler comme font les riches mais sans le discernement forgé par les héritages et l'éducation bourgeoise, ce qu'on appelle le bon goût… Singe thésauriseur… Vivotant dans sa cage au milieu de ses fruits préférés et de leurs épluchures.

Francis revient portant un plateau sur lequel il a posé une terrine, un gros pain de campagne entamé et deux couteaux.

– C'est tout ce que j'ai. Je pense que ça ira.

Les voilà qui tartinent. Darlac salive. Pique un bout de pâté de la pointe de son couteau. Francis bavarde à propos du charcutier qui prépare ça, du boulanger qui sait encore travailler, puis il prend une tartine et son verre de vin et les lève ensemble en disant : «Allez, sans rancune, et à la tienne ! Et alors, ta grande nouvelle, c'était quoi ?

– Justement, en parlant de Jeff. On a retrouvé son corps et celui de Mazeau. C'est bien, non ?

– Pourquoi c'est bien ?

– C'est ce que tu voulais, non ?

– Pourquoi tu dis ça ?

– Parce que, mon con, t'as appelé ces putains de gendarmes pour leur dire où ils étaient, et que t'as laissé les papiers de Mazeau sur place et que si ça se trouve ceux de Jeff, même faux, sont là-bas aussi ?

Francis pâlit. Il déglutit péniblement. Mais il fixe Darlac dans les yeux, sans ciller.

– Non, pas ceux de Jeff.

– Tu sais qu'ils vont l'identifier vite fait. Tout le monde le croyait en Belgique, c'est ce que je racontais partout. D'après toi, ça met qui dans la merde ? Pourquoi t'as fait ça ?

– Pour solder les comptes. Pour que Jeff soit enterré normalement. Et puis parce que…

Darlac prend le coussin et se jette sur Francis et le

445

pousse au fond du fauteuil qui glisse sur le parquet jusqu'à un buffet contre lequel il bute et lui colle le coussin sur la figure mais l'autre se débat, ses cris étouffés sont un grognement d'animal, ses mains s'accrochent aux avant-bras de Darlac qui a du mal à se libérer pour prendre son arme et appuyer sur la détente.

– Tu vois, tête de con, je te tire pas dans le dos, c'est pas la peine !

Ça fait un bruit de pétard de fête foraine. Darlac encaisse le recul dans l'épaule et sent quelque chose se déchirer ou se contracter sur son omoplate et il grimace de douleur puis se redresse et contemple le cadavre de Francis, vautré dans son fauteuil, jambes étendues, les mains sur le ventre, du vin, du pâté et du pain sur lui. Darlac reste immobile, l'arme en main, l'esprit vide, sidéré. Par réflexe, il commence à chercher des yeux la douille éjectée et c'est à ce moment que le coussin commence à glisser puis roule sur les jambes du mort comme sur un plan incliné, jusqu'au sol, et découvre le front enfoncé par la balle, les yeux entrouverts, la bouche béante pleine d'un sang dont le trop-plein coule sur le menton. Il ne voit pas l'arrière du crâne mais il sait ce qu'il en est alors il se détourne du corps, aperçoit la douille sous une table et la ramasse, constate qu'il tient toujours le pistolet et le range lentement dans sa poche.

Il erre dans la pièce en se massant l'épaule, il se penche vers des bibelots qu'il examine de plus près, il soupèse un éléphant en ébène et ses deux kilos luisants et suit du doigt la douceur des petites défenses en ivoire. Puis il avise un chandelier en argent dont il allume les bougies à l'aide de son briquet. Il reste un instant devant les courtes flammes qui charbonnent, il ne pense à rien qu'à ce qu'il est en train de faire un peu comme on essaie de se protéger en dégringolant dans un escalier. Ensuite, groggy, il va dans la cuisine ouvrir tous les robinets de la gazinière et s'en va. Soudain il pense à ses empreintes, s'injurie mentalement d'une telle négligence et essuie soigneusement tout ce qu'il a touché, sait-on jamais avec le gaz et le feu…

En partant, il referme soigneusement la porte derrière lui, écœuré par l'odeur qui se répand déjà. Dehors, il emplit ses poumons de l'air humide et vicié de la ville et il se sent mieux, levant les yeux vers le ciel gris, et s'éloigne d'un bon pas vers sa voiture.

29

Caunègre et Castel ne donnent pas aux hommes le temps de souffler ni d'aller boire un peu de flotte au robinet de la citerne et organisent dès le retour au poste une séance d'entretien des armes. Démontage, graissage, vérification des munitions. Ils préviennent que la moindre erreur leur emportera une main ou la moitié de la gueule en cas d'explosion. Armez. Percutez. Chambre impec. Ça doit être propre comme la chatte de votre gonzesse, et coulisser pareil, alors vous avez du boulot. Jamais s'enrayer quand le coup doit partir, sinon vous aurez pas seulement l'air d'un con, ça vous devez avoir l'habitude, mais en plus vous risquez de crever bêtement. Quelques gus ricanent, d'autres fourrent leur nez au-dessus de la culasse et s'appliquent et s'activent avec leur chiffon et enduisent de graisse odorante, du bout de l'index, les mécanismes d'acier. On les a attablés dans le réfectoire encore tout couverts de poussière, la gorge asséchée, les yeux encroûtés qu'ils se frottent du revers de la main, toussant pour apaiser leurs bronches calaminées, crachant le peu de salive qui leur reste. On sent déjà le fumet du rata confectionné par les deux guignols qui tambouillent dans l'espèce de réduit obscur et torride faisant office de cuisine et improvisent parfois d'étranges ragoûts au hasard du ravitaillement, histoire de changer des rations quelquefois toxiques que fournit d'habitude l'armée. L'un était caissier dans une banque du Mans, l'autre chimiste près de Lyon. L'un tellement myope qu'il a du mal, selon ses propres dires, à voir sa bite quand il pisse, et l'autre tordu par une scoliose qui le rend presque bossu et l'oblige à demeurer assis le plus souvent. Les deux se demandent ce qu'ils font là, ils ne comprennent pas, et les officiers et sous-offs non plus, que le conseil de révision ne les ait pas réformés. Alors on les planque comme on peut en attendant de les renvoyer chez leur mère : cuisine, corvées de chiottes, lessive, menues réparations, parce qu'ils seraient encore plus encombrants morts que vivants.

Daniel a bichonné son fusil, contrôlé une à une les cartouches avant de les réinsérer dans le chargeur, nettoyé les optiques de la lunette avec un des mouchoirs de fil que Roselyne a glissés dans sa valise au dernier moment et qu'il a pris avec lui pour y retrouver le parfum de lavande qui s'y loge toujours. Il contrôle vite fait un MAS 49, s'attarde sur la crosse de bois entaillée, usée, mâchée, presque, puis lève la main pour indiquer au lieutenant Caunègre qu'il a fini. Le lieut' vient vers lui et soupèse le Galand, met l'œil à la lunette, balaye la salle.

– Putain d'arme. On fait ce qu'on veut, avec ça. On peut mettre une balle dans le trou du cul d'une souris.

Daniel hoche la tête, le regarde en train d'évaluer l'équilibre du fusil. Sauf qu'on ne tire pas sur les souris. Il revoit la femme effondrée dans la maison détruite. Dans le viseur, il a distingué les motifs de sa robe, il aurait pu compter les perles rouges de son collier. Il voyait luire le sang qui coulait de son visage fracassé.

– Paraît que t'es pas mauvais à ce jeu. C'est le sergent Castel qui m'a dit ça. T'as dégagé la section l'autre jour en éliminant un fell embusqué à

200 mètres. Joli coup ! Je suis sûr que les paras n'ont pas beaucoup de tireurs comme toi.

Daniel lève les yeux vers le visage qui lui parle, penché sur lui, luisant, au teint terreux, aux yeux écarquillés par la fatigue, mais son esprit est encore devant la maison détruite par les explosions. La femme a brusquement disparu de son champ de visée et il a fouillé la pénombre de la maison pour apercevoir son corps effondré qui venait de basculer sur le côté, l'un de ses bras reposant sur le corps de la petite fille morte comme pour la protéger encore.

– Je vous remercie, mon lieutenant.

Caunègre repose le fusil sur la table et adresse à Daniel un sourire machinal. On croirait un politicien en campagne électorale.

– Repos, il dit. Tu peux aller boire un coup.

Il reprend son inspection, s'arrête un peu plus loin au-dessus d'un MAS en pièces détachées.

Daniel reprend le Garand et l'épaule. Il parcourt la salle puis trouve les deux Parigots, à l'autre extrémité, assis l'un à côté de l'autre en train de nettoyer leur P-M. Il règle la hausse du réticule et cale ses coudes sur la table. Il centre la visée sur Olivier, sa tête en gros plan, comme au cinéma, penchée sur ce qu'il est en train de faire, d'un air consciencieux, peut-être soucieux. Il voit la sueur sur sa peau, ses cils longs qui battent vivement. Le bout de sa langue qui pointe entre ses lèvres. Le visage se tourne vers lui, les yeux s'écarquillent.

– Qu'est-ce que tu fous ? demande Caunègre.

Daniel baisse le fusil, le pose. Le Parisien le regarde toujours, à l'autre bout de la table.

– Y avait une merde dans le viseur. Je vérifiais, mon lieutenant.

– Je t'ai dit que tu pouvais sortir. Alors dégage.

Daniel range le fusil dans sa housse et sort. Le

soleil déclinant jette de l'or sur la masse noire d'un orage qui avance. Des écharpes d'air plus frais flottent autour de lui. Le caporal qui sert de vaguemestre le siffle et agite une lettre dans sa direction. Daniel reconnaît l'écriture d'Irène sur l'enveloppe qu'il déchire.

Elle lui raconte ce qu'il sait déjà par cœur : sa vie à la fac, les étudiants communistes, la guerre dont tout le monde parle, le jeu trouble de De Gaulle. Elle a reçu une longue lettre d'Alain, postée de Dakar, qui parle de chaleur, d'odeurs, de bars sombres et de bière fraîche, de bagarres contre des Anglais, du bosco qui est un type bien, peut-être un ancien bandit. Daniel se souvient d'un film avec Gérard Philipe qui se passait sous un cagnard de plomb et de ce bar du bout du monde où des types transpiraient en se regardant de travers dans un air épais pétri par un gros ventilateur. Bourlinguer. Il essaie d'imaginer ça, ces troquets, ces trognes, les hôtels sans sommeil à cause de la chaleur et des punaises et des cris des putains brusquées par des ivrognes, l'alcool, les bras des filles et leurs yeux fatigués. Il fait son film, immobile dans l'air jaune, face aux éclairs qui grommellent au loin dans cette pâte anthracite montant au-dessus de lui. Un film lent et noir. Rouge et ambré.

Il aurait dû partir. Gravir l'échelle de coupée derrière Alain et le maître d'équipage, se planquer dans un canot, attendre que le bateau soit en pleine mer pour se montrer. Tant pis, on l'aurait mis aux machines, dans le cambouis et le vacarme, par cinquante degrés, mais quand il serait remonté sur le pont, le vent et les embruns l'auraient rafraîchi et lavé, plus tard on lui aurait proposé autre chose, n'importe quoi, qu'il aurait accepté pour sentir encore sous ses pieds le gigantesque frisson de l'océan et voir venir les côtes d'un continent, les feux d'un port, son désordre grouillant. À l'heure qu'il est il serait à Hambourg ou Tanger, assis dans un taxi auquel il aurait demandé de l'emmener dans les coins où la ville ne dort jamais et il sentirait au creux du ventre la faim et l'appréhension palpitante de l'inconnu. Il laisse venir à lui les images toutes faites, les clichés que collectionnent toujours ceux qui ne savent pas, et qui parfois n'osent pas savoir.

Au lieu de quoi il est assis sur un banc, serrant dans sa main une lettre écrite il y a huit jours, son fusil appuyé à côté de lui, et il tremble et il vomit entre ses pieds à l'idée de ce qu'il aurait pu faire et de ce qu'il a fait, de ce qu'il aurait pu être et de ce qu'il est devenu. Il crache sa bile dans cette poussière qui lui fait un masque terreux de peau durcie, qui colle ses paupières le matin au réveil et fait siffler ses bronches.

Il reprend sa lecture en essuyant du revers de la main les larmes que la nausée a fait venir.

Je ne voulais pas t'en parler pour ne pas t'inquiéter ou remuer de vieilles douleurs, mais finalement je crois qu'il faut que tu saches. Des flics sont venus il y a deux semaines voir maman. Ils étaient agressifs, ils ont essayé de l'intimider. Il y en a même un qui a foutu les chambres en l'air. Il ne cherchait rien, c'était juste pour impressionner. Ils ont dit qu'ils cherchaient ton père. Ils ont dit qu'il n'était pas mort, et qu'il est revenu à Bordeaux et qu'il a tué des gens. Maman était bouleversée et papa également. Je ne les ai jamais vus comme ça. On en a parlé tard dans la nuit, on ne sait pas quoi penser de tout ça. Qu'est-ce qu'ils veulent ces pourris ? Ils ont même parlé de toi là-bas en Algérie, ils ont dit qu'ils te rendraient la vie encore plus difficile si jamais les parents refusaient de parler. Le problème, c'est qu'ils ne savent rien ! Et puis ton père ils ne l'ont pas bien connu, tu sais bien, ils t'en ont parlé déjà, c'était un drôle de type. Alors fais bien attention avec ces cons de militaires, ne leur donne pas un prétexte de t'emmerder davantage, déjà que...

J'ai été triste d'apprendre la mort de ton copain Giovanni. Ce doit être tellement rare des types comme lui là où tu te trouves.

Voilà... Je tenais à te dire ça. Les parents ne savent pas que je t'en ai parlé, ils ne veulent pas que tu t'en fasses, mais je n'ai personne à qui raconter ces choses. Tu me manques. Tu nous manques. On compte les mois qui te restent à faire là-bas alors que toi chaque heure doit te peser. Peut-être qu'avec de Gaulle la guerre finira plus vite. On ne sait pas, comme je t'ai dit. Certains ont peur d'une dictature. D'autres, de vieux camarades, prétendent qu'il manœuvre et qu'il négocie déjà en cachette avec le FLN.

Fais attention à toi. Reviens vite. Ta frangine, ta petite camarade, Irène.

Il relit la lettre. Il ne comprend pas. Il est bousculé par des images qui lui viennent. Sa main dans celle de cet homme sur un trottoir, un matin. Il cherche à voir sa figure. Là-haut, des épaules, un profil flou, un visage qui se tourne vers lui. La voix de maman. Tout se mélange. Oui, elle, son sourire, ses cheveux. Ses yeux noirs. Il essaie de se souvenir du jour où. Sur le toit, soudain. Ne bouge pas. Il se souvient de cette voix impérieuse et murmurante. Terrifié. Ne dis rien. Attends-nous. Il attend. Il fait pipi sur lui parce qu'il n'arrive pas à déboutonner son short, il a trop peur de glisser sur les tuiles. Il rampe jusqu'à la cheminée et s'y adosse. Il pleure peut-être. Il a peur peut-être. Il ne sait plus. Il les attend, ça oui. Il entend dans la rue passer quelques voitures, des gens qui parlent, des fenêtres qui s'ouvrent, le chant d'un oiseau en cage. Maman ? Peut-être l'a-t-il appelée à voix basse. Des oiseaux frigorifiés comme lui, boules de plumes, viennent le voir et volettent autour de lui et il leur parle doucement.

Il marche vers le mirador, lève les yeux vers la sentinelle debout près du fusil-mitrailleur. Le mec lui adresse un signe de main. Ça va ? Ça va. Le type se retourne, allume une cigarette. Daniel se met à pleurer. Ça lui vient comme ça, c'est violent comme quand on dégueule. Il étouffe ses sanglots, il s'éloigne, se planque derrière le camion-citerne troué d'impacts.

Il ne comprend plus rien. Il ne peut pas imaginer ce père revenu d'entre les morts qui rebat les cartes postales de sa mémoire, toutes ces images fanées, tachées par le temps, jetées maintenant sur la table d'un jeu dont il ignore les règles. Quand enfin les larmes refluent et que sa poitrine s'apaise, il marche vers le réfectoire en regardant son ombre démesurée et se demande si c'est bien encore lui que le soleil déclinant jette au sol ou bien un autre. Ou si, comme on dit, il n'est pas devenu l'ombre de lui-même, une trace, un vestige de ce qu'il a été.

Au milieu du repas, devant les gamelles odorantes de riz trop cuit et de viande indéterminée arrosés d'une sauce au vin, le lieutenant Caunègre se lève et Castel avec lui, en bout de table, et les hommes se lèvent aussi mais il leur demande de rester assis d'un geste paterne et commence à parler de ce qui s'est passé aujourd'hui, de ce qu'il a fallu faire, de ce qu'il faudra sans doute refaire parce que ici c'est la guerre, n'en déplaise aux politiciens, c'est bien la guerre qu'on nous envoie faire dans ce pays, dans cette province de notre pays, la France, ravagée par des bandes armées incapables de livrer un combat loyal. Il évoque les méthodes de l'ennemi, la guérilla, cette guerre de lâches à laquelle il faut riposter par les mêmes méthodes mais sans la barbarie de cette race qui sans la France serait encore en train d'élever quelques chèvres au milieu des cailloux. Sans les égorgements, les mutilations, les étripages, la terreur. Car ce n'est pas ça, la guerre, et même si elle est sale parfois, l'important est de garder les mains propres.

— Et vous avez les mains propres, les gars, ajoute-t-il en agitant devant lui ses mains à lui comme on le fait aux enfants pour leur chanter qu'ainsi font font font les petites marionnettes.

Quelques gars baissent les yeux et regardent leurs doigts ou serrent leurs poings quand d'autres ne bougent pas et contemplent le rata en train de refroidir. La plupart regardent le lieutenant, appuyé maintenant des deux mains sur la table comme un orateur ou un prof de lycée sur son estrade, dans un silence épais où bourdonnent des mouches.

Daniel écoute lui aussi Caunègre et croise plusieurs fois le regard que l'officier promène sur les hommes et pose parfois sur eux sans qu'on sache s'il les voit vraiment ou se contente d'appliquer une technique apprise pendant ses classes, comment s'adresser à ses hommes et installer son autorité morale.

Quand le discours est fini, ils curent leurs assiettes d'aluminium avec des crissements qui agacent les dents et des bruits de bouche puis se lèvent dès que la dernière bouchée est avalée et vont jeter couverts et écuelles dans d'immenses bassines pleines d'une eau graisseuse caillée comme une soupe froide sans un regard pour les gus affectés à la plonge qui jettent là-dessus du savon en paillettes.

Daniel sort dans la nuit tiède et lève les yeux vers la voûte d'étoiles en touchant dans sa poche de poitrine la lettre d'Irène mais rien dans cette lumière glacée qui poudroie là-haut ne dessine aucune figure ni ne montre aucun chemin. C'est un ciel d'une indéchiffrable beauté, un chaos sublime, une brume phosphorescente qui lui fait peur soudain comme si elle allait tomber sur lui, l'étouffer et le dissoudre.

Il se rappelle qu'avec Irène, juste après la guerre un soir à la campagne, ils avaient regardé les étoiles assis sur un banc, serrés contre Roselyne qui leur disait quelques constellations qu'elle connaissait et eux en inventaient d'autres, bêtes fantasques, ou visages bizarres, ou bien voyaient clignoter des vaisseaux martiens en approche. Il se rappelle qu'Irène avait demandé si le bon Dieu était vraiment là-haut et où exactement et Roselyne lui avait dit doucement qu'il n'y avait rien, seulement toutes ces étoiles et que c'était déjà tellement beau que ça suffisait à remplir le ciel. Irène avait mieux regardé en plissant les yeux puis avait demandé au bout d'un moment si c'était là qu'allaient les gens morts alors la mère avait soupiré, elle les avait serrés tous les deux plus fort en leur expliquant que chaque étoile était un souvenir et que les morts s'y trouvaient peut-être et qu'il suffisait de penser à eux pour que les étoiles brillent. C'est bien les étoiles. Comme ça Mistigri il est dans une étoile et je peux encore le voir. Oui. Même les chats, ma jolie. Même les chats.

Daniel se rappelle être resté seul après qu'elles étaient rentrées, et avoir cherché éperdument les étoiles de ses parents sans les trouver parce qu'elles étaient toutes pareilles. Peut-être les avait-il appelés, murmurant leur nom, mais le silence l'avait écrasé, lui si petit, jusqu'à ce qu'un chien, au loin, se mette à aboyer sans fin.

Le voilà encore sous le même ciel d'étoiles muettes, loin de ses croyances d'enfant, dans le même silence accablant malgré la raffut des gars en train de picoler au foyer. La femme qu'il a tuée ce matin pour tâcher d'annuler l'horreur de son agonie pourrira sous terre dans des ténèbres sans étoiles. Il n'y a rien au-delà de ce monde de matière qui engloutit tout.

Puis il va boire avec les autres, puisqu'il n'y a que ça à foutre. Il se gorge de bière, il parle avec des mecs qui rient sans savoir pourquoi ou qui chialent en expliquant qu'ils ont le vin triste mais du vin y en a pas putain alors arrête de faire ta gonzesse, tu la reverras ta mère, on leur dit ça en leur tapant dans le dos et en ouvrant une autre canette, il reluque les deux Parigots qui discutent à une table avec le caporal puis il sort pour aller pisser et quatre sont déjà là en train de vider leur vessie, agitant leur queue et proférant des obscénités, merde, je me branlerais bien mais j'en ai marre, je finis par avoir des ampoules aux paluches, et ils se marrent tous et l'un d'eux, Daumas, se poile tellement qu'il se pisse sur les pieds et jure et gratte le sol comme un clébard quand il a fini, puis Daniel revient dans le local et fend la purée de pois irrespirable, chaude, puant la sueur et le tabac pour recommencer à boire comme un trou, l'idée lui vient du trou qu'il se figure être devenu et qu'il faut remplir et noyer avant de tomber dedans.

Toute la nuit, la cuite bat à ses tempes et la bière transpire à chaque pore de sa peau. Toute la nuit un sommeil abruti le prend dans ses rêves flottants jusqu'à ce qu'une nausée l'en arrache et le tienne éveillé sans savoir s'il va devoir se lever pour dégueuler. À un moment, il sort du dortoir en slip pour essayer de vomir mais rien ne vient qu'un rot monstrueux et une migraine qui le frappe en pleine tête et lui déchiquette le cerveau comme ferait une balle, alors il reste là, courbé, les mains sur les cuisses, près de tomber, et sent sur son dos trempé de sueur l'air froid de la nuit et frissonne et sent tout son corps saisi par cette fraîcheur.

Quand il se recouche, il se pelotonne et compte les coups de boutoir de la migraine résonnant à ses tempes, sept, huit, neuf, puis s'endort avec la brutalité d'un boxeur jeté au sol.

C'est l'aube glissant sous la porte un liseré bleu pâle qui le réveille. Il reste dans la pénombre et écoute les autres ronfler ou bouger sur leur lit ou se retourner avec des grognements. Ils ont droit ce matin à une heure de sommeil en plus, merci mon lieutenant. Ensuite, journée lessive et coiffeur. C'est aujourd'hui ou jamais. L'idée est là maintenant, plantée dans son esprit, évidente comme le mât du drapeau au milieu de l'aire de rassemblement.

Il se lève. Il enfile son pantalon, son gilet de peau, se couvre de son odeur aigre de sueur et de crasse. Il prend sa veste de treillis et son chapeau de brousse.

– Qu'est-ce que tu fous ?

Il ne se retourne pas vers la voix pâteuse.

– Rien. Je vais pisser.

Il entend le mec soupirer puis se retourner, sans doute déjà rendormi.

Il sort dans l'air frais, dans la lumière si pâle qu'elle semble hésiter à forcir. Il profite les yeux fermés de la brise qui joue déjà dans la poussière. Il contourne le foyer et va s'asseoir sur le banc où il va souvent le soir, installé sur un éperon qui domine un vallon. Au fond, un peu de brume s'accroche à la cime des arbres, traîne entre les bosquets. Cigarette. Une américaine. Il ne ressent plus ni migraine ni nausée. Il a faim. Il faudra qu'il mange, avant. Il attend là en se laissant aller à des pensées confuses qui l'apaisent ou lui font palpiter le cœur. Il somnole par instants, pris par une rêverie où un couple vient accueillir à la descente d'un train le petit garçon qu'il est redevenu, un gamin qui aurait fait la guerre, qui aurait tué une femme défigurée, un gamin qui reconnaît les visages de Maurice et Roselyne mais pas les personnes, ses parents sont là devant lui, maman, elle le serre dans ses bras et les

458

voix, les voix tues depuis longtemps lui parlent et les visages s'effacent alors qu'il ne sait plus quel âge il a, son enfance enfuie, et c'est à ce moment de désarroi haletant qu'il se réveille et ouvre les yeux sur la beauté mordorée du jour qui se lève, de la nuit qui s'enfuit du vallon en écharpes de brouillard.

L'odeur de café vient flotter jusqu'à lui et le décide à rejoindre les autres. Il bouffe du pain sec trempé dans le café sucré, il avale quelques biscuits, reprend un bol de caoua qu'il boit debout devant le mess.

Toute la matinée, il fait semblant de s'intéresser au col de la chemise qu'il est en train de frotter, au morceau de savon qui vient de glisser au fond de l'espèce d'auge où les mecs font leur lessive, il brosse, il rince, il essore et tous font la même chose en évoquant parfois celle qui bientôt lavera et repassera les chemises, une petite femme comme ça, gentille et courageuse... Les gueules de bois sont trop nombreuses penchées sur le linge sale pour s'émoustiller davantage. Les hommes parlent bas, s'appliquent, insistent sur la crasse. Cette odeur de savon est peut-être trop familière. On les sent tout d'un coup presque rentrés chez eux dans l'ordinaire des jours.

Daniel aperçoit la porte du caporal vaguemestre, un nommé Ledain, restée entrouverte. Il ne l'a pas vu sortir, mais il tente sa chance. Il laisse le gilet de corps sur lequel il s'acharnait tremper dans l'eau glauque puis marche vers le bâtiment. C'est une porte montée de guingois mais robuste, bricolée pour qu'on puisse la fermer à clé. Daniel frappe. Appelle. Personne ne répond. Il entre et marche vers le petit bureau installé devant une fenêtre, ouvre le tiroir du bas, trouve la clé, la fourre dans sa poche. Pendant presque une minute il n'a pas respiré. Ledain peut arriver n'importe quand. C'est un crétin sournois. On le soupçonne d'ouvrir parfois les lettres qu'il a deviné écrites par des femmes.

Aucune preuve. Mais on sent le dégueulasse visqueux, le tordu capable de faire ça.

Dehors, le cirque continue. Quelques gus commencent à accrocher leur linge sur des fils de fer tendus le long du réfectoire. Le sergent Castel sort de son antre, torse nu, en short, les pieds dans des espadrilles. Il jette un regard circulaire, aperçoit Daniel, l'observe longuement, une main en visière au-dessus des yeux à cause de la lumière brutale, puis il hoche la tête et Daniel lui adresse un salut réglementaire, à tout hasard, et Castel lui tourne le dos et hausse les épaules et secoue la tête de dépit, peut-être, ou parce qu'il a la tête comme un sac de billes qui descend un escalier.

Daniel retrouve ses quelques affaires où il les a planquées, sous le siège avant de la jeep, pliées dans sa chemise sale, ficelées à la hâte. Le moteur démarre au quart de tour. Il sait qu'il tiendra, il a donné un coup de main l'autre jour pour faire la vidange. Un moulin increvable. Réservoir aux trois quarts plein.

– Oh ! gueule le type en haut du mirador.

Daniel lui fait bonjour de la main sans se retourner puis commence sa manœuvre. Il est face au portail flanqué de sacs de sable, le moteur ronronne et tourne rond. Quand il lève les yeux vers le mirador, il ne voit plus l'homme de garde qui probablement s'en fout de cette jeep et du mec qui la conduit. Il embraye doucement et sort de l'enceinte au pas et descend l'espèce de rampe abrupte qui rejoint la route en jouant du frein moteur. Quand il arrive sur la chaussée, plus large, il accélère et gobe bouche ouverte, à pleine gueule, l'air qui lui balaye la figure et il pousse un cri, puis un autre comme s'il fallait que les montagnes et leurs rochers entendent bien, puis il se cale mieux sur le siège, enfonce bien son chapeau sur sa tête pour qu'il ne s'envole pas. Comme il a trouvé, accrochées au levier de vitesse, des lunettes de protection, il les enfile et il sait qu'ainsi affublé il a la dégaine d'un dingo échappé d'un asile, ce qui est d'ailleurs le cas, un asile qui fabriquerait les déments par milliers, des fous meurtriers, des obsédés sexuels, des idiots mutiques ou des biturins hébétés, un asile qui leur prendrait leur âme et la leur rendrait salie, froissée, puante, rétrécie comme un vêtement dans lequel on aurait chié toute la merde de son corps et sué sang et eau et vomi et pissé, et rampé dans la boue, leur âme réduite à un uniforme en lambeaux souillé par toute la saloperie humaine.

Il roule le plus vite qu'il peut avec dans la poitrine, gonflée comme un sanglot retenu, une ivresse de liberté qu'il n'a jamais connue. Ils peuvent l'arrêter au prochain carrefour et le foutre au trou, jamais plus ils ne le rattraperont. Jamais ils ne pourront crever ce qui emplit son cœur.

Il roule ainsi pendant trois heures, seul et sans arme au milieu d'un pays vide, comme s'il était le dernier survivant de cette guerre. Pas un paysan, pas une carriole, aucun barrage. Quelques cheminées fument au-dessus des mechtas aperçues au loin. Dans un virage qui domine la vallée, il s'arrête et coupe le moteur. Il descend de la jeep et les deux ou trois pas qu'il fait lui semblent les premiers. Il n'a jamais eu conscience aussi nettement, crûment, d'être debout et d'avancer. Le vent chaud souffle contre ses jambes solides, bien campées. Daniel frotte ses semelles sur le sol caillouteux. Il lui semble découvrir soudain la station debout.

Le vent souffle le silence à ses oreilles. Chuchote la paix du monde. Le ciel est d'un bleu dur, on croirait une vitre peinte. La vallée est encaissée entre blocs aveuglants de lumière et cavernes encore pleines de ténèbres. Il va chercher dans ses affaires son petit cadre et le déplie et capture le paysage en un long et lent panoramique et soudain chaque pierre, la moindre trace d'ombre se met à vibrer et il a l'impression que tout commence à cuire doucement sous le soleil dans un tremblement silencieux.

Il arrête son mouvement de cinéma et reprend son souffle. Il est surpris par la largeur du cadre, la profondeur de champ. Il s'aperçoit qu'il a pris l'habitude du grossissement de la lunette de visée. Pendant toutes ces semaines il n'a plus cherché et vu que des cibles. Il reste encore un moment debout sur cette espèce de belvédère à essayer de réfléchir à tout ça puis brusquement réalise que l'heure tourne et qu'il ferait bien d'arriver en ville au plus tôt avant que les recherches s'organisent.

Il se faufile dans l'agitation de la ville à cette heure, un peu avant que les magasins ne ferment jusqu'au soir. Il croise d'autres jeeps, des camions à l'arrière de quoi s'avachissent trois ou quatre bidasses. Avec son chapeau enfoncé jusqu'aux oreilles et ses lunettes de moto, son gilet de corps crasseux bâillant sous les bras, il se figure qu'on le prend peut-être pour un guerrier farouche descendu du djebel pour profiter d'un peu de repos. Il se rappelle ces trente types d'un commando de chasse qui avaient passé une nuit au cantonnement : armés jusqu'aux dents, vêtus parfois de haillons, chacun à sa manière, chaussés de bottes de saut parachutistes. On aurait davantage pensé à une troupe de bandits de grand chemin qu'à une unité de l'armée. L'officier qui les commandait, un capitaine mal rasé coiffé comme les pirates d'un foulard noué sur le crâne, ne portait aucun insigne ni galon. Il ne donnait jamais d'ordre. Sa section agissait comme lui, d'un même geste, ne manifestant ni lassitude ni aucun zèle. Ces mecs faisaient corps. Ils avaient bouffé à part leurs rations musulmanes, que chacun savait moins dégueulasses que les autres, dormi entre eux dans un bâtiment à demi effondré qui servait habituellement de garage, puis étaient partis à l'aube, sans un mot, après avoir bu des litres de café au mess.

Ça lui plaît bien que tous ces connards puissent croire ça. Il abandonne la jeep à deux rues de la caserne où ils sont venus pour le ravitaillement. Il enfile sa chemise, la laisse pendre par-dessus son pantalon pour ressembler, du coup, le moins possible à un militaire. Mais ses pataugas, la forme de sac du pantalon de combat, ce beige et ce kaki le signalent aussi vite que s'il se baladait en armes dans la rue au milieu de cette foule indifférente mais vive, colorée, parcourue de robes rouges et de chemises blanches.

Il refait de mémoire le trajet jusqu'au boui-boui où ils ont mangé, Giovanni et lui, puis il s'enfonce dans la ville arabe. Centaines de regards posés sur lui, collés sur son dos. Noirs, immenses, effrayants. Des voix murmurent sur son passage. Des mots sont crachés devant lui. Il est sûr que ce sont des insultes. Il voudrait leur dire. Leur dire à quel point il mérite leurs injures. Et leur demander à quel prix racheter ses actes. Quatre gamins le suivent en jacassant et lui demandent où il va et lui expliquent en rigolant que l'armée c'est pas par là et lui, il leur sourit, il dit qu'il le sait, merci, et il hâte le pas, quand une voix aiguë retentit dans la rue et fait se disperser son escorte en éclats de rire.

Il tourne et retourne pendant presque une heure puis repère la boutique du menuisier et reconnaît le coin de la rue où habite Autin.

Il frappe à la porte et regarde autour de lui comme l'avait fait Giovanni mais ne distingue rien au bout de cette ruelle pleine d'ombre que les allées et venues permanentes des passants dans le soleil, les cris et les rires des gosses, le chant échevelé d'oiseaux en cage, la plainte d'une scie chez le menuisier au coin de la rue. Il sursaute quand le verrou claque et il recule presque sous le regard du professeur qui tombe sur lui, hostile ou chargé de reproches, et qui le toise et plisse le front en identifiant l'uniforme débraillé. Dire quelque chose. Trouver les mots. Daniel sent que la porte va se refermer.

– Giovanni est mort.

– Entre. Ne reste pas là.

Autin enfonce les mains dans ses poches et s'adosse au mur.

– Comment c'est arrivé ?

– Sur la route, le jour où on est venus vous voir. Une embuscade. Le lieutenant aussi est mort. Et un autre gars qui était dans la jeep de tête. Giovanni, il a pris deux balles dans le ventre. Le nouveau lieut' et le sergent m'ont dit qu'à l'hosto ils n'avaient rien pu faire.

Autin soupire. Secoue la tête. Il regarde Daniel avec tristesse.

– T'es venu pour me dire ça ? Et d'abord t'es venu comment ? Tu n'es pas en tenue réglementaire, non ?

– Je me suis tiré. J'ai piqué une jeep. Je reviendrai pas là-bas. J'arrête.

– Comment ça t'arrêtes ? Comme ça, sur un coup de tête ? Tu décides que t'en as assez alors tu te tires ?

– Oui, monsieur. Je déserte. Giovanni allait le faire, lui. Il avait compris depuis longtemps.

– Giovanni, c'était différent.

– Je sais. Il avait de l'instruction, il était intelligent. Et puis il avait des idées, des vraies. Pas comme moi. Moi, j'ai pris ça comme… je sais pas… une sorte d'aventure. J'ai pas voulu écouter ce qu'on me disait à la maison, je les ai laissés parler, je me disais qu'il fallait aller voir.

– Et t'as vu quoi ?

Daniel pense à un vers que disait souvent Giovanni : *Et j'ai vu quelquefois ce que l'homme a cru voir.* Il ne sait plus qui a écrit ça. Il ne saurait le commenter, mais il lui semble le comprendre.

– C'est difficile à raconter. C'est…

– C'est la guerre. Qu'est-ce que tu croyais en venant la faire ici ?

– Rien. Je croyais rien. Mais je pensais pas que je ferais ce que j'ai fait. Non, ça jamais j'aurais pu l'imaginer.

Le souffle lui manque. Sa poitrine est écrasée par une main géante.

– Viens. Tu vas manger quelque chose. Après, tu y verras plus clair.

Ils traversent le patio pour entrer dans une cuisine. Autin sort d'un garde-manger une assiette pleine de dattes, une miche de pain, un bol d'olives noires. D'une glacière, un morceau de fromage et une bouteille d'eau. Il prend un verre et une assiette sur l'évier de pierre.

– Sers-toi. J'ai déjà mangé.

Daniel s'assoit au bout de la table pendant qu'Autin s'installe en face de lui et allume une cigarette. Il mange quelques dattes, deux ou trois olives. Autin attrape le pain et en coupe une large tranche et pousse vers lui le bout de fromage.

– Mange, je te dis. Il faut manger.

Daniel remplit son verre d'eau et le vide aussitôt. Il prend un peu de fromage, mastique un morceau de pain, avale avec peine.

– Alors ? dit Autin.

– Alors j'en peux plus. Il faut que je parte d'ici.

– Tu te rends compte de ce que tu dis ?

Daniel prend dans sa poche son paquet de troupe et en allume une. Autin lui tend un paquet de blondes.

– Prends-en une, arrête de fumer cette merde.

Daniel écrase sa Gauloise, allume l'autre.

– Oui, il dit en soufflant la fumée vers le plafond. Je me rends compte. Je suis devenu un assassin. Je sais

465

plus où j'en suis, qui je suis. On massacre des gens, des pauvres cons de troufions se font trouer la peau pour quoi ? Pour ces fumiers de colons ? Pour tous ces connards de pieds-noirs qui traitent les Arabes comme des chiens ? Pour garder l'Algérie ? Mes parents, ma sœur avaient raison. Ils m'ont dit de rester le plus possible à l'écart, de me planquer dans un bureau quelconque parce que ce n'était pas ma guerre, parce qu'on ne fait pas la guerre à un peuple et moi, j'ai tout fait pour aller au combat.

– Et qu'est-ce que t'as fait ?

– Dès qu'on m'a foutu un fusil entre les mains, j'ai adoré ça. Je m'appliquais, les instructeurs ils en revenaient pas. Et quand ils m'ont refilé un fusil à lunette, j'ai trouvé ça extraordinaire.

– Sur des cibles en carton, pourquoi pas… C'est comme à la fête foraine, je suppose. Sauf qu'un jour t'as eu un type dans ton viseur.

Daniel raconte. La première embuscade, la mort de Declerck, les types épouvantés, cloués au sol par les rafales de fusil-mitrailleur, puis la cavalcade dans la pente avec le sergent puis le fell à couvert sous un bosquet en train de canarder les copains. Le plaisir de le cadrer dans le viseur, la montée d'électricité dans tout le corps au moment de presser la détente. L'homme salement touché, le sergent qui l'achève. Les félicitations des autres, la réprobation de Giovanni. La sensation de devenir quelqu'un d'important. La poignée de main du lieutenant.

Daniel parle d'une voix sourde, les yeux baissés vers la table. Autin l'écoute sans bouger. Il a attrapé une autre cigarette qu'il tient entre ses doigts sans l'allumer.

Le convoi d'eau et la seconde embuscade et le lieutenant mort, la jambe arrachée, Giovanni dans son sang à l'arrière du half-track, la peur, le cadavre du fell presque coupé en deux par une rafale de 12,7, la haine et la nausée devant cet étalage de tripes et ce visage d'homme aux yeux ouverts, il dit tout Daniel, l'opération de représailles contre la mechta soupçonnée d'abriter les rebelles qui avaient tué trois de nos hommes, il dit les grenades balancées dans les maisons, la gamine violée et tuée par ces deux fumiers, l'envie de leur loger une balle dans la tête, puisque tuer était en train de devenir une sorte de réflexe, une solution envisageable, il raconte aussi le visage arraché de la femme qu'il a achevée, cette tête sans yeux ni nez ni bouche seulement du sang et des lambeaux de peau qui pendaient, et ce râle montant du fond de sa gorge comme si la chair elle-même gémissait, il ne s'interrompt pas, il ne souffle pas, la figure couverte de sueur, dégouttant de sueur sur ses cuisses, le regard vide, aveugle sûrement, tout tourné vers l'intérieur de ses souvenirs, vers l'obscurité impitoyable où se projette le film de sa mémoire, oui, j'ai appuyé sur la détente et je l'ai vue basculer, et sur le moment je pensais que je devais le faire parce que le mal était fait, le problème c'est qu'à la guerre le mal est toujours déjà fait, c'est comme une clôture abattue depuis longtemps autour d'un jardin saccagé, ça autorise ensuite n'importe qui à venir continuer de détruire et voler, à la guerre tout est permis et je ne veux pas tout me permettre, je ne peux pas, vous comprenez ?

Il lève furtivement la tête vers Autin mais ne croise que la stupeur brillant entre ses paupières et replonge aussitôt dans sa vision et son monologue, s'apercevant que c'est la première fois qu'il parle de ça et que ça lui fait du bien en même temps que ça lui arrache l'âme et les tripes un peu comme dans les films où le type s'enlève lui-même une flèche plantée au-dessus du cœur, on le voit morfler, serrer les mâchoires, ruisselant de sueur, puis se relâcher d'un coup dès que la pointe apache est sortie et s'évanouir presque avant de retrouver sa sérénité de héros indestructible. C'est la première fois qu'il trouve des mots pour dire ce merdier, ce guêpier, oui, c'est ça, un guêpier : plus tu te débats et plus ça t'injecte de venin au point que la douleur sature ton corps et ton âme et les anesthésie. Il a l'impression de se vider et il s'affaisse peu à peu sur sa chaise, voûté à présent comme un vieillard sous le regard d'abord impassible de cet homme froid qui semblait avoir tout vu et tout entendu et dont le regard cille à présent et se détourne du troufion pour chercher sur le mur blanc en face de lui quelque repère mystérieux, un signe peut-être, jusqu'au moment où enfin il porte à sa bouche la cigarette qu'il tenait et l'allume.

Il fume un moment, silencieux, observant Daniel les yeux plissés peut-être à cause de la fumée ou bien à cause d'une méfiance instinctive, en tout cas on voit bien qu'il réfléchit, calcule, et quand Daniel se remplit un verre d'eau il tend le sien pour qu'il le serve puis écrase sa cigarette dans le cendrier en soufflant par le nez deux panaches qui se disloquent aussitôt.

– Je vais voir ce qu'on peut faire. Tu vas commencer par te laver parce que tu pues, puis je te donnerai des vêtements civils. Ce soir, à la nuit, Chadia t'emmènera chez des gens. Tu peux pas rester ici. À partir de maintenant, tu ne sors plus dans la rue sans autorisation. Tu veux déserter, je ne sais pas comment on va se débrouiller, mais désormais tu es sous notre protection et tu obéis. Ça peut durer des jours et des jours le temps qu'on trouve une solution pour te faire sortir. C'est très rare que des troufions décident de faire ça. Même pour Giovanni qui était un camarade, ç'aurait été difficile, mais on avait commencé à tester une filière, on va voir. Si tu déconnes, sache que des dizaines de camarades vont tomber. Tu n'as pas le droit de mettre leur vie en danger. Quand un militant algérien est arrêté, il est torturé. Tu le sais, ça ? Ici, la Gestapo est au pouvoir. Donc tu te tiens peinard sans quoi on te jette devant une gendarmerie. Pigé ?

Daniel acquiesce d'un signe de tête. Il dit merci, merci, d'une voix sourde, la gorge nouée.

– T'inquiète pas, dit Autin. Ça va aller. Il faut beaucoup de courage pour faire tout ce que tu as fait. Et pour en parler comme ça.

L'homme sourit. C'est la première fois que Daniel le voit sourire. Il a l'impression soudain de respirer mieux.

30

En une semaine, j'ai trouvé un travail et un toit.
Mes économies n'auraient pas duré bien longtemps,
de toute façon, et puis il me fallait un endroit tran-
quille où je puisse me réfugier et une occupation qui
m'empêche de devenir fou à force de penser à l'unique
raison qui m'avait fait revenir à Bordeaux : faire souf-
frir Darlac autant que j'avais souffert. Je savais que
c'était impossible, mais à force de passer en revue les
innombrables manières de martyriser un être humain,
je finirais bien par en trouver une qui me conviendrait
à peu près.

L'appartement était minuscule et sombre mais
propre, au deuxième étage, dans une rue donnant sur
le cours de l'Yser. Au premier vivait une Espagnole
pâle et triste, une lavandière qui travaillait toute la
journée, allant et venant de chez elle à la cave où elle
faisait bouillir des lessiveuses qui emplissaient dès le
matin la cage d'escalier d'odeurs de savon ou de
javel. On était les seuls dans cet immeuble lépreux et
humide. Dès le premier jour, puisque c'est elle qui
avait les clés et m'a ouvert l'appartement, elle m'a
proposé de faire ma lessive et le repassage qui allait
avec. Elle m'a annoncé un prix tellement bas que je ne
suis demandé combien de tonnes de linge il lui fallait
laver dans une semaine pour parvenir à gagner sa vie.
Elle s'appelait Mme Mendez, son mari était mort pen-

dant la Guerre civile et elle avait dû venir se réfugier en France avec sa sœur. Ses cheveux noirs, serrés en bandeaux autour de sa figure, étaient toujours ramassés en un petit chignon compact. Elle était vêtue de noir, de la tête aux pieds. Seule couleur qu'elle se permettait : le violet d'un châle qu'elle portait sur les épaules quand il faisait froid le matin et que je la croisais, traînant des pieds, transportant son premier chargement de linge sale.

Mazeau a failli s'étrangler à l'autre bout du fil quand je me suis présenté et qu'il a enfin admis les preuves que je lui donnais de mon identité. Oui, il se souvenait bien de moi. Il avait une bonne mémoire des noms et des visages, ce qui lui était très utile dans son métier de flic. Il croyait lui aussi que j'avais disparu en déportation. Il a employé ce mot-là : disparu. Puis il s'est tu et un silence gêné a suivi dans lequel, peut-être, il regardait s'éloigner le long cortège des morts dont je m'étais évadé à sa grande stupéfaction. Derrière, pourtant, j'entendais la rumeur habituelle d'un bureau : voix, grincements de portes, machines à écrire.

Quand je lui ai dit que je l'appelais de la part d'Abel, il s'est raclé la gorge. « Il faut qu'on en parle au calme », il a dit. Je l'imaginais en train de zyeuter de droite et de gauche au cas où un de ses collègues aurait épié sa conversation et calculant déjà ce que pourrait lui rapporter cette nouvelle embrouille. Il semblait aussi sûr qu'un foutu escalier aux marches arrondies dont la rampe est branlante.

On s'est retrouvés dans un café bondé en face de la gare. Dans la foule des voyageurs en partance, civils et troufions, parmi le brouhaha des conversations, le bruit et la fumée des cigarettes, je l'ai reconnu sans peine : il faisait semblant de lire le journal et lançait autour de lui son regard bleu pâle, méfiant, fuyant, et *il correspondait bien au souvenir que j'avais de lui : un type blafard, presque transparent, aux cheveux châtains séparés sur le côté gauche du crâne par une raie tracée à la règle. Quand je me suis approché de sa table et que j'ai tiré vers moi la chaise pour m'asseoir, il a baissé son journal et m'a considéré avec surprise, peut-être avec hostilité. Je me suis présenté mais la stupeur n'a pas quitté sa figure alors qu'il me tendait une main molle et tiède. Il a bafouillé qu'il ne m'avait pas reconnu et s'est excusé en me dévisageant, cherchant peut-être à déterminer en quoi j'avais bien pu changer, puis il s'est détendu et s'est laissé aller contre le dossier de sa chaise.*

Il m'a demandé comment j'allais, ce que j'avais fait pendant toutes ces années, depuis 45. J'ai abrégé. J'avais recommencé à vivre, ça m'avait pris du temps. Il hochait la tête. Il comprenait, après ce que j'avais enduré. Il a fait allusion à deux ou trois personnes qu'il connaissait et qui étaient rentrées de déportation et n'arrivaient toujours pas à oublier tout ça.

— Qui parle d'oublier ? ai-je dit. Qui le veut ? Qui en est capable ?

Au regard qu'il m'a adressé, fixe, vide, j'ai vu qu'il ne comprenait pas. J'ai commandé un café au serveur qui passait près de nous, le temps que Mazeau reprenne ses esprits.

Comme je ne savais pas par quel bout attraper le diable, je me suis mis à parler d'Abel, de l'homme qu'il avait été, de celui qu'il était devenu, malade et épuisé et amer. De ma tristesse de l'avoir retrouvé dans cet état. Mazeau s'est contenté d'acquiescer et d'émettre des commentaires affligés, des banalités sur le temps qui passe et ne nous passe rien, ce genre de choses qu'il devait trouver profondes parce qu'il les prononçait d'une voix graillonneuse, le regard vague, concluant d'un geste de la main plein de fatalisme.

Puis il a gardé le silence, feignant d'observer autour de nous l'agitation du café. Il évitait de croiser mon regard quitte à se concentrer sur sa tasse vide ou la petite cuillère qu'il faisait tourner entre ses doigts. Je voyais bien qu'il redoutait ce que j'avais à lui dire. Il aurait sûrement payé cher pour que je décide soudain de partir, découragé, ou pour qu'un événement imprévu, un accident, une catastrophe ferroviaire, l'oblige à filer.

— Je suis venu solder quelques comptes, ai-je dit.

Je parlais comme le gratte-papier que j'étais.

Mazeau a levé vers moi des yeux ronds, le front plissé. Il a frotté ses mains lentement l'une contre l'autre.

— Quels comptes ? Avec qui ?

Quand j'ai prononcé le nom de Darlac, il a jeté un coup d'œil à la table d'à côté comme s'il redoutait que les trois troufions vautrés devant leurs bières presque somnolents aient entendu, et il a esquissé de la main un geste pour me faire taire. J'ai parlé plus bas pour qu'il se calme et m'écoute et je lui ai expliqué que je voulais savoir où le trouver mais aussi connaître tout de ses amis, de ses relations, de tout ce qui avait pu le faire passer au travers de l'épuration. Je ne lui ai pas dit ce que je comptais faire parce qu'à ce moment-là je n'en savais rien. Je lui ai seulement fait croire que je voulais porter plainte contre Darlac, dénoncer ce flic collabo passé commissaire.

Il a souri et m'a enfin regardé dans les yeux.

— Tous les flics ont été collabos, pour la bonne et simple raison qu'ils obéissaient aux ordres et qu'ils avaient peur, eux aussi. De leurs chefs, des schleus, des collègues. Il y en avait de plus zélés que d'autres, qui détestaient sans trop savoir pourquoi les Juifs et les cocos et qui voulaient les éliminer, et ça suffisait à les motiver. Il y avait Poinsot et son équipe de salauds, la

SAP[1], *mais ceux-là ils ont eu leur compte à la Libération. Et puis la masse des flics qui faisaient juste ce qu'on leur demandait, sans se poser beaucoup de questions. Quelques autres ont profité de la situation pour faire de l'argent, comme Darlac. Lui, avec des truands de l'époque, il vidait les appartements laissés vides après les rafles. Il était en cheville avec les officiers boches qui s'occupaient de ça. Tout le monde le savait mais fermait sa gueule. Voilà pour le tableau. On est quelques-uns à avoir essayé de faire quelque chose de bien, pour sauver l'honneur, si c'était possible. Le commissaire Laborde en était. Mais quoi ? On était une vingtaine à tout casser. La plupart des policiers en fonctions aujourd'hui l'étaient pendant l'occupation. Il aurait fallu virer les trois quarts de la flicaille bordelaise pour épurer ce tombereau de merde. Et c'est là-dedans que tu veux donner un coup de pied ? Ça va te retomber sur la gueule et c'est tout. Laisse tomber. T'es pas de taille, et t'as déjà payé assez cher.*

— *Oui, mais pas eux. C'est tout le problème.*

Il a haussé les épaules. Il semblait sincèrement désolé de mon obstination.

— *Si t'insistes… J'aurai tes renseignements. Après tout, si t'arrives à faire tomber Darlac, c'est pas moi qui m'en plaindrai.*

On s'est donné rendez-vous au même endroit la semaine suivante. Il est sorti le premier et je l'ai vu épier la rue avant de pousser la porte. Je trouvais qu'il en rajoutait un peu, mais ce qu'il m'avait dit de la police correspondait à ce que je savais déjà, à ce que je soupçonnais à l'époque, du temps où je ne voulais pas voir, quand je me sentais protégé par Darlac

---

1. La SAP : Section des affaires politiques. Équivalent bordelais de la Gestapo dirigé par le commissaire Poinsot (voir note p. 73).

qui me recommandait de ne pas bouger, de me tenir à l'écart de tout ça pour qu'avec ma femme et mon gosse on reste à l'abri de la catastrophe.

Je suis resté un bon moment à repenser à mon aveuglement, à ma lâcheté. À me demander si le fait de regarder le mal en face allait me faire recouvrer la vue alors qu'il était trop tard.

Quand on s'est revus, Mazeau m'a fait un topo sur les forces en présence, comme il disait. Flics et voyous. Bandes rivales chez les truands, factions ennemies dans la police. Prostitution, jeu, recel. Quelques attaques à main armée, un peu de came. Rancœurs d'après-guerre chez les condés. Avec Darlac, sacré meilleur flic de la ville, en arbitre marron, marionnettiste en chef. Tenant les uns par le fond du slip, les autres à la gorge. Un nom revenait sans cesse : Penot. Gabriel Penot. Gaby pour les intimes. Il avait été inspecteur auxiliaire dans la section spéciale de Poinsot, cousin sans emploi d'un de ses adjoints. Un de ces demi-sels qui faisaient un peu de marché noir et tambouillaient dans divers trafics, et que ses parents avaient casé auprès du cousin policier pour lui éviter la prison. Tellement incompétent et feignant que même le cousin l'écartait de toute mission importante. Il servait de messager entre le service et les Allemands. Il avait peut-être distribué quelques coups de nerf-de-bœuf au cours d'interrogatoires, de cela il devait être capable et y prendre, comme les autres brutes, un certain plaisir. Il avait failli s'engager dans la milice, mais avait dû trouver ça trop risqué vu que fin 43 le vent commençait à tourner. Il leur avait cependant donné quelques coups de main, écoulant des saisies de denrées destinées au marché noir, ou tout ce qu'il pouvait récupérer au cours des arrestations : argent, bijoux, objets de valeur. Mais il avait su assurer ses

*arrières en restant discret, en agissant sous de fausses
identités. Si bien qu'à la Libération, les épurateurs
déjà bienveillants l'avaient négligé, faute de preuves,
comparse de second rang comme il en avait existé des
dizaines de milliers partout dans le pays. Il avait fait
six mois de prison puis avait été relâché sur non-lieu.
On disait que Darlac, en échange de services que
l'autre lui avait rendus pendant l'occupation, avait mis
de l'argent, en 47, dans le troquet que Penot avait
racheté pour pas grand-chose rue du Pas-Saint-
Georges avec ce qu'il avait pu gratter avec la milice, et
que les deux étaient restés en relation depuis. On disait
aussi que le frère de Penot, un tordu qui s'envoyait des
gosses, avait été tiré d'un très mauvais pas en 50,
grâce à l'intervention de Darlac.*

*J'écoutais Mazeau me raconter tout ça sur un ton
monocorde, d'une voix sourde, et je le soupçonnais de
se délecter du tableau qu'il dressait de la ville trans-
formée en jungle où les prédateurs s'en donnaient à
cœur-joie, un crépuscule permanent dont la saloperie
ordinaire des hommes s'était rendue maîtresse. Il me
parlait comme font ces professeurs d'anatomie au
cours d'une dissection, blasés, caparaçonnés, qui
prennent aisément l'ascendant sur leurs étudiants
novices, écœurés par le spectacle d'un cadavre béant.
Il oubliait seulement d'où je revenais. Du fond de
quelle nuit. Il ne pouvait pas savoir ni même imaginer
toute cette obscurité que je trimbalais avec moi, pleine
de fantômes. En l'écoutant, je revoyais Olga
s'éloigner sur le quai, dans la foule, soutenue par une
vieille femme. Je la voyais se retourner pour essayer
de me voir encore, et à nouveau on se perdait et tout
était perdu.*

*C'est à ce moment-là que j'ai su ce que j'allais
faire. J'allais éliminer quelques-uns de ces fumiers
avec qui il avait été copain ou simplement en relation*

et j'attendrais que son esprit de flic comprenne que quelque chose lui tournait autour et se rapprochait. Il faudrait que je m'en prenne à sa gamine, qui n'était pour rien là-dedans, mais seulement pour qu'il ait peur. Je voulais qu'il n'ose plus marcher dans la rue sans crainte. Je voulais qu'il dorme mal, qu'il regarde sous son lit avant de se coucher. Je ne savais si je serais capable de mettre ce beau plan à exécution ; par moments je me faisais l'effet d'imaginer le scénario simpliste d'un film avec la naïveté d'un gamin.

Gaby Penot. Je suis parvenu à ramasser mes pensées et ma volonté sur ce nom. Je ne savais pas comment je m'y prendrais. Il serait le premier. Il fallait que je l'approche. J'espérais qu'une idée me viendrait, qu'une volonté inébranlable m'aiderait à agir.

J'ai pris quelques habitudes dans son café. C'était grand, sombre, vieillot. Penot avait repris le décor et le mobilier tels quels en changeant quelques vitres et en donnant un coup de peinture. Les banquettes s'avachissaient, les chaises étaient souvent bancales, les grandes glaces murales piquées par endroits. J'allais y boire un verre en sortant du travail vers une heure, c'était à deux pas. Des artisans du quartier venaient y casser la croûte et quelques poivrots hébétés y traînaient leur carcasse. Penot trônait derrière sa caisse, une cigarette plantée en permanence au coin de la bouche, pendant qu'un loufiat s'activait. Jamais je ne l'ai vu à ces heures-là essuyer un verre, servir un demi, préparer un café. Il causait avec un client ou il lisait Sud-Ouest ou Ciné Revue ou Match ou bien laissait son regard suivre à travers les vitres ce qui passait dans la rue.

C'était un homme petit, aux cheveux très noirs, tirés en arrière et plaqués par de la brillantine. Dans sa figure osseuse brillait un regard fiévreux, toujours en alerte. La première fois que je suis venu, j'ai senti ses

477

yeux me suivre jusqu'à ce que je m'assoie, puis revenir sur moi régulièrement pendant l'heure où je suis resté.

Le soir, la clientèle changeait. Deux ou trois filles venaient s'installer au comptoir sur des tabourets et elles fumaient en buvant des Cinzano. Des types s'approchaient d'elles et engageaient à mi-voix des conversations qui tournaient court ou duraient un peu, tiens, tu remets ça à mademoiselle, et se concluaient par la sortie du couple. Souvent, la femme allait devant, le type suivait à quelques mètres au cas où on les aurait vus ensemble. Je m'amusais à observer le manège de tous ces michés, les uns francs du collier, qui abordaient la fille sans détour, les autres se croyant plus discrets ou plus malins en s'accoudant pour commander quelque chose. Puis ils saluaient la fille d'un signe de tête et sirotaient leur blanc-cassis en faisant mine de perdre leur regard dans le grand miroir derrière les étagères pleines de bouteilles, et se décidaient finalement à s'approcher avec un sourire faux-cul. Les filles ne mouftaient pas. Elles posaient sur le client un regard indifférent, même si on sentait bien qu'elles soupesaient le bonhomme pendant qu'il déballait son boniment. Sinon, quand elles étaient tranquilles, elles parlaient entre elles ou discutaient avec le serveur, un jeune type efflanqué que tout le monde appelait Jeannot. Parfois, elles saluaient un nouveau venu, souvent un de ces types en imperméable et chapeau mou tout droits sortis d'un film américain, ou un costaud à casquette et canadienne qui entrait en souhaitant le bonsoir à la compagnie.

Tous ces gens semblaient se connaître. Ils affectaient parfois de ne pas se saluer mais échangeaient entre eux des regards, des signes, parlaient autour d'une table pendant dix minutes puis se dispersaient subitement pour s'ignorer le reste du temps ou quitter soudain le bistrot.

Un soir, Darlac est entré. Mon cœur a cessé de battre pendant d'interminables secondes puis s'est remis à taper en désordre en me coupant le souffle. Il était en compagnie d'un type large d'épaules, taillé comme un docker, que Penot a appelé Francis. Ils se sont congratulés, ont bu quelque chose en plaisantant à mi-voix. Darlac observait la salle mine de rien, comme font toujours les flics. J'ai senti son regard sur moi et j'ai levé les yeux, l'estomac au fond de la gorge, mais il était passé à autre chose et se servait de l'eau à la carafe posée sur sa table. Je réalisais l'erreur que j'avais faite en venant ici : s'il me reconnaissait, c'en était fini de ma stratégie stupide. J'avais changé, bien sûr. Mazeau ne m'aurait jamais identifié si je ne m'étais pas présenté devant lui après lui avoir parlé au téléphone. Mais lui, Darlac, était d'une autre espèce : celle des chiens de chasse, ces pisteurs de gibier au flair imparable. Ou peut-être des loups, dont tous les sens sont affûtés par la traque sauvage de proies dont dépend leur survie. Et puis il y avait ces nuits et ces nuits passées ensemble à user le temps jusqu'au bout de la fatigue. Cette espèce d'intimité nouée entre nous qui marque la mémoire de souvenirs familiers. S'il ne me reconnaissait pas, c'est que j'étais probablement mort et que seuls quelques compagnons des limbes pouvaient me voir.

Quand il est parti, une demi-heure plus tard, il n'a salué qu'une fille qui se faisait baratiner par un type près de la porte et quand il a ouvert pour sortir, sans se retourner, il m'a semblé qu'une bouffée d'oxygène pur entrait dans mes poumons.

Je ne pouvais pas continuer ainsi. Je venais surtout le midi pour commander parfois le plat du jour et Penot avait fini par répondre à mon bonjour quand j'entrais. Le soir, je passais prendre un apéritif mais je voyais bien que ma présence détonnait et je sentais le regard du patron se poser sur moi lourdement. J'allais finir par éveiller ses soupçons, il finirait par en parler à Darlac et je n'avais alors aucune chance de rester invisible à ses yeux. Il fallait que je trouve un moyen de justifier ma fréquentation régulière de son troquet.

À partir de ce jour, j'ai pris l'habitude de porter toujours un couteau sur moi. Un couteau à cran d'arrêt dont le claquement de la lame quand elle jaillissait me flanquait un méchant frisson. Un type que j'avais bien connu à Paris m'en avait fait cadeau. Je raconterai peut-être ça un jour. En tout cas, je ne pouvais plus hésiter, repousser toujours au lendemain

Un soir, j'ai fait la fermeture. Je suis arrivé plus tard et je suis sorti vers onze heures avec les derniers clients. Je me suis caché dans une encoignure de porte pour surveiller et j'ai regardé Penot et Jeannot, le serveur, éteindre puis baisser le rideau. Ils sont partis chacun de son côté sans se saluer et Penot s'est éloigné dans la rue. Il s'est arrêté pour allumer une cigarette puis a marché plus vite vers le cours d'Alsace-et-Lorraine. J'ai serré le couteau dans ma main au fond de ma poche, et je l'ai suivi presque en titubant. Les deux cafés que j'avais bus se brassaient dans mon estomac et je ne sais pas comment je n'ai pas dégueulé entre deux voitures parce que mon sang battait dans mon abdomen comme autant de coups de poing. Il pleuvait, et les clapotements de la pluie étouffaient le bruit de nos pas dans les rues désertes. Il a tourné dans la rue de la Rousselle et il y faisait tellement sombre que je l'ai presque perdu de vue. J'ai entendu cliqueter une serrure et j'ai aperçu sa silhouette éclairée par la lumière d'un couloir disparaître. J'ai continué de marcher jusqu'à cette porte pour en voir le numéro. Le 30.

La peur m'a quitté d'un coup. Je me suis aperçu que la pluie ruisselait sur moi et me glaçait le cou et que

mes chaussures étaient imbibées comme des serpil-
lières. J'ai aimé toute cette eau froide comme si elle me
lessivait de ma couardise.

Je l'ai tué le lendemain.

Je n'ai pas dormi de la nuit. J'ai repensé à toute ma
vie, à ceux que j'avais cru aimer, à ceux que j'aurais
dû chérir. Les visages, les voix, ont défilé dans mon
esprit. Les vivants et les morts. Les morts surtout. Ils
se pressaient dans ma chambre. Visages dévastés,
ombres cadavériques, amis d'antan éclatants de sourires. J'étais comme possédé par une fièvre qui me faisait frissonner de froid dans mon lit. J'avais fumé une
fois de l'opium, à Paris, et je crois bien que la sensation était presque la même : un flux d'images et de
sons dans un demi-sommeil tour à tour accablé et flottant sans aucune pesanteur. J'aurais aimé qu'Olga
vienne s'asseoir sur le lit, j'aurais aimé prendre sa
main, lui parler encore. Je cherchais dans le noir la
silhouette d'Hélène pour savoir si elle avait encore la
force de danser. Je parlais aux ombres que je croyais
distinguer avec le sentiment très net de devenir fou.

J'ai attendu une demi-heure en face de chez lui,
rencogné sous un porche. Je tremblais de froid et de
fatigue. Peut-être de peur. J'ai vu Penot arriver noir et
voûté, le col de sa gabardine relevé. Je l'ai laissé
ouvrir la porte de son immeuble et allumer la lumière.

« Gaby ? »

Il s'est retourné en sursaut mais je ne voyais pas son
visage. Seulement la vapeur de son souffle dans la
clarté blafarde du couloir. Je l'ai accroché par le col et
je l'ai poussé en même temps que je le frappais du couteau au niveau de l'estomac à travers l'épaisseur de
ses vêtements sans savoir si je l'avais atteint, lui, ou si
mon coup s'était perdu dans tous ces replis mous, alors
j'ai ressorti le couteau et Penot en a profité pour m'attraper à la gorge et commencer à serrer de ses doigts

pointus mais j'ai réussi à l'atteindre au visage, j'ai vu la lame traverser sa joue presque entière et je l'ai sentie cogner contre quelque chose de dur. J'ai forcé et Penot a reculé si brusquement, en battant des bras, que j'ai lâché le couteau et que je l'ai vu planté sous la pommette dans sa gueule qui basculait. Il est tombé assis et il criait, je ne sais pas s'il s'est mis à crier à cet instant-là mais c'est alors que j'ai perçu ses cris. Un sang noir, luisant, coulait de sa plaie et je voyais ses yeux écarquillés qui cherchaient à me voir, à me reconnaître, sans doute. Il s'est laissé tomber sur un coude en se tenant le ventre puis sa main est remontée vers sa figure et j'ai eu peur qu'il prenne le couteau et le retourne contre moi alors j'ai foncé, j'ai récupéré mon arme malgré sa main qui s'agrippait à mon bras et j'ai planté le couteau dans la gorge et j'ai senti la tiédeur du sang sur ma main. J'ai vu ce jaillissement, j'ai essayé de l'éviter en sautant de côté puis j'ai reculé vers la porte en regardant Penot essayer d'empêcher l'hémorragie, renversé sur les premières marches de l'escalier. Quelqu'un a gueulé dans les étages, menaçant d'appeler la police. « Gaby c'est toi ? »

Je suis sorti dans la rue et j'ai couru jusqu'au cours Victor-Hugo puis je me suis contenté de marcher au cas où une patrouille de flics remarquerait un pékin cavalant tout seul sur le trottoir vide, surtout que je tenais encore le couteau et qu'à la lueur d'un lampadaire j'ai pu voir que j'étais couvert de sang jusqu'aux coudes.

C'est en arrivant chez moi que je me suis demandé si Penot était vraiment mort. J'avais entendu parler de ces blessures au cou et je savais qu'on en mourait en quelques minutes mais il y a toujours des cas exceptionnels, miraculeux, des gars dont, comme on dit, ce n'était pas l'heure, qui survivent après avoir perdu la moitié de leur sang ou dont la plaie, pour une raison ou pour une autre, a cessé de saigner. Pendant un moment, j'ai espéré que le voisin qui avait râlé dans l'escalier aurait eu le geste qui sauve en attendant l'arrivée de l'ambulance. Je me sentais soulagé à la pensée que, finalement, je ne l'avais pas vraiment tué, puisqu'il était encore vivant au moment où j'étais parti. Je raisonnais comme un gamin de quatre ans qui croit réparer le vase cassé en le recollant avec sa salive ou annuler sa maladresse en faisant disparaître les morceaux au fond d'une poubelle.

J'avais tué un homme. Son sang souillait mes manches, caillait entre mes doigts. J'avais croisé son regard affolé et surpris. Je me suis déshabillé entièrement et j'ai commencé à me laver sans faire chauffer d'eau, frigorifié et hébété. Je ne savais plus pourquoi j'avais fait ça, je n'en éprouvais ni culpabilité ni fierté, seulement une sorte de dégoût de moi-même et un tel mépris pour celui que j'avais tué qu'il n'existait plus pour moi que comme un corps saigné à blanc, une carcasse. Même son passé de salaud, de tortionnaire, ne comptait plus comme s'il en avait été purgé par l'hémorragie mortelle. Tout en me savonnant, j'essayais de me convaincre que ce meurtre relevait d'un plan méthodique censé inquiéter puis terrifier Darlac et lui faire perdre les pédales, mais je ne parvenais plus à trouver la moindre logique, la moindre explication à ce que j'avais fait.

Alors je me suis jeté sur mon lit et j'ai dormi aussitôt, écrasé par ces questions trop lourdes pour moi.

Le lendemain, j'étais paisible et reposé. Aucun cauchemar n'était venu me réveiller. Peut-être parce que je pataugeais désormais dans un mauvais rêve sans fin.

31

Il a attendu huit jours dans cet appartement en compagnie d'une veuve, Lydia Mourgues, qui l'avait logé dans une sorte de cellule aux murs blancs, éclairée d'une lucarne donnant sur une ruelle dont il ne pouvait distinguer que le mur décrépit de la maison d'en face. Un homme qui se faisait appeler Ahmed l'avait amené là après un long conciliabule avec Robert Autin. C'était l'heure de la sieste, les rues étaient vides et l'homme marchait vite, sans un mot, sans un regard, Daniel à cinq mètres derrière lui conformément à la consigne qu'Autin lui avait donnée avant de partir. Il ne se souciait pas de savoir si le Français suivait ou pas. Il disparaissait parfois brusquement au coin d'une rue, ou se laissait escamoter par un passage tortueux entre deux maisons penchées l'une vers l'autre et Daniel était surpris de ne plus le voir puis apercevait sa silhouette mince, absorbée par l'ombre, glissant le long des murs comme un gros chat.

Ahmed avait frappé à une grosse porte cloutée puis s'était éclipsé sans un au revoir, sans se retourner.

La veuve Mourgues l'avait accueilli avec chaleur, lui collant deux baisers sonores sur les joues, le serrant contre sa grosse poitrine, puis l'avait conduit à sa chambre : un lit de fer, une petite table, une chaise. Ça sentait l'eau de javel et la lavande. Les toilettes, par ici. La salle de bains à côté. C'est mon mari qui l'a installée juste avant sa crise cardiaque. Là, la cuisine. Et ça, c'est le salon.

Ne pas regarder par la fenêtre. Ne pas chanter. Ne pas parler fort pour que les voisins n'entendent pas. Absents cet après-midi-là, ils rentreraient dans la soirée. En l'absence de la maîtresse de maison, ne pas bouger. Rester assis ou couché pour ne pas faire craquer le parquet. Deux heures, pas plus, le temps de faire les courses. Elle lui avait indiqué les consignes de sécurité en lui servant un thé à la menthe et un grand verre d'une eau tellement froide qu'il avait cru que ses dents se briseraient à son contact. Elle parlait doucement comme si on les avait écoutés l'oreille collée à une cloison. Puis elle avait allumé la radio et des chansons avaient envahi la cuisine, réveillant les cinq canaris dans leur cage près de la fenêtre qui s'étaient lancés dans des trilles assourdissants.

– J'espère que je ne vous garderai pas trop longtemps parce c'est dangereux, d'avoir comme ça un déserteur. Et puis les voisins finiront toujours par s'apercevoir de quelque chose. C'était pétainiste pendant la guerre, de la racaille… Pires encore maintenant. Ça écoute aux portes, ça piste tout le temps. Heureusement qu'elle est un peu sourde et que lui il picole. Ça l'endort dès huit heures le soir, ou bien c'est des gueulantes. Ils se tapent dessus des fois. Ils savent que mon mari était communiste et moi d'accord avec lui, bien sûr. Alors on se méfie mutuellement, surtout avec les événements. Et comme ni moi ni eux ne partirons…

Huit jours, dont il a compté chaque heure. Dont il a vu passer chaque journée en guettant aux fenêtres les mouvements imperceptibles de la lumière et de l'ombre se disputant les façades de l'autre côté de la rue étroite, le déplacement des taches de soleil qui tombaient sur le plancher puis glissaient sournoisement et grimpaient aux murs jusqu'à s'étioler puis s'éteindre en rendant le papier peint à sa grisaille fanée. En regardant le ciel pâlir dans la fraîcheur du matin puis la dureté de l'azur impénétrable et vide tendu par la chaleur aux heures de la sieste quand la veuve s'éclipsait dans sa chambre pour aller dormir. Daniel reprenait sa manie de tout cadrer dans son rectangle de fer. Des masses, des volumes, de couleurs. Il examinait avec surprise ces morceaux abstraits de son quotidien étriqué par l'ennui. Il lui prenait des envies de dessin, de photos.

Huit jours à essayer de tuer le temps. Un matin avant de partir au marché, Mme Mourgues lui a mis entre les mains un vieux livre défraîchi qui sentait la poussière et le moisi. La couverture illustrée montrait une sorte de mousquetaire, panache au chapeau, en train de se battre à l'épée contre deux hommes. *Le Capitan*. Michel Zévaco. Il s'est assis et a ouvert le grimoire. Cette journée-là a passé sans qu'il la voie.

Le lendemain, il courait derrière le fils du Bossu dans les fossés du château de Caylus. Il aurait tué Peyrolles de ses mains. Le papier rugueux, poreux, sentait le vieux temps. Daniel se perdait dans les ruelles, déjouait les pièges tendus par des comploteurs haineux. Galopait. Ferraillait, dos au mur, contre dix spadassins, féroces et stupides.

Les journées s'écoulaient doucement. Il tressaillait à chaque fois que des portières claquaient dans la rue ou qu'on frappait à la porte, en bas. La veuve s'interrompait alors dans ce qu'elle faisait, tendait l'oreille, puis secouait la tête. «C'est rien», disait-elle.

Daniel se demandait comment elle pouvait en être sûre. «J'ai l'oreille pour les catastrophes. Quand mon mari est mort, je l'ai entendu tomber alors que j'étais dans la cour à étendre du linge. J'ai su tout de suite. Je l'entends encore, chaque jour. Il y a des moments où il vaudrait mieux être sourd. » Alors il se fiait à cette oreille capable d'entendre frapper les mauvais coups ou venir le malheur.

La nuit, dans la chaleur qui tardait à fuir par la lucarne ouverte, il se retrouvait assailli par les souvenirs et leurs questions obsédantes comme au milieu d'un nuage de moustiques, tenu éveillé par leur épuisant bruit.

Il avait vécu cette vie incomplète, sans *eux,* sauvé d'un puits au fond duquel ils étaient restés, penché souvent au-dessus de ce gouffre pour apercevoir encore leurs visages parfois indistincts, mêlés aux miroitements d'une eau noire, et entendre l'écho lointain de leurs voix déformé par la profondeur du temps, et lui s'était accroché jusqu'à la douleur et au sang à cette margelle, tenté parfois de se laisser tomber pour les rejoindre mais il n'était pas sûr justement de les retrouver parce que souvent ces ténèbres étaient impénétrables et sans fond.

Et voilà que son père en remontait, de ce trou vertigineux, peut-être détrempé et sale et gonflé d'eau d'y être resté si longtemps et Daniel ne pouvait s'empêcher de le voir comme un monstre surgi d'entre les morts, cadavre immonde comme il en voyait parfois dans les films d'horreur qu'ils allaient voir avec Alain au Comeac ou au Gallia, les deux cinémas spécialisés dans la rue Sainte-Catherine. Il ne savait que faire de cette nouvelle. Il n'en éprouvait ni joie ni nostalgie, seulement une curiosité qui lui piquait le cœur par moments. Et pourquoi son père, après tout ? Et elle ? Il enfouissait sa figure dans l'oreiller en cherchant un endroit plus frais et il serrait contre lui cette chose douce et molle en l'appelant doucement.

Il avait fait la guerre, il avait aimé ça, souvent, il avait tué, poursuivi désormais par l'image de ses victimes, s'était cru un homme en franchissant des limites qu'il n'avait jamais soupçonnées, se laissant souiller par la saleté ambiante, et il appelait maintenant sa mère en se blottissant contre un oreiller. Il s'en voulait alors, se méprisait pour ces attendrissements minables d'assassin et se demandait qui il était : enfant ou soldat perdu ? Il n'avait pas de mots pour dire ça. Il aurait aimé qu'Irène soit là pour l'aider à nommer tout ce qui tournait dans son esprit comme un manège grinçant chevauché de grimaces et de visages morts.

Il voyait certains matins le ciel pâlir et ne savait plus s'il avait dormi ou non, suspendu dans son brouillard de souvenirs trop fugaces et de questions impossibles. Il sombrait alors dans un sommeil lourd où les ombres se dispersaient lentement.

Huit jours.

Un mardi matin, Mme Mourgues est revenue avec un plombier. D'une des deux sacoches qu'il portait il a sorti un bleu de travail et l'a tendu à Daniel. Le plombier s'appelait Youssef.

– Tu t'en vas. Prends tes affaires.

La veuve est venue aider Daniel à rassembler le peu qu'il possédait qu'elle a casé dans un petit sac noir. Elle y a ajouté *Le Vicomte de Bragelonne*. « Pour le voyage », elle a dit. Puis elle a plié un billet de mille francs qu'elle a glissé dans sa poche. Comme il protestait, elle lui a dit qu'il en aurait besoin plus qu'elle puis l'a serré dans ses bras en lui recommandant d'être prudent.

Dans l'escalier, ils ont croisé le voisin et l'ont salué, et le voisin s'est retourné sur leur passage mais comme ils parlaient d'un robinet foutu et d'un siphon à changer sans se soucier de lui, il est finalement rentré chez lui. La rue grouillait de monde et ils bousculaient les gens de leurs sacoches factices. Une fourgonnette bringuebalante, grise de poussière, les attendait, conduite par celui qu'on appelait Ahmed. Il a emmené sans un mot Daniel jusqu'à la gare routière, l'œil rivé au rétroviseur, la figure mouillée de sueur, les traits tendus, ses maxillaires tremblant sous la peau. Là, il lui a tendu une enveloppe contenant une fausse permission de huit jours pour cause de deuil (décès du père), émanant de l'état-major du 9e RI. Les tampons, la signature du colonel, tout était vrai. Ahmed lui expliquait tout ça sans le regarder.

– Et ça, c'est le billet d'avion. Ne le rate pas, sinon c'est foutu. En principe, t'as le temps : on a compté large, même en cas de contrôle sur la route ou à l'entrée d'Alger.

Daniel l'a remercié mais Ahmed a secoué la tête et l'a fait taire d'un geste de la main.

– On fait ça par amitié pour Robert, même si c'est risqué. Il a beaucoup insisté. Nous, on s'occupe pas de ça. Les déserteurs, c'est l'affaire des Français, de l'armée. On a assez de problèmes. Ça n'aurait été que moi, je t'aurais laissé te démerder pour rentrer dans ton unité et faire du trou, je m'en fous. Que tu désertes ou pas, que vous soyez cent ou mille à le faire, qu'est-ce que ça change ?

Il s'est tu soudain et a détourné le regard. La conversation était terminée.

Daniel est descendu de voiture et a traversé la rue sans se retourner. Il a vu la voiture d'Ahmed se fondre dans le trafic puis s'est arrêté sur le trottoir, sous un arbre, étourdi par le bruit et la chaleur. Il est entré dans le hall qui résonnait d'un brouhaha de voix mêlées au vacarme des moteurs. Il y avait un petit kiosque qui vendait des journaux et des cigarettes. Il a acheté un paquet d'américaines en cassant le billet donné par la veuve Mourgues, a fumé une cigarette en éprouvant un sentiment de liberté qu'il n'avait jamais connu auparavant. Il se sentait presque léger, et fort et peut-être même heureux d'être là, à cette heure, dans l'Algérie en guerre, au milieu de cette foule qui bourdonnait dans le grand hall.

Une demi-heure plus tard, il quittait les derniers faubourgs de la ville

Le soir même, il arrivait à Orly vers minuit et passait sans encombre deux contrôles de flics armés de pistolets-mitrailleurs. L'un d'eux, qui portait des galons à son épaulette, lui a adressé un salut militaire en lui rendant sa fausse perm puis Daniel est sorti de l'aérogare et la fraîcheur de l'air lui a fait du bien.

Il s'est réveillé quand le train a ralenti et a grondé sourdement sur la passerelle de fer qui franchissait la Garonne. Sommeil sans rêve entrecoupé d'arrêts dans les gares, visages entrevus sur les quais, mouvements confus dans le compartiment, départs, arrivées embarrassées, murmures polis.

C'est l'après-midi, il cligne des yeux sous une lumière douce, il aperçoit un ciel bleu pastel. Il est en nage et quand il se redresse, le dos de sa chemise colle un peu au dossier de la banquette. Dès qu'il est sur le quai, il s'éloigne en courant presque et se faufile dans le passage souterrain parmi les gens qui se traînent. Dans le hall des arrivées, il passe sans un regard pour ceux qui attendent et scrutent la porte où apparaissent les voyageurs, et enfin il débouche sur le parvis, sous la verrière, et son cœur se serre, il a envie de marcher, de se faire avaler par les rues d'ici, il songe à aller au garage saluer Norbert et Claude, c'est tout près, rien que pour voir la tête qu'ils feront, entendre leur étonnement, sentir l'odeur d'essence et d'huile et de graisse, il voudrait se remplir d'un coup de tout ce qu'il va retrouver et les images et les sensations le submergent mais finalement ses pas le mènent vers l'arrêt de bus où attend le 1 et il monte et achète au chauffeur son ticket puis regarde les gens assis avec l'impression qu'ils n'ont pas bougé depuis des mois, comme s'ils l'attendaient, comme si rien ne s'était passé.

Son cœur se gonfle dès que la ville se met à bouger autour de lui et que les rues et les façades des maisons commencent à glisser sous le soleil de juin, toute cette grisaille sur quoi s'adoucit la lumière il l'avait laissée en partant dans un hiver anthracite et il s'aperçoit qu'il cherche la blancheur, l'éclat dur de la chaux sur le bleu implacable du ciel, l'éblouissement qui si souvent, là-bas, lui avait fait cligner des yeux malgré les lunettes noires et fait rabattre les bords de son chapeau sur les chemins de pierre. Il aimerait que le soleil se jette sur cette ville pour en arracher la croûte charbonneuse comme il s'acharnait à mettre à vif les paysages d'Algérie. Il lui semble qu'il est passé d'un film en technicolor à un reportage pastel, et la profondeur des ombres, le relief aveuglant de la clarté lui manquent et il sait qu'il ne verra plus jamais les choses les plus banales comme avant, il sait qu'il cherchera toujours cette cruauté lumineuse qui fouille et racle les teintes endormies pour faire crier les couleurs.

Il s'en veut de ce regret, de cette frustration, il ne comprend pas vraiment ce qui lui manque au moment où il retrouve sa ville et sa vie. Il ne comprend pas qu'autour de lui défile la paix d'un pays en guerre. Les hangars sur les quais, les navires énormes amarrés dont les châteaux éclatent d'une blancheur incongrue, les trains interminables roulant au pas, tout ce décor qu'il a longé depuis l'enfance, comme immuable, aurait pu être rasé par des bombardements qu'il ne s'en serait pas étonné. Il regarde ces camions qui manœuvrent, ces hommes au travail, torse nu, la cigarette au coin de la bouche, avec la curiosité d'un visiteur de zoo ou d'un exilé qui reviendrait chez lui des années plus tard. Avec l'avidité d'un aveugle en train de recouvrer la vue.

Dès qu'on a franchi le pont tournant, dépassé les bassins à flot, et qu'on longe les entrepôts et les usines dans cette rue étroite bordée de murs gris, l'autobus gronde et vibre sur les pavés et Daniel ne sait pas si c'est lui qui tremble en entrant dans son quartier ou si c'est la voirie déglinguée qui le secoue comme pour le tirer de sa songerie. Il se lève pour demander l'arrêt et s'accroche à la barre pour résister au coup de frein qui le pousse vers l'avant et fait frémir toute la carcasse du véhicule. Il saute sur le trottoir et reste planté là, sans souffle, couvert de sueur. Sa rue est un peu plus loin. C'est le soleil qui le chasse et l'oblige à traverser et à marcher vite, son sac balancé sur le dos. Maisons basses, rosiers débordant des clôtures, géraniums sur le bord des fenêtres. Des gamins jouent là-bas, vélo et carriole bricolée, cris et rires.

Il frappe et presque aussitôt la porte s'ouvre et Roselyne recule avec un gémissement, le dos de sa main sur la bouche, les yeux ronds, chancelant à présent, et Daniel a peur qu'elle tombe alors il pose son sac et la prend dans ses bras et la serre et la serre et elle se laisse aller dans cette force qui l'étouffe et elle finit par lui dire « Laisse-moi te regarder. »

Elle le regarde sans rien dire. Ses yeux sont pleins de larmes mais pas une ne coule. « Je vais pas pleurer », elle dit. Puis : « Viens » et elle marche devant lui dans le couloir jusqu'à la cuisine et ouvre le frigo et sort un pichet d'eau, prend un grand verre dans un placard. Il s'assied et vide le verre d'un trait. Elle, elle attrape une poignée de cerises qu'elle commence à manger, appuyée à l'évier, sans cesser de regarder Daniel qui lisse la toile cirée du plat de la main puis lève les yeux vers elle. Elle garde les noyaux dans le creux de sa main. Elle sourit.

– J'ai déserté. Ils doivent sans doute me rechercher.

Roselyne ne dit rien. Semble n'avoir pas entendu ou pas compris.

– Tu es vivant, elle dit. Tu es revenu de cette guerre vivant. Comme Maurice, qui est revenu un jour sans crier gare.

Elle vient s'asseoir près de lui et prend les mains de Daniel dans les siennes.

– On avait tellement peur, tout le temps.

Elle secoue la tête et les larmes en profitent pour couler. Daniel l'attire contre lui et ils restent comme ça sans plus bouger un long moment, le temps que les joues sèchent et que les cœurs s'apaisent.

Puis Roselyne se dégage doucement et le regarde dans les yeux et lui passe une main sur la joue.

– Il faudra te cacher, encore.

Il secoue la tête. Il aimerait lui dire que rien n'est pareil mais il renonce parce que la fatigue lui tombe dessus d'un coup en même temps que la chaleur qu'il fait soudain ici. Il se sent de guimauve, la tête lourde.

– Je vais dormir un peu, dit-il. Excuse-moi.

Elle insiste pour prendre son sac et le pose au pied du lit. Daniel ouvre les volets, entrebâille la fenêtre sur l'ombre du jardin. Roucoulements de pigeons. Circulation, plus loin, dans la rue Achard. Il s'endort aussitôt dans ces bruits tranquilles.

***

Il sent sur lui le regard d'Irène et ça lui fait mal. Elle est de l'autre côté de la table dans son chemisier blanc, les cheveux ramenés sur la tête en une sorte de chignon de traviole, et elle fume et se ressert du café et elle le regarde pendant qu'avec les parents il discute, de tout, de pas grand-chose, des dernières nouvelles du quartier, des mariages, des grossesses ou des naissances, des deuils. Roselyne et Maurice parlent sans cesse, des sourires sur la figure et dans la voix.

– Le fils Courrier, dit Maurice, tu sais, celui qui travaillait à la SAFT ? Jean-Bernard ? Ben il y est resté, en Algérie. Ils ont appris ça y a quinze jours. L'enterrement c'était mardi. Ils traînent pas pour rapatrier les corps. Jusqu'à quand ils vont laisser faire le massacre, bordel ? Qu'est-ce qu'ils attendent ?

Daniel tord la bouche. Ne sait pas. Et le peu qu'il a appris là-bas, il ne le dira pas. Alors Irène le regarde quand il fait l'ignorant, c'est à croire qu'elle aperçoit autour de lui, ou dans ses yeux, luire son silence obstiné tel un feu qu'on cache.

Tout à l'heure, il a parlé, un peu. Il leur a raconté la vie là-bas, au poste, les virées en ville, les patrouilles. L'embuscade, la mort de Giovanni. Il n'a pas parlé des corps détruits, de la tripaille, du sang. «C'était pas beau à voir», s'est-il contenté de dire. Maurice a acquiescé : «J'en ai vu quelques-uns, en mon temps.» Il n'a rien dit du fusil à lunette, de la lumière irisée qui s'allumait à travers les optiques, du visage de cuivre dans les feuilles émeraude.

Irène ne le quitte pas des yeux. Quand il croise son regard il lui sourit mais elle ne répond pas toujours à son sourire. Elle a cet étonnement qui entrouvre sa bouche et semble parfois la faire respirer plus vite. Il ne sent pas entre eux la même proximité. Quand elle l'a embrassé, à son arrivée, dans la chambre, il a perçu le recul de son corps serré contre lui. Comme une pudeur nouvelle. Une question depuis ce moment ne le quitte plus : qui est cet autre planté entre eux ?

Ils parlent aussi de son père. De ces flics qui le cherchent pour des crimes qu'il aurait commis. Jean Delbos un assassin ? C'est ridicule. Il y a autre chose. Roselyne et Maurice parlent avec des précautions, ne jugent pas, doutent qu'un tel homme puisse se transformer en criminel. Pas après ce qu'il a dû vivre. Ils échangent des coups d'œil gênés ou perplexes et se taisent parfois devant le mutisme de Daniel qui écoute ça comme si on lui racontait une histoire policière, un film amerloque sombre et tragique aux acteurs sans visage. Il aimerait éprouver autre chose que cette curiosité qui l'a pris peu à peu, celle d'un neveu à qui on annonce le retour d'un oncle bourlingueur.

– Qu'est-ce que t'en penses ? finit par demander Maurice.

Daniel hausse les épaules. Irène le regarde toujours, immobile, et seule ondule la fumée de sa cigarette en volutes capricieuses.

– J'en sais rien, il dit.

Roselyne a posé sa main sur son bras et Irène s'est levée pour prendre les assiettes. Daniel se lève à son tour :

– Je suis fatigué. Il faut que je dorme.

32

Le docteur est resté tard hier soir, son stéthoscope aux oreilles penché sur le corps d'Abel pour y chercher, sans doute, où se tient encore la vie dans cette carcasse pleine de douleur qu'on redoute à tout moment de voir s'affaisser au milieu des draps pour y fondre et disparaître. Il y a le cœur, qui tape follement comme un dément solitaire au fond d'une mine effondrée puis s'arrête, espérant peut-être du secours, puis reprend ses battements désordonnés, 140, 150 pulsations par minute, si bien que ce corps d'os et de peau est chaud, brûlant, même, et que les mains, les jambes bougent parfois et que les yeux s'ouvrent et regardent et questionnent et se ferment doucement parce que la réponse est toujours la même. «Il lui faudrait l'hôpital», dit le toubib chaque jour. Abel secoue la tête, ouvre des yeux terribles, pose la main sur sa manche qu'il essaie d'accrocher : «Pas d'hosto, putain, je veux crever ici, arrête de m'emmerder avec ça.» Alors l'homme de l'art hausse les épaules, prend dans sa main la poignée de brindilles au bout du bras trop faible pour la porter et hoche la tête et n'essaie même pas de dissimuler la tristesse de son sourire.

Violette a appris à faire les piqûres, à changer les perfusions. Pas d'infirmière non plus. La dernière, une bonne sœur pète-sec, aux joues rebondies et roses, traitait Abel comme un bout de viande, gueulant en entrant dans la chambre : « Alors comment il va aujourd'hui ? Il a bien fait pipi ? C'est important de bien faire pipi parce que ça montre que les reins fonctionnent, et tant qu'ils fonctionnent… » Elle le piquait sans douceur, le retournait sans égard, soupirait beaucoup, s'impatientait souvent.

– Vire-moi cette truie, a dit Abel au médecin, un soir. Apprends à Violette. Elle fera mieux.

Magnard, le médecin, a accepté. Il a récupéré une potence à perfusions, s'est débrouillé pour fournir les flacons, les ampoules de morphine. Violette prépare ses seringues sous la lampe de la cuisine, pour mieux voir.

André l'aide parfois, surtout pour les toilettes, tous les matins, dans la journée aussi, quand il faut.

Depuis un moment, il somnole en surveillant le jour en train de se lever. Il laisse ses rêves s'effilocher dans son esprit, les images pâlir puis s'éteindre. Chaque matin il lui faut cette patience. Comme on attend qu'une baignoire d'eau sale se vide en déposant une pellicule de crasse que la journée, la vie même rinceront peut-être. Il écoute Violette, en bas, déjà à s'affairer. Il sait qu'Abel est toujours de ce monde, sans quoi elle serait venue le prévenir, même au milieu de la nuit, comme ils en sont convenus. Alors, lentement, il sort du lit et s'habille en humant l'odeur de café qui monte jusqu'à lui.

Il est ici depuis un mois auprès d'Abel qui meurt et de Violette qui ne respire que par lui. Ils ont parlé tant et tant. À voix basse, murmurant parfois, Abel jusqu'au bout de son souffle, André le plus loin qu'il pouvait dans le roncier qui le prenait aux jambes. Violette près d'eux. Elle ne disait rien qu'elle n'eût déjà dit. Elle les encourageait par ses questions qui les laissaient songeurs ou leur arrachaient des sourires. « Bien visé », disait Abel. André secouait la tête, troublé. Du passé, de toutes ces années perdues. Ils revivaient leur vie par bonds que la mémoire autorisait, jetant au hasard son caillou comme une enfant dans une marelle sans paradis. Je me souviens… D'anciens soleils brillaient de nouveau, des joies retrouvées les faisaient s'esclaffer encore.

Quant aux ombres, quant à la nuit… André cherchait des mots, essayait des comparaisons, balayait d'un revers de main ses tentatives pour dire les choses, avec un mouvement désabusé, et dans ce silence qui leur tombait dessus Abel s'endormait, épuisé, la poitrine secouée par son souffle court. D'autres fois, les figures du passé, les vivants et les morts, revenaient se presser autour d'eux et alors la petite chambre était bondée et Abel demandait qu'on ouvre la fenêtre, tant pis pour la chaleur, disait-il, mais on étouffe là-dedans, de l'air, vite, et il se laissait aller dans ses oreillers pour happer gueule ouverte ce que ses poumons bouffés pouvaient encore absorber.

Ils mettaient de l'ordre dans tous leurs souvenirs, les partageant parfois, se confiaient leur nostalgie, leurs regrets, leurs remords, leurs peines inconsolables, et au fil des jours André sentait se désarmer son obsession de vengeance à mesure que les mots construisaient le récit de sa vie et permettaient à son mal de crier enfin. Il se faisait l'effet de sortir d'une obscure caverne de silence et d'entendre ce qu'il avait tu et d'y voir plus clair malgré ce jour aveuglant. Aucune consolation, aucun soulagement, pourtant, dans cet éclaircissement. Sa douleur était là, lancinante, comme une rage de dents, avec des accès intolérables. Comme il disait ça un jour, cherchant encore ses mots, Abel a repris : « Une rage dedans, c'est ça, non ? Partout dans toi. » Il a toussé en croyant rire de son bon mot. André a haussé les épaules au calembour trop facile. «Et ça te passera pas. T'auras beau t'arracher les mâchoires et les tripes…»

André – désormais il est Jean, à jamais, comme avant – ressent chaque matin au réveil, une fois que s'est dissipée l'hébétude laissée derrière eux par les cauchemars, la même morsure au creux du ventre, le même emballement du cœur en pensant à Darlac, à leur amitié corrompue, à sa trahison, à son crime. Il se trouve toujours autant de raisons de le tuer mais il cherche la force de le faire. En s'habillant, il songe à ses deux absentes : Hélène sur la piste de danse, longues jambes et cheveux fous, la bouche entrouverte comme si elle hésitait entre le cri et le sourire ; Olga marchant au loin, retournée vers lui sans le voir, scrutant la foule de ses yeux brillants de fièvre.

Il sourit seul à leurs ombres et il regarde ses mains qui ne peuvent plus les toucher.

On frappe à la porte. Six heures du matin à sa montre. C'est juste après qu'il entend deux portières claquer dans la rue. «Jean !» Violette l'appelle depuis le bas de la cage d'escalier. Le sac dans l'armoire. Les cahiers sont là. Il enfourne là-dedans des vêtements, hisse le tout à l'épaule. Il chausse une paire d'espadrilles, trébuche, tombe à genoux devant la fenêtre. En bas, ça tarabuste à la porte. «Police ! Ouvrez !»

Il saute dans le jardin, se reçoit sur une terrasse de béton, ne voit autour de lui que des hauts murs. Derrière lui, dans la maison, un remuement de portes battues, de meubles bousculés. Des cris fusent par les fenêtres ouvertes. Violette insulte les flics, leurs voix graves vocifèrent. André se jette contre un mur, s'agrippe à son sommet, se hisse et bascule de l'autre côté au moment où éclate derrière lui la vitre de la porte-fenêtre ouverte d'un cou d'épaule. Il tombe au milieu d'un parterre de rosiers, ses mains griffées, la bandoulière de son sac accrochée aux épines, aux tiges fleuries qui se brisent et s'arrachent. Il court sur quelques mètres dans ce jardin étroit, tout en longueur, et il sent quelque chose planté dans sa cheville qui l'entrave et il doit dégager la branche hérissée crochetée dans le tissu de son pantalon et il enjambe un autre mur, au fond, derrière deux palmiers, s'affale dans une haie de sapinettes et roule sur le gazon d'une pelouse et court vers une terrasse où vient d'apparaître un homme devant une table de jardin où reposent un bol et une cafetière. L'homme gueule, de surprise ou de peur, et André le saisit par le col de sa chemise et le balance dans les chaises de fer dans quoi il s'effondre et soudain c'est la pénombre du matin encore dans cette maison encombrée de meubles sombres où flotte une odeur d'encaustique et de café et de cendres froides.

Une grosse clé est restée sur la serrure et claque lourdement et c'est la rue, il s'enfuit sur sa droite, claudiquant à cause d'une espadrille qu'il perd et qu'il doit remettre à cloche-pied autour de son talon. Il n'entend plus rien, il ne sait pas où il est parce qu'il est si peu sorti ce dernier mois qu'il connaît mal le quartier. Tournant au coin de la rue, il aperçoit le boulevard et son trafic, il cesse de courir parce qu'il n'en peut plus et que son souffle est un râle douloureux qui l'oblige à tousser et cracher entre deux voitures en stationnement, les jambes tremblantes. Il se remet à marcher et fouille dans ses poches et dans son sac à la recherche d'un peu d'argent, quelques pièces qui lui permettraient de prendre un bus mais il ne trouve rien et s'aperçoit qu'il a laissé derrière lui son portefeuille, papiers, vrais et faux, fric, ainsi que le pistolet caché sous le matelas. Il marche sur ce trottoir à l'ombre, sous un ciel d'été tellement pur que d'instinct il se met à respirer à fond comme s'il pouvait l'absorber tout entier, et il se sait à leur merci

500

maintenant, dès demain sa photo sera dans le journal et chaque flic l'aura sur lui et tous les patrons de bar et leurs loufiats et les tauliers de tous les hôtels garderont son portrait sur leur comptoir, non loin du téléphone, toujours prêts à rendre service.

Il rentre dans le labyrinthe des rues, bifurque et revient parfois sur ses pas pour déjouer d'éventuelles filatures puis il se dit que leur but maintenant n'est plus de le suivre, puisqu'il ne les conduirait jamais qu'à lui-même, mais de lui sauter dessus et d'en finir, avec au besoin une balle dans la tête pour éviter toute question, clore l'affaire et permettre au journal de titrer en une *Un dangereux criminel abattu par la police après un échange de coups de feu* et de vendre davantage de papier aux pékins amateurs de sensations fortes et de sang à la une. Sûr qu'on le retrouverait alors le pistolet en pogne, canon encore chaud et puant la poudre brûlée. Darlac pourvoirait à une mise en scène crédible qu'aucun flic n'oserait dénoncer et que pas un juge ne se permettrait de mettre en doute. Il réfléchit à tout ça en traversant la ville, s'écartant autant qu'il le peut du bord des trottoirs, s'imaginant qu'il pourrait encore leur échapper, inventant des trous de souris, des percées inespérées comme quand, tout gamin, il jouait dans la cour aux gendarmes et aux voleurs.

Plus aucune ombre autour de lui. Seulement la réalité brute de la ville, la transparence d'un matin d'été indifférent. Ni ses morts ni ses souvenirs ne le suivent plus.

Il traverse la ville le cœur au fond de la gorge dès qu'il entend un avertisseur de police ou qu'une voiture ralentit ou s'arrête devant lui. Il épie des silhouettes dans le reflet des vitrines, il se retourne, s'arrête, observe la rue en tous sens. Plus d'une fois il songe à faire demi-tour et à revenir chez Abel pour tenter un dernier geste, rentrer dans le tas, atteindre Darlac et le prendre à la gorge en espérant trouver sous sa main une lame quelconque pour l'ouvrir jusqu'au menton un peu comme il l'a fait à Penot, ce minable. Il frémit à cette pensée, il se voit et se sent presque, déjà, couvert de sang, passé à tabac par les autres flics, battu à mort, peut-être, mais il ne lâcherait la carcasse pantelante du commissaire qu'au moment de sombrer lui-même dans l'inconscience, et qu'importe car l'assouvissement serait total, au point qu'une fois accompli cet acte le viderait sans doute de tout autre désir, même celui de vivre… Il s'aperçoit que les conversations avec Abel n'ont rien changé. Elles l'ont apaisé sur l'instant parce que la mort qui rôdait dans la chambre, dérobant en passant chaque souffle de l'homme malade, obligeait à déposer les armes et rendait dérisoires les haines les plus profondes et les chagrins encore vifs. Devant ce gouffre au bord duquel chancelait Abel, il n'osait plus bouger. Trop heureux de n'y pas tomber encore.

Quand André arrive en vue du garage, Claude Mesplet est devant la porte, en train de causer avec un client, près d'une voiture au capot ouvert. Il s'approche et le mécano l'aperçoit puis se détourne et continue d'expliquer au client qu'à présent ça devrait marcher et referme le capot dans un claquement de tôle. L'autre lui fourre deux billets dans les mains et monte à bord. La voiture s'éloigne. Il est presque midi, la chaleur règne sans ombre dans la rue.

– Qu'est-ce que tu veux ?

Mesplet s'est campé face à lui, mains dans les poches de sa combinaison de travail. Manches retroussées. Avant-bras épais, souillés de cambouis.

– Les flics me cherchent. J'étais chez un ami, ils sont venus ce matin. Je sais pas où aller. J'ai tout laissé là-bas. Mes papiers, tout.

– Tu veux de l'argent, c'est ça ?

Mesplet baisse les yeux vers ses chevilles écorchées, le bas de son pantalon taché de sang.

– Non. Pas d'argent.

– Viens. Fait chaud, ici.

Ils entrent dans le garage. L'apprenti est en train de remonter une roue. Il se redresse et reconnaît André et lui sourit.

– Elle marche la moto ?

– Oui, elle marche. Elle tourne comme une horloge.

Mesplet est devant le lavabo crasseux et se lave les mains.

– Tu peux arrêter, il dit à l'apprenti, sans se retourner. T'as de quoi ?

– Oui, ma mère elle m'a fait ma gamelle, ça va.

Le garçon va chercher dans le bureau un petit sac bleu marine et s'assoit sur un tas de pneus, près de la porte, dans un coin à l'ombre.

Le patron s'essuie dans un torchon noirâtre. André s'appuie contre l'aile d'une 403. Vertige. Nausée. L'autre affecte de ne pas remarquer sa pâleur ni la sueur qui coule sur sa figure.

– On va s'asseoir là-bas, il dit.

Ils entrent dans le bureau vitré orné de calendriers publicitaires Motul, Cinzano, Dubonnet, où sourient des automobilistes heureux ou des trognes réjouies, un verre à la main. Mesplet tire une chaise de sous un secrétaire encombré de dossiers et factures et la pousse vers André. Il s'assoit sur un tabouret et sort d'un placard près de lui un sac où tintent des bouteilles.

– Faudra te contenter de ce que j'ai.

Pain, saucisson, salade de tomates, fromage. Ils arrosent ça avec du vin coupé d'eau. André se force à avaler. Il mâchonne et il lui semble que ça reste coincé dans son œsophage en carton. Il se souvient des gamelles partagées après la libération du camp, à trois ou quatre, les mains hésitantes pompant le jus au fond d'écuelles en aluminium. Les rations que les soldats américains leur faisaient passer en douce malgré les ordres de ne pas trop nourrir les rescapés. Il se met à grelotter. Il manque renverser son verre en le reposant.

– T'as froid ?

– Ça me fait ça des fois. C'est rien. Ça va passer.

L'hiver. Pluie, neige et vent. Il lui semble qu'il est revenu là-bas, dans le même dénuement, la même solitude. Il repense à Abel, à sa maigreur affolante, avec la mort qui palpite sous la peau du ventre comme une bête en gestation. Il revoit les corps décharnés. Les camarades qui ne se levaient plus, bougeaient à peine, sourds aux paroles de liberté, de fin du cauchemar. Et dans leurs yeux brillait encore, vitreux et malsain, l'éclat de ce rêve épouvantable. André est de retour là-bas. Comme aspiré par un tourbillon du passé. La douleur est la même, qu'il n'avait plus ressentie depuis longtemps. La faim en moins. Ça le reprend comme une fièvre.

Le mécano se lève et attrape dans un vieux buffet encombré de paperasse et de pièces détachées une bouteille de cognac. Il en verse au fond d'un verre et le tend à André.

– Tiens. Ça te réchauffera peut-être.

André avale une gorgée puis tousse et crache. Il sent dans tout son corps un frisson brûlant et il s'accroche à la chaise pour ne pas être jeté au sol. Il reprend son souffle en regardant Mesplet à travers ses larmes.

– On a parlé de toi avec Maurice et Roselyne. Il y a ce flic, Darlac, qui te cherche, et qui est venu chez eux. Il est venu ici, aussi. Pour tous ces meurtres.

504

C'est vrai que t'as tué tous ceux qu'ils disent dans le journal ? Ces collabos, ce flic ?

– Non… C'est compliqué. Et puis ça change quoi pour toi ?

André n'a pas la force de raconter encore son histoire. Il se lève. Le froid l'a quitté. Il tient debout.

– Je vais y aller. Merci pour le casse-croûte.

Claude Mesplet se lève aussi.

– Tu vas aller où ?

– Je ne sais pas. Faut que je réfléchisse.

Il lui semble qu'en marchant les idées lui viendront, que quelque chose décantera. Il veut sortir de ce bureau, de cette chaleur immobile et poisseuse. Sentir sur lui remuer un peu d'air. Mesplet hésite devant lui, se balançant lourdement.

– Je peux pas te laisser comme ça. Y a un petit appartement là-haut. Un lit, un lavabo. Une souillarde avec un réchaud. C'est propre. On habitait là avec ma femme quand j'ai repris le garage. Je t'apporterai des fringues et à bouffer.

André cherche son regard, y plante le sien, et ils se regardent sans ciller, silencieux, pendant de longues secondes.

– Pourquoi tu fais ça ?

– J'en sais rien. Peut-être parce que t'es le père de Daniel, malgré tout, et que j'ai pas envie que tu partes au trou sans pouvoir te défendre. Peut-être aussi parce que t'as tes raisons pour tout ça et que je peux pas comprendre. J'ai toujours été un peu lourd, un peu lent. Je sais pas… On en a parlé avec Maurice et Roselyne. Ils disent que ce que tu fais ça ne regarde que toi, à cause de ce que tu as subi, et qu'on ne doit pas te juger. Et puis si Olga t'a choisi, en son temps, et qu'elle t'a gardé jusqu'au bout, c'est que tu dois bien valoir quelque chose… Tiens, tu vois ? je dis encore des bêtises.

Il prend une clé dans un tiroir, ouvre une porte quasiment invisible derrière un panneau où sont accrochés des outils et des courroies.

L'escalier est sombre et frais. Mesplet ouvre la porte de l'appartement et une odeur de poussière et de papier moisi s'échappe aussitôt et le plancher craque sous leurs pieds. C'est une grande pièce donnant sur la rue par deux fenêtres. Un peu de soleil se presse aux persiennes. Un grand lit, une table et trois chaises.

– Les toilettes sont en bas, dans l'atelier. Dans l'après-midi, je t'apporterai ce qu'il faut. Qu'est-ce que t'en penses ? Si tu veux réfléchir tu seras mieux ici que dans les rues comme un clochard.

– Je te remercie. Je ne t'encombrerai pas longtemps. C'est juste le temps de prendre une décision.

André pose son sac sur le matelas. Mesplet pousse les volets. Flots de lumière. La poussière danse dans le soleil. Au moment où l'autre va sortir, il lui demande :

– T'as eu des nouvelles de Daniel ?

Mesplet commence par secouer la tête, les yeux baissés, puis il le regarde bien en face.

– Il est rentré la semaine dernière. Il a déserté. Il se planque. Comme toi.

La porte refermée, André s'assoit sur le lit et il reste là un long moment, la tête entre les mains, incapable de bouger, persuadé qu'il ne pourra plus jamais se lever, comme si on venait de le mettre aux fers, enchaîné à une muraille. Il voit bien que tout s'achève. Il sait que cette thurne sera la dernière où il se refugiera. «Il va falloir mourir, maintenant», se dit-il, et cette résolution lui semble raisonnable.

Il se laisse tomber sur le côté et pense à son fils dont il ne peut convoquer aucune image sinon le souvenir flou d'un petit garçon aux grands yeux noirs et à l'air toujours sérieux. Son fils quelque part dans la ville caché comme lui en ce moment. Dont il ne pourrait s'approcher sans traîner derrière lui le fantôme de sa mère. Alors il se met à pleurer. D'abord doucement puis avec des sanglots profonds. Il n'a pas pleuré depuis la première nuit au camp, après qu'un homme, un Italien, lui avait dit ce qu'il était advenu des femmes arrivées dans la matinée. Plus rien ni personne, jamais, n'a pu faire monter à ses yeux la moindre larme. Même quand il a appris la mort d'Hélène. Il n'y avait que ce serrement amer de la gorge, qui le prenait parfois, mais qu'il ravalait bien vite en tournant les talons et en gobant de l'air à pleins poumons.

Et le voilà qui mouille ce matelas poussiéreux en chialant comme un gosse parce qu'il ne veut pas mourir sans avoir tenu dans ses bras, même s'il le repousse, le fils qu'il aurait pu avoir.

33

Le commissaire Darlac pousse devant lui ces deux cons d'inspecteurs qui hésitent face à cette femme campée en travers du couloir, ses bras écartés pour leur barrer le passage et les flics peuvent se répandre dans la maison pendant que deux gardiens se mettent en faction dans la rue. Il leur dit de monter à l'étage et entraîne avec lui la femme en l'attrapant à l'épaule par l'étoffe légère de sa robe de sorte que les boutons du haut s'arrachent et que c'est dépoitraillée qu'elle atterrit contre la table de la cuisine en renversant une chaise. Il lui dit de surtout fermer sa gueule. Il agite devant lui sa main énorme, raide comme un battoir. Un autre flic l'appelle depuis la salle de séjour. «Venez voir.» Il dit «Quoi?» sur un ton agacé, il jette un coup d'œil à la femme en larmes, effondrée sur sa chaise, et estime qu'elle ne cherchera pas à la lui faire à l'envers alors il y va et il tombe sur ce lit installé près d'une fenêtre avec, dedans, seule la tête osseuse dépassant du drap, un homme qui les regarde avec tristesse, les yeux cernés par la maladie et la mort.

Darlac reconnaît Abel et pendant quelques secondes il ne comprend plus où il est ni ce qui se passe, parce que au même moment à l'étage les deux inspecteurs gueulent et font les sommations d'usage et jurent, «Fumier, fils de pute.» Le commissaire se précipite dans la chambre et les trouve en train de gesticuler à la fenêtre, calibre en pogne. Il les vire de là en leur ordonnant de prendre une voiture pour essayer de coincer le fuyard dans la rue parallèle, bande de cons, il va passer par les jardins et se barrer de l'autre côté. Et demandez des renforts, bordel, bougez-vous le cul. Les deux flicards descendent quatre à quatre l'escalier et lui il commence à foutre en l'air tout ce que contiennent l'armoire et l'espèce de commode : quelques fringues, du linge de toilette, des draps et des taies d'oreiller. Il soulève le matelas, comme on fait toujours dans ces cas et là, tirage du gros lot, un pistolet, celui que Delbos a piqué à Mazeau. Il le saisit soigneusement dans son mouchoir, l'emballe et le glisse dans sa poche. Dans le tiroir de la table de nuit, il tombe sur un portefeuille avec papiers vrais et faux et il regarde bien la gueule de Delbos et se demande s'il l'aurait reconnu le croisant par hasard dans la rue. Bonne pioche. « À nous deux, sale con. » Il redescend et trouve Violette auprès d'Abel en train de rehausser les coussins derrière lui. L'inspecteur Lefranc vide à grand fracas, consciencieusement, les placards et les buffets. De temps en temps, il casse une assiette ou un verre et à chaque fois il dit « merde » au milieu du boucan qu'il fait.

— Y a rien, il dit, la tête sous l'évier. Je vais voir à la cave.

Le commissaire observe la femme qui remonte sur la poitrine maigre du malade le drap qu'elle lisse du plat de la main.

— Si je comprends bien, j'arrive juste à temps.

Abel écarte doucement Violette. Il essaie de se redresser en s'aidant de ses bras mais il renonce et retombe dans la mollesse des oreillers et ferme les yeux.

— Mais non… T'arrives trop tard. Il s'est tiré et tu le rattraperas pas. C'est lui qui t'aura.

Il reprend son souffle, tousse un peu.

— Je parlais pas de ça. Qu'il me trouve ou que je le trouve, qu'est-ce que ça change ? Le résultat sera le même. Il est pas de taille. Et puis s'il avait vraiment voulu me buter, il l'aurait déjà fait, tu crois pas ? Moi, je tournerai pas autour du pot quand je l'aurai en face de moi. Non… Je disais que j'arrive juste à temps pour te voir encore en vie. C'est de ma faute. J'aurais dû y penser plus tôt. Mais pour moi, tu étais la dernière personne à qui Delbos aurait pu s'adresser, vu que… Après tout ce que tu m'as dit la dernière fois qu'on s'est vus… Tous tes grands mots… C'est vrai que Jean il aimait pas trop que tu lui tournes autour, à Olga. Belle fille, pas vrai ? Tu t'en souviens, ou ta mémoire s'est barrée avec le reste dans le trou des chiottes ? Il m'en parlait des fois, de tout ce gringue que tu lui faisais. T'étais beau mec et beau parleur, à l'époque. Capable de vendre des gants à un manchot, tu te rappelles ?

Abel lève le bras puis le laisse retomber.

— Va-t'en. Fous-moi la paix.

Violette se penche au-dessus de lui parce que soudain il ne bouge plus du tout. Elle pose sa main sur sa poitrine, hoche la tête.

— Y a rien non plus à la cave, patron, dit Lefranc.

Le commissaire se retourne avec un geste de dépit et lui fait signe de la boucler.

— Il faut que j'appelle le docteur, dit Violette. Il faut qu'il vienne.

Darlac secoue la tête.

— On va faire mieux. C'est lui qui va aller chez le docteur. Lefranc ! Appelle une ambulance. Transport de malade.

Violette se plante devant lui, son visage face à son torse épais.

510

– Mais c'est moi qui m'occupe de lui depuis des mois. Il veut mourir ici, pas à l'hôpital !

– Il est déjà dans le coaltar. Et une fois mort, qu'est-ce qu'il en aura à foutre ? Tu ne te rends pas bien compte : vous hébergez un criminel, Abel et toi. Vous faites entrave au bon déroulement d'une enquête. Bref, vous êtes complices. Abel, lui, ça m'étonnerait qu'il soit en mesure de me dire grand-chose. Mais toi, tu vas venir et tu vas tout nous raconter, et le juge décidera. Alors ? Tu le laisses crever ici, ou on l'emmène à l'hosto ?

Violette le regarde, la bouche entrouverte, l'air stupéfait, comme si elle ne comprenait pas. Elle garde dans sa main celle d'Abel, puis elle a un geste auquel Darlac prête à peine attention et il la voit brandir soudain quelque chose qu'elle serre dans son poing et se jeter sur lui. Quand il comprend que c'est une seringue qu'elle tient comme un poignard, une bouffée de chaleur le prend et il recule d'abord, trébuchant presque, puis tombe assis dans un fauteuil qui glisse en arrière sous lui. Il est prêt à la recevoir, les jambes repliées, les pieds en avant, mais Lefranc abat la crosse de son pistolet sur le crâne de la femme qui chancelle puis l'assomme pour de bond d'un deuxième coup à la tempe. Darlac repousse d'un coup de pied la seringue comme si c'était une arme sur le point d'exploser ou un serpent venimeux, puis il appelle les deux flics de faction.

– Embarquez-la. Je m'en occuperai tout à l'heure.

Les deux képis soulèvent la femme groggy dont le lobe de l'oreille éclaté saigne et ils la soutiennent dans le couloir, ses pieds nus traînant sur le sol.

– Et lui ? demande Lefranc.

– Tu attends l'ambulance et tu files au service pour commencer les procédures. J'arrive dès que je peux.

Une fois dehors, il respire mieux. Soulagé de quitter

ce crevoir et ses odeurs de désinfectant et de pot de chambre. Il monte en voiture et appelle les collègues pour savoir où ils en sont. Rien. Delbos a dû se volatiliser. Il y a actuellement quatre voitures qui patrouillent, pas de Delbos, merde. Il leur dit de laisser tomber. Une idée lui est venue. Après ça, plus rien à foutre. Delbos, il l'aura quand il voudra. Il suffira d'arrêter le fils, qui vient de déserter, qui a dû rentrer à Bordeaux se mettre au frais, et on aura le père, qui sera saisi d'un retour de flamme sentimental après toutes ces années. Il suffira d'utiliser la presse, bonne fille qui se laisse faire tous les bâtards qu'on veut.

C'est très vite la cambrousse, et il déteste tous ces prés, ces arbres et ces haies alentour de fermes avachies sous des glycines, ces charrettes encore tirées parfois par des chevaux lourds. Ces chiens qui mordent les roues des autos, ces poules qui picorent les bas-côtés herbeux. Il ne supporte pas ce carcan paysan qui empêche la ville de croître mais il sait que dans vingt ans on n'en parlera plus. Partout, des fossés de drainage, des étendues marécageuses inondées tout l'hiver et infestées de moustiques pendant l'été, des champs maraîchers, des cressonnières. Il manque rater la petite route sur sa gauche et freine et braque au dernier moment le volant et fait chasser les roues arrière en soulevant un peu de poussière.

La maison est semblable à son souvenir : longue et basse, blanche, au bord d'un bois planté de chênes centenaires. Il n'est jamais entré. Il savait qui madame venait voir. Ce Boche qui l'avait sautée pendant la guerre. Qui lui avait fait une fille nommée Élise. Reconnue à la naissance par l'inspecteur Darlac tombé raide amoureux de cette grande blonde qu'on aurait cru sortie d'un film d'Hollywood. Il repense bien à ça pour chauffer à blanc sa colère. Il se rappelle tous les mensonges qu'elle lui a servis. Son insistance à passer le permis de conduire, puis à posséder sa propre voiture. Lui, pendant deux ans, n'y avait vu que du feu. Puis un jour, un collègue des Renseignements généraux, nommé Gauthier, l'avait pris à part, l'air gêné, et s'était mis à lui parler à voix basse dans un bureau désert, la nuit tombant autour d'eux, sans que ni l'un ni l'autre ait l'idée d'allumer une lampe ou ose le faire. Évidemment, le collègue avait fait ça en ami, n'est-ce pas. Pour le prévenir, le mettre en garde. Il garderait le secret, bien sûr. Il ne savait rien pour la gamine, mais connaissait le pédigrée du *Hauptman* Wilhelm Müller : Bordeaux, puis le front de l'est, Stalingrad, où il avait perdu la moitié de sa gueule et quelques autres parties importantes de sa carcasse.

Albert Darlac longe une haute haie de lauriers, pose la main sur le loquet d'un portail de fer peint en noir. Il marche sur une allée bordée de rosiers éclatants qui penchent vers lui leurs grosses fleurs et leurs épines. Il ne frappe pas, puisque la porte n'est pas verrouillée. Il prend dans sa main enveloppée du mouchoir le pistolet. Il glisse son index sur la queue de détente et tient l'arme au bout de son bras ballant contre sa cuisse.

Il s'arrête dans ce vestibule qui donne directement sur une salle de séjour pleine encore d'une pénombre bleutée à cause des grands arbres. On entend de la musique classique, quelque part dans la maison. Il ne sait pas ce que c'est. Des violons, symphonie ou concerto, il n'y connaît rien, il s'en fout complètement. Ça sent le gâteau. Sur sa droite, une cuisine, il y a un gâteau posé sur la table, dans son moule. Encore tiède. Il examine la pièce, rangée, propre, banale. Odeur d'eau de javel. Il sursaute en sentant une présence derrière lui. Une petite femme, sans âge, tient un chiffon à la main et lui demande ce qu'il fait là, avec un accent schleu à couper à la hache. Elle se tient dans l'encadrement de la porte, à deux mètres de lui. Elle répète sa question d'une voix plus forte et haut perchée, sa figure se ride, se tord de peur.

Il lui tire dans la figure, elle est projetée en arrière et s'effondre sur une table basse entre deux fauteuils. Il la regarde se débattre un peu, ses jambes ruent deux ou trois fois puis un long tremblement remonte jusqu'à ses épaules et elle ne bouge plus. Du sang, beaucoup, s'écoule de l'arrière de la tête. Les yeux sont grands ouverts, écarquillés de stupeur. Les morts, souvent, n'en reviennent pas.

Il se laisse guider par la musique, entre dans un couloir sur lequel une porte est ouverte et jette au sol un rectangle de lumière. La musique s'interrompt et le silence arrête Darlac comme s'il avait heurté une cloison de verre. Il avance de nouveau, pas à pas, son arme devant lui, tenue bras tendu, et il pivote devant l'entrée de la pièce dans laquelle il distingue en contre-jour, lui tournant le dos, la silhouette d'un homme assis dans un fauteuil roulant face à la fenêtre.

– J'espère que ça n'a pas été trop difficile.

La voix est posée, bienveillante. L'accent, très léger, donne à sa phrase une harmonie douce. L'homme se retourne dans un grincement de roues.

– J'espère surtout qu'elle n'a pas souffert. Dans sa vie elle a eu son compte, comme on dit en français. D'une certaine manière, vous avez mis fin à une trop longue série d'épreuves.

Darlac sent remuer son cœur soudain. Il n'est plus sûr qu'il batte. C'est une débâcle. La cavalcade d'un troupeau affolé dans une pente impossible.

Il y a devant lui, à trois mètres à peine, une moitié d'homme qui parle avec une voix de comédien dans un film sentimental. Il y a devant lui une statue de cire dont tout un côté a fondu : n'en restent que des coulures figées, modelées à la hâte sur des plaies béantes.

514

Il y a devant lui un corps qu'on aurait pu passer sous un train, sous une scie à ruban, cautériser au fer rouge et recoudre avec du gros fil à pêche.

Et donc, cela parle. Il y a quelque chose d'humain à côté, un frère siamois survivant encore accroché au cadavre jumeau. Capitaine Wilhelm Müller. Willy, pour les intimes.

Albert Darlac a vu en 22 des gueules cassées, lors d'une cérémonie du 11 novembre. Ses yeux de gamin de douze ans n'avaient pas pu se détacher des visages défoncés, malgré sa mère qui lui pinçait le bras pour qu'il cesse de les regarder. Il avait éclaté en sanglots de retour à la maison. Des spectres défigurés l'avaient hanté durant d'interminables nuits blanches. Mais ici, aujourd'hui, à quarante-huit ans, il n'est pas sûr de comprendre ce qu'il voit. Il n'arrive pas à se résoudre à cette réalité. Il n'éprouve qu'une stupéfaction écœurée et triste, ne trouve rien à dire. Il a envie de balancer le pistolet et de partir d'ici. Tant pis. Il ne pourra pas faire endosser ça à Delbos. De toute façon, la barque de cet imbécile est déjà chargée pour qu'il coule dans les grandes profondeurs, la tête sous le bras, rasé de près par la Veuve.

– Qu'est-ce que vous comptez faire ? demande Müller. Un type est déjà venu, il y a quelques semaines, qui braquait sur moi le même type d'arme. Il n'a pas tué ma mère, lui. Il s'est contenté de me parler de vous et d'Annette. Et d'Élise bien sûr. Puis il est parti comme il est venu, sur une moto. Vous le connaissez ?

Dans l'esprit bloqué de Darlac, les questions s'accumulent comme des wagons désaffectés sur une voie de garage. Il cherche des mots, de l'air. Il s'aperçoit qu'il tremble. Puis il parvient à parler :

– Comment m'avez-vous reconnu ?

La paupière de l'œil unique fait battre ses longs cils noirs.

– Vous me décevez. Vous. Un policier de talent. Annette m'a montré des photos de vous. Je vous ai d'abord trouvé une bonne tête. Vous étiez amoureux. Vous aviez un beau sourire en tenant le bébé dans vos bras. Je savais qu'Élise serait heureuse, que vous l'élèveriez selon les principes d'un bon père de famille.

Il s'interrompt et prend derrière le phonographe une cigarette et un briquet.

– Vous fumez ?

Darlac fait non de la tête. Ses tremblements ont cessé. Il sent sur le mouchoir, autour de la crosse de l'arme, l'humidité de la sueur. Il regarde Müller fumer deux bouffées avec un plaisir visible. Il se sent peu à peu reprendre conscience.

– J'ai longtemps fait confiance à votre bonne tête et à ce que me racontait Annette. Difficile pour moi de vérifier, comme vous pouvez voir… Et puis, l'année dernière, elle m'a dit quel supplice permanent vous lui faites subir pour lui faire payer ma présence, ses visites, puisque vous étiez fou de jalousie à l'égard d'un fantôme… Regardez-moi. Regardez ce que je suis devenu. Regardez pour quoi vous lui faites subir ce calvaire. Chaque jour, chaque nuit. Cet esclavage de tous les instants… Depuis pratiquement mon retour… Pendant six ans elle a gardé le silence, elle a enduré sans rien dire, sans jamais se plaindre. Pour le bonheur d'Élise. De ma fille. C'est pourquoi je ne devrais pas vous haïr ou éprouver cette envie de vous cracher à la figure. Pour elle. Pour que quelque chose soit sauvé de ce désastre. C'est la seule raison qui m'a maintenu en vie. Je devrais même vous remercier, mais vous n'êtes pas venu pour ça et je ne suis pas sûr que les politesses puissent être de mise entre nous.

L'homme parle comme s'il racontait l'histoire d'un

autre. D'un ton égal, avec une retenue élégante, sans que rien, dans la partie intacte de son visage, ne trahisse le moindre sentiment.

Darlac ne comprend pas. Il n'entend aucune colère, ne perçoit aucune tristesse, nul désarroi dans les paroles et l'attitude de cet homme. Il n'est pas en mesure de comprendre, comme si tout d'un coup on lui parlait dans une langue étrangère et venue de loin. Il éprouve un vague malaise devant cette chair massacrée, bien sûr. Mais surtout, il n'arrive pas à concevoir comment cet esprit a réussi à se barricader dans cette forteresse effondrée ni dans quel état il est parvenu à y survivre, capable d'aimer encore une traînée et sa bâtarde et d'écouter cette musique sans dormir, torché par sa vieille. Tout cela est hors de portée du commissaire Darlac. Ce type lui fait le coup de l'officier allemand francophile, *korrect*, cultivé. Il en a vu sourire sous leurs visières, droits dans leurs bottes, un verre à la main, environnés de collabos et de somptueuses putains, dans les salons de la préfecture ou de la mairie. Il se souvient que ça ne le gênait pas beaucoup, à l'époque. Il leur trouvait de la tenue, de l'élégance, aux vainqueurs, et ça rendait moins amers les petits arrangements et les grands services auxquels il avait fallu se résoudre. Il avait même serré quelques pinces, inclinant son buste raide vers un lieutenant SS au sourire affable ânonnant quelques mots dans un français timide ou un officier de la Wehrmacht aux tempes grisonnantes à la faconde bon enfant. Ils avaient gagné la guerre contre une nation de traîne-lattes pétochards et foireux ramollis par les congés payés, c'était dans l'ordre des choses.

Sauf que depuis, ces salauds-là ont été vaincus. Laminés. Dans la honte et le déshonneur, avec cette histoire de camps. Malheur à eux. Darlac met parfois sa morale en formules. Pas besoin de calculer.

Il tend le bras et tire deux fois dans la poitrine du Boche. Il n'a pas osé démolir ce qui reste du visage. Müller encaisse les deux balles en tressautant dans son fauteuil qui recule sur ses roues jusqu'au mur derrière lui. Le temps que ses artères se répandent, que ses poumons se remplissent de sang, il regarde encore le flic sans ciller, comme s'il réfléchissait ou cherchait quelque chose à dire, puis il secoue la tête en battant des paupières, peut-être de dépit, et s'affaisse du côté détruit de son corps, du sang s'écoulant par sa bouche.

Darlac plie l'arme dans son mouchoir et quitte la pièce, un peu dans les vapes, comme un boxeur sonné. Il tressaille en apercevant le cadavre de la vieille, entre les deux fauteuils, presse le pas et sort sans lui jeter un coup d'œil.

Dehors, le soleil l'écrase sous son talon de feu et le jette presque au sol. Il hésite sur le trottoir pour s'orienter puis court vers sa voiture. La chaleur de four dans l'habitacle l'oblige à respirer la bouche ouverte en s'activant sur les manivelles qui baissent les vitres puis il démarre pour essayer d'évacuer la pâte brûlante qu'est devenu l'air, comme une cire chaude collée à lui.

34

Des rêves mauvais le poursuivent au fond de sa fatigue. Il tombe de sommeil le soir à onze heures mais il y a toujours un mort pour venir le réveiller. Le fell coupé en deux, la femme au visage détruit, Giovanni se tordant autour des balles logées dans ses tripes. Ensuite, parfois jusqu'à l'aube, il se tourne et se retourne dans les draps tièdes et de nouveau il crapahute dans la poussière suffocante, sous le soleil vertical, il est avec les autres, il entend les pas lents de la colonne de gus en train de gravir un chemin à flanc de colline.

Puis un fusil-mitrailleur ouvre le feu et les jette au sol et apparaît alors le visage du tireur derrière les crans de mire de sa lunette, visage grave, la joue presque collée à la crosse du F-M, visage tremblant à la cadence des départs. Daniel appuie sur la détente mais rien ne se produit ou alors il voit partir la balle, lente, avec une trajectoire courbe, n'atteignant jamais sa cible. Et pendant ce temps autour de lui il entend les gars se faire clouer, leurs cris, leurs gémissements, leurs voix d'enfants revenues au fond de leur gorge. Du sang fusant entre leurs mains.

Par moments, la honte le prend comme une fièvre et il se met à transpirer en pensant aux autres qui sont toujours là-bas dans ce merdier, la peur au ventre qui les ensauvage et les abrutit. Il devrait se sentir heureux d'être à l'abri, parmi les siens, dans sa ville. Il devrait aimer les moments où Irène le prend contre elle et le serre et qu'il sent son corps à travers la robe d'été si légère. Mais il est seulement soulagé, comme s'il avait réchappé d'une catastrophe alors que d'autres y sont restés.

Il est surtout effrayé par cet autre qu'il a laissé en Algérie, ce frère jumeau, ce double sorti de lui qui a aimé faire la guerre, qui a vécu chaque instant de ces huit mois comme une aventure capable de donner un sens à sa vie, qui a succombé à la puissance conférée par les armes, cédé au vertige de la violence, de la haine, goûté à l'horreur comme après avoir hésité devant l'odeur dégueulasse d'un fromage on se régale de son insoupçonnable douceur. Il a abandonné sur les chemins, à l'arrière d'un half-track, à l'affût derrière l'optique de visée du fusil, un soldat qui lui ressemble à s'y méprendre au point qu'il a du mal à faire la différence entre eux. Comme un jumeau qui, un matin, ne saurait plus dans le miroir s'il regarde son frère ou son propre reflet.

Et il cherche le gamin terrorisé sur un toit attendant que papa et maman viennent le chercher. Et il ne parvient plus à savoir s'il a vraiment vécu cette histoire qu'on lui a tellement dite pourtant, elle est comme un conte de fées et de dragons auquel on ne peut plus croire quand on grandit. Et cet autre petit frère lui manque, emporté par un dragon, peut-être mort.

Il ne leur dit rien de tout ça. Il feint de se glisser de nouveau dans le flux tranquille de la vie quotidienne, dans cet été paisible. De temps en temps, Maurice essaie de savoir, fait des allusions, évoque ce qu'il a vécu et vu en 39-40, attend qu'en écho les confidences de Daniel lui répondent mais rien ne vient, à part quelques anecdotes, des récits de soulographie, le sergent Castel pas encore tout à fait revenu d'Indochine, l'attente du courrier et sa distribution, et puis la ville et ses quartiers séparés, Européens d'un côté, Arabes de l'autre, deux mondes, deux pays posés l'un à côté de l'autre. « Ou l'un sur l'autre », a renchéri Irène. Oui, c'est ça. L'un sur l'autre, avec au milieu de la viande et du sang.

Bien sûr, Roselyne et Maurice reparlent à Daniel de la visite de ce flic, le retour de son père à Bordeaux, les meurtres dont on l'accuse. Daniel écoute la peur dans leur voix, la tristesse, aussi. Irène le lui avait écrit mais à présent, ici, il a l'impression qu'une vieille machine qu'on croyait hors d'usage, grippée à jamais, s'est remise en marche et qu'elle menace de happer dans ses engrenages ceux qui s'en approchent.

Après la guerre, parfois la guerre continue. Silencieuse, invisible. Le passé se présente à votre porte avec la sale gueule d'un sale flic ; même les morts reviennent. Pas toujours ceux qu'on espérait revoir.

Un après-midi, malgré les craintes de Roselyne, il prend le bus et part en ville voir un film. Il n'a pas regardé le programme alors pendant un moment il va d'une salle à l'autre pour regarder les affiches et les photos et c'est toute une gourmandise qui lui vient aux yeux et il dévore ces visages, ces chapeaux, la blondeur de ces actrices, ces visages en clair-obscur, ces chevaux lancés au galop, et il entre finalement au Rio pour aller voir *Le Gaucher*, dont il ne connaît ni le réalisateur, un certain Arthur Penn, ni l'acteur, un nouveau, Paul Newman, dont Irène a découpé une photo dans *Ciné Revue* en expliquant que c'était le meilleur acteur américain du moment. Lui, il préfère Gregory Peck. *Moby Dick,* tout de même... Achab... Il se rappelle l'apparition spectrale du capitaine maudit dans la rue, aperçu par la fenêtre de la taverne où les chants des marins se sont tus brusquement, marchant sous les bourrasques de pluie et les éclairs, avec ce bruit sinistre de sa jambe taillée dans une mâchoire de baleine... Sans parler de la rencontre avec l'Indien dans le lit, tous ces tatouages pointillés sur sa gueule, son calumet à la bouche. Gregory Peck et sa balafre au travers de la joue. Ces personnages marqués, physiquement, par leur destin : Quick Egg, Achab, la baleine elle-même, qui garde en elle, plantés et brisés, les harpons témoins d'un ancien combat.

Va pour ce Paul Newman. Dans le hall, devant la caisse, Daniel retrouve enfin sa propre trace qu'il croyait perdue. De la caisse aux portes lourdes de la salle. Dans les travées en pente douce. Les fauteuils rouges, le rideau d'écran carmin... Les murmures des gens déjà assis, leurs têtes dépassant des dossiers.

L'Algérie est restée devant la porte. N'entre ici que la vie rêvée, fût-elle un cauchemar. Celui des autres, bien encadré par l'image. Le jour et la nuit y sont souvent faux, et les êtres suivis par leur ombre sous le soleil froid d'une lune truquée. Même les morts se relèvent en frottant sur leurs costumes la poussière de leur chute. Les larmes brillent bien davantage et tremblent longtemps au bord des paupières. Les rires sonnent plus clair.

Il s'enfonce dans son siège, se cale dans ce ravissement. Il entend grincer le panier d'osier de l'ouvreuse et quand il se retourne, la main levée, il aperçoit une jolie brune qui lui sourit.

Eskimo, chocolat glacé. Merci mademoiselle. La fille a une voix de gorge, chaude, et elle lui rend sa monnaie du bout de ses doigts frais.

Quand la lumière s'éteint, un sanglot de bonheur lui monte dans la poitrine et reste dans sa gorge pendant le générique de la Warner Bros. La vie est là. Il se laisse embarquer dans le tourbillon des défis et des coups de feu, des étreintes et des haines. Il comprend mieux pourquoi Irène n'en a que pour ce Paul Newman qui aurait bien besoin, tout de même, d'un Gregory Peck pour l'empêcher de déconner comme ça, d'un type franc et carré dans ce monde de ruffians, pas un de ces vieux radoteurs mais un type mûr et encore beau et solide et capable de lui dire que sa main gauche armée finira par lui porter malheur.

Il sort de là étourdi dans la chaleur de la rue et il regarde autour de lui comme s'il atterrissait d'un vol transcontinental. Puis il traîne un peu avec son cadre à la main et il isole trois fenêtres sur une façade, un coin de rue où attend un homme à l'ombre d'un auvent, saisit le trajet d'une passante, s'arrête sur une mère sous un porche parlant à un enfant dans une poussette, et des histoires lui viennent, qui feraient des films formidables. Mais rien, pas même le soleil, ne parvient à soulever de la ville le voile gris qui la couvre, cette noirceur qui suinte de la pierre. Il y a toujours ici un peu d'hiver qui reste collé aux immeubles, aux toits. Quelque chose d'océanique, l'éclat froid d'un ciel de tempête. Il n'arrive plus à voir sa ville comme avant de partir en Algérie. Peut-être après tout la voit-il comme elle est, humide et sombre, inondable, à la merci du fleuve et de sa vase, presque dissoute par les interminables pluies de novembre.

Il décide d'aller à pied chercher Irène à son travail, où elle gratte du papier chez un négociant en vins pour établir et vérifier des acquits de douane. Il attend dans la rue puant la vinasse et le bouchon et voit sortir les ouvrières qui parlent fort et rigolent, forçant parfois sur les pédales de vieux vélos bringuebalants, et qui se retournent et se saluent avant de s'éloigner vers les quais ou le fond de la rue. Quand elle l'aperçoit, elle secoue puis fait bouffer ses cheveux avant de courir vers lui, sa sacoche en bandoulière. Alors qu'ils s'embrassent, un groupe de filles sifflent puis se retournent vers eux.

– T'inquiète pas. Elles sont toujours comme ça à déconner là-dessus.

– Je m'inquiète pas. Elles peuvent pas savoir.

– Non, elles peuvent pas savoir.

En marchant vers l'arrêt de bus ils parlent du film qu'il a vu, de la journée qu'elle a passée dans ces bureaux sombres et vieillots, ou sur les quais à démêler papiers et démarches administratives avec les employés des douanes.

– Alors, Paul Newman ?

Daniel tord la bouche.

– On voit que ses yeux. Il joue trop là-dessus. On dirait qu'ils n'ont filmé que ça. Il est trop beau, il cache le film.

– Il gâche ?

– Non, il cache. Avec un c. Je veux dire… On voit que lui, quoi.

– Trop beau, t'as dit ? Je rêve…

– Ça, je m'en doute.

Elle passe son bras sous le sien.

– Couillon !

Dans le bus, assis face à face, ils ne disent plus rien. Ils regardent passer un décor mille fois vu. Le pont tournant a pivoté pour laisser passer un bateau qui manœuvre jusqu'au bassin à flot. Daniel en profite pour briser cette chose invisible et dense posée entre eux. Il entraîne Irène vers l'avant pour observer le lent glissement du monstre qui les domine.

– Et Alain ? Il est où en ce moment ?

Il y a un type accoudé au bordage qui fume une cigarette les yeux dans le vague, regardant peut-être le défilement de la terre ferme au-dessous de lui. D'autres s'affairent sur le pont, on les entend s'interpeller. Au bord du quai, un éclusier en bleu de travail marche à la même allure que le cargo, les yeux absorbés dans l'espace qui sépare la coque du béton.

– J'en sais rien, répond Irène. Ça fait un moment qu'il a pas écrit.

Quand ils se rassoient, elle le regarde droit dans les yeux.

– T'as changé.

Il hausse les épaules tout en suivant des yeux la poupe du navire qui s'éloigne doucement.

– Mais non. Pourquoi tu dis ça ?

– Parce que c'est vrai. Il y a des moments où je ne te reconnais pas. Tu as la même tête, t'es pareil, mais c'est comme si ce n'était plus vraiment toi.

Ne rien lui dire. Et puis lui dire quoi ? Il regarde ailleurs. Le bus repart.

– Ah oui. Comme dans *L'Invasion des profanateurs de sépultures*, de Don Siegel… On est allés voir ça l'année dernière avec Alain et Gilbert. Ça commence pareil. Sauf que je viens pas d'une autre planète.

– Te fous pas de moi.

Irène a parlé dans un souffle, presque implorante. Il tend la main vers son épaule pour s'excuser mais elle se dérobe et commence à fouiller dans son sac à main.

Quand ils descendent du bus, Daniel la rattrape par le bras avant qu'elle ne traverse la chaussée.

– Je me souviens d'un poème que tu m'as dit un jour. Je sais plus de qui c'était, mais ça disait à un moment : *Et j'ai vu quelquefois ce que l'homme a cru voir*. Tu te rappelles ? Voilà. Moi aussi, je crois.

Elle se retourne vers lui et le regarde durant quelques secondes sans rien dire puis elle passe sa main sur sa joue. Et lui, ça lui fait un bien fou parce la main est fraîche, tellement douce. Il aimerait prendre cette fille dans ses bras et l'embrasser, là, comme au cinéma quand plus rien n'existe autour des personnages, quand le monde entier semble reposer sur l'axe qu'ils forment, serrés, indestructibles. Mais Irène traverse déjà la rue en courant, comme éperdue, alors il la suit en regardant sa robe voler autour de ses jambes.

Dès qu'ils ouvrent la porte, Daniel entend une conversation s'arrêter net et le silence tomber comme un gros sac au milieu de la cuisine. Il y a, assis autour d'un apéritif, Roselyne et Maurice, et le père Mesplet. Ils se regardent tous un instant sans rien dire, comme gênés de se retrouver dans la même pièce, puis Mesplet se lève en disant :

— Alors, on dit plus bonjour à son patron ?

Ils s'embrassent comme du bon pain. Ils échangent des plaisanteries sur la bouffe à l'armée qui est dégueulasse, pas étonnant que t'aies maigri mais ça te va bien, et puis t'as pris le soleil, et t'es tout beau comme ça. Maurice prend deux verres dans un placard, les remplit de muscat.

— Allez, on boit aux déserteurs et à la paix, bordel.

Ils lèvent tous les cinq leurs verres, trinquent, croquent des cacahuètes.

Daniel les observe, il voit trembler un peu le vin dans le verre de Roselyne, il n'arrive pas à croiser son regard un peu vague, absent, et les deux autres parlent trop fort, rigolent faux.

— Comment ça va au garage ? Et Norbert ?

— Au garage, ça va toujours. C'est pas le boulot qui manque. J'attends que tu reviennes. Et Norbert, il fait des progrès. Il se débrouille vraiment bien, maintenant, alors ça compense un peu. Quand on a un coup de bourre, je fais venir un cousin qui m'aide bien. On se démerde.

Claude Mesplet se tait et lampe encore un coup de blanc.

— Et toi, alors, comment tu vas faire ?

— Je vais attendre la fin de la guerre. Je ne sais pas.

— Décidément, tu…

– Il est mieux ici que là-bas, le coupe Maurice. Après tout, c'est peut-être l'affaire de quelques mois, on sait jamais. Et puis je crois qu'ils ont autre chose à foutre qu'à poursuivre les déserteurs, vous croyez pas ?

Personne ne répond, chacun le nez dans son verre ou les yeux ailleurs. Du silence, encore. On entend des oiseaux faire les fous par les fenêtres ouvertes.

– Il faut lui dire, Claude. Il doit savoir, dit Roselyne.

Mesplet agite sa main devant lui. On ne sait pas si c'est pour la faire taire ou pour s'empêcher lui-même de parler.

– Qu'est-ce qu'il y a ?

C'est comme si on venait de dégoupiller une grenade dans la pièce. Daniel l'entend rouler au sol, attend qu'elle explose.

– Ton père est chez Claude, dit Maurice. Il se planque dans l'appartement au-dessus du garage. Il est recherché par les flics, comme tu sais. Il leur a échappé l'autre jour, chez un copain à lui d'avant la guerre. Un vieux de la vieille… bref, il sait plus où aller. On voulait que tu le saches.

Claude se racle la gorge, boit un coup pour s'éclaircir la voix.

– Je te l'avais pas dit… Mais il est revenu en novembre porter sa moto à réparer, tu te rappelles cette moto anglaise ? Mais moi je voulais plus entendre parler de lui, je l'ai presque foutu dehors. Il est resté des semaines avant de venir la récupérer. Il m'a dit que te voir ça lui avait suffi, qu'il n'osait pas te parler, qu'il avait honte… Alors j'ai rien dit. Et puis ce qu'il est venu faire à Bordeaux, cette vengeance, je ne savais plus qu'en penser quand le journal a commencé à en parler. On en a discuté avec Maurice et Roselyne et toi tu étais en Algérie, t'avais d'autres soucis. Maintenant, il demande après toi. Il a l'air au bout du rouleau.

Il demande après toi. Comme une saloperie de fantôme, dans un film. Daniel sent la main d'Irène se poser sur son épaule. Il effleure les doigts fins, il lui semble que c'est grâce à cet appui imperceptible, peut-être magique, qu'il ne s'effondre pas, parce que la pièce tourne lentement autour de lui, tangue et roule comme sur le bateau qui l'avait emmené en Algérie. Il savait au fond de lui que ce moment arriverait mais il en repoussait l'échéance, trop occupé ailleurs.

— Qu'est-ce que t'en penses ? il demande à Roselyne.

La femme secoue la tête.

— Je ne sais pas...

Elle examine la nappe, le regard fixe, puis ajoute :

— Il y a si longtemps que tu te demandes, que tu t'interroges, que tu nous poses des questions... Quand tu n'avais que cinq ans, tu as toujours demandé après elle, après lui. Quand ils reviendraient, ce qu'ils étaient devenus, comment ils étaient. Et moi, je... Enfin nous, on savait pas te répondre, on pouvait pas, tu comprends... Moi, je dis que si tu vas le voir, au moins tu sauras, tu pourras choisir, pour après.

Il les observe et s'efforce de déchiffrer leurs gestes à tous, l'expression de leur regard. Il se tourne vers Irène qui se mord la lèvre inférieure et le regarde par en dessous, tête baissée, comme une gamine fautive ou gênée. Il ne supporte plus ce silence, cette glu qui les paralyse. Il va leur gueuler des insultes, des choses moches qui leur feront du mal, alors il sort et claque la porte derrière lui et dans la rue dorée par le soleil glissant vers l'ouest il court presque puis entend Irène crier derrière lui, « Daniel, attends-moi ! », et ces mots lui font ramper sur tout le corps des frissons d'aise comme si elle l'attrapait par le cou avant de l'embrasser à pleine bouche. Il se retourne pour la voir venir vers lui et jamais, jamais elle n'a été aussi jolie, jamais il n'a ressenti ça, sûr, dès qu'elle sera devant lui il la prendra par la taille et collera son bassin contre le sien, sa bouche sur ses lèvres.

– Qu'est-ce que tu as ?

Elle l'attrape par le bras et l'entraîne plus loin, vers le soleil qui les brûle et leur écrase les yeux et elle l'oblige à traverser la rue pour trouver un peu d'ombre et elle le colle contre un mur serrant dans son poing le col de son polo comme si elle allait lui casser la gueule.

– Qu'est-ce que tu as ? elle répète. Merde, il faut parler, maintenant.

– Mon père, dit-il. Mon putain de père.

– Parle pas de lui comme ça. Je t'avais écrit qu'il était revenu.

Des larmes. Daniel ne peut pas les empêcher de couler. Un nœud acide lui serre la gorge. Il tousse pour l'expulser, il cherche son souffle. Irène passe sa main dans ses cheveux, sur sa joue, pour le calmer comme on le fait avec un enfant. Comme quand ils étaient petits, dans leur cachette, et qu'il pleurait parce qu'il avait peur des ombres et des souvenirs.

– En Algérie, tout était loin. J'étais tellement… Ça me faisait pas grand-chose qu'il soit là. Même quand on en a parlé l'autre jour. Je me sentais pas vraiment concerné. Et puis là, tout d'un coup, avec le père Mesplet qui vient et qui raconte ça, je sais plus…

– Peut-être qu'il faut que tu y ailles. Pour en avoir le cœur net. Il a changé, sûrement. Après tout ce qui s'est passé. Et toi aussi.

– Il m'a posé sur le toit et il m'a dit qu'ils reviendraient me chercher, lui et maman.

Le voilà de nouveau dans le froid cristallin parmi les moineaux et les rouges-gorges. Pissant tout tremblant sur les tuiles, son pantalon mouillé. Grignotant son bout de pain. Grelottant. Dormant presque, emmêlé dans des rêves flottants.

Puis il ne sait pas qui d'elle ou de lui s'est rapproché au point qu'ils se retrouvent bouche contre bouche puis s'embrassent comme des amoureux, les yeux fermés. Il ne sait plus ce qui se passe. Puis ils marchent vers chez eux sans rien dire, leurs deux ombres démesurées ondulant sur le méchant pavage du trottoir. « Demain, j'irai », dit-il avant qu'ils entrent. « Demain. »

Nuit sans sommeil. La chambre pleine de morts et de vivants dans la chaleur qui ne tombe pas. Le petit jour lui souffle par la fenêtre entrouverte ce qui ressemble à un peu de courage.

35

Un soir, en décembre, j'ai trouvé Olga en larmes. J'ai cru qu'elle allait encore me faire une scène parce que je rentrais tard. J'avais un peu bu, un peu joué, mais rien perdu. J'avais décidé de quitter la table avant que la déveine s'acharne vraiment. Il était à peine minuit, et j'étais plutôt content de me coucher tôt pour être à peu près frais le lendemain au travail parce qu'il fallait que je rectifie un compte dans lequel j'avais tapé le mois précédent avant que le patron, au moment des inventaires de fin d'année, s'aperçoive de quelque chose.

D'habitude, je la trouvais couchée et même si je savais bien qu'elle ne dormait pas, parce que je l'avais réveillée ou parce qu'elle ne trouvait pas le sommeil, elle ne bougeait pas, elle restait le dos tourné, et j'aimais me glisser auprès d'elle dans sa chaleur et parfois je me serrais contre elle, je passais mon bras autour de sa taille et je m'endormais aussitôt comme ça en me jurant de ne plus jamais rentrer à pas d'heure, de cesser de jouer, de rester auprès d'elle et du petit. Cent fois j'ai dû faire ce serment, blotti contre ma fausse dormeuse. Il a même dû m'arriver de le lui murmurer. Cent fois, je l'ai trahi.

Traître à moi-même, à ma femme et à mon fils.

Elle ne disait rien, elle se contentait de me regarder,

le souffle court, haletant presque. Je lui ai demandé si Daniel était malade et elle a haussé les épaules.

– .Non, Daniel va bien, merci de te soucier de lui.

– Alors qu'est-ce qu'il y a ? Pourquoi t'es pas couchée ? Il fait froid, il pleut.

On entendait le petit bruit de la pluie sur le toit, le gargouillis des gouttières. Je me rappelle tous les détails de cette soirée. Ils me sont revenus comme un coup de marteau en pleine tête plus tard, au camp, minute après minute, et pendant des jours ils m'ont obsédé au point que j'ai été incapable de penser à quoi que ce soit d'autre. Elle portait un chandail gris par-dessus sa robe bleu nuit. Et des chaussettes épaisses parce qu'il faisait froid, parce que le charbon manquait. Ses cheveux noirs étaient défaits et se collaient parfois sur son visage à cause de ses larmes.

– Ton copain Albert, le flic. Il est venu.

J'ai pensé qu'il lui avait annoncé une rafle prochaine. Je l'ai prise dans mes bras mais elle s'est dégagée d'un geste brusque.

– Ils préparent encore quelque chose ? Pour quand ?

Elle m'a regardé avec dédain. Elle hochait lentement la tête sans me quitter des yeux pour me signifier tout le mépris que je lui inspirais.

– Non. Même pas. Il voulait seulement coucher avec moi.

– Qu'est-ce que tu dis ?

Comme je parlais fort, elle m'a fait signe de me taire, à cause du gosse qui dormait.

– Impossible. C'est mon ami. Ça fait dix ans qu'on se connaît. Il ne ferait jamais ça.

– Ton ami... Flambeur, escroc, voleur, flic des Allemands. Voilà ton ami. Et en plus, il aimerait bien se taper ta femme en ton absence, ce cher inspecteur Darlac. T'es vraiment un pauvre type. Tu mériterais une

femme qui accepte les avances de ce porc. Tu ferais un cocu magnifique, comme ces imbéciles dans les films.

Elle avait dit tout ça sur un ton égal, d'une voix ferme malgré les larmes qui ne cessaient de couler sur sa figure. Elle me mentait. Elle ne disait ça que pour me punir de la délaisser, de jouer, peut-être de la tromper avec ces filles d'un soir, même si je pensais qu'elle ne pouvait pas savoir, même pas se douter. J'étais persuadé qu'il ne s'était rien passé, que Darlac était venu dire bonjour, apporter un gâteau ou un jouet au petit, comme il l'avait déjà fait plusieurs fois. Il aimait les femmes, je le savais bien, mais je ne pouvais pas imaginer qu'il aurait pu faire du plat à Olga. Il ne cessait de me dire à quel point j'avais de la chance d'avoir une femme comme elle, il se demandait même pourquoi je ne restais pas davantage auprès d'elle au lieu de traîner dans les arrière-salles des bars à jouer avec tous ces paumés. Il s'était débrouillé pour la sortir des fichiers juifs et nous mettre à l'abri des rafles. C'était la preuve absolue de son amitié pour moi et de l'estime ou de l'affection qu'il lui portait. « Qu'au moins dans toute cette merde il y en ait deux qui soient heureux. Je protégerai ça, tu peux compter sur moi », m'avait-il dit un jour.

Décidément, Olga ne comprenait rien. Elle l'avait toujours méprisé et haï. Et moi non plus je ne comprenais rien à ça.

— Il m'a pelotée. Il a mis ses sales pattes sur moi, cette ordure. Là, et là. J'ai dû me défendre, tu comprends ?

Elle touchait ses seins, frottait son ventre de ses poings serrés. Je la trouvais soudain écœurante de faire ça. Indécente.

— Tu ne vas rien faire ? Tu vas lui dire vas-y, profites-en, tu es mon grand ami, ce qui est à moi est à toi ? C'est comme ça que vous partagez vos putes ?

*J'ai bondi vers elle et je l'ai saisie à la gorge.
Comme elle a crié, je l'ai frappée. D'une gifle, puis
d'un coup de poing. Elle est tombée par terre en
entraînant une chaise dans sa chute. Je crois que j'aurais continué à lui taper dessus si Daniel n'était pas
sorti de la chambre en pleurant. Je me suis retrouvé
entre eux deux qui pleuraient et criaient et j'étais là,
debout, au-dessus d'eux, mais c'était moi qui étais par
terre, terrassé soudain, comme frappé par une attaque.
Impuissant, stupide, honteux. J'ai pris le gosse dans
mes bras et je me suis agenouillé auprès d'Olga qui se
frictionnait l'oreille, où je l'avais cognée, du sang
coulant de sa lèvre fendue. Elle n'a rien fait pour me
repousser quand j'ai essayé de l'attirer contre moi et
on est restés un moment tous les trois, eux à ravaler
peu à peu leurs sanglots, moi à boire ma honte et le
dégoût de moi-même comme on ingurgite jusqu'à la
dernière goutte un médicament dégueulasse.*

*Le lendemain et les jours suivants, j'ai cherché
Albert Darlac dans toute la ville. J'ai fait le tour de
tous les macs, les demi-sels, les trafiquants de marché
noir, les flics auxiliaires et les collabos que je connaissais grâce à lui. Aucun de ces minables ne l'avait vu
depuis des jours et la plupart semblaient à peine se
souvenir de moi. Comme si je n'avais été qu'une silhouette auprès de lui, une espèce de fantoche, un comparse inconsistant. C'est peut-être à ce moment-là que
j'ai commencé à comprendre. Il m'a fallu ça. Frapper
la femme que j'aimais, effrayer mon fils, et me
retrouver au-dessus du vide prêt à les y précipiter tous
les deux.*

*Dans la nuit du 10 au 11 janvier, une nouvelle rafle
a eu lieu. J'ai su plus tard que c'était la dernière de
cette importance. À ce moment-là on ne savait pas
comment la guerre allait tourner. Bien sûr, on avait
entendu parler de Stalingrad; par ses copains Olga*

suivait tout ça de près. Mais les Allemands ne lâchaient rien ici. Ils arrêtaient, ils fusillaient, ils déportaient sans répit, enragés jusqu'au bout. La Petite Gironde *contait régulièrement avec enthousiasme les exploits de la Gestapo et de la police française contre les réseaux « terroristes ». Les flics français ou boches étaient partout.*

Darlac ne parlait jamais de ça. Il disait seulement que ce qu'il faisait le débecquetait parfois mais qu'il devait obéir aux ordres. C'était là son métier. De toute façon, pour lui, c'est en 40 qu'il fallait gagner la guerre et à présent on devait s'adapter à la situation. Je ne discutais pas. Je voulais préserver notre toute petite vie, à tous les trois. Le gosse était né en octobre 39 et je m'étais juré qu'on le protégerait du chaos qui s'annonçait. Je détestais les Boches, je voulais leur défaite, je savais qu'elle viendrait mais j'ignorais quand. J'attendais. Et puis il y avait le jeu, les filles. J'avais besoin de ça pour pouvoir respirer. C'est grâce à ça que je pouvais aimer, aimer vraiment Olga et Daniel. Olga enrageait, pour toutes ces raisons. J'aurais dû être le type qu'elle détestait par-dessus tout. Elle aurait dû me jeter dehors. Pourtant, depuis le jour où on s'était rencontrés, en 37, quelque chose nous attachait l'un à l'autre, un lien animal, un instinct. Des explosions de bonheur anéantissaient régulièrement tous les obstacles qui se dressaient entre nous et auraient dû nous séparer à jamais. Je n'arrive toujours pas à comprendre. On s'aimait, envers et contre tous et tout. Et l'arrivée de Daniel a tressé ce lien plus fort encore. On aurait pu se battre et se déchirer la gueule comme des loups mais on serait restés autour de lui, prêts à tuer le premier qui s'approcherait pour le menacer. C'est pour ça qu'Olga se tenait à distance de ses copains qui eux-mêmes, après les arrestations d'otages et de résistants, ne laissaient rien paraître de leurs activités. Je n'ai jamais su ce qu'ils faisaient et je préférais ne pas le savoir.

Comme depuis quelques jours la rumeur d'une rafle avait commencé à courir, ils nous ont proposé de nous cacher mais elle a refusé pour ne pas leur causer d'ennuis, fichés qu'ils étaient déjà en tant que communistes. Et moi je repoussais sèchement leurs propositions en les assurant que j'avais dans la police un copain qui nous protégeait. Je me rappelle leurs regards méprisants ou navrés. Leurs soupirs déçus. Je me rappelle que je suis sorti du café où on était pour les laisser parler entre eux et j'ai vu à travers la vitre leurs visages tournés vers moi.

Le 14, vers sept heures et demie, on a entendu des voitures s'arrêter dans la rue et des voix retentir, des claquements de portières et des pas dans l'escalier. Leurs coups ont fait trembler le battant de la porte. « Police ! Ouvrez ! » On était en train de déjeuner. Un jus sucré pour nous, cet ersatz de café qu'on trouvait à l'époque, et un peu de lait pour le gosse. On trempait le peu de pain qui nous restait. Olga avait dégotté quelques madeleines pour Daniel.

Olga s'est précipitée dans la chambre et a enfilé au petit un gros pull-over et un manteau. Elle l'a coiffé d'un gros bonnet, elle lui a mis des moufles.

– Qu'est-ce que tu fais ? j'ai demandé.

– C'est arrangé avec Maurice et Roselyne. Ils viendront le chercher.

– Qu'est-ce que tu dis ?

Elle n'a pas répondu. Les flics tambourinaient à la porte en gueulant. Je leur ai dit que ma femme finissait sa toilette. Deux minutes. Ils ont semblé se calmer un peu et dans ce silence soudain on s'est regardés Olga et moi et on a su que tout était scellé désormais, qu'on ne reviendrait plus jamais en arrière. Elle pleurait tout en s'affairant. Elle mettait

536

un bout de pain, un peu de cervelas dans un sac en papier. J'ai pris dans le buffet une gourde que j'ai remplie d'eau. J'ai regardé mon fils qui restait immobile, tout petit sur sa chaise, son bonnet enfoncé jusqu'aux yeux. Il jouait avec ses mains mangées dans ses moufles, comme indifférent, silencieux, lui qui parlait tout le temps, qui posait toujours des tas de questions.

– *Monte-le sur toit. Installe-le contre la cheminée. Ils viendront dans la matinée. C'est prévu. Mme Dubuc les préviendra.*

Les flics ont recommencé à taper à la porte. Ils menaçaient de faire sauter la serrure.

Olga a pris Daniel dans ses bras et elle l'a regardé bien en face, de longues secondes, dans le fracas des coups donnés à la porte par ces putains de flics. Puis elle l'a embrassé longuement sur les joues, sur les yeux. Elle lui a dit des mots d'amour insupportables. Je les ai rejoints et on s'est serrés comme ça tous les trois. Le gosse gémissait doucement. Je sentais ses larmes dans mon cou.

Je l'ai arraché des bras de sa mère et je suis monté sur une chaise, dans le couloir, pour ouvrir la lucarne donnant sur le toit. Je l'ai hissé là-dessus, dans le froid coupant, dans le vent qui soufflait ce matin-là. Je me suis haussé moi-même à mi-corps pour lui dire d'aller s'asseoir contre la cheminée, qu'il ferait plus chaud. Il s'est éloigné à quatre pattes et s'est installé avec son sac de papier et sa gourde serrés contre lui. Je lui ai dit que des méchants venaient à la maison et qu'il fallait bien se cacher et ne pas faire de bruit, surtout. Qu'on reviendrait très vite le chercher et qu'on irait au manège après et qu'on mangerait des sucres d'orge. Il ne bougeait pas. Il hochait seulement la tête à tout ce que je lui disais et quand je me suis laissé *glisser pour refermer la lucarne, il a agité sa main pour me dire au revoir avec un tout petit sourire.*

Olga est allée ouvrir en faisant mine de finir d'enfiler un chandail. Un flic est entré et l'a obligée à reculer jusqu'à la table en la menaçant de son pistolet. Deux autres le suivaient, également armés, et ils se sont dispersés dans l'appartement en ouvrant des tiroirs, en soulevant des cadres, des objets qu'ils jetaient autour d'eux par terre. Ils ont trouvé quelques lettres et des cartes postales dans un placard et les ont parcourues avant de les laisser tomber à leurs pieds. Quand je leur ai demandé ce qu'ils cherchaient, ils m'ont dit de fermer ma gueule. En deux minutes ils avaient mis l'appartement à sac.

Olga grelottait en serrant contre elle sa veste de laine.

— Je ne comprends pas, ai-je dit. Téléphonez à l'inspecteur Darlac, c'est un ami.

Je savais bien que Darlac était à l'origine de tout ça mais j'essayais de me raccrocher à cette ultime illusion comme on attrape, en glissant dans un trou, une branche morte ou une racine pourrie.

Le flic qui était entré le premier, et qui nous tenait en respect avec son arme, a ricané en prenant ses collègues à témoin. Les autres secouaient la tête et souriaient comme des chiens.

— Ben faut te méfier de tes amis, faut croire.

Il y a eu un moment où ils ont cessé de tout fouiller et sont restés tous les trois immobiles dans la cuisine pendant quelques secondes, s'interrogeant mutuellement du regard.

— Et votre fils ? Où il est ?

— À l'abri, a dit Olga. Chez des gens à la campagne.

— Comment ça à l'abri ? a fait un flic. De quel droit ?

– *Laisse tomber*, a coupé celui qui semblait leur chef. *On s'en fout. C'est eux qu'on veut. Vous avez trois minutes pour préparer une petite valise. N'oubliez pas vos papiers.*

– *Vous nous emmenez où ? ai-je demandé.*

– *Ta gueule. Valise. Et toi, t'es juive ? Je veux pas savoir pourquoi t'étais pas dans les fichiers, mais maintenant c'est fait. Alors tiens, j'ai pensé à toi.*

Il a jeté une étoile jaune sur la table.

– *Couds ça sur ton manteau. Et dis-toi bien que je te fais une fleur.*

Olga est allée chercher son nécessaire de couture et elle a cousu l'étoile pendant que je remplissais une valise.

Trois voitures attendaient dans la rue, leurs moteurs tournant au ralenti dans une puanteur de gaz d'échappement. D'autres flics fumaient sur le trottoir. L'un d'eux portait une mitraillette à l'épaule. Ils nous ont à peine regardés, ils ont jeté leurs cigarettes et nous ont fait monter sans un mot chacun dans une voiture. J'ai essayé de me retourner pour apercevoir Olga mais un inspecteur assis à côté de moi m'a grogné de ne pas bouger, de ne pas le faire chier. On a roulé cinq minutes dans Bordeaux. Je ne reconnaissais plus rien. On aurait pu aussi bien me trimbaler dans une ville étrangère. Tout ce que j'apercevais à travers les vitres embuées que les flics essuyaient de la manche de leurs manteaux existait à peine, n'évoquait rien. J'étais loin, déjà. Parti peut-être pour toujours.

Ils nous ont débarqués devant ce que j'ai pris pour une église. La rue était encombrée de camions et de fourgons de police, de képis et de chapeaux mous. Olga m'a expliqué que c'était la synagogue. Je n'y étais jamais venu. Je savais vaguement qu'elle se trouvait dans ce coin, et j'étais sans doute passé devant sans savoir. On est entrés dans ce bruit. Cette rumeur *d'êtres humains entassés. Pleurs d'enfants, quintes de toux, raclements de gorges. Parfois, le rire clair d'un gamin. Conversations étouffées.*

On nous a inscrits sur un registre, on nous a pris nos papiers puis un flic en uniforme nous a dit « Par là-bas, trouvez-vous une place et tenez-vous tranquilles. » Une bonne sœur est venue vers nous et nous a conduits vers un matelas où traînait une couverture.

— Ils nous emmènent en Pologne ? a demandé Olga.

— Je ne sais pas, a dit la religieuse. Je ne peux rien vous dire. Il faut attendre. On vous donnera un peu à manger à midi.

On s'est assis et on est restés un long moment sans rien dire, à regarder autour de nous les gens allongés ou assis, comme nous, les yeux dans le vague, quand d'autres s'occupaient à des tâches dérisoires : ranger bien au pli quelques frusques dans une valise, laver le visage d'un gosse avec un mouchoir humide, classer des photos dans un portefeuille. Des hommes marchaient dans les travées, silencieux. J'ai croisé le regard d'un grand gaillard, vêtu d'un manteau trop grand pour lui, qui a aussitôt détourné les yeux.

Au bout d'un moment, j'ai senti qu'Olga grelottait contre moi alors je me suis levé et je l'ai aidée à en faire autant. Il fallait qu'on marche pour éviter que le froid nous engourdisse tout à fait. Elle a passé son bras sous le mien et on a commencé à se faufiler entre les espèces de bivouacs que les gens avaient établis sur le sol. Mais le froid s'accrochait à nos jambes comme si on avait marché dans l'eau.

— J'espère que Maurice va pouvoir venir vite, a dit Olga en frissonnant.

Je n'ai rien répondu parce qu'au-delà de cet espoir les mots n'avaient plus aucune valeur.

On est restés trois jours au fond du gouffre de silence où les quelques paroles qu'on échangeait n'arrivaient pas à résonner. On se demandait mutuellement « Tu as froid ? Tu as faim ? Tu as pu aller aux cabinets, ça va mieux ? » Les animaux, s'ils pouvaient parler, exprimeraient sans doute ce genre de choses en rapport avec les fonctions vitales et la survie.

Un après-midi, une autre bonne sœur s'est approchée avec un bout de pain et de chocolat.

– Daniel va bien, elle a murmuré. Il est à l'abri. De la part de Maurice.

Elle a eu un triste sourire puis s'est approchée d'une famille dont la fille brûlait de fièvre depuis la veille.

Avec Olga on s'est embrassés. On s'est dit des choses douces qu'on ne s'était plus dites depuis des mois. Le lendemain, elle a commencé à tousser.

Puis ils nous ont emmenés dans leurs trains et leurs camps.

Je me demande, aujourd'hui, si j'en suis vraiment revenu. Revenu vivant, je veux dire. Depuis des mois que je suis rentré à Bordeaux, j'ai l'impression de ne rien peser, de ne peser sur rien ni personne. On m'avait oublié. Ou enterré, donné pour mort dans la glaise de Pologne ou réduit en cendres. Dispersé. Je ne pèse même pas le poids de mes os, même pas celui de mon âme. J'ai vu une fois, au Louvre, où m'avait traîné Suzanne, une fresque égyptienne montrant un prêtre qui pesait l'âme d'un mort. Que trouverait-il avec la mienne dans sa balance ? Je ne valais pas cher avant de partir en déportation. On parle des fois de vaurien, pour qualifier les hommes dans mon genre. J'ai eu le temps, pendant des mois au camp, d'essayer de fixer à quel prix je m'évaluais. Au poids. Celui de mon corps comptait de moins en moins, mais avais-je là-bas une autre valeur à mes yeux ? Combien coûte une âme ? Quel prix y met le diable quand il s'en offre une ? Pour moi, ça variait de pas cher à bon marché. Plus tard, à Paris, quand j'ai fait de nouveau l'effort de vivre, quand j'ai cru que ça deviendrait facile, je me suis aperçu un jour que je ne valais que le prix de ma souffrance : une étiquette collée par les SS et déchiffrée par ceux qui m'entouraient. André Vaillant, l'ancien déporté à Auschwitz. J'étais d'abord cela. Et moi-même je m'accrochais à cette nouvelle identité pour effacer l'ancienne. Ma mémoire, mes cauchemars suffisaient à me faire savoir qui j'étais vraiment.

Seule Hélène savait. Ensevelie comme moi sous nos décombres, elle tendait la main à travers l'amoncellement de ruines comme ces gens après les tremblements de terre ou les glissements de terrain pour montrer qu'ils sont encore vivants mais qu'il faudrait songer à les libérer de ce qui les retient encore prisonniers et menace de les écraser. Je crois que lorsqu'elle dansait elle parvenait à vaincre ce poids mortel. Je crois qu'elle ne se pensait vivante que dans ces moments-là.

« Moi ? je danse. » Voilà ce qu'elle m'avait répondu quand je lui avais demandé comment elle allait.

Et moi, si lourd et fatigué.

Et maintenant, j'attends mon fils. Je ne l'ai pas reconnu dans le jeune homme que j'ai vu une fois au garage de Mesplet. Je n'arrive pas à retrouver les traits du petit garçon que j'ai posé sur le toit, ce jour-là, ou que j'emmenais faire des tours de manège ou promener au jardin public où il aurait regardé des heures durant les fils de bourgeois pousser dans les bassins leurs maquettes de voiliers. Une fois il avait pleuré, sans cris ni caprice, parce qu'il n'avait pas, lui, un beau bateau comme ça. Je lui avais promis de lui en acheter un et il s'était mis à rire et à sautiller au bout de ma main et à bavarder sans fin, comme il faisait souvent, tout à sa joie. Je me rappelle sa voix. Je ne sais plus son visage, mais sa voix rit encore dans ma mémoire. Je n'ai jamais tenu ma promesse.

Je l'attends. Il est revenu d'Algérie. Il a déserté. Que faire d'autre, à part se mutiner et fusiller quelques généraux ? Je ne sais pas s'il viendra. Tiens. Le serrer entre mes bras. Lui dire mon fils, mon petit, mon bonhomme. Comme je disais avant. Et m'excuser de ces vieux mots de vieux père, gardés depuis si longtemps dans le silence. Comme tu as grandi. Forcément. Si tu savais comme j'ai changé, moi aussi.

Je l'attends. Aucune espérance au-delà de ce moment. Je verrai, après.

36

«Comment avez-vous pu le laisser vous échapper… Vous avez commis une faute grave, Darlac. Résultat, encore deux morts. Vous pouviez disposer de tous les moyens nécessaires pour cette opération. Au lieu de quoi vous vous pointez avec trois hommes et une seule voiture.»

Le commissaire divisionnaire Laborde tire sur sa pipe éteinte et feint de parcourir le rapport qu'il tient à la main.

Darlac hausse les épaules. Deux morts de plus. Le Boche et sa vieille. Il se rappelle qu'hier soir, quand Laborde a téléphoné pour leur apprendre que les corps avaient été retrouvés le matin même par la boulangère qui venait se faire payer sa semaine, madame s'est laissé tomber sur le canapé et a pleuré pendant une heure, avachie dans ses larmes, reniflant et hoquetant, laide enfin, montrant son visage vrai, vieilli, aux traits affaissés, aux chairs molles, et qu'il a été content de pouvoir la haïr sans retenue maintenant que l'armure délicate de sa beauté venait de se fendre.

. S'ils étaient seuls, il attraperait Laborde par le revers de son veston et le pendrait au portemanteau et lui ferait ravaler l'espèce de jubilation avec laquelle, depuis un bon quart d'heure, il détaille les erreurs commises lors de l'arrestation ratée de ce connard de Jean Delbos. Mais il y a cet autre flic, une huile descendue de Paris, le commissaire Belcher, envoyé spécial du ministre qui s'inquiète des proportions prises par cette affaire. Neuf meurtres en dix mois, un tueur particulièrement déterminé et violent en liberté, c'est beaucoup pour une ville comme Bordeaux qu'on tient pour calme et ordonnée, capitale de la modération politique, avec par le passé une Gestapo efficace et une police politique redoutable et redoutée, une résistance hachée menue, des Juifs dûment raflés, une belle proportion de salauds, de traîtres et d'immondes canailles passés pour la plupart à travers les mailles au moment de l'épuration, et maintenant dirigée par ce maire jeune et beau, au physique de représentant en aspirateurs, résistant irréprochable, chargé par de Gaulle de retaper la virginité de cette grande traînée et de sa marmaille morveuse de bourgeois, de négociants en vin, de flics, de journalistes locaux toujours contents au bout de leur nouvelle laisse. Neuf meurtres qui semblent, vus de Paris, un remugle des temps maudits comme si un type se mettait à remuer le fond du marigot avec une grande perche pour tout faire remonter : l'épaisse et lourde merde posée au fond, les macchabées, les malles pleines de secrets et d'arrangements, les valises débordant de dénonciations et de spoliations, de certificats de résistance torchés sur un coin de table, d'ordres de déportation signés d'une main négligente.

Un tueur déterminé, violent, et peut-être singulièrement motivé. Le stopper de toute urgence, par tous les moyens nécessaires. Faire taire ses motivations. Sans quoi, s'il continuait sa vendetta, le trouble à l'ordre public pourrait être considérable, par ces temps troublés de guerre en Algérie.

Darlac passe en revue son dépliant touristique de la ville et sa galerie de trognes, puisque bien sûr les souvenirs affluent, les noms résonnent dans sa mémoire.

Laborde et le Parisien ne peuvent rien contre lui. Il a le contrôle de la situation. Des tenants et des aboutissants. Je vous emmerde.

— Tout de même, insiste Belcher. Je vous trouve bien léger. Même si on est pas sûrs de tomber sur le type, avec un tueur aussi dangereux, on met en place un dispositif plus conséquent.

— J'ai déjà fait des mecs comme ça à deux ou trois, des fois au hasard. C'est aussi ça, la police, je ne sais pas si vous êtes au courant. Quand on sort de son bureau de temps en temps, ce sont des choses qui arrivent. Et puis quoi ? Il est sans argent, sans papiers, il s'est tiré quasiment pieds nus. Il n'a plus aucun point de chute. Abel Mayou était le dernier refuge possible, et il est en train de crever à l'hôpital, à l'heure qu'il est. Moi, j'y vois un signe. C'est l'hallali. Ses autres copains, du moins ceux de sa femme, refusent de le voir, rapport à ses fréquentations douteuses avant et pendant l'occupation. J'ai un œil sur le garage où travaille son fils, qui est en Algérie en ce moment. Ce mec va tomber, ça ne fait aucun doute. C'est une affaire de jours.

Belcher se lève, s'approche de la fenêtre, regarde le ciel, mains dans les poches. Il parle sans se retourner.

— Ce Delbos a été votre ami dans le temps, non ? Comment vous expliquez un tel acharnement après vous ?

— Ces gens qui sont rentrés de déportation sont tous un peu timbrés. Ils ont du mal à digérer ce qu'ils ont subi et en plus ils ont parfois tendance à en rendre responsables Pierre, Paul ou Jacques sans trop savoir. Faut croire que ça les soulage de leur propre culpabilité.

— Leur culpabilité ? Comme vous y allez…

Belcher s'est retourné vers Darlac et l'observe avec curiosité.

– Vous n'allez tout de même pas jusqu'à dire qu'ils méritaient ce qui leur est arrivé ?

Laborde et Belcher échangent un coup d'œil. Darlac se fait soudain l'effet d'un suspect cuisiné par deux marioles. Jouer fin et serré. Il sent son cœur s'emballer un peu. C'est si rare, même quand il est en colère, que ça l'inquiète presque. Il se radoucit, lâche un peu de corde.

– Non, bien sûr. Mais il a dû croire qu'en fréquentant un policier il se mettrait à l'abri de ce qui se passait à l'époque. Lui, il ne s'occupait pas de politique. Il flambait un peu : chevaux, brêmes, il fréquentait la même faune que moi et c'est comme ça qu'on s'est connus. Je l'ai sorti de quelques embrouilles, c'est vrai, je l'aimais bien, il était intelligent, ça changeait un peu des abrutis que je côtoyais tout le temps. Sa femme Olga était juive et sympathisante communiste. Elle était dans les fichiers, forcément. Lui, quand ils ont été arrêtés, il a dû penser que c'était ma faute, que je n'avais rien fait pour leur éviter ça.

– Vous avez quelqu'un devant ce garage ? demande Laborde.

– Oui. J'ai mis deux hommes le soir même. Mais rien ne bouge. Et puis je vois mal le patron accepter de l'héberger. C'est pas le genre à pardonner grand-chose. Je crois qu'il faut attendre. Je vous dis : il faut attendre qu'il tombe.

Darlac regarde ces deux pitres qui croient lui en imposer. Il surprend le regard qu'ils échangent encore, lourd d'agacement et de connivence et, l'espace d'une seconde, il se demande ce qu'ils savent au juste et ne disent pas, c'est pas au vieux singe…

– Et cet ancien officier allemand… Müller, c'est ça ? Qu'est-ce qu'il vient faire dans l'hécatombe ? Vous parliez d'un homme qui cherchait à s'en prendre à vous, à votre entourage, votre famille…

– Il est arrivé en 49, l'interrompt Laborde. On l'a fait surveiller aussitôt parce qu'on nous avait signalé ce grand blessé de guerre, il faut dire qu'avec la gueule qu'il a, il n'a pas dû passer inaperçu. Il était fils d'une famille d'industriels qui ont prospéré pendant la guerre, comme beaucoup d'autres… À la mort du père de famille, la mère a vendu ses parts dans l'affaire et a ramené Müller fils ici pour qu'il soit près de sa fille, Élise, qu'il a conçue avec Mme Darlac en 42, avant de partir sur le front de l'est. Comme il se faisait discret, on a cessé toute surveillance au bout d'une année. Mme Darlac lui rendait des visites régulières, ce qui était une façon de garder un œil sur lui, pas vrai ?

Le commissaire Laborde se tourne vers Darlac. Il sourit. Content de lui. Darlac sent la peau de son visage se tendre comme si elle avait séché au soleil après un bain de mer. Ces fumiers ont su un an avant lui. Ils ont enquêté, ils ont suivi sa femme. La moitié de la flicaille de la ville était au parfum. Il se lève et les deux autres le suivent des yeux alors qu'il fait quelques pas vers une armoire métallique sur laquelle est placardé un vieux planning de service. Il lui a semblé marcher sur un pont de corde usée aux lattes pourries au-dessus d'une rivière pleine de crocodiles. Son imagination ne se permet jamais ce genre de fantaisie horrifique mais il n'a rien pu faire contre le vertige qui l'a pris et la vision qui lui est venue. Il donne dans la porte de tôle un coup de poing qui cabosse le panneau et fait vibrer quelques secondes toute la structure. Il serre les dents sur la douleur qui remonte dans son bras puis bande sa main aux phalanges écorchées dans son mouchoir et se retourne et bombe le torse, très crâne.

– Tout ça n'est pas très loyal, je trouve.

C'est tout ce qu'il trouve à dire et se sent aussitôt minable. Il perd les pédales, il cherche la porte, pris d'une envie de partir en courant, de prendre son flingue dans son bureau pour revenir discuter avec ces deux salopes.

– Ah oui, fait Laborde. La loyauté. J'oubliais à quel point vous la pratiquez. Vous…

Le commissaire Belcher tape dans ses mains comme pour calmer deux mômes sur le point de se crever les yeux.

– Commissaire Darlac, je dois rendre compte au ministère tout à l'heure au téléphone. C'est encore votre enquête : que dois-je leur dire ? Cette affaire pue, la presse à Paris commence à en parler, je veux une échéance. Pour l'instant, j'ai l'impression qu'on me balade au milieu de poubelles dont il est préférable de ne pas soulever les couvercles… Alors si vous ne voulez pas que je fasse venir mes éboueurs, dites-moi quelque chose que j'aie envie d'entendre avec des résultats à la clé. Je suis clair ?

– Trois jours, dit Darlac.

Il trouve que c'est un bon chiffre. Un nombre premier. Le triangle originel de tout équilibre. Un guéridon, ça se retourne plus facilement qu'une table. Il y avait aussi sept, mais il n'a pas l'intention de refaire le monde.

– Dans trois jours, j'aurai stoppé ce type. Sans quoi le ministre recevra ma lettre de démission, si c'est ce que vous vouliez entendre.

– Nous n'en sommes pas là.

– Moi, si. On a terminé ?

Les deux autres se consultent du regard.

– Messieurs…

Il sort et prend soin de refermer la porte avec lenteur. Dans le couloir, un courant d'air plus frais le fait s'apercevoir de quelle fournaise il sort : sa chemise est trempée et se colle, froide, à son estomac gonflé où il sait que fermente encore son repas de midi. Dès qu'il entre dans son bureau, il ôte son veston et retrousse ses manches. Devant le lavabo il boit au robinet, s'asperge la figure en soufflant, puis il tousse et crache et se rince encore la bouche parce qu'il a l'impression d'avoir encore sur la langue et au fond de la gorge les effluves de leurs parfums et de leurs sueurs mêlés. Il regarde dans la glace piquée sa sale gueule aux traits tirés et il se dit que cette fois-ci c'est peut-être terminé, qu'il va falloir songer à prendre la tangente. Vendre la maison et acheter dans le Périgord, par exemple, une petite affaire, un tabac-presse, tiens, où il verrait défiler tout le jour les pékins du village, où il écouterait les confidences et les ragots, les calomnies et les scandales... Il serait au cœur du dérisoire merdier local et il les regarderait tous se bouffer le foie et ça l'amuserait follement, toute cette malignité, ces vilenies, ce condensé rural de la nature humaine. Il s'imagine aussi le cul posé au bord d'une rivière à mouiller du fil, ou près d'une cheminée où pète un feu d'enfer... Seul, bien sûr. Ou avec un chien. Un fidèle, toujours content de le voir, obéissant et doux. Madame et sa fille ? Il a beau faire, il ne leur trouve aucune place dans la félicité qu'il se forge sous la lampe jaunâtre accrochée au-dessus du lavabo.

Il reste un moment devant son reflet, sans vraiment le regarder, les mains encore humides, l'estomac parfois pris de brûlures, à essayer de se projeter dans l'avenir comme on s'efforce de cracher le plus loin possible, jusqu'au moment où le téléphone sonne.

– Quelqu'un pour vous, commissaire.

– Qui ? Qu'est-ce qu'il veut ?

– Un gamin. Il dit qu'il s'appelle Norbert et qu'il veut vous parler.

– Je descends.

La vie est une belle chose. On la croit bientôt terminée, recroquevillée au fond d'une impasse comme

550

une chienne en train de crever, et la voilà qui se relève et s'ébroue et reprend avec sa tranquille vigueur, comme si de rien n'était. La Dordogne attendra et les poiscailles aussi. J'irai m'enterrer plus tard. Pour l'instant, je vais les baiser tous et ils diront merci. Il attrape son arme dans le tiroir, enfile son veston, resserre son nœud de cravate. Il descend l'escalier d'un pas vif, comme un jeune homme.

Norbert s'est assis sur un banc face au guichet derrière lequel deux flicards en tenue, un vieux gros et un grand blond à tête d'ivrogne, transpirent entre deux clients à qui ils indiquent en déchiffrant les convocations numéros d'étage et de bureau où ils doivent se rendre. Le garçon se lève dès qu'il aperçoit le commissaire et l'autre le saisit par le bras et l'entraîne dehors et l'emmène dans un rade de la rue Judaïque plein de gens et de bruit.

Darlac commande une bière, Norbert un demi panaché. C'est trop fort, la bière, il dit. Ça amuse Darlac. Si tu le dis. Puis il se souvient du paternel pochtron et violent et regarde mieux ce garçon aux yeux gonflés, au regard bleu sous les sourcils toujours froncés en train de siroter sa limonade.

– Alors, tu voulais me voir ?

Norbert s'allume une clope, souffle la fumée vers le plafond, fait un peu l'homme.

– Il est revenu. Mon patron le loge dans l'appartement au-dessus du garage.

Darlac a compris, mais veut être sûr. Il s'envoie la moitié de son demi d'une seule lampée, secoue la tête pour conjurer l'espèce d'étourdissement bienheureux qui lui engourdit l'esprit.

– Qui est revenu ?

– Eh bien le père de Daniel, Jean Delbos. Vous savez bien celui qu'était venu porter une moto à réparer en novembre. Il est arrivé avant-hier vers midi, il était pas brillant. C'est moi qui lui monte sa bouffe, des fois. Il dit rien, il est couché sur son plumard. Il écrit dans un cahier.

— Il écrit ? Tu crois qu'il va rester là longtemps ?

— J'en sais rien. Il paraît qu'il sait pas où aller. Mais mon daron me dit trop rien, à moi. Juste le minimum.

Darlac veut juste savoir s'il a bien manœuvré avec ce môme. Vérifier ses intuitions. Savourer cette autre victoire, une de plus, sur la faiblesse des hommes.

— Pourquoi tu t'es décidé à me parler ? Après tout, tu me dois rien.

— Si, tout de même, un peu. Vous avez tenu parole, quand vous avez convoqué mon père. Ça l'a calmé trois semaines et ça a recommencé mais moi j'ai pas osé venir vous déranger. J'espérais que l'occasion se présenterait. Et cet homme, le père de Daniel, moi j'ai pas de respect pour lui. Quand on a un fils, on s'occupe de lui. Et lui, il l'a abandonné. Et je me rappelle que Daniel il en parle souvent de ses parents, même qu'il se souvient à peine de leurs visages, vous vous rendez compte ? Il a même pas reconnu son père le jour où il est venu apporter sa moto à réparer ! Comment c'est possible des choses pareilles ?

Darlac secoue la tête, tord la bouche en signe d'ignorance. Il le trouve tellement sincère et touchant, le petit prince de la vidange, qu'il a envie de dire quelque chose de gentil.

— En tout cas, pour ton père, je m'en occupe. Je vais voir ce que je peux faire mais dans un mois ou deux vous en serez débarrassés pour quelque temps, ta mère et toi. Le temps pour elle de changer de vie et pour toi de devenir un homme. Je n'oublierai pas ce que tu fais là.

Le garçon commence à bouger sur sa chaise. Il regarde autour de lui comme s'il craignait qu'on les entende. Darlac connaît ce genre d'impatience gênée.

Toutes les donneuses sont comme ça : elles se vautrent dans la dénonciation, les détails, puis à un moment se sentent sales, regrettent presque. C'est un peu la morale des putes, ça : leur petite vertu est comme un caillou dans leur chaussure qui les fait claudiquer dans le matin quand elles rentrent chez elles.

– Encore une chose : on y entre par où dans son repaire ?

– Par le garage. Il y a une porte qu'on voit presque pas parce qu'il y a des étagères devant. Un escalier et c'est là, au premier. Mais ça donne aussi sur la rue derrière. Passage Bardos, au 8. C'est là que le patron et sa femme habitaient au début. Mais plus personne passe par là, c'est fermé.

– Comment ça fermé ?

– Je sais pas moi… les volets, tout… Le patron il maintenait à peu près propre la pièce où il est l'autre, avec un lavabo. Il se sert des toilettes qu'on utilise nous. Ça doit être plein de souris et d'araignées, là-dedans.

Darlac pense aux deux inspecteurs en planque dans la rue. Si Delbos sort par l'arrière, ils peuvent attendre jusqu'à la retraite pour l'apercevoir. Moment de doute. Si ça se trouve, le garagiste et Delbos ont monté un plan d'escamotage à l'insu du gamin. Va savoir.

– Tu l'as vu quand, Delbos, la dernière fois ?

– À midi. Je lui ai apporté à manger.

– Le garage, il ferme à quelle heure ?

– Vers sept heures le soir. Plus tôt en ce moment parce qu'il y a moins de travail.

Darlac regarde sa montre : six heures dix. Il se lève brusquement. Il doit y aller. Il en a assez entendu pour aujourd'hui. Puis Norbert fait glisser quelque chose sur la table. Une grosse clé. Le flic l'empoche puis marche vers la sortie. Le garçon le suit. Il le sent sur ses talons et hâte le pas. L'autre est toujours derrière

lui. Il attend peut-être qu'on lui chante une berceuse ?
Darlac se retourne :

— Qu'est-ce que tu veux ?

Il n'a pas mesuré la dureté du ton et le garçon rentre imperceptiblement la tête dans les épaules comme s'il allait prendre une gifle.

— Rien, je… Je tourne ici. Au revoir, m'sieur.

Darlac le regarde traverser la rue en trottinant, les mains dans les poches, son petit sac d'ouvrier en bandoulière. Il se dit que la police, finalement, ça marche parce qu'il y a ces pauvres types submergés par leurs émotions, comme si les feignasses cupides qui bandent pour l'argent facile ne suffisaient pas. Il faut compter aussi avec ceux qui enfreignent les lois parce qu'ils ne savent pas comment faire autrement à un moment donné, désemparés, acculés, enragés, cernés par la mouise, fascinés par ce qui brille, tarés incapables de se dominer ; et avec ceux qui parlent, donnent, balancent, se vengent, trahissent, pour du fric ou pour rien ; parce qu'ils crèvent de jalousie, de colère, de haine ou d'amour… La police est un métier pétri de sentiments, en fait : bons et mauvais. Et quand on est flic, il faut être un sentimental, d'une certaine façon : envisager toutes les passions, n'en éprouver aucune. Rester bien à l'abri de son mépris pour cette humaine confusion comme on reste à plat ventre sous la plus terrible fusillade.

Abel est mort hier. Claude Mesplet a appelé l'hô-
pital ce matin. Quand je l'ai su, j'ai senti les larmes
monter puis je me suis giflé pour les empêcher de
couler – ou pour leur donner une bonne raison de le
faire – et mon regard s'est brouillé et j'ai ressenti une
telle tristesse que je me suis jeté sur le lit pour rester
là sans aucune pensée, sans bouger, pendant peut-
être une heure. Une vraie tristesse. Une tristesse
d'enfant que rien ne peut raisonner ni consoler. Je ne
me rappelais pas ce qu'était être triste de cette façon.
J'ai connu bien des états de désespoir, de mélancolie,
de cafard, je ne sais comment nommer ça, mais je me
rappelle que j'essayais toujours de réfléchir, de com-
battre, de mettre au moins des mots sur ce que je res-
sentais, en particulier en écrivant dans mes cahiers.
Mais ce sentiment d'absolue solitude dans la peine,
cette chute lente dans un puits sans fond, cette inca-
pacité de s'expliquer à soi-même quoi que ce soit, je
ne savais plus ce que c'était.

J'ai dormi un peu. Je dors beaucoup ici. Je dors et
j'écris sur ce cahier de comptabilité que Claude m'a
donné. Ironie du sort ? Bouclage de la boucle ? J'écris
depuis 1946, depuis que j'ai trouvé la force de le faire,
sur des cahiers d'écolier pour tâcher d'entretenir
dans ma nuit quelques feux et balises qui guideraient
un peu ma mémoire. J'aligne depuis à peu près la

même date des chiffres dans des colonnes dépenses et recettes histoire de faire bouillir ma marmite. C'était mon métier, avant. J'ai toujours détesté ça. Détesté ces patrons pour lesquels je travaillais : leur appât du gain, leur propension naturelle à la fraude, leurs réflexes de tricheurs. Je crois qu'un patron, petit ou grand, c'est un tricheur qui a réussi à ne pas se faire prendre.

Et aujourd'hui, me voici à l'heure du bilan et j'écris indifféremment dans les deux colonnes comme si profits et pertes se mêlaient pour s'annuler. Somme zéro. Faillite ? Non. Bilan nul. Toute une vie pour rien. Je crois que je vais finir ici. Je ne sais pas quand, ni où. Mais ce sera bientôt et pas loin. Ici, dans ce taudis au-dessus de voitures en panne. Ou dans Bordeaux, si j'arrive à échapper à Darlac. Je ne parviens pas à anticiper quoi que ce soit au-delà de quelques jours. Peut-être quelques heures. J'écris. Je laisserai au moins ça, à condition que quelqu'un veuille bien le lire un jour.

Mon fils, peut-être. Mes autres cahiers je les ai laissés chez Abel et Violette et je me sens plus démuni, plus nu que si je m'étais enfui sans un vêtement sur le dos. Je le lui ferai dire par Mesplet, si jamais il ne vient pas. J'espère que les flics n'auront pas mis la main dessus. Bien sûr que si. Ils sont déjà, à cette heure, en train de sonder les secrets d'un tueur, comme dit le journal. Bien sûr. Pas d'échappatoire. Alors ces lignes. Pour toi, Daniel. Par-delà le temps et la distance, si tu décides de ne pas venir.

Il y a deux flics installés depuis trois jours dans une voiture, là-bas, à une cinquantaine de mètres, vers la gare. Claude s'en est aperçu presque aussitôt. Ils sont arrivés le soir même. Ils ont dû apprendre que j'étais venu ici quand j'ai apporté la moto à réparer, ils savent que mon fils travaille ici, ils se disent que c'est sans

doute le seul endroit où je pourrais me pointer. Ils sont
probablement en planque aussi devant chez Maurice et
Roselyne. Darlac sait tout ça et il a lancé ses filets.
J'espère que Daniel se cache bien, qu'ils ne le pren-
dront pas. Je pourrais sortir d'ici, par l'arrière, et ces
cons de flics ne verraient rien. Mesplet me prêterait
sans doute quelques francs. Pour aller où ? Retourner à
Paris ? On ne revient pas sur ses pas. Jamais. J'attends
et j'écris et j'essaie de dormir. Prisonnier en moi-même.

« Ne passe pas par devant. Prends cette clé, elle
ouvre la porte du 8, passage Bardos, tu sais bien, je
t'ai montré ça une fois. Évite la rue Furtado, y a deux
flics qui n'attendent que toi. Il te faudra une lampe de
poche. Ça fait deux ans je crois que je suis plus entré
dans la maison, alors fais attention où tu mets les
pieds, y a du bordel qui traîne partout. Au fond, il a un
escalier en bois, t'inquiète pas, il est sain. En haut, une
porte. Elle donne sur l'étage où tu trouveras ton père. »
    Daniel a pris la clé et l'a fourrée dans sa poche en
remerciant.
    — Je peux venir avec toi pour surveiller la rue, si tu
veux.
    — Non. Peut-être que j'aurai pas le courage au der-
nier moment. Vaut mieux que je sois seul pour ça.
    Le père Mesplet lui a posé la main sur l'épaule.
    — Comme tu veux. Il a changé, tu sais.
    — Non, je sais pas. Je sais même pas comment il
était avant.
    Il a repris son vélo de travailleur. Avec son bruit de
ferraille et son timbre muet. Il l'a nettoyé et graissé
dans l'après-midi. Il a démonté, vérifié les chambres à
air et les pneus.
    Roselyne est venue lui apporter à boire.
    — Tu es sûr ?
    — Oui, je crois.

557

Plus tard, dans la nuit tiède, Irène l'a accompagné jusque sur le trottoir.

– Je viens avec toi. Je dirai rien.

Il n'a pas répondu. Il a enfourché sa bécane.

– Daniel ?

Elle a marché vers lui et l'a embrassé à pleine bouche. Elle le serrait tellement qu'il a failli tomber parce qu'il avait lâché le guidon.

– Pour après, elle a dit.

Il a roulé tranquillement sur les quais déserts. Quelques voitures le doublaient, rarement, et il se demandait toujours où pouvaient bien aller ces gens dans la nuit. Il s'est toujours demandé d'où venaient, où partaient ces silhouettes entrevues ou croisées qu'il se mettait à suivre des yeux ou qu'il emprisonnait dans son petit cadre de fer et il imaginait des bouts d'histoires, des destins. Il se disait parfois qu'il faudrait écrire des livres pour y placer tous ces gens et leur donner un passé et un avenir.

Il n'a pas pu s'empêcher de lorgner du côté des navires amarrés. Toujours cette curiosité en apercevant un hublot éclairé, une silhouette sur le pont. Alain. Il aurait peut-être dû faire comme lui. Mais plus loin. Sumatra. Zanzibar. Djibouti. San Francisco. Anchorage. Il sait à peine où c'est, il ignore à quoi ça ressemble. Il a lu quelques livres. Trop peu. Mais ces noms sonnent dans son esprit comme des formules magiques, des charmes puissants qu'on entend murmurer à l'autre bout du monde et qui attirent à eux les fous et les rêveurs. On se dit toujours je partirai, il sera temps, plus tard. Et souvent on reste là.

Et puis il y a le baiser d'une femme, la douceur de ses cheveux contre votre joue. Et l'on est bien près d'elle.

Il a laissé divaguer ses pensées le plus loin possible de l'homme qu'il allait rencontrer. Parfois, quand le but de sa course nocturne lui venait à l'esprit, un grand frisson lui parcourait l'échine et son cœur se débattait dans sa poitrine à coups précipités.

Il fait un large détour pour prendre à revers le garage et laisse son vélo à une cinquantaine de mètres de la rue. Il fait noir et chaud dans cette ruelle pleine de ténèbres et il entend cavaler quelque chose dans le caniveau. La sueur se met à couler sur sa figure, dans son dos, et sa chemisette se colle à sa peau. Il allume sa lampe parce qu'il voit à peine ses pieds. Le ciel sans lune ne lui est d'aucun secours. Les lampadaires des rues voisines n'éclairent qu'eux-mêmes, écrasés par la nuit.

La clé tourne dans la serrure en claquant. Un couloir. Des plaques de peinture pelées des murs traînent par terre. Les pieds de Daniel crissent sur de la poussière de ciment, du sable peut-être. Odeur de moisi, de vieux papier, de salpêtre. De rat crevé. Sa gorge se serre dans un petit spasme de dégoût puis la mémoire des trois cadavres grouillants de guêpes qu'ils avaient trouvés lors d'une patrouille ravale cet écœurement au rang des embarras domestiques. Il trouve dans le faisceau lumineux des chaises empilées, deux tables l'une sur l'autre, un buffet aux portes béantes. Une caisse en bois débordant d'outils. Il avance pas à pas dans ce bric-à-brac et entend, sous le plancher qu'il foule, une cavalcade de souris.

L'escalier se dresse soudain devant lui, découpé dans la lumière de la lampe. Il s'arrête net au pied des marches et lève les yeux vers le palier où l'escalier bifurque. Bien sûr, cette obscurité est indéchiffrable. Il aimerait qu'une porte s'ouvre, qu'apparaisse un peu de lumière, mais rien ne luit ni ne bouge.

Bien sûr, les marches craquent sous ses pas. Il lui semble deviner que dans la pièce close, à l'étage, un homme qu'il ne connaît pas tend l'oreille et que les battements fous de son cœur sont dans le même emballement.

***

« Je m'appelle Jean Delbos et je suis ton père. »

En entendant grincer dans l'escalier les pas de son fils – ce ne peut être que lui, car cette lenteur n'est pas sournoise, elle est seulement timide et vacillante –, il se demande quels premiers mots il va prononcer. Ou bien dira-t-il « Bonjour mon fils » pour rétablir le lien en le nouant d'évidence.

L'air lui manque quand il entend frapper à la porte et il fait deux pas puis s'arrête. Je n'ouvre pas. Laissons tout ça tranquille. À quoi bon ? Olga. Elle serait déjà dans les bras de son fils. De leur fils. Et les larmes le submergent brusquement et lui arrachent un gémissement. Il aimerait qu'elle soit là pour vivre cet instant. Mon tout-petit, viens que je te regarde.

Elle est morte, son cadavre est parti en fumée par la cheminée du four crématoire d'Auschwitz-Birkenau, il n'y a aucun paradis, aucun espace où les âmes pourraient encore ressentir, caresses ou vibrations de l'air ou de particules rares, des joies et des peines. Tout est révolu, irréversible, et la mémoire n'est qu'une invocation sans réponse d'un au-delà fictif et lacunaire. Mais il convoque ici son image, la beauté de son sourire, la chaleur de sa peau, son regard si profond et si doux pour qu'elle soit ici avec eux deux. Jean, mon doux chéri, disait-elle au début de leur mariage. Sa voix. Elle chantait tout le temps.

Il ouvre, les yeux brouillés par les larmes qu'il essuie du revers de la main et il ne voit rien que le halo aveuglant de la lampe et la silhouette debout devant lui, immobile, indistincte comme celle d'un fantôme. Il recule, il dit «Entre».

Daniel éteint sa lampe et dévisage cet homme en larmes. Il ferme la porte derrière lui et fait un pas et à cet instant il aimerait que son cœur cesse de battre parce que ça lui fait mal, ça l'étrangle et ça l'étouffe et il lui semble qu'il ne va pas pouvoir dire un mot.

– Je suis Daniel.

Il cherche un peu d'air. Il sent la sueur couler dans son dos. L'homme essuie encore une fois ses larmes et parvient à sourire.

– Et moi je suis Jean. Ton père. Même après tout ce temps.

Daniel ne reconnaît pas ce visage martelé de rides. Mais la voix, si. Elle n'a pas changé. Et voilà qu'il reconstitue l'image de l'homme qui le soulevait dans ses bras et l'emmenait au manège. C'était un homme très brun, avec de belles dents. Qui souriait toujours. Il le revoit. Il se frotte les yeux parce qu'il a l'impression qu'il ne pèse plus rien dans cette pièce qui se met à tourner lentement.

– Tu veux boire un peu d'eau ? Ça va ?

Daniel fait oui de la tête en regardant autour de lui parce qu'il n'ose pas croiser le regard de cet homme-là, si faible, presque chancelant.

Jean va jusqu'à un placard d'où il sort deux verres qu'il va remplir au robinet de l'évier. Il en profite pour respirer à fond, secoue la tête, s'asperge la figure. Il revient vers Daniel et lui donne le verre. Il retrouve le visage de son fils. Plus fin, plus allongé, bien sûr. Les yeux plus vastes, noirs comme ceux de sa mère. Il a envie de le prendre contre lui. Il n'en peut plus de rester là à un mètre de lui.

Daniel boit, les yeux rivés au fond du verre. Il aimerait bien s'en aller. Il ne sait pas quoi dire et ça le gêne de rester là comme ça devant cet homme qui a la même voix que son père, devant cet écho du passé. Mais il aimerait aussi qu'il parle encore pour que tout revienne vraiment, si c'est possible.

— Je ne vous reconnais pas. J'y arrive pas. Seulement la voix. C'est comme avant quand vous… Quand tu m'emmenais à la foire et que tu me payais des chichis.

Jean sourit et les larmes coulent de nouveau et il ne fait rien pour les essuyer.

— Excuse-moi, il dit. C'est complètement con… J'arrive pas à m'arrêter. C'est comme si tout ça débordait… Je sais pas. Je suis tellement… Comment dire… Heureux, mais c'est un mot idiot, ça veut rien dire… Et puis j'ai tellement honte.

Daniel s'approche et pose sa main sur son épaule et Jean la sienne sur son bras et les voilà qui s'enlacent, chacun se laissant aller dans ce geste, cette étreinte douce, pas virile, sans tapes dans le dos ni tentative d'étouffement, juste leurs corps l'un contre l'autre et leurs mentons dans le cou de l'autre mais sans oser s'embrasser parce qu'il leur faut sans doute se rendre compte d'abord de la réalité de l'autre, de son épaisseur, sentir sa respiration, entendre sa gorge déglutir pour avaler le chiffon d'émotions, rêche, roulé en boule dans leurs gorges.

— On va s'asseoir, dit Jean.

Il se pose sur une chaise et invite Daniel à s'installer sur le lit et il reste là, très droit, bien appuyé au dossier, et il essuie encore une fois ses joues et frotte ses yeux pour en chasser les dernières larmes accumulées. Il s'apprête à parler, à dire sa gêne et ses regrets et son chagrin mais Daniel le précède.

— Tout le monde vous… te croyait mort, depuis tout ce temps.

— Moi aussi je me suis cru mort. Peut-être que d'une certaine façon je le suis.

– Je comprends pas. Puisque tu es là, devant moi. Je ne crois pas aux fantômes.

– Moi non plus. Et pourtant je suis sûr qu'ils existent parfois.

– Et ma mère ? C'est un fantôme ?

Daniel ne sait pas comment il a eu la force de dire ça. Comment il a pu trouver dans sa poitrine un peu d'air pour souffler les mots.

– Qu'est-ce qui lui est arrivé ?

Jean le regarde fixement mais ce qu'il voit c'est toujours Olga dans la colonne de prisonniers, soutenue par une femme, se retournant pour le chercher dans la foule et ne le trouvant pas alors qu'il agite sa main et l'appelle malgré les cris des SS qui essaient de faire taire la foule des hommes qui comme lui gesticulent et hurlent et pleurent et se jettent en avant parfois, terrassés par des coups de crosse ou mordus par un chien et qui tombent et se recroquevillent ne bougeant plus sur le sol gelé, la tête pleine de sang.

Il s'aperçoit au bout d'un moment qu'il est en train de raconter à son fils ce qu'il n'a jamais dit et qu'il a essayé seulement d'écrire sur son cahier.

– Si on avait pu se voir une dernière fois, si on avait pu croiser le regard de l'autre, tu comprends. Si j'avais pu lui dire que je l'aimais, que je n'avais jamais aimé qu'elle… Je ne sais pas, je crois que ça lui aurait fait du bien. J'ai même prié Dieu, tu te rends compte ? J'ai même essayé de parler à cette chose mais il paraît que quand tu n'y crois pas il ne te répond pas. C'est un vieux type qui m'a dit ça. Et quand tu crois en lui tu te rends compte qu'il n'est plus là. Qu'il n'y sera plus. C'est ce que me disait ce vieux Juif, il riait en disant ça comme s'il racontait une bonne blague. Dieu existe, il disait, mais il n'est jamais là, le salaud.

» Mais on s'est parlé tout le temps dans le train. Plus de deux jours serrés l'un contre l'autre, entassés qu'on était tous là-dedans. Je la soutenais, appuyée contre la cloison pour qu'elle dorme un peu, juste quelques minutes. Elle grelottait de fièvre. Je lui ai dit tout ce que je n'avais pas pris le temps de lui dire pendant des années. Et on parlait de toi et là c'était terrible et des fois on préférait se taire parce qu'on serait devenus fous.

Silence. La lumière jaune qui tombe de l'abat-jour crasseux pendu au plafond fait plus d'ombre que de clarté. Ils respirent tous les deux les yeux baissés, voûtés pareillement.

– Des fois, j'arrive plus à me souvenir de son visage, dit Daniel. Il faut que je regarde les photos de Roselyne. Et puis maintenant avec votre voix, plein d'images me reviennent. T'as bien fait de revenir.

– Tu crois ? C'était pas plus simple comme c'était ? Quand j'étais vraiment mort ?

– Non. Je préfère que les gens soient vivants.

Jean hoche la tête, pensif. Mon fils a raison. Il est de l'autre côté, dans le soleil.

– T'as vraiment tué ces gens ?

– Lesquels ?

– Ceux que disent les journaux.

– J'ai tué des salauds. Des proches d'un flic que je connaissais avant la guerre, que j'ai continué de fréquenter pendant l'occupation, malgré ce qui se passait. Au moment où je vous laissais tomber, ta mère et toi. Il s'appelle Albert Darlac. Il avait promis de nous protéger et un jour il nous a livrés. J'ai retrouvé la trace de quelques-uns de ses amis, des membres de sa famille, et je les ai tués. Je suis revenu d'abord pour ça. J'ai cru que ce serait facile. Et puis il y eu cette petite, chez ces bistrotiers. Je ne sais pas ce qu'elle faisait chez eux. Elle est morte dans l'incendie. Je n'ai plus su quoi faire. Pour le reste, Darlac a dû éliminer des témoins gênants et m'a chargé.

– C'est vrai ?

Daniel regrette aussitôt d'avoir demandé ça. Jean se redresse, ouvre ses mains devant lui.

– Il n'y a que toi qui peux me croire. Les autres, je m'en fous.

– C'est pas ce que je voulais dire.

Ils se taisent encore. Ils ont peur que les mots fassent mal.

Daniel regarde Jean. Mon père. Il ne se rend pas bien compte de ce que ça veut dire. Cet homme le rend triste. Il aimerait pouvoir l'aimer. Il a entendu dire des choses sur les liens du sang indissolubles, instinctifs, presque animaux, et il s'aperçoit que c'est faux. Bien sûr il y a cette voix, ces échos, ces images qui renaissent. Mémoire inutile.

– Pourquoi t'es pas revenu me chercher juste après la guerre ?

Des années qu'il se pose chaque jour la question et qu'à chaque fois elle se plante en lui comme une aiguille très fine et va faire naître une douleur électrique, fugace et profonde.

Ils sautent sur leurs pieds quand la porte s'ouvre à la volée et claque contre le mur. Jean a renversé derrière lui la chaise en se levant et Daniel ne comprend pas d'abord qui est ce type qui entre armé d'un pistolet, un colt comme ceux que portaient les officiers en Algérie. Il est grand, large, massif. Il porte des gants, un veston clair, sport.

– Ah putain ! Je parie que je tombe en pleine réunion de famille.

Darlac braque son arme sur Daniel.

– Toi, couche-toi par terre, à plat ventre, mains sur la tête. Et fais vite, parce que je suis un peu pressé.

Il s'en veut de n'avoir pas pris de menottes. Il ne s'attendait pas à ce que cet enfant de putain soit là. Déserteur, donc. C'est encore mieux. Deux pour le prix d'un. De joie, l'envoyé du ministre va se lâcher dans son froc. Il prend dans sa poche le 7,65 de Mazeau.

Daniel obéit. Il essaie de se rappeler le nom du flic dont parlait son père. Darnac ? Darlac. Il se demande quelles sont ses chances de pouvoir se lever pour aller percuter ce fumier avant qu'il ait le temps de faire feu. Nulles.

— Et toi, prends cette chaise et pose ton cul dessus. Ici. Que je vous aie tous les deux dans ma ligne de tir. Et pas de mauvais geste.

Jean ramasse la chaise avec des gestes lents, la remet debout, s'assoit dessus.

— Et maintenant, qu'est-ce que tu vas faire ? Tu vas nous tuer ? Tu vas simuler mon suicide et faire croire que j'ai tué mon fils ?

— Je sais pas encore, mais y a de l'idée. Ferme donc ta gueule, que je jouisse du moment. T'es ma plus belle arrestation. Tu le sais ça ? Que tu sois pris vivant ou mort, tout le monde s'en tape. J'aurai stoppé le meurtrier de neuf personnes. Si on était en Amérique, je passerais dans les magazines pour ça, pistolet au poing, à sourire aux photographes. Tu te rends compte de l'ironie ? T'es revenu pour quoi au juste ? Tuer ces minables et me faire peur ? Tu t'imaginais quoi ? Tu te vengeais de quoi au juste ? De cette vieille histoire de déportation ? Vous avez eu droit à un sursis d'un an, c'est pas mal, non ? Tu t'es cru du bon côté parce que tu fricotais avec moi et quelques putes à Boches pendant que ta femme juive continuait sa petite vie comme si de rien n'était ? Comment t'as pu croire qu'on passe entre les gouttes quand il pleut si fort, pauvre con ? Putain, t'avais quel âge ? Et maintenant, tu reviens te venger comme dans un film ? Regarde-toi : t'es au bout de mon flingue et de ton rouleau : je te tue quand je veux, si je veux, parce que tu t'es foutu

566

dans la merde, comme d'habitude, en te croyant plus malin que les autres.

Jean se concentre sur l'arme, sur l'œil creux qui le fixe, pour ne pas croiser le regard de Darlac. Il subsiste entre le percuteur et l'amorce de la cartouche dix ou quinze millimètres dans lesquels tout ce qu'il a vécu, souffert et espéré se trouve coincé. Il a commis toutes les erreurs possibles. Même celle d'avoir cherché à retrouver Daniel, couché à présent dans la ligne de mire de ce fou dégueulasse. De toute façon, Darlac va tirer. Le tuer. Il ne pensait pas que ça viendrait de cette manière. Si vite. Par ce type. Il aurait préféré faire ça lui-même. Se balancer sous un train. Il y pense souvent depuis trois jours qu'il est là, entendant les locomotives corner là-bas dans la gare. Il se dit que cela aussi il l'aurait peut-être raté. Dérapant au dernier moment sur le ballast, se jetant depuis un pont à côté de la voie ou sur le toit d'un wagon. Ou comment tout rater, jusqu'au grotesque.

Daniel écoute la voix grinçante du flic déverser son venin. Il songe à se redresser, à créer une diversion, mais Darlac tient deux armes en main et il couvre tous les angles possibles. Il aura toujours un bras libre pour tirer, même jeté au sol. Et puis ce genre de type ne se laisse pas impressionner si facilement, ce genre de type se relève toujours, avec à tout moment une ressource insoupçonnée, une botte secrète comme dans les romans de cape et d'épée. Daniel se demande s'il n'a pas peur, tout simplement. Peut-être parce qu'il a croisé le regard du flic, un regard d'eau morte, un marécage empoisonné qui attend qu'on s'en approche pour vous absorber. Là-bas, aurait-il regardé dans les yeux l'ennemi qu'il en aurait sans doute jeté ses armes au lieu de combattre, comme il a fini par le faire.

Un raclement sur le plancher, le choc de la chaise renversée, les cris qui éclatent soudain. Il se relève et

voit les deux hommes rouler au sol et les mains
armées de Darlac battre l'air. Une première détonation
le plaque par terre et l'assourdit au point qu'il voit
dans un bourdonnement douloureux, à l'autre bout de
la pièce au pied d'un mur, les deux corps mêlés se
débattre. Il se remet debout dans l'odeur de poudre et
fonce mais soudain Darlac s'arrache d'un coup de
rein et frappe Jean au visage d'un coup de crosse puis
recule et les braque tous les deux. Il tend son bras
armé du colt et tire deux fois dans la poitrine de Jean
qui encaisse sans un cri, son corps se tassant contre la
plinthe, puis Daniel voit se dresser l'autre poing,
énorme, d'où l'autre pistolet dépasse comme un jouet
d'enfant et il sent à l'épaule un coup de masse qui le
jette en arrière. Il tombe au sol, et quand il essaie
d'amortir sa chute il lui semble qu'il n'a plus de bras
et roule sur le côté.

Darlac place le 7,65 dans la main droite de Jean,
glisse son index sur la queue de détente et appuie. La
balle va se loger dans un mur au-dessus de Daniel où
elle soulève un nuage de poussière blanche. Il reste un
moment debout au milieu de la pièce, il regarde les
deux corps étendus, s'approche de celui de Daniel
quand dans la rue retentissent des appels et des claquements de portières. Alors il descend l'escalier menant
au garage, pousse la porte grinçante alourdie d'étagères pleines de pièces détachées et il aperçoit deux
silhouettes agitant devant elles des lampes torches et
qui se mettent à gueuler « Police ! ne bougez plus ! » Il
décline son identité, son grade, les traite de cons,
s'avance vers eux.

– Ça a mal tourné là-haut. Je suis arrivé trop tard. Il
avait abattu son fils, il a fallu que je me défende.

Les deux hommes cherchent un interrupteur, le
trouvent, regardent sans rien dire luire les carrosseries
sous les ampoules de 100 watts.

La rue est pleine de flics qui décarrent de fourgons de police-secours et de 403 et qui s'égaillent sur les trottoirs dans la lueur dorée des gyrophares. Le commissaire Laborde déboule, flanqué de deux inspecteurs qu'il envoie aussitôt faire les constatations.

– Vous avez ce que vous vouliez ? il dit à Darlac. Tout le monde est mort ?

– J'ai dû le tuer, il me menaçait de son arme. De toute façon, c'était deux balles ou la bascule à charlot. Je préfère la première solution, c'est net, et ça coûte moins cher au contribuable.

– Y a pas que ça qui lui coûte cher au contribuable.

D'autres voitures arrivent. Le préfet. Une huile de la mairie. Darlac les a déjà croisés lors de réunions de travail.

– Alors ? ils demandent en se congratulant avec Laborde. Vous l'avez eu ?

– Il est mort, ainsi que son fils. C'est le commissaire Darlac qui a mené seul l'opération.

Laborde a appuyé sur le mot « seul » et le préfet a haussé un sourcil. Mais il vient tout de même vers Darlac avec un air grave et solennel et lui serre la main.

– Je ne sais pas si ça s'est fait dans les règles de l'art, mais c'est fait. Cette ville va pouvoir retrouver sa tranquillité. La police s'honore d'avoir des officiers tels que vous dans ses rangs. Allez… rentrez chez vous rejoindre votre femme. Vous avez bien mérité quelques heures de repos. N'est-ce pas, commissaire ?

Laborde acquiesce. Darlac prend congé de ces braves gens puis s'éloigne vers sa voiture parmi les félicitations, les témoignages d'admiration. Des képis le saluent. Il serre des mains, il fait le gros dos sous les tapes amicales. « Merde, quel flic, tout de même », il entend dire derrière lui. Il y a longtemps qu'il ne s'était pas senti si paisible. Il hume dans la douceur de la nuit d'été une sensation de perfection et de plénitude. Il songe au cognac qu'il va se servir en arrivant. À la somnolence tranquille qui le prendra bientôt.

Il roule toutes vitres baissées en fumant une cigarette. La meilleure depuis si longtemps qu'il se surprend à chantonner un air à la mode, une de ces âneries que madame marmonne dans sa cuisine au-dessus de ses gamelles.

**

C'est la douleur qui le réveille. Daniel flotte d'abord puis sent son corps retrouver tout son poids. Il est couché dans une position malaisée, la joue droite contre le plancher, le bras coincé sous les côtes, un genou replié. Au moment où il décide de bouger, une main saisit son épaule blessée et lui arrache un gémissement de douleur. Il se retourne et reste allongé sur le dos. La pièce grouille de monde. Il essaie de voir où est tombé son père mais il n'aperçoit qu'une forêt de jambes plantées devant le corps affaissé qu'il distingue à peine. Au-dessus de lui vient s'éberluer le regard d'un homme chauve au visage carré.

– Celui-là est vivant !

Remue-ménage. On s'exclame. Quatre ou cinq visages se tournent vers lui d'un air incrédule.

– Une balle dans l'épaule, dit le flic accroupi auprès de lui. Appelez une ambulance. Prévenez le commissaire Laborde.

Il se sent cloué au sol par son propre poids, un peu comme dans ces essoreuses géantes qu'on voit dans les foires où l'on est collé à la cloison par la vitesse sans pouvoir s'en arracher. Sur le plafond sombre il suit des yeux le contour hasardeux des auréoles jaunâtres, il essaie de penser à quelque chose mais tout s'enfuit tant la douleur l'abrutit et il se fait l'effet d'être réduit à son poids de viande inerte. Par la fenêtre ouverte lui parviennent des éclats de voix, des ronflements de moteurs.

Il revient à lui quand on l'installe sur une civière alors il demande aux policiers qui le soulèvent d'attendre et il se tourne, prend appui sur son bras valide et regarde le corps de son père dont plus personne désormais ne s'occupe et il parvient à distinguer le visage reposé, où les marques du temps semblent s'être estompées, sa bouche entrouverte comme s'il allait dire quelque chose dans son sommeil et il retrouve le souvenir de l'homme qui lui tenait la main quand ils marchaient dans la rue et qui lui parlait en souriant.

Plus tard encore, dans la grande salle de l'hôpital, l'épaule bloquée par les bandages, il a soif, il grelotte de fièvre, écrasé de solitude. Il aimerait que Maurice et Roselyne soient là avec leurs bons sourires. Il aimerait qu'Irène lui donne à boire et tienne sa main. Sentir ses doigts frais dans sa paume. Sa bouche tout près de la sienne. Quelques mots. Il ferme les yeux sur ces pensées douces.

Alors, le flic assis au pied du lit lui jette un coup d'œil par-dessus le journal qu'il est en train de lire et lui demande si ça va.

**

Le commissaire Albert Darlac éprouve une joie nouvelle en refermant derrière lui la porte de la maison. Il fait frais. La porte-fenêtre donnant sur le jardin est ouverte et souffle le parfum du jasmin accroché à la pergola. Madame est assise dans un fauteuil et lit sous la lampe, où se débat un papillon de

nuit. Charmant spectacle. Elle porte un de ces pantalons corsaires qui laissent voir les chevilles et deviner
le reste, serrés au plus près du corps. En haut, un chemisier bleu pâle au col largement ouvert. Il contemple
les rondeurs de sa poitrine, aimerait voir le reste. Il a
envie d'elle. C'est soudain et brutal. Au début – c'était
quand, ce début ? il s'en souvient si mal – il serait
venu près d'elle et aurait glissé sa main sous le tissu,
aurait faufilé ses doigts jusqu'au mamelon qu'il aurait
caressé doucement pendant qu'il aurait enfoui son
autre main entre ses cuisses écartées. Elle se serait renversée en arrière, aurait gémi doucement, aurait empri-
sonné sa main dans sa chaleur secrète…

Il se reprend, ôte son veston, jette son gilet sur le
canapé tout en marchant vers le bar. Cognac. Il en
verse une belle dose dans un verre lourd logé au creux
de sa main. Il le sent, en sirote une gorgée puis va
s'asseoir. Soupir d'aise. Silence et pénombre.

– Élise n'est pas là ?

Madame fait non de la tête. Comme il ne l'a pas
regardée, il attend la réponse, s'apprête à répéter sa
question, renonce, décide que finalement il se fout de
cette fille de pute tout juste bonne à l'allumer avec ses
mamours ou ses attitudes distantes, selon les jours.
Bientôt, tout ça sera terminé. Il aura mis bon ordre
dans sa vie. Ces derniers mois, il a fait du rangement
dans son capharnaüm : il a beaucoup jeté, il est vrai.
Mais on ne peut pas vivre dans l'accumulation de
vieilleries, on ne peut pas marcher indéfiniment dans
la même merde qui finit par vous coller aux semelles
et par sentir et faire se retourner les gens sur votre passage.

Bientôt, il sera un homme libre. Il demandera le
divorce, puisque cette traînée a vu son Boche pendant
des années sans qu'il le sache – c'est ce qu'il dira, et on
le croira, et on regardera cette indigne beauté compro-

mise avec le diable comme une créature maléfique, de celles qu'on marquait au fer rouge ou qu'on a tondues sous les quolibets et les crachats des braves gens. Il est sûr de son affaire. Lui, il demandera une mutation pour Paris, ou non, tiens, plutôt Marseille, parce qu'il aime les sensations et les odeurs fortes, on lui doit bien ça après qu'il a débarrassé cette bonne ville de Bordeaux du pire tueur qu'elle ait connu depuis la fin officielle de la guerre. Alors elles pourront aller se faire voir plus loin, sa fille et elle. Madame reprendra ses cours de sténodactylo et elle trouvera bien un emploi de secrétaire dans un bureau quelconque pour faire bouillir la marmite, elle qui sait si bien y faire. Il la voit bien dispenser ses faveurs à son chef, avec le physique qu'elle a elle peut même finir par monter en grade et épouser un rond-de-cuir ambitieux ou se faire entretenir par un patron adultère.

Le voilà en train de faire des projets d'avenir. Lui qui a vécu avec tant d'acharnement dans le présent, s'interdisant de regarder en arrière, se méfiant du lendemain, il se sent mollir dans la perspective, il réfléchit au futur. Il met ça sur le compte de l'alcool qui commence à l'emballer dans une torpeur où viennent s'intercaler des scènes de genre : madame dans toutes les positions usant et abusant de ses charmes dans les endroits les plus divers au point qu'il se demande si, tâtant à travers l'étoffe de son pantalon l'érection de fer qui le prend, il ne pourrait pas en profiter encore un peu, la retourner comme il fait d'habitude pour ne plus voir sa gueule et s'y ruer sans un mot. Pourquoi ne pas profiter de ce petit confort, de ce droit que le mariage lui a octroyé ?

Il l'entend remuer dans la cuisine et se demande ce qu'elle peut bien foutre et s'étonne de ne l'avoir pas vue se lever. Il regarde autour de lui comme s'il s'éveillait d'un rêve et il assure l'emprise de sa main autour du verre et boit encore un peu.

Elle revient. Il voit sa longue silhouette marcher vers lui, découpée en contre-jour sur la lumière de la cuisine et l'envie de la toucher, de la renverser là, sur ce canapé par exemple, le saisit et le fait tressaillir.

Il est surpris de la voir se planter devant lui, les bras ballants. Il regarde le triangle dessiné par le pantalon moulant en haut des cuisses et ne pense plus qu'à ce qui se cache là.

Il est surpris d'entendre le son de sa voix. « Pourquoi tu as tué Willy ? Pourquoi tu ne me l'as pas laissé ? Je ne te demandais rien. »

Il lève les yeux et voit qu'elle pleure et cela le surprend parce qu'elle a parlé d'une voix ferme et grave.

Il est surpris quand elle tombe sur lui. Il écarte les bras, il a peur de renverser son verre, il est sur le point de gueuler, merde, qu'est-ce que… puis il sent dans sa poitrine la douleur et comprend que du sang est en train de mouiller sa chemise, de détremper le haut de son pantalon, alors il laisse tomber son verre pour essayer de repousser la femme mais ses bras sont sans aucune force et retombent sur elle comme s'il cherchait à l'enlacer.

Elle reste sur lui, pesant de tout son poids sur le couteau. Son visage est à quelques centimètres à peine de celui de l'homme. On pourrait penser qu'elle va l'embrasser ou lui arracher la face avec ses dents. Elle murmure, articulant à peine, mâchoires serrées.

– Regarde-moi, sale con. Regarde-moi comme tu m'as jamais vue.

Les yeux d'Albert Darlac se posent sur elle et il a du mal à reconnaître sa femme, Annette, dans le masque figé penché sur lui, et cette perfection imperturbable lui fait peur, vraiment, parce qu'il lui semble qu'elle n'est pas humaine et qu'il ne peut plus rien en contrôler, lui qui a toujours si bien manipulé tous les médiocres qu'il côtoyait pour en tirer profit. Il essaie quand même de parler mais de sa bouche ouverte ne sort qu'un râle douloureux.

C'est à ce moment-là qu'elle se redresse et qu'il l'aperçoit, couverte de sang, les cheveux impeccablement tirés en arrière comme toujours, mais les avant-bras rouges et luisants, son visage impassible inondé, le maquillage de ses yeux coulant sur ses joues. Il essaie de retirer le couteau plongé en lui jusqu'au manche mais il ne le trouve pas parce qu'il fait sombre, brusquement, son champ de vision parcouru d'illuminations aveuglantes, et que ses bras ne lui obéissent plus.

Elle s'assied dans le fauteuil en face de lui, légèrement penchée en avant, et fixe le manche en bois du couteau qui se soulève au rythme de la respiration. Elle compte à voix basse. Un, deux, trois… Une huitième fois, le manche se soulève puis retombe lentement et ne bouge plus, et la femme essuie ses larmes.

Mise en pages
PCA – 44400 Rezé

Imprimé par CPI (Barcelona).
en avril 2015
Dépôt légal : avril 2015
Imprimé en Espagne